저 아래

LÀ-BAS
by J.-K. Huysmans

조리스카를 위스망스
저 아래

장진영 옮김

wo
rk
ro
om

일러두기

이 책은 조리스카를 위스망스(Joris-Karl Huysmans)의 『저 아래(Là-Bas)』(1891)를 한국어로 옮긴 것이다. 번역 대본으로는 1979년도 플라마리옹(Flammarion) 판본을 사용했다.

주(註)는 옮긴이가 작성했으며, 원주 등의 경우 별도 표기했다.

차례

작가에 대하여

조리스카를 위스망스(Joris-Karl Huysmans, 1848–907)는 1848년 네덜란드 출신 화가 빅토르고드프리드 위스망스와 프랑스 출신 교사 엘리자베트말비나 바댕 사이에서 태어났다. 고등학교 자퇴 후 바칼로레아에 합격해 법과대학에 진학하지만 문학에 심취했으며, 내무부 공무원으로 일하며 정년까지 직장 생활과 글쓰기를 병행한다.

위스망스는 1874년 산문집 『당과 항아리』를 자비 출판하며 데뷔한다. 당시 졸라와 자연주의에 열광한 그는 『마르트, 어느 창녀의 이야기』, 『바타르 자매』, 『결혼 생활』 등 자연주의적 소설들을 주로 쓴다. 그러나 1884년 데카당적 면모를 드러내는 『거꾸로』를 통해 새로운 소설을 모색하며 자연주의에서 벗어나고자 한다. 그러한 의도는 1891년 『저 아래』를 통해 더욱 두드러진다. 이후 위스망스는 가톨릭으로 개종하고 『출행』(1895), 『대성당』(1898), 『제3회인』(1903)을 출간한다.

소설가 위스망스는 문학비평가이기도 했다. 활동 초기 평론 「졸라와 목로주점」을 발표했고, 상징주의 선구자 베를렌과 말라르메가 주목받도록 조명을 비췄다. 미술비평에서도 업적을 남긴다. 비평서 『현대미술』과 『어떤 이들』을 펴내며 당시 배척받던 인상주의를 지지했고 특정 유파에 속하지 않는 화가들을 발굴했다.

위스망스는 1900년 리귀제 생마르탱 수도원에서 제3회인으로 생활하기 시작하지만 상황이 여의치 않자 파리 베네딕트파 수도원 분회당에 정착한다. 순례지 루르드를 여행한 뒤 『루르드의 군중』을 펴낸 해인 1906년 구강암이 발병한다. 1907년 5월 11일 사망한다. 유해는 파리 몽파르나스 묘지에 묻혀 있다.

이 책에 대하여

"보석, 향수, 화초, 회화, 문학, 음악에 대한 주인공의 취향과 박식함, 회상, 사색, 몽상으로 전개되고 있는 (…) 인공 낙원을 꾸미고 칩거하는 것 외에는 아무런 사건도 일어나지 않고 줄거리라고 할 만한 것이 없"는 소설(이 책 508쪽). 옮긴이의 표현대로, 위스망스의 대표작 『거꾸로』는 19세기 말의 탐미적이고 퇴폐적인 경향으로 점철된 소설이었다. 그간 심취했던 자연주의를 벗어나고자 한 『거꾸로』 이후 위스망스의 작품들은 자연주의의 흔적을 내면에 대한 성찰, 영혼에 대한 탐구로 덮는다. 특히 『저 아래』는 인간의 내면 탐구를 위해 자연주의적 기법을 쓰는 신비적 자연주의, 정신적 자연주의를 향하며, 결론적으로 자연주의와 결별한다. 그리하여 이제 위스망스는 정신이 이끄는 땅을 꿈꾼다. 『저 아래』 출간 이듬해인 1892년 그는 가톨릭으로 개종하고, 이후 가톨릭 문학에 속하는 작품들을 쓴다. "위스망스의 삶과 작품은 자연주의와 그 이후로, 혹은 기독교 입문 이전과 그 이후로 나눌 수 있을 것이다. 어떻게 나누건 그 사이에서 전과 후를 가르는 분기점에 『저 아래』가 있다."(517쪽)

그러나 정작 이 책을 펼치는 시선은 주인공이 연구하는 '푸른 수염' 질 드 레의 탐미적 잔혹성을 향하거나, 당시 위스망스가 관심을 뒀던 연금술, 강신술, 중세 마법, 마녀 집회, 악마 숭배, 신성모독 행위들을 뒤따를 수 있겠다. 또한 종에 대해 해박한 지식을 가졌으되 은둔하며 종을 지키는 종지기의 삶은 시대를 잘못 타고난 이의 모습으로도 읽힌다. 덧붙여, 소박하되 풍성한 요리들, 오늘날과 그리 다를 바 없어 보이는 고양이 이야기가 곳곳에 자리한다.

편집자

저 아래

I

"그러니까, 간통이니 사랑이나 야망이니 하는 현대 소설의 매혹적인 주제를 모두 포기하고 질 드 레 이야기를 쓰겠다는 건 자네가 그런 생각들을 정말로 믿는다는 얘기로군."

잠시 말을 멈추었다가 그가 덧붙여 말했다.

"내가 자연주의를 비난하는 이유는 죄수들을 태운 배에서나 쓰는 말들, 화장실이나 무료 숙박소에서나 쓰는 말들을 사용하기 때문이 아니야. 그건 부당하고도 터무니없는 일일 테니까. 우선 주제에 따라서는 그러한 말들이 필요하기도 하고, 또 쓰레기 같은 표현들과 타르처럼 끈적끈적한 말들로도 대단히 영향력 있는 작품들을 만들어낼 수 있으니 말일세. 졸라의 『목로주점』이 그 점을 증명하고 있잖아. 아니야, 문제는 다른 데 있어. 내가 자연주의를 비난하는 건 두텁게 분칠해놓은 듯한 조잡한 문체 때문이 아니라 쓰레기 같은 그 사상 때문이야. 내가 욕하는 건 자연주의가 문학 속에 유물론을 구현해놓았다는 점, 예술의 민주주의를 찬양했다는 점일세!

그래, 자넨 자네 좋을 대로 말하게. 하지만 어쨌든 얼마나 수상쩍은 탁상공론이고, 얼마나 초라하고 편협한 체계인가! 스스로 정욕의 세탁장에 갇혀 있으려 하고, 초자연적인 것을 거부하고, 꿈을 거부하고, 감각이 시중들기를 그치는 곳에서 예술적 호기심이 시작됨을 이해주차 하지 않으려 하니 말일세!

13

자넨 동의하지 않는다는 태도로군. 하지만, 이보게, 우리 주변에서 우리를 절망케 하는 그 모든 불가사의한 것들 속에서 자네가 추구하는 자연주의는 무엇을 보았나? 아무것도 보지 못했네. 어떤 정념을 설명해야 했을 때, 상처의 깊이를 측정해야 했을 때, 심지어 가장 가벼운 정신의 상처를 씻어내야 했을 때조차 자연주의는 죄다 식욕과 본능의 탓으로 돌렸다네.

발정과 광기, 이것들이 자연주의의 유일한 체질일세. 요컨대 자연주의는 배꼽 아랫부분만을 파헤쳐왔을 뿐이고, 사타구니에 접근해서 진부한 소리만을 떠벌렸을 뿐이네. 감정이 메말라 있고, 영혼에 붕대를 칭칭 감고 있네, 그뿐일세!

게다가, 이보게 뒤르탈, 자연주의는 단지 서투르고 아둔할 뿐만 아니라 구역질까지 나게 하지. 이 끔찍한 현대의 삶을 극찬하고, 새로운 미국식 풍습들을 찬양하고, 야만적인 폭력을 예찬하고 금고를 신격화하는 데까지 이르렀거든. 너무나 천박하게 군중의 구역질 나는 취미를 숭배했고, 바로 그러한 사실로 인해 문체를 내버렸고, 모든 고고한 사상을, 초자연적인 것과 세상 너머를 향한 모든 비약을 팽개쳤다네. 부르주아적인 사고들을 너무나 잘 표현했던 게지. 제기랄, 그래서 자연주의가 혹시 『파리의 배』에 나오는 돼지고깃집 안주인 리자*와 오메**의 짝짓기

---

* 에밀 졸라의 『파리의 배(Le Ventre de Paris)』(1873) 속 돼지고기 판매상 크뉘의 아내.
** 귀스타브 플로베르의 『마담 보바리(Madame Bovary)』(1857)에 등장하는 약제상으로,

에서 태어난 게 아닌가 싶네!"

"저런, 자네 말이 좀 지나치군."

뒤르탈이 화난 듯한 말투로 대답했다. 담배에 다시 불을 붙이고 나서 그가 말했다.

"나도 자네만큼이나 유물론을 싫어해. 하지만 그게 자연주의자들이 예술에 되돌려준 잊지 못할 공로들을 부정할 만한 이유는 되지 못해. 왜냐하면 결국 낭만주의가 갖고 있던 기묘한 비인간적인 것들을 우리가 피할 수 있게 해주고, 얼치기 이상주의와 독신자들이 예찬하는 쇠약한 노처녀 같은 상태에서 문학을 구출해준 건 그들이니까 말이야. 요컨대, 발자크 이후 그들은 가시적이고 손으로 만져볼 수 있을 것 같은 인물들을 창조했고, 그 존재들을 주변과 일치시켰어. 그들은 낭만주의자들에 의해 시작된 언어가 발전하는 데 도움을 주었지. 진정한 웃음을 알고 있었고, 경우에 따라서는 눈물을 흘리게 하는 재능도 갖고 있었어. 그들이라고 자네가 지금 말하고 있는 그 저급한 광신에 항상 사로잡혀 있었던 건 아니야!"

"그렇지 않아. 그들은 자신들의 시대를 사랑하고 있거든. 그로써 그들을 판단할 수 있는 거야!"

"저런! 플로베르도 공쿠르형제도 자신들의 시대를 좋아하지 않았는데!"

"그건 자네 말이 맞아. 플로베르와 공쿠르형제는 충

전형적인 지방 유지다.

15

직하고 반항적이고 고결한 예술가들이야. 그래서 나는 그들을 전혀 다른 부류로 분류하지. 쉽게 말하자면, 졸라는 위대한 풍경화가이고 비범한 군중 지도자이자 민중의 대변인이야. 그리고 다행스럽게도 그는 예술 속에 실증주의가 스며듦을 격찬하는 자기 논문의 이론을 소설에서는 철저하게 추구하지 않았어. 하지만 스승의 사상에 가장 영향을 받았던 수제자, 유일하게 재능 있던 소설가 로스니*에 이르러 자연주의 소설은 어떻게 되었나. 낡은 화학 용어를 사용한 세속적인 박학, 비전문가적 지식의 과시가 되었다네! 말할 필요도 없지만, 아직까지 근근이 명맥을 유지하고 있는 자연주의파는 끔찍한 시대의 본능적 욕망들을 반영하고 있어. 자연주의파로 인해 우리 예술이 너무나 저속해지고 너무나 비열해졌기 때문에 나라면 자연주의를 '비굴파'라고 부르겠네. 그리고 또 뭔가? 최근에 나온 자연주의파의 책들을 다시 읽어보게, 거기서 볼 수 있는 게 뭔가? 조잡한 채색 유리잔처럼 유치한 문체로 쓰인 단순한 에피소드들, 신문에서 오려낸 잡다한 사건들, 피곤한 이야기들과 썩어빠진 스토리들뿐이라네. 그것들을 지탱해주는 삶과 영혼에 관한 사상적 지주는 없다네. 그 책들을 다 읽고 난 후, 나는 그 앞뒤가 맞지 않는 묘사들이며, 그 속에 담긴 아무 의미 없는 장광설들을 더 이상 기억하지 못한다네. 내게 남는 바라고는 오직 한 인간이

---

* 벨기에 태생 소설가 조제프 앙리 보엑스(Joseph Henri Boex, 1856–940)의 필명.

사실상 우리에게 밝혀줄 이야기가 전혀 없는데도, 다시 말해서 할 말이 전혀 없는데도, 삼사백 페이지를 쓸 수 있었다는 데서 오는 놀라움뿐이라네."

"자, 데 제르미, 괜찮다면 다른 이야기를 하도록 하세. 이름만으로도 자네를 질리게 하는 이 자연주의에 대해 우리는 결코 합의에 도달할 수 없을 테니까 말이야. 음, 그 마테이* 치료법은 어떻게 되었나? 자네의 그 전기 플라스크와 환약으로 적어도 몇몇 환자들의 고통은 덜어지고 있겠지?"

"후우! 약전(藥典)에 적혀 있는 만병통치약들보다는 치료 효과가 약간 더 있긴 하지. 하지만 그렇다고 해서 효력이 지속적이고 확실하다는 건 아니야. 게다가 이러저러한 일들이… 이보게, 이제 가야겠네. 열 시 종이 울리는 걸 보니 자네 아파트 수위가 곧 계단 가스 불을 끄겠군. 잘 있게, 또 보세, 응?"

문이 다시 닫히자 뒤르탈은 석쇠에 코크스를 몇 삽 퍼 넣고서 생각하기 시작했다.

그 문제를 두고 몇 달 동안 골머리를 앓아왔기에, 그

---

* 볼로냐 출신의 의사(1809–96). 그의 저서 몇 편이 프랑스어로 번역되었는데, 그중 하나가 1883년 니스에서 출판된『생체 전기 동종 요법, 새로운 실험적 치료법』이다. 서문에서 그는 "인체는 피와 림프액으로 구성되어 있고, 그 두 물질은 여러 장기들의 영양과 보존을 맡고 있다… 치유에 도움이 되지 않는 부적절한 약을 억지로 복용시키는 대신 나는 병든 피와 림프액이 자가 치유에 가장 적합한 물질을 끌어당기고 각각의 장기가 제 기능을 발휘하지 못하게 만드는 원인들을 내 생체 전기 동종 요법에 의해서 제거할 수 있게 하려 했다."고 쓰고 있다.

리고 확고부동하다고 믿어왔던 이론들이 이제 상처를 입고 조금씩 부스러져 머릿속을 파편 같은 것들로 가득 채우고 있었기에, 친구와의 논쟁은 그를 짜증 나게 했다.

데 제르미의 의견이 지나침을 알면서도 그는 그로 인해 마음이 흔들리곤 했다.

정직하게 혹은 통찰력을 가지고 말한다면, 살롱과 들판의 무수히 많은 물품 목록들을 나열하면서 보잘것없는 사람들에 대한 단조로운 연구에 몰두하는 자연주의는 곧바로 가장 완전한 고갈 상태로 인도하곤 했고, 그 반대로 지루하기 짝이 없는 장광설, 피곤하기 이를 데 없는 불필요한 반복으로 인도하곤 했다. 하지만 뒤르탈은 셰르뷜리에*와 푀이예** 같은 작가들의 양털처럼 부드러운 작품들, 혹은 퇴리에***와 상드 같은 작가들의 최루성 이야기들처럼, 낭만주의자들의 쓸데없이 화려한 말들로 돌아가지 않는 한, 자연주의를 벗어나서는 소설이 불가능하다고 생각하곤 했다!

"그래서 어떻다는 거야?" 혼란스런 이론들, 떠올리기 힘들고, 성격을 규정하기 어렵고, 종잡을 수 없으며 의심스런 가정들에 부딪친 뒤르탈은 궁지에 빠지곤 했다. 그는 자신이 느끼고 있는 것이 무엇인지 스스로에게 명확히 표현할 수 없었다. 그는 들어가기 겁나는 막다른 골목

---

* Victor Cherbuliez(1829–99). 스위스 제네바 태생의 프랑스 소설가.
** Octave Feuillet(1821–90). 프랑스 소설가.
*** André Theuriet(1833–907). 프랑스의 시인, 소설가.

에 처해 있었다.

"자료의 진실성, 묘사의 정확성, 사실주의의 충실하고 활력에 찬 언어는 간직할 필요가 있겠지." 그는 혼자 중얼거렸다. "하지만 또한 영혼을 깊이 파고드는 사람이 될 필요가 있고, 병든 감각을 가지고 신비를 설명하려하지 말아야 할 거야. 그럴 수 있다면 소설은, 우리의 정신과 육체처럼 결속되어 있거나 뒤섞여 있는 두 부분으로 나뉘어야 할 테고, 그 둘의 상호 반응과 갈등과 일치에 관심을 두어야 할 거야. 간단히 말해 졸라가 깊이 파고들었던 큰길을 따라가야겠지. 하지만 그 길과 나란히 허공에 난 다른 길을 따라가서, 현재와 미래에 도달할 필요가 있어. 한마디로 유심론적 자연주의를 창안할 필요가 있는 거지. 그 자연주의는 훨씬 더 대담하고, 완벽하고, 설득력 있을 거야!"

"그렇지만 요컨대 지금으로서는 그렇게 하고 있는 사람이 아무도 없잖아. 이러한 개념에 근접한 인물로는 기껏해야 도스토옙스키를 들 수 있을 거야. 그런데 이 자비로운 러시아인은 뛰어난 사실주의자라기보다는 오히려 복음주의적 사회주의자일 뿐이야! 현재 프랑스에는, 오로지 육체적인 처방으로 인해 신뢰가 무너진 가운데 두 부류의 파벌이 남아 있어. 그중 하나는 자유주의파인데, 그들은 자연주의에서 대담한 주제와 신어를 모두 제거해서 자연주의가 사교계에 접근할 수 있게끔 해주고 있지. 보다 더 맹목적인 부류가 데카당파인데, 그들은 플롯, 묘사,

19

인물까지 거부하면서, 영적인 대화랍시고 전보문처럼 종잡을 수 없는 말로 헛소리를 늘어놓고 있어. 사실, 그들은 의도적으로 당혹감을 주는 문체로 비할 데 없는 사상의 빈곤을 감추는 데 만족하고 있지." 이들 진실의 오를레앙파*에 대해 생각하며, 뒤르탈은 완고하고 어린애 같은 얼치기 심리학자들을 떠올리고 웃지 않을 수 없었다. "그들은 미지의 정신 영역을 탐사해본 적도 없었고, 어떤 정념에 대한 최소한의 통찰력도 보여주지 못했어. 그들은 쾨이예의 물약 속에 스탕달의 무뚝뚝한 재치를 부어넣는 데 만족하고 있어. 그들은 소금 반 설탕 반으로 만들어진 비시** 문학의 당의정들이야!"

"요컨대, 그들은 중고등학교의 철학 숙제나 논술 따위를 소설 속에서 되풀이하고 있는 거야! 그러한 대단한 교훈들보다도 『사촌 누이 베트』에서 발자크가 윌로 영감에게 하게 했던 '제가 그 계집아이를 데려가도 될까요?'와 같은 간단한 대답이 마음속 깊은 곳을 훨씬 더 잘 밝혀줄 수 있음을 모르는 것 같아. 게다가 그들에게는 다른 곳을 지향하는 어떠한 비상이나 도약도 기대할 게 없어. 이 시대의 진정한 심리학자는 그들이 숭배하는 스탕달이 아니라 정말 놀라운 작가 엘로***야. 그런데 그가 계속해서 실패하다

* 오를레앙파는 1830년 루이 필리프를 왕으로 추대하기 위해 티에르 등이 주동이 되어 결성한 당파. 여기서 진실의 오를레앙파란 극단적으로 사실성을 추구하는 자연주의파를 가리킨다.
** 프랑스 중부의 도시. 2차 대전 때 페탱을 원수로 한 비시정부가 수립된 곳이다.
*** Ernest Hello(1828–85). 열렬한 가톨릭 옹호자이며, 과학주의에 반대해 신비주의의

20

니 도저히 믿을 수가 없어!" 뒤르탈은 그렇게 중얼거렸다.

그는 데 제르미가 옳을지도 모른다는 생각이 들었다. "정말 그래. 혼란에 휩싸인 문단에 확고한 건 아무것도 없어. 초자연적인 것에 대한 욕망을 제외하고는 말이야. 하지만 더 고상한 사상의 결핍으로 인해 그 욕망조차 갈피를 잡지 못하고 도처에서 강신술과 신비술의 모습으로 나타나고 있어."

이런 생각들이 쌓이게 되자 그는 자신이 도달하고자 하는 이상에 접근하기 위해 갈지자 행보를 취하다가 방향을 바꿔 다른 예술, 즉 회화에 주의를 집중하기에 이르렀다. 회화에서는, 원초주의 화가들에 의해 그 이상이 완전히 실현되었다고 그는 생각한 것이다!

이탈리아, 독일, 특히 플랑드르 지역에서 그들 원초주의 화가들은 성스러운 영혼들의 순결하고 풍요로운 모습을 부르짖었다. 그들이 끈기 있게 그린 정확하고 확실한 배경화들 속에서는 매혹적이고 분명한 현실의 존재들이 있는 그대로의 모습으로 튀어나오고 있었다. 대개 비슷한 얼굴을 가진 그 사람들로부터는, 추한 경우도 있지만 전체적으로 강력하게 묘사된 그 모습들로부터는 천상의 기쁨, 강렬한 환희, 정신의 평온, 영혼의 태풍이 뿜어져 나오고 있었다. 말하자면, 느슨해지거나 응축되는 물질의 변형이 있었고, 감각을 벗어난 무한히 먼 곳으로의

모범을 제시한 프랑스 소설가.

21

초월이 있었다.

세기말의 추잡한 광경들에 대해 지금보다 짜증이 덜했던 지난해, 뒤르탈은 이 자연주의의 계시를 경험했다. 독일에서 마티아스 그뤼네발트*가 그린 예수의 수난 그림 앞에서였다.

그는 안락의자에 파묻혀 몸을 떨었고, 거의 고통을 느끼다시피 하며 눈을 감았다. 그림을 떠올리자 눈앞에 아주 환하게 그 그림이 다시 보였다. 카셀 박물관의 작은 방에 들어서면서 내질렀던 탄성을 그는 마음속으로 다시 외쳤다. 그 방 안에는 십자가에 매달린 거대한 예수그리스도 형상이 있었는데, 마치 체중이 실린 활처럼 휜, 껍질이 제대로 벗겨지지 않은 나뭇가지가 팔을 대신해서 그의 몸통을 관통하고 있었다.

그 나뭇가지는 다시 펴져서, 지면 쪽 구멍 난 양발에 박힌 커다란 못들에 의해 지탱되고 있는 그 가련한 육신을 이 모욕과 죄악의 땅으로부터 멀리 던져버리려 하는 것 같았다.

탈구되어 어깨에서 거의 빠져나온 그리스도의 양팔은 둥글게 말려 올라간 근육 띠에 의해 길쭉하게 매달려 있는 것처럼 보였다. 다친 겨드랑이는 삐거덕거리고 있었다. 크게 벌린 양손의 손가락들은 기괴한 모습으로 덜렁거렸지만, 그럼에도 불구하고 그것들은 기도와 비난이 뒤

* Mathias Grünewald(1470?–528). 뒤러와 같은 시대에 활동한 독일 화가.

22

섞인 태도로 축복을 내리고 있었다. 땀으로 번들거리는 가슴근육이 떨리고 있었다. 훤히 드러난 갈비뼈들로 인해 상반신은 원형의 도랑들이 둘러쳐진 것 같았다. 벼룩에 물린 자국들이 있고, 가는 막대에 의해 바늘 자국처럼 찔린 반점이 있는, 검게 썩고 푸르뎅뎅해진 살들은 부어올라 있었다. 부러진 채 살갗 속에 박혀 있는 그 가는 막대들은 아직도 가시로 이곳저곳 살을 찌르고 있었다.

피고름이 흘러나왔다. 옆구리의 보다 깊은 상처에서는 잘 익은 과일로 만든 진한 즙 같은 피가 철철 넘쳐 엉덩이를 흥건히 적시고 있었다. 불그죽죽한 장액(漿液), 약간의 유액, 회색 모젤 포도주 같은 물이 가슴에서 배어 나와 복부를 적시고 있었고, 그 아래로는 불룩한 주름을 넣은 속옷 조각이 나부끼고 있었다. 억지로 붙여놓은 무릎들은 슬개골이 부딪치고 있었고, 뒤틀린 다리들은 발목까지 움푹 패여 있었다. 서로 포개진 발들은 길게 늘어져서 완전히 썩은 냄새를 풍기고 있었고, 피에 흠뻑 젖은 채 창백해져 있었다. 물러지고 피가 엉겨 붙은 그 발들은 끔찍했다. 살은 아물어서 못대가리 위로 다시 솟아 있었고, 경직된 발가락들은 기원하는 손짓과는 반대로 저주를 내리고 있었고, 파랗게 된 발톱 끝은 튀링겐주*의 붉게 물든 땅처럼 철분이 많은 황갈색 땅에 거의 닿아 있었다.

발진이 돋은 시신 위로는 어수선하고 커다란 머리

* 녹일 중앙부에 있는 주.

23

가 드러나 있었다. 가시가 삐죽삐죽 솟은 왕관을 쓴 채 그 머리는 기진맥진한 모습으로 걸려 있었고, 아직도 고통과 공포의 시선으로 떨고 있는 퀭한 한쪽 눈만 간신히 떠져 있었다. 얼굴은 울퉁불퉁했고, 이마는 움푹 꺼졌으며 양쪽 뺨은 바싹 말라붙어 있었다. 뒤로 젖혀진 이목구비에서 체액이 흘러나오고 있는 반면 끔찍한 강직 경련성 요동 때문에 꽉 다물어진 턱과 더불어 벌어진 입은 웃고 있었다.

고문은 가공할 만했고, 그 고통은 환희에 젖었던 살인자들을 공포에 휩싸여 도망치게 했다.

이제 그리스도 양옆에 서 있는 두 인물이 밤을 새며 지켜보는 가운데 십자가는 파란 밤하늘 속에서 아주 낮게, 거의 지면과 같은 높이로 내려앉아 있는 듯했다. 한 사람은 성모마리아로 길게 주름 잡힌 쪽빛 드레스 위로 작은 물결무늬를 그리며 흘러내리는 핏빛 두건을 머리에 두른 채 꼿꼿하고 창백한 모습으로 눈물을 가득 담고 시선을 고정시킨 채 손톱을 손가락 사이에 파묻어 깍지를 끼고 오열하고 있었다. 방랑자처럼, 햇빛에 그을린 슈바벤* 농부처럼 보이는 다른 한 사람은 성 요한으로, 키가 크고 작은 대팻밥처럼 곱슬곱슬한 수염에, 나무껍질을 잘라 만든 것 같은 자락 넓은 천과 진홍색 옷과 부드럽게 무두질한 노란색 가죽 망토를 걸치고 있었는데, 소매 부분

* 독일 남부 지역.

24

이 말려 올라간 망토 안감은 덜 익은 레몬이 황열병에 걸린 듯한 녹색으로 변해 있었다. 낙심해 내던져진 듯 서 있는 마리아보다 인내심 강한 요한도 눈물마저 마른 채, 격정에 싸여 손을 모았고, 스스로의 몸을 추스르고는 붉게 충혈된 몽롱한 눈으로 시신 쪽을 응시했다. 그는 숨을 헐떡거렸고, 꺽꺽거리며 소리 없이 울음을 삼키고 있었다.

아! 피와 눈물로 범벅이 된 이 그리스도 수난상은 르네상스 시대 이후 교회가 채택해왔던 골고다 언덕의 그 유순한 그리스도의 모습과는 천양지차였다! 강직 경련을 일으키고 있는 이 그림 속 그리스도는 부자들의 그리스도도, 갈릴리의 아도니스*도, 풍채 좋은 미남도, 갈색 머리카락에 수염이 가지런히 나 있고 싱겁게 긴 얼굴을 가진, 400년 전부터 신자들이 숭배해오고 있는 잘생긴 소년도 아니었다. 그 그림 속 그리스도는 유스티누스**와 성 바실레이오스,*** 성 키릴로스,**** 테르툴리아누스*****의 그리스도였고, 초기 교회의 그리스도였고, 모든 죄를 떠맡고 겸양에 의해 가장 비천한 모습을 띠고 있기에 상스

* 그리스신화에서 미의 여신 아프로디테에게 사랑받았던 미소년.
** 그리스의 기독교 호교론자(100?-65?). 이교 철학자였다가 기독교로 개종한 후 순교했다.
*** 그리스의 교부, 신학자(330-79).
**** 알렉산드리아의 대주교(376-444). 에페소스 공의회에서 네스토리우스와 예수의 신성 문제로 격렬한 논쟁을 벌였다.
***** 기독교 작가(155-225경). 초대교회의 교부이며 삼위일체라는 용어를 가장 먼저 사용했다고 알려거 있다. 스토이시즘의 영향을 받아 그리스도교와 이교도 문화의 접목을 시도했다.

럽고 추악한 그리스도였다.

그림 속 그리스도는 가난한 자들의 그리스도였고, 자신이 죄를 대속해주려 했던 사람들 중 가장 비참한 사람들, 외모가 흉한 사람들, 거지들, 추하고 가난할 뿐 아니라 비열하기까지 한 모든 사람들과 자신을 동일시했던 그리스도였다. 또한 그는 가장 인간적인 그리스도, 더 이상 새로운 고통을 줄 수 없을 때에 가서야 비로소 개입하는 아버지 하느님에게 버림받은 슬프고 연약한 육체를 지닌 그리스도, 고통받는 모든 사람들이 그렇듯이 어린아이 같은 소리로 외쳐 불렀을 테지만 무력하고 도움을 주지 못한 어머니가 단지 임종을 지켜볼 수 있었을 뿐인 그리스도였다.

아마도 최대한 겸손하게 그는 감각에 허용된 모든 고통을 감수하며 수난을 받아들였다. 그리고 이해할 수 없는 명령에 순종해 구타와 채찍질, 욕설과 침 뱉기 같은 모든 자질구레한 고통에서 한없이 끔찍한 단말마의 고통까지 감수하며 자신의 신성이 중단된 채 있게 내버려두었다. 그렇게 해서 그는 고통을 더 잘 견딜 수 있었고, 극도로 쇠약해진 가운데 끝까지, 육체가 썩는 치욕과 고름투성이가 되는 모욕에까지 나아감으로써 강도처럼, 개처럼 더럽고 비참하게 숨을 몰아쉬며 죽을 수 있었던 것이다!

단언컨대 자연주의의 관점에서 그러한 주제들이 다루어진 적은 아직까지 없었다. 어떤 화가도 그런 식으로 신의 시신을 다루지 않았고, 상처에서 흘러나오는 분비액

26

과 피에 그렇게 노골적으로 자신의 붓을 담그지 않았다. 그 그림은 극단적이었고 끔찍했다. 그뤼네발트는 가장 광적인 리얼리스트였다. 하지만 이 매춘부 같은 대속자, 이 시체 같은 신을 들여다보노라면 그런 것만은 아니었다. 여기저기 팬 그의 머리에서는 빛이 새어 나왔다. 끓어오르는 육체와 강직성 경련이 일어나고 있는 이목구비를 초인간적인 표정이 밝혀주고 있었다. 사지를 펼치고 있는 그 시체는 하느님의 시체였다. 후광도 배광도 없이 점점이 묻은 피로 붉은 반점이 그려져 있고 헝클어진 왕관을 쓰고 있는 단순하고 우스꽝스러운 복장의 예수는 아연실색한 채 정신을 못 차릴 정도로 울고 있는 마리아와 말라버린 눈에서 더 이상 눈물이 흘러나오지 않는 성 요한 사이에서 지고의 신의 모습을 드러내고 있었다.

첫눈에 매우 세속적으로 보이는 얼굴들은 유례없이 넘쳐흐르는 영혼에 의해 변모해 빛을 발하고 있었다. 더 이상 강도도, 거지도, 농부도 없었고, 다만 현세를 초월한 존재들만이 신 곁에 있었다.

그뤼네발트는 이상주의자들 가운데서 가장 열렬한 이상주의자였던 것이다. 어떤 화가도 그렇게 멋지게 정신의 고양을 찬미한 적이 없었고, 그렇게 단호하게 영혼의 절정에서 광란의 천체 속으로 뛰어든 적이 없었다. 그는 양극단으로 나아갔다. 그는 무성한 쓰레기 더미로부터 가장 미묘한 사랑의 박하 향을, 가장 신랄한 눈물의 정수를 추출했다. 그 화폭에서는 눈에 보이지 않는 것과 만져서

27

알 수 있는 것을 만들어낼 것을 요구받은 예술, 다시 말해서 눈물에 젖은 육체의 불결함을 명백히 나타내고 영혼의 무한한 고뇌를 숭고하게 만들 것을 요구받은 예술의 걸작이 모습을 드러내고 있었다.

문학에서는 그에 필적할 만한 것이 없었다. 안네 에메리히*가 쓴 그리스도 수난에 관한 몇몇 구절들이 이러한 초자연주의적 리얼리즘과 샘솟는 듯한 진실한 삶의 이상에 근접하긴 했지만 그 정도가 약했다. 어쩌면 희고 검은 불꽃의 이중 분사로 솟구쳐 오르는 라위스브룩**의 표현들 몇 개가 몇 가지 세부적인 면에서 그뤼네발트가 그린 신의 비천한 모습을 상기시켰을지도 모르겠다. 하지만 아니었다. 그 그림은 유일했다. 대지의 한계를 벗어남과 동시에 대지에 밀착되어 있기 때문이었다.

"그렇다면….." 몽상에서 깨어난 뒤르탈이 중얼거렸다. "그래, 내가 논리적이라면, 나는 중세의 가톨릭에, 다시 말해 신비주의적 자연주의에 도달해 있는 거야. 아냐, 설마, 그래 맞아!"

그는 출구가 보이긴 하지만 너무도 멀리 떨어져 있는 그런 막다른 골목에 다시 부닥쳤다. 자신을 자세히 분석해봐도 소용없었고, 어떤 믿음으로도 자신이 고무된다고 느끼지 못했기 때문이었다. 요컨대, 신에게서는 아무런 명령이 없었고, 그에게는 스스로를 포기하고 알 수 없

* Anna Katharina Emmerich(1774–824). 독일 신비주의자.
** Jan van Ruysbroek(1293–381). 네덜란드 신학자, 신비주의자.

는 불변의 교리 세계 속으로 거리낌 없이 들어가려는 필연적인 의지가 부족했다.

때때로 어떤 책들을 읽고 난 후, 주변적 삶에 대한 혐오감이 뚜렷해질 때면, 수도원 속에서의 마음을 진정시켜주는 시간들, 향연(香煙)이 날리는 가운데 비몽사몽간 드리는 어수선한 기도, 시편을 노래하는 가운데 물결치는 대로 표류하는 상념이 부럽기도 했다. 하지만 이러한 포기의 즐거움들을 맛보기 위해서는 쓸데없는 것을 모두 벗어버린 단순한 영혼, 벌거벗은 영혼이 필요한데, 그의 영혼은 진창으로 꽉 막혀 있었고 오래된 구아노*의 농축액 속에 잠겨 있었다. 고백건대, 하찮고 저속한 생각들로부터, 아주 작지만 반복되는 사소한 일들의 권태로부터, 즉 40대에 접어든 나이, 세탁소 주인과의 말다툼, 싸구려 식당, 돈에 대한 환멸, 집세 지불일 걱정으로 위축된 쇠약한 영혼으로부터 시대를 벗어나 도피하기 위해 신앙을 갖고 싶다는 순간적인 소망이 솟아나곤 했다. 추적의 위험, 먹을 것과 집세 걱정, 세탁물 돌보기에서 벗어나기 위해 유흥가로 흘러들어오는 여자애들처럼 그는 잠시 수도원으로 도피할 생각이 들었다.

독신자에다 재산도 없고, 이제 성적 유희에도 그다지 관심이 없는 그는 자신이 이룩해놓은 이러한 삶을 간혹 불평하곤 했다. 문장들을 다듬느라 지쳐 펜을 집어던

* 조분석(鳥糞石). 건조한 해안 지방에서 바닷새의 배설물이 쌓여 응고된 것.

질 때면 자신의 앞날을 생각하곤 했지만 미래 속에서 보이는 것은 오직 고통스럽고 불안한 문제들뿐이었다. 그럴 때면 그는 위안거리와 마음을 가라앉혀주는 것들을 찾았고, 종교란 아직도 가장 참기 힘든 상처를 가장 부드러운 연고제로 치료해줄 수 있는 유일한 것이라고 생각할 수밖에 없었다. 그렇지만 한편으로 종교는 상식 포기와 더 이상 아무것에도 놀라지 않겠다는 의지를 강요하기 때문에, 뒤르탈은 종교를 넘보면서도 그로부터 멀어져갔다.

사실 그는 끊임없이 종교 주위를 맴돌기만 했다. 종교가 어떤 확실한 근거에 토대를 두고 있지는 않았지만, 그래도 빛을 발하고 화려하게 개화될 것이어서, 그의 영혼은 종교의 타오르는 줄기를 휘감아 타고 올라갈 수도, 시간적 간격과 세속을 넘어 더 놀랍도록 높은 곳에서 황홀경에 몰입할 수도 없었기 때문이었다. 하지만 황홀하고 내면적인 종교미술과 찬란한 전설들, 그리고 눈부시게 소박한 성인들의 삶을 통해 종교는 여전히 뒤르탈에게 영향을 주었다.

그는 종교는 믿지 않았지만 초자연적인 것은 인정했다. '우리들 마음속에서, 우리들 주변에서, 거리에서, 요컨대 종교를 생각할 때면 어디에서나 갑자기 솟아나는 신비를 이 지상에서 어떻게 부인할 수 있단 말인가? 눈에 보이지 않는, 인간 외적인 관계들을 배척하고, 예기치 않은 사건들, 불운과 행운들을 불가해한 우연의 탓으로 돌리는 건 정말이지 너무나 쉬운 일이야. 뜻하지 않은 만남들이 종종 한 사람의 전 생애를 결정하지 않던가? 사랑이란, 그리고 이해할 수 없지만 명백한 영향력들이란 도대체 무엇이란 말인가? 그래도 이런 수수께끼들 가운데서 가장 당혹스러운 건 여전히 돈이라는 수수께끼 아닐까?

결국, 우리는 원초적인 법칙, 즉 세상이 존재하게 된 이후 공포되어 적용되고 있는 끔찍한 유기체의 법칙에 마주 서 있기 때문이야.

돈의 규칙은 지속적이고 언제나 명확하지. 돈은 돈을 끌어당기고, 한곳에 모이려 하고, 특히나 사악한 사람들과 보잘것없는 사람들에게로 향하고 있어. 측량할 길 없는 예외에 의해, 사악하지도 않고 비천하지도 않은 그저 그런 영혼을 가진 부자의 집에 돈이 쌓일 때면, 그 돈은 비생산적인 채 남게 되어 좋은 일을 하는 데 사용되지도 못하고, 설사 자비로운 사람들의 손에 있더라도 고결한 목표를 달성할 수가 없어. 그런 식으로 돈은 자신의 잘못된 행선지에 대해 복수하는 것 같고, 자신이 최악의 사기꾼이나 가장 혐오스러운 상놈의 수중에 들어 있지 않을 때면 의도적으로 자기 자신을 마비시키는 것 같아.

돈은 혹시라도 길을 잃고 가난한 자의 집에 들어올 때 더욱더 유별나지. 이때 그 가난한 자가 청렴한 사람이라면 돈은 즉시 그를 더럽히지. 돈은 아주 정숙한 극빈자를 음탕하게 만들고, 그의 육체와 정신에 동시에 영향력을 미치고, 계속해서 그에게 형편없는 에고이즘과 추악한 사만심을 권하고, 오직 자기 자신만을 위해 돈을 쓸 것을

31

암시하고, 아주 겸손한 사람을 뻔뻔스러운 천박한 사람으로, 아주 도량이 넓은 사람을 구두쇠로 만들지. 돈은 순식간에 모든 습관들을 변화시키고, 모든 생각을 뒤집어엎고, 가장 완고한 정념들을 눈 깜짝할 사이에 변모시키거든.

돈은 대단히 많은 죄악을 먹여 살리는, 가장 영양이 풍부한 음식이야. 그리고 어떻게 보면 또한 주의 깊은 죄악의 회계원이기도 해. 돈이 그 돈의 소지자가 자신을 잊게 하고, 시주하게 만들고, 가난한 사람에게 은혜를 베풀게 하더라도, 즉시 그 가난한 사람이 선행에 대한 증오심을 갖게 만들거든. 돈은 탐욕을 배은망덕으로 대체하면서 균형을 회복해. 그래서 수지계산은 균형을 이루고 최소한 장부상 잘못은 없게 되는 거야.

하지만 돈이 진짜 극악무도해지는 건 말의 검은 베일 아래 자신의 빛나는 이름을 숨긴 채 자본이라고 불릴 때야. 이때 돈의 영향력은 절도와 살인 교사 같은 개별적인 선동에 그치지 않고 인류 전체로 확대되지. 한마디로 자본은 독점을 결정하고, 은행들을 세우고, 자양분을 독차지하고, 삶을 좌지우지하고, 원한다면 수천 명을 굶어 죽게 할 수도 있는 거야!

그러는 동안에도 자본은 양분을 빨아들이고, 살이 찌고, 금고 속에서 홀로 새끼를 치지. 그래서 구세계든 신세계든 세상 사람 모두가 무릎 꿇고 자본을 숭상하며, 신 앞에서처럼 자본 앞에서 욕망으로 인해 죽어가고 있어.

그래! 그처럼 영혼의 지배자인 돈은 악마와도 같아

서 설명하기가 불가능한 거야. 그런데, 돈만큼이나 이해할 수 없는 다른 불가사의한 것들은 얼마나 많고, 생각할 줄 아는 인간이라면 그 앞에서 몸을 떨 수밖에 없는 상황들은 또 얼마나 많은지!'

'하지만, 알 수 없는 것 속에서 갈피를 못 잡고 있으면서도 우리는 왜 삼위일체를 믿지 않고, 왜 그리스도의 신성을 거부하는 것일까?' 뒤르탈은 생각했다. '성 아우구스티누스처럼, '나는 불합리하기 때문에 믿는다.'는 것을 쉽사리 받아들일 수 있고, 테르툴리아누스처럼, 만일 초자연적인 것이 이해 가능하다면 그건 초자연적인 것이 아니리라고, 초자연적인 것이 신적인 까닭은 바로 인간의 능력을 넘어서기 때문이라고 말할 수 있을 텐데 말이야.

아! 이런! 요컨대 이따위는 생각하지 않는 게 차라리 더 낫겠어!' 이성을 따라가던 영혼이 공허에 빠지자 그는 영혼이 도약할 수 있게 하지 못한 채 또다시 뒤로 물러섰다.

사실 그는 데 제르미가 그렇게 야유를 퍼부었던 자연주의라는 출발점에서 멀리 떨어진 길을 방황하고 다녔다. 이제 여정의 중간에 있는 그뤼네발트까지 되돌아온 그의 생각엔 그 그림이야말로 예술적 분노의 전형이었다. 내세를 핑계 삼아 그렇게 멀리 나아가고, 가장 열렬한 가톨릭 신앙에 빠져들다니 쓸데없었다. 초자연주의라는, 유일하게 그의 마음에 드는 표현을 고안해내는 데는 강신론자가 되는 것으로도 아마 충분하리라.

그는 일어서서 자신의 작은 방 안을 거닐었다. 책상

위에 쌓여 있는 원고들, '푸른 수염'이라 불리는 드 레 원수에 관한 노트들을 보자 그는 근심이 사라졌다.

'정말이지, 자신의 방 안에서, 시대를 초월해 있을 때처럼 행복한 건 없어.' 쾌활함을 거의 되찾은 그는 생각했다. '아! 과거에 갇혀 현재로부터 멀리 떨어진 시대를 다시 살고, 더 이상 신문을 읽지 않고, 극장들이 있는지 없는지조차 모른다면 얼마나 근사한 일이야! 길모퉁이 식료품점 주인보다도, 또 정식 결혼으로 부자가 되기 위해 자신이 미련퉁이라 부르는 주인집 딸을 범하는 카페 웨이터가 완벽하게 우의적으로 보여주고 있듯이 돈이면 다 되는 시대의 그 어떤 단역배우들보다도, 내게는 '푸른 수염'이 더 흥미로워!'

"이쪽이야, 침대로 오렴." 그가 웃으며 말했다. 고양이가 눈에 띄었기 때문이었다. 시간을 무척이나 잘 알고 있는 짐승이었다. 고양이는 걱정스러운 듯 그를 쳐다보며, 상호 간 예절을 상기시키고, 잠자리를 준비해주지 않았음을 비난하고 있었다. 뒤르탈이 베개들을 정돈하고 침대 커버를 젖히자 침대 발치로 뛰어올라왔지만, 꼬리를 앞발 사이에 둔 채 가만히 앉아 있었다. 발로 밟아 우묵한 잠자리를 만들기 위해 자기 주인이 눕기를 기다리는 것이었다.

II

뒤르탈은 거의 2년 전부터 문단 출입을 끊고 있었다. 책들은 말할 것도 없고 신문에 난 잡담성 기사들과 이런저런 사람들의 추억담과 회고록들에서도 그 세계를 지성의 교구인 양, 가장 영적인 엘리트들인 양 표현하려 애쓰고 있었다. 그에 따르면 문단은 정신이 불꽃 막대 모양으로 바작바작 타오르고, 가장 자극적이고 재치 있는 응답들이 오가는 곳이었다. 뒤르탈은 그처럼 항상 똑같은 말이 지속적으로 되풀이되는 이유를 잘 납득할 수 없었다. 경험적으로 볼 때 현재 문인들은 욕심 많은 부르주아 집단과 혐오스럽고 상스러운 인간들의 집단이라는 두 집단으로 나뉘어 있다는 생각 때문이었다.

전자에 속한 사람들은 사실 대중에게 애지중지 사랑받는 사람들, 따라서 도덕적으로는 결함이 있지만 사회적으로는 성공한 사람들이었다. 존경받고 싶은 마음에, 그들은 고상한 사업을 흉내 냈고, 연회의 저녁 식사를 즐겼고, 검은색 정장 차림으로 파티를 열곤 했고, 오직 저작권이나 판권에 대해서만 말했고, 연극 작품들에 대해 서로 이야기를 나누었고, 돈 있는 티를 내곤 했다.

후자에 속한 사람들은 무리를 이루어 구렁텅이에서 넘쳐흐르고 있었다. 그들은 작은 카페에서 노닥거리는 건달들이거나 맥주홀이 문을 닫을 때까지 남아 있는 사람들이었다. 그들은 모두 서로를 증오하면서 자신들의 작품들

을 소리쳐 외쳐댔고, 자신들의 재능을 떠벌렸으며, 맥주
홀의 의자에서 뒹굴었고, 코가 비뚤어지게 맥주를 마시며
불만을 토해내곤 했다.

그 외에 다른 환경은 존재하지 않았다. 카바레와 살
롱처럼 혼잡하지 않고 배신과 사기의 흑심을 품지 않은
채 몇몇 예술가들에게 편안하게 이야기할 수 있는 공간,
여자들을 피해서 오로지 예술에만 몰두할 수 있는 내밀한
공간이 유난히 드물어졌던 것이다!

요컨대 문단에는 정신적 귀족주의도 없었고, 놀랄
만한 안목도 없었고, 생동감 있고 신비스러운 정신적 경
향도 없었다. 그곳에서는 증권거래소 근처의 상티에 가나
소르본 대학 근처의 퀴자스 가에서처럼 통상적인 대화만
오갈 뿐이었다.

먹잇감을 잘게 조각낼 기회를 호시탐탐 노리고 있
는 가마우지들과는 우정을 나눌 수 없음을 경험을 통해
알게 된 뒤르탈은 사기꾼이 되거나 사기당한 자가 될 것
을 강요하는 그 관계들을 끊어버렸다.

그러고 나자, 솔직히 말해서 그와 그의 동업자들을
연결시켜주는 것은 아무것도 없었다. 예전에, 그가 자연
주의의 결함들을 받아들이던 때, 즉 자연주의의 틀에 박
힌 이야기들, 문도 창문도 없는 캄캄한 소설들을 인정하
던 때에는 그들과 미학에 대해서 논의할 여지가 있었다.
하지만 지금은!

"사실상 자네와 다른 리얼리스트들 사이에는 생각

의 차이가 너무나 크기 때문에 일시적인 일치가 오래 지속될 수 없을 걸세." 데 제르미는 이렇게 주장하곤 했다. "자네는 자네가 살고 있는 시대를 증오하고 있지만 그들은 찬양하고 있지. 모두가 그 탓일세. 언제고 자네는 이렇게 미국화된 예술의 영역을 떠나, 먼 곳에서, 보다 더 탁트이고 평범하지 않은 영역을 찾아야 할 운명이었어.

자네가 쓴 모든 책들 속에서 자네는 언제나 세기말을 격렬하게 비난했지. 하지만, 글쎄, 사람들은 아무리 때려도 쓰러졌다가 다시 일어서는 데 결국 싫증 내기 마련이야. 자네는 호흡을 가다듬고 다른 시대에 자리를 잡아야 했어. 그곳에서 마음에 드는 주제들을 찾게 되기를 기다리면서 말이야. 자네가 여러 달 동안 겪었던 정신적 혼란과 질 드 레에 열광했을 때 갑자기 자네가 되찾은 정신적 건강은 그로써 아주 쉽게 설명된다네."

사실이었다. 데 제르미는 올바로 보았던 것이다. 무시무시하면서도 감미로운 중세 말에 푹 빠져 있을 때, 뒤르탈은 다시 태어나는 듯한 느낌을 받았다. 그는 유유히 주변을 경멸하면서 살아가기 시작했고, 문단의 소란스러움과는 거리가 먼 삶을 꾸려나갔고, 요컨대 정신적으로 스스로를 격리시켜 티포주 성의 '푸른 수염' 곁에서 그 기이한 인물과 거의 연애하듯 완벽하게 조화를 이루며 생활했다.

그의 마음속에 소설 대신 역사가 자리를 잡았다. 여러 개의 장으로 묶이고 조잡하게 포장된 구성, 필연적으로 진부하고 관습적인 구성으로 소설은 그에게 상처를 주어왔다. 그렇지만 역사는 부득이한 해결책에 불과한 것 같았다. 왜냐하면 그는 이 학문의 현실성을 믿지 않기 때문이었다. "재능 있는 사람에게 있어서 사건들이란 사고와 문체의 도약대일 뿐이야. 모든 사건들이 명분상의 필요나 작가의 기질에 따라 가벼워지거나 무거워지니까." 그는 이렇게 중얼거렸다.

"그 사건들을 뒷받침해주는 자료들로 말하자면 더욱더 한심하잖아! 확고부동한 건 아무것도 없고 모두 수정 가능하니까 말이야. 의심스럽지만 않으면 되는 거야. 아무리 입증된 것처럼 보일지라도 나중에 발견된 자료들에 의해 정반대로 바뀌기도 하지. 하지만 그 자료들 역시 첫 번째 것보다 더 정확하지 않을뿐더러 또다시 새로운 발견에 의해 바뀌게 될 운명이야.

현재, 역사는 시골 귀족들의 문학적 갈증을 풀어주는 데 도움이 되고 있을 뿐이야. 그들은 먼지 낀 고문서들을 고집스럽게 파헤치면서 한림원이 명예의 메달과 대상들을 수여하는 그 지저분한 삽화 소설들을 침을 흘리며 준비하고 있지."

따라서 뒤르탈에게 있어 역사는 거짓말 중에서 가장 엄숙한 거짓말, 속임수 중에서 가장 유치한 속임수였다. 그의 생각에 고대의 클레이오*는 지느러미가 달린 총

* 고대 그리스신화에서 역사를 주관하던 뮤즈.

38

신(寵臣)들의 보호를 받고 있으며 어린아이용 모자를 쓴 스핑크스의 얼굴로만 표현될 수 있었다.

"사실, 정확한 표현이란 불가능한 거야." 뒤르탈은 중얼거렸다. "가장 최근에 일어난 에피소드들, 예를 들면 프랑스대혁명의 숨겨진 비화들이나 파리코뮌의 말뚝들을 설명할 수 있는 사람조차 아무도 없는데 어떻게 중세의 사건들 속으로 뚫고 들어갈 수 있을까? 그러니 스스로 자신의 시각을 만들어내는 수밖에 없어. 자기 자신에 비추어 다른 시대의 인간들을 상상하고, 그 인간들 속에서 자기 자신을 구체화시키고, 그럴 수 있다면, 그들의 헐어 보이는 옷을 걸치고, 마지막으로 솜씨 좋게 선별한 세부적인 사항들로 전체적으로 거짓 모습들을 꾸며내는 수밖에 없는 거야. 요컨대 미슐레*가 썼던 방법이지. 비록 폭발적인 감정과 광적인 국수주의로 인해 그가 세운 가설들의 가능성이 흐려지고 추측의 신빙성이 약화되자 흥분한 그가 별것도 아닌 것들 앞에 멈춰 서고, 스스로가 부풀려서 대단한 것이라고 선포한 일화들 속에서 서서히 헛소리를 하고, 그다지 중요치 않은 부분들 속을 헤매고 다니긴 했지만, 그럼에도 불구하고 미슐레는 여러 세기를 한 눈으로 내려다보면서, 잘 알려지지 않은 일련의 전설과 설화 속으로 뛰어들었던 유일한 사람이었어."

신경질적이고 말이 많고, 뻔뻔스럽고 사사롭긴 하지

---

* Jules Michelet(1798–874). 프랑스의 역사학자.

만 그의 『프랑스사』는 몇몇 대목들에서 거친 바닷바람이 일곤 했다. 그 책의 등장인물들은 동료 역사가들이 그들을 묻어두었던 케케묵은 일화집들 속 주변부에서 빠져나와 생생하게 살아 있는 모습이었다. 따라서 가장 사사롭고 가장 예술가적이기 때문에 미슐레가 진실과 가장 거리가 먼 역사가였다는 점은 그다지 중요하지 않았다. 다른 사람들은 쓸데없는 서류들을 샅샅이 뒤지고, 잡다한 사건들을 코르크 메모판에 핀으로 꽂아놓는 데 만족하고 있었다. 텐*의 예를 따라 그들은 필기된 것들을 지우기도 하고 이것저것 이어 붙이기도 했는데, 물론 그들이 간직한 것은 오직 그들이 꾸며낸 이야기를 뒷받침해줄 수 있는 것들뿐이었다. 그들은 상상과 열정을 모두 금지했고, 아무것도 꾸며내서는 안 된다고 주장했다. 그들이 아무것도 꾸며내지 않았음은 사실이었다. 하지만 그럼에도 불구하고 그들은 자료 선택을 통해 역사를 조작했다. 그리고 또 그들의 체계는 얼마나 단순했던가! 어떤 사건이 프랑스의 몇몇 지역에서 발생했음이 발견되면 즉각 그해의 어떤 날에, 어떤 시간에 나라 전체가 그런 식으로 생각하고 살았다고 그들은 결론 내리곤 했다.

그들은 용감한 위작자였던 미슐레 못지않았던 것이다. 하지만 그들에게는 미슐레 같은 넓은 안목도 전망도 없었다. 그들은 역사를 파는 시시한 잡화상들, 뜨내기 장

---

* Hippolyte Taine(1828–93). 프랑스 문학비평가, 철학자, 역사가.

사치들, 촌평가들이었다. 그들은 꼼꼼하게 분석할 줄은 알지만, 압정으로 찍어놓은 듯 색을 칠하는 점묘파 화가들이나 잘게 다진 말로 멋진 시를 써내는 데카당파 시인들처럼 전체를 보여주지는 못했다.

'게다가 전기 작가들은 더 문제야.' 뒤르탈은 이렇게 생각했다. '그들 전기 작가들은 털을 뽑는 사람들이야. 어떤 사람들은 테오도라*가 정숙한 여인이었고, 얀 스테인**이 술을 전혀 마시지 않았음을 보여주기 위해 책을 썼지. 어떤 사람은 비용***의 벼룩을 잡았고, 민요시에 나오는 뚱보 여인 마르고가 실제 여자가 아니라 카바레의 광고판 그림임을 입증하려 애썼어. 조금 더 했으면 이들은 시인이란 얌전 빼는 금욕적인 사람, 분별력 있고 성실한 사람이라 묘사했을 거야. 광풍에 요동치는 삶을 살았던 작가나 화가들의 전기를 쓰면서 이들 역사가들은 자기 자신이 타락할까 두려워했는지도 모르지. 어쩌면 그들은 그 작가나 화가들이 자신들처럼 부르주아이기를 바랐는지도 몰라. 하여간에 그들이 자세히 조사하고, 변형시키고, 선별한 유명한 작품들의 도움으로 모든 것이 갖추어졌어.'

오늘날 전능한 힘을 발휘하고 있는 이들 복권(復權)파에 뒤르탈은 짜증이 났다. 또한 그는 질 드 레에 관한 책을 쓰면서 이들 예절에 굶주린 사람들, 명예에 광분하

* 동로마 황제 유스티니아누스 1세의 비(508?–48).
** Jan Steen(1626?–79). 네덜란드의 화가.
*** François Villon(1431–63?). 프랑스 중세 말기의 시인.

는 사람들처럼 고정관념에 빠지지 않으리라 확신했다. 역사에 대해 갖고 있는 생각 때문에 '푸른 수염'을 다른 누구보다 더 정확하게 재현하겠다고 주장할 수는 없었지만, 적어도 그는 '푸른 수염'에 조미료를 첨가하지 않고, 미적지근한 언어의 욕조 속에 담가서 물렁하게 만들지 않고, 좋은 면에서건 나쁜 면에서건 그를 대중의 입맛에 맞는 범인(凡人)으로 만들지 않으리라 확신했다. 그는 도약을 위한 자료로 질 드 레의 상속인들이 왕에게 보낸 진정서 사본, 파리에 몇 가지 사본들이 남아 있는 낭트의 형사소송에 관해 그가 적어놓았던 노트들, 발레 드 비리빌*이 쓴 샤를7세 이야기 발췌본, 마지막으로 아르망 게로**의 작품 해제와 보사르 신부***의 전기를 가지고 있었다. 15세기에 가장 예술가답고, 가장 섬세하고, 가장 잔인하고, 가장 사악한 인물이었던 그 악마 같은 자의 무시무시한 형상을 확립하는 데는 그것들로 충분했다.

오직 한 사람만이 그가 쓰려고 하는 책의 계획을 알고 있었는데, 요즘 들어 거의 매일 만나고 있는 데 제르미가 바로 그였다.

그가 데 제르미를 알게 된 것은 가장 기묘한 인물들이 모이는 샹트루브의 집에서였다. 샹트루브는 모든 사교

---

* Vallet de Viriville(1815-68). 프랑스 역사가.
** Armand-Laurent Guéraud(1824-61). 프랑스 낭트에서 활동했던 출판업자.
*** Théodore-Eugène Bossard(1853-905). 성직자이자 석학으로, 질 드 레 전기와 방데
전쟁에 대한 책을 썼다.

계 인물들을 식사에 초대하고 있다고 자랑하는 가톨릭 역사학자였다. 그리고 정말 겨울에는, 한 주에 한 번 가장 기괴한 사람들 무리가 바뇌 가에 있는 그의 살롱에 모여들곤 했다. 신부복을 입은 현학자들, 싸구려 술집의 시인들, 신문기자들, 여자 배우들, 나운도르프*의 입장을 지지하는 자들, 그리고 수상쩍은 지식 판매인들이 그들이었다.

그 집은 요컨대 성직자 세계의 경계에 위치하고 있어서, 성직자들은 마치 우범지대에나 가는 듯이 그곳에 들르곤 했다. 거기서 그들은 괴상망측하면서 동시에 세련된 방식으로 저녁 식사를 했다. 샹트루브는 다정하고, 정신적으로 여유가 있고, 열정적인 활기로 가득 차 있는 인물이었다. 때때로 검은색 안경알 너머 스쳐 지나가는 섬뜩한 시선 때문에 심리 분석가들이 다소 불안해하곤 했지만, 그는 성직자 같은 친절로 선입견들을 누그러뜨리곤 했다. 그리고 그다지 예쁘지도 않고 기이한 그의 아내 주변에는 사람들이 많이 몰렸다. 하지만 그녀는 말없이 있곤 했고, 손님들의 부단한 대화도 장려하지 않았다. 그녀

* 루이16세와 마리 앙투아네트가 단두대에서 처형되었을 때 황태자 루이 샤를 역시 투옥되어 감옥에서 사망한 것으로 되어 있으나 실제로는 죽지 않았다는 설이 무성했다. 루이16세의 아우는 스스로 루이18세라 칭하며 부르봉왕조의 부활을 시도했고, 이와 더불어 스스로 황태자 루이 샤를임을 주장하는 사람들이 많이 나타나게 되었다. 카를 빌헬름 나운도르프(Karl Wilhelm Naundorff, 1787–845)는 그러한 사람들 중 하나로 황태자의 유모와 루이16세의 사법 대신에 의해 루이 샤를이라고 인정받았지만 누이와의 접견은 받아들여지지 않았다. 샤를의 누이는 당시의 왕 루이 필리프 지지자였다고 한다. 나운도르프는 자신이 황태자임을 인정해달라는 민사소송을 제기했지만 국외로 추방되었고, 잠시 런던에 미물다나 네덜란드로 건너가 그곳에서 사망했다. 나운도르프의 후손들은 아직도 프랑스 법정에서 그들의 권리를 주장하고 있다.

는 자기 남편과 마찬가지로 얌전한 척하는 태도가 전혀 없었다. 무표정하고 거의 거만한 태도로 가장 기괴한 역설들까지도 기침 소리조차 내지 않고 들어주었으며, 멍한 표정과 초점 없는 시선으로 먼 곳을 바라보며 미소 짓곤 했다.

최근 개종한 라 루세이가 그리스도 찬가를 소리 높이 읊어대던 어느 날의 야회에서 담배를 피우고 있던 뒤르탈은, 샹트루브의 살롱과 서재에 빼곡하게 들어차 있는 단정치 못한 환속 수도사들 그리고 시인들과 뚜렷이 구분되는 데 제르미의 용모와 복장을 보고 깜짝 놀랐다.

교활하거나 작위적인 모습들 속에서 그는 매우 고상하지만 경계하는 듯하고 고집 센 사람처럼 보였다. 키가 크고, 호리호리하고, 매우 창백한 모습의 그는 탐색하는 듯한 짧은 코에 붙어 있는 눈, 성석(聖石)처럼 짙은 푸른색에 무뚝뚝한 빛의 눈을 찌푸리곤 했다. 머리는 금발이었고, 뺨 쪽은 면도를 했고 턱 밑으로 뾰족하게 기른 수염은 코르크 색깔로 변해 있었다. 그 몸속에는 병약한 노르웨이인의 피와 까다로운 영국인의 피가 흐르고 있었다. 런던제 옷을 입고 있었는데, 우중충한 색깔에, 허리 부분이 꼭 끼며, 매우 높이 올라와 넥타이와 깃을 거의 가리는 체크무늬 양복이 몸에 꽉 끼는 듯했다. 자신의 용모에 무척 신경을 쓰는 그는 자기만의 방식으로 장갑을 벗고 그것을 둘둘 말아 소리나지 않게 툭툭 치곤 했다. 그러고 나서는 자리에 앉아 바쿠스의 지팡이처럼 긴 다리를 꼬고 한쪽으로, 즉 오른쪽으로 몸을 기울이면서 몸통에 붙은 왼쪽 주머니에서 담배 종이와 담배 가루가 들어 있는 평평하고 압형 무늬가 박힌 일본제 담배쌈지를 꺼내곤 했다.

그는 합리적으로 처신했고, 경계심이 가득했으며, 모르는 사람들 앞에서는 신경을 팽팽하게 긴장시킨 채 냉정했다. 오만하고, 또한 거북스러운 태도는 음울하고 갑자기 끊어지는 웃음과 어울렸다. 그는 언뜻 보기에 상당한 반감을 불러일으켰는데, 악담과 경멸에 찬 침묵, 엄격하거나 빈정거리는 듯한 미소로 인해 당연히 그러한 반감이 일어났다. 그는 샹트루브의 집에서 존경받고 있었고, 특히 두려움의 대상이었다. 하지만 일단 그를 알게 되면 그 얼음장 같은 모습 속에 실제로는 호의가 담겨 있음을, 그다지 넘쳐나지는 않지만 상당한 희생이 가능한 우정, 요컨대 신뢰할 만한 우정이 은밀히 타오르고 있음을 알 수 있었다.

그는 어떻게 살고 있을까? 부자일까 아니면 단지 먹고살 만할까? 아무도 알지 못했다. 그리고 다른 사람들을 대할 때 매우 조심성이 많은 그는 자신의 일에 대해서는 결코 말하지 않았다. 그는 파리 의과대학 박사였다. 뒤르탈은 우연히 그의 학위증을 보았던 것이다. 하지만 그는 의학에 대해 무척이나 경멸조로 이야기하곤 했고, 효과 없는 치료학에 대한 혐오 때문에 유사 요법에 몰두한 적이 있지만 볼로냐 의학 때문에 유사 요법을 버렸고, 지금은 볼로냐 의학을 폭하고 있다고 고백했다.

때때로 뒤르탈은 데 제르미가 문학을 했던 것은 아닐까 하고 의심하지 않을 수 없었다. 왜냐하면 데 제르미는 문학을 업으로 하는 사람만큼이나 확실하게 문학을 평가하고 있었고, 문학에서의 가장 복잡한 트릭들을 아는 전문가의 능숙함으로 가장 난해한 문체를 분석해내곤 했기 때문이었다. 그러던 어느 날, 혹시 작품들을 숨겨놓고 있는 것 아니냐고 뒤르탈이 웃음 띤 채 비난을 가하자 그는 다소 우울한 태도로 대답했다. "나는 영혼의 저속한 본능인 표절 본능을 일찌감치 없애버렸다네. 플로베르를 갉아내어 팔아먹고 있는 사람들보다 더 뛰어나지는 못해도 그들만큼은 플로베르를 공부할 수 있었을지도 모르지. 하지만 그래봐야 무슨 소용이 있었겠나? 나는 신비로운 약제들을 극히 소량으로 나누어놓기를 더 좋아했다네. 꼭 필요한 일은 아니지만 가치 없는 일은 아니거든!"

뒤르탈을 놀라게 한 것은 예컨대 그의 박식함이었다. 그는 비범한 사람이었고, 모든 것을 알고 있었고, 가장 오래된 책들, 가장 오래된 관습들, 가장 최신의 발견들을 꿰고 있었다. 파리 시의 비범한 낙오자들과 어울린 덕분에 그는 잡다하고 적대적이기도 한 여러 학문들을 누구보다도 더 잘 알고 있었던 것이다. 너무나 단정하고 냉정해 보이는 그였지만, 그는 만날 때마다 언제나 천문학자들, 유태교 신비학자들, 악령 연구가들, 연금술사들, 신학자들, 그리고 발명가들과 함께 있었다.

예술가들의 안이한 교제와 진실성 없는 친절에 싫

증이 나 있던 뒤르탈은 그 인물의 절제된 태도, 엄격하고 쉽게 이완되지 않는 태도에 끌렸다. 그동안 감내해왔던 그 많은 겉치레뿐인 우정에 비추어 볼 때 뒤르탈이 데 제르미에게 끌렸음은 당연했다. 보다 더 설명하기 힘든 건 기괴한 취향과 교우 관계를 갖고 있는 데 제르미가 요컨 대 말수가 적고 차분하며 과장이라곤 없는 뒤르탈에게 애정을 보여주었다는 점이었다. 하지만 데 제르미는 때때로 보다 덜 답답하고 덜 과열된 분위기에 젖을 필요성을 느끼고 있었는지도 모른다. 그리고 자신들의 천재적 재능만을 생각하고, 오로지 자신들의 발견과 자신들의 학문에만 관심을 두고, 끊임없이 언쟁을 벌이는 미치광이들과는 그가 좋아하던 문학 토론이 전적으로 불가능했던 것이다!

마침내 동료들 사이에서 고립된 뒤르탈과 마찬가지로 데 제르미는 자신이 경멸해왔던 의사들로부터도, 자신이 어울려왔던 그 모든 전문가들로부터도 아무것도 기대할 수 없었다.

요컨대 그들의 만남은 거의 같은 상황에 처해 있던 두 존재의 만남이었다. 처음 그들의 관계는 제한적이었고 오랫동안 소극적이었다. 하지만 마침내 말을 트기 시작하면서 그 관계는 긴밀해지고 견고해졌으며, 특히 뒤르탈에게 유익했다. 사실 뒤르탈의 가족들은 오래전에 죽었고, 젊은 시절의 친구들은 결혼했거나 사라졌다. 문단을 떠난 이후 그는 완전히 고독한 상태에 빠져 있었다. 데 제르미는 자기 세계에 틀어박혀 고립 속에 경직되었던 뒤르탈의 존재의 매듭을 풀어주었다. 데 제르미는 뒤르탈의 풍부한 감각들을 되살려주었고, 우정을 통해 그를 환골탈태시켰으며, 뒤르탈이 사랑하지 않을 수 없게 될 친구들 중 한 사람을 그에게 소개시켜주었다.

그 친구에 대해 종종 이야기하곤 했던 데 제르미는 마침내 어느 날 이렇게 말했다. "아무래도 자네에게 그를 소개해야겠군. 그는 내가 빌려주었던 자네의 책을 좋아하고 자네를 기다리고 있다네. 자네는 내가 별난 사람들이나 모호한 사람들하고만 어울리기 좋아한다고 비난하고 있지만 카렉스가 아주 특별한 사람임을 자네도 알게 될 거야. 그는 영리하면서도 위선적이지 않은 가톨릭 신자고, 질투나 증오도 할 줄 모르는 불쌍한 친구지."

III

뒤르탈은 수위에게 집 안 청소를 시키는 대다수의 독신자들과 같은 상황에 처해 있었다. 그런 사람들만이 용량이 얼마 되지 않는 램프가 얼마나 많은 기름을 먹어치우는지, 코냑 한 병이 그 양은 줄어들지 않으면서 얼마나 빛깔이 연해지고 알코올 도수가 낮아지는지 알 수 있다. 그들은 수위가 시트의 사소한 주름에 얼마나 신경을 쓰느냐에 따라 편안했던 침대가 얼마나 불편해지는지도 알고 있다. 마지막으로 그들은 목이 마르면 언제나 유리잔을 씻어야 하고, 추우면 언제나 불을 다시 지피는 수고를 해야 한다는 점을 터득한다.

뒤르탈의 수위는 콧수염을 기른 노인이었는데, 그의 뜨거운 숨결에서는 언제나 독한 증류주 향이 배어나오곤 했다. 그는 게으르고 태평한 사람으로, 집 안 청소가 매일 아침 같은 시각에 끝나 있어야 한다고 말하는 뒤르탈의 질책에 궁시렁대곤 했다.

위협해보고, 팁을 안 주겠다고도 해보고, 욕설도 하고 간청도 했건만 다 실패했다. 라토 영감은 모자를 쳐들어 올리고, 머리칼을 쓸어 넘기며, 알아들었다는 투로 잘하겠다고 약속했지만 다음 날이면 더 늦게 오곤 했다.

"괘씸한 노인네!" 그날도 뒤르탈은 신음하듯 내뱉었다. 자물쇠에서 열쇠가 돌아가는 소리가 들리자 그는 손목시계를 쳐다보며 수위가 오후 세 시 넘어서 왔음을 다시 한 번 확인했다.

수위실 안에서는 무기력하면서 온화한 모습을 보이다가도 손에 빗자루만 쥐면 무시무시해지는 그 인간의 소동을 뒤르탈은 참아야 할 판이었다. 모락모락 피어나는 미로통*의 따스한 김 속에서 새벽부터 꼼짝 않고 졸기만 하는 이 인간에게서 군대식 걸음걸이와 호전적인 본능이 갑자기 모습을 드러내곤 했다. 그는 폭도로 돌변해서 침대를 공격하고, 의자들을 엉망진창으로 만들어놓고, 액자들을 가지고 재주를 부리고, 테이블을 뒤집어엎고, 물주전자와 대야를 두들기고, 패배자들의 머리채를 잡고 끌듯이 끈을 잡고 뒤르탈의 장화를 질질 끌고, 바리케이드를 치우듯이 방 안을 치우고, 뿌연 먼지 속에서, 죽어 넘어진 가구들 위에 깃발을 대신해서 자신의 걸레를 꽂곤 했다.

그럴 때면 뒤르탈은 수위가 공격하지 않는 방으로 몸을 피하곤 했다. 그날은 라토 영감이 전투를 시작한 작업실을 포기하고 침실로 도망쳐야만 했다. 그곳에서 그는 열어놓은 커튼을 통해 등을 보이고 있는 적이 머리 위에 깃털을 꽂고 모히칸족의 관 같은 것을 쓰고 테이블 주위를 돌며 머리 가죽 춤을 추기 시작하는 모습을 보았다.

"저 멍청이 영감이 몇 시에 올라오는지 시간만 알 수 있다면 나가 있을 준비를 할 텐데!" 그는 이를 갈면서

---

* 소고기에 양파를 넣은 스튜 요리의 일종.

그렇게 중얼거렸다. 이제 라토 영감은 바닥에 초 칠하는 도구들을 움켜쥐고 마루판을 문지르고, 한쪽 발로 뛰면서 고함을 내지르며 솔 위에 올라 미끄럼을 타고 있었기 때문이었다.

땀에 흠뻑 젖은 채 의기양양한 모습으로 그가 문틀 안쪽에 모습을 드러냈고, 뒤르탈이 있는 방을 정복하기 위해 다가왔다. 뒤르탈은 고양이를 데리고 안전한 작업실로 되돌아오지 않을 수 없었다. 고양이는 이러한 소동에 긴장해 걸음을 옮길 때마다 주인을 졸졸 따라다녔고, 주인의 다리에 몸을 비비면서 빈방으로 되돌아오곤 했다.

그때 데 제르미가 초인종을 울렸다. "장화를 신고 있네, 여기서 나가세." 뒤르탈이 소리쳤다. "아이구, 이런." 그는 테이블 위로 손을 뻗어 회색 벙어리장갑을 끼었다. "저 짐승 같은 늙은이가 죄다 흔들어놓고, 알 수 없는 무언가와 싸우고 있어. 그래서 이 꼴이라네. 청소를 시작하기 전보다 먼지가 더 많다니까!"

"에이, 설마." 데 제르미가 말했다. "하지만 먼지는 괜찮은 걸세. 먼지는 아주 오래된 비스킷 맛이 나고 낡은 책 냄새가 나지. 그뿐만 아니라, 먼지는 부드러운 벨벳이고 젖지 않는 가랑비 같아서 사물들의 지나친 색과 거친 톤을 줄여주지. 먼지는 자연스레 생긴 막이자 망각의 베일이야. 그러니 자네가 가끔 가다 떠올리는 가련한 운명을 가진 몇몇 사람들을 제외하곤 누가 그것을 싫어힐 수 있겠나?

파리의 상가에서 살아가는 사람들의 삶을 생각해보게. 그래, 어떤 골목길, 예컨대 파노라마 골목에 있는 어느 2층 방의 아치형 창문에서 피를 토하며 숨이 막혀 답답해하는 폐결핵 환자를 상상해보게. 창문은 열려 있고, 퀴퀴한 담배 연기와 미지근한 땀 냄새로 가득 찬 먼지가 일어나고 있네. 그 불행한 사람은 질식할 지경이라 신선한 공기를 마시기를 간청하고 있네. 사람들은 서둘러 창문으로 달려가지… 그러고는 창문을 다시 닫는다네. 왜냐고? 그가 숨을 쉬게 도와줄 수 있는 길은 먼지투성이 골목에서 그를 벗어나게 하는 것뿐이기 때문이지.

어떤가? 각혈과 기침을 일으키는 이 먼지보다는 자네가 불평하고 있는 먼지가 더 낫지 않은가? 그런데, 준비다 됐으면 내려갈까?"

"어떤 길로 가지?" 뒤르탈이 물었다.

데 제르미는 대답하지 않았다. 그들은 뒤르탈이 살고 있는 르가르 가를 떠나 셰르슈미디 길을 지나 크루아루주 길까지 내려갔다.

"생쉴피스 광장까지 가세." 데 제르미가 말했다. 잠시 입을 다물고 있다가 그가 다시 말했다.

"먼지로 말하자면, 바로 거기서 우리가 생겨났고 또 우리가 되돌아가게 될 곳이기도 하지. 그런데, 우리가 죽고 나면 시체가 뚱뚱한지 말랐는지에 따라 서로 다른 벌레들에 의해 해체된다는 것을 알고 있나? 살찐 사람들의 시체에서는 일종의 애벌레들, 식근성(食根性) 벌레들이 발견된다네. 마른 사람들의 시체에서는 포라* 파리들만 발견될 뿐이지. 풍성한 식사를 경멸하고 푸짐한 양식을 주는 고기와 맛 좋고 살찐 복부 스튜를 무시하는 그 파리들은 분명히 벌레의 귀족이고 금욕적인 벌레들일 거야. 벌레들이 우리들 각자의 시체 먼지를 준비하는 방식에서도 완벽한 평등이 존재하지 않는다는 말일세!"

"그건 그렇고, 이보게, 여기서 멈추세." 그들은 페루가와 광장 모퉁이에 도착했다. 뒤르탈은 얼굴을 쳐들고, 생쉴피스 성당 측면의 열려진 현관 위에서 '탑 구경 가능함'이라고 쓰여 있는 표지판을 읽었다.

"올라가세." 데 제르미가 말했다.

"무엇하러 말인가? 이런 날씨에!"

그러면서 뒤르탈은 손가락으로 검은 구름들을 가리켰다. 구름들은 공장에서 나오는 연기처럼 진흙빛 하늘 속으로 사라지고 있었는데, 하늘이 너무 낮아서 양철로 만든 굴뚝의 관들이 마치 그 속으로 들어가 지붕들 위로 뚜렷한 총안 자국을 내놓은 것 같았다.

"자넨 그 위에서 무얼 조사하려고 하는 건가? 깨져서 들쭉날쭉한 계단을 올라가고 싶지도 않을뿐더러, 이슬비는 내리고 있고 날은 어두워지고 있잖은가. 난 안 올라가겠네, 절대로!"

"저곳에서 산책하나 다른 곳에서 산책하나 자네에

---

* 육식성 파리의 일종.

게 무슨 상관이 있나? 자, 자네가 생각지도 못한 것들을 보게 될 걸세, 정말이야."

"그렇다면, 자넨 어떤 목적이 있어서 이곳에 온 거로군?"

"그렇다네."

"그럼 진작 말하지 그랬나!" 그러면서 뒤르탈은 데 제르미를 따라 현관 아래로 들어갔다. 못에 걸린 소형 기름 램프가 빛을 비추고 있었고, 지하 묘지 안쪽에 문이 하나 있었다. 그곳이 탑으로 올라가는 입구였다.

한참 동안 그들은 어둠 속을 뚫고 나사 홈 모양의 나선형 계단을 올라갔다. 뒤르탈은 관리인이 근무처를 내버려두고 어디로 간 건 아닌가 속으로 생각했다. 그때 벽 모퉁이에서 불그스름한 빛이 흘러나왔고, 그들은 모퉁이를 돌아서 문 앞에 걸린 켕케식 램프*와 맞닥뜨렸다.

데 제르미가 초인종 줄을 잡아당겼다. 문이 갑자기 사라졌다. 그들의 머리 위, 얼굴 높이의 계단에 불빛을 받은 발이 보였지만, 발의 주인은 어둠 속에 가려 얼굴이 보이지 않았다.

"저런, 당신이군요, 데 제르미 씨." 나이 든 여성이 빛을 받으며 상반신을 둥글게 굽혔다. "아! 정말, 루이가 좋아할 거예요!"

---

* 속이 빈 원통형 유리에 심지를 꼬아 넣어 태우는 석유램프. 1780년 스위스인 에메 아르강(Aimé Argand)이 발명했지만 프랑스에서 앙투안아르누 켕케(Antoine-Arnoult Quinquet)가 상용화해 켕케식 램프라고 불렸다.

"안에 있나요?" 이렇게 말하면서 데 제르미는 그 여인과 악수를 했다.

"탑에 있어요. 그런데, 좀 쉬셔야 하지 않겠어요?"

"아니에요, 괜찮다면 내려와서 쉬지요."

"그렇다면 격자문이 보일 때까지 올라가세요, 아유! 이런, 나 좀 봐. 당신이 나보다도 더 잘 알고 있는데!"

"네, 네… 조금 있다가요. 그 전에 제 친구 뒤르탈을 소개할게요."

뒤르탈은 얼떨결에 어둠 속에서 허리를 굽혔다.

"아! 선생님, 루이가 얼마나 당신과 만나고 싶어 했는지 몰라요, 이렇게 보게 되네요!"

"이 친구가 나를 어디로 데려가는 걸까?" 뒤르탈은 이렇게 생각하며 또다시 친구를 따라 나섰다. 그는 채광창을 통해 잠깐씩 비춰지는 빛을 따라 어둠 속에서 넘어지기도 하고, 길을 잃었다가 가늘게 새어 나오는 빛을 만나기도 하면서 암흑 속을 더듬어 나아갔다.

올라가는 길은 끝이 없어 보였다. 마침내 그들은 여닫이 격자문에 도달했다. 그들은 안으로 들어가서 허공에 걸린 목재 테두리, 즉 판자로 만든 이중 수직 통로의 둘레 위에 올라섰다. 통로 하나는 그들 발밑에 패여 있었고, 다른 하나는 그들 머리 위에 솟아 있었다.

그곳이 마치 자기 집이라도 한 듯 데 제르미가 손짓으로 두 개의 심연을 가리켰다.

뒤르탈이 처다보았나.

그가 있는 곳은 탑 중앙이었는데, 그 탑에는 위에서 아래까지 엑스(X) 자 모양의 두꺼운 널빤지들, 즉 나무 막대로 보강해 리벳으로 고정시키고 주먹만 한 크기의 나사로 결합시킨 조립된 들보들이 가득 들어 있었다. 뒤르탈의 눈에는 아무도 보이지 않았다. 그는 벽을 따라 설치된 선반에 의지해 몸을 돌리고, 반향판의 경사진 차양을 통해 들어오는 빛 쪽으로 나아갔다.

그는 낭떠러지 같은 곳으로 몸을 내민 채, 자신의 발밑에서 철갑을 두른 떡갈나무 횡목에 걸려 있는 거대한 종들, 거무튀튀한 철제 화관이 달려 있고, 마치 기름을 칠한 것처럼 햇빛을 굴절시키지 않고 빨아들이는 끈적끈적한 청동제 종들을 보았다.

그는 뒤로 물러서면서 머리 위, 위쪽 심연에서 새로운 종 세트들을 보았다. 그 종들은 주교의 초상이 부조로 각인되어 있었고, 안쪽은 추에 의해 닳은 곳이 황금빛으로 빛나고 있었다.

아무것도 움직이지 않는 채였다. 하지만 바람이 반향판의 기울어진 박판들을 지나며 짤까닥거리는 소리를 냈고, 나무로 만든 종 틀 속에 소용돌이를 일으켰고, 나선형 계단에 윙윙거리는 요란한 소리를 냈고, 뒤집혀진 종 아가리 속으로 불어닥치고 있었다. 갑자기 한줄기 바람이, 그리 거칠지 않은 조용한 바람결이 뺨을 스쳐갔다. 그는 눈을 치켜떴다. 종 하나가 바람을 가르며 흔들리기 시작했다. 갑자기 종이 울리고, 소리가 높아졌고, 거대한 절

굿공이를 닮은 추가 청동 주발 안에서 으스러뜨리는 듯한 무시무시한 소리를 냈다. 탑이 흔들렸고, 그가 서 있는 테두리 판자가 기차 바닥처럼 진동했다. 지속적으로 크게 울리던 웅웅거리는 소리가 폭발적인 타격음에 의해 깨진 채 퍼져나가고 있었다.

탑의 천장을 살펴보려 했지만 소용없었다. 그의 눈에는 아무도 보이지 않았다. 하지만 그는 각각의 종 아래쪽에 붙어 있는 나무 페달 두 개 중 하나를 부술 듯이 밟고 있는, 허공으로 뻗은 다리 하나를 언뜻 보았다. 그리고 마침내 두꺼운 널빤지 위에 거의 눕다시피 한 종지기가 두 손으로 커다란 꺾쇠를 쥔 채 눈을 쳐들어 하늘을 보며 깊은 심연 속에서 몸을 흔드는 것을 보았다.

뒤르탈은 몹시 놀랐다. 그처럼 창백한 모습을, 그리고 그처럼 사람을 당황하게 만드는 얼굴을 한 번도 본 적 없었기 때문이었다. 그 남자의 안색은 회복기에 든 사람의 양초 같은 안색도, 향내로 인해 피부가 탈색된 조향사들의 광택 없는 안색도 아니었다. 또한 회색으로 변한 잿빛 살갗도 아니었다. 중세 죄인들의 핏기 없는 납빛 안색이었고, 지금은 볼 수 없는, 축축한 지하 감옥 속이나 공기도 순환되지 않는 어두운 수도원 감옥 속에 죽을 때까지 갇혀 지내는 사람의 안색이었다.

눈은 파란색에 볼록 튀어나오고 둥근 모양이었으며, 금방 눈물이라도 흘릴 것 같은 광신자의 슬픔이 어려 있었다. 하지만 그 눈은 특이하게도 말라붙은 카이저수염 때문에 모순돼 보였다. 건강이 좋지 못한 듯하면서도 동시에 군인 같기도 한, 거의 무어라 규정할 수 없는 모습이었다.

그가 마지막으로 종의 페달을 밟았고, 허리를 뒤로 빼면서 다시 균형을 잡았다. 그는 이마의 땀을 닦으며 데 제르미를 향해 미소 지었다.

"아, 이런, 오셨군요!" 그가 말했다.

내려와서 뒤르탈의 이름을 듣자 그의 안색이 밝아졌다. 그는 뒤르탈의 손을 잡았다.

"선생님, 당신을 얼마나 기다렸는지 모를 겁니다. 줄곧 당신에 관해 이야기하면서도 우리 친구가 얼마나 오랫동안 당신을 숨겨두고 있었는지요."

"이리 오시지요." 그가 쾌활한 어조로 다시 말했다. "당신에게 내 작은 영지를 보여드리겠습니다. 당신 책들을 읽었는데, 당신 역시 종들을 좋아하지 않을 수 없을 겁니다. 하지만 그것들을 보려면 좀 더 높은 곳으로 가야 합니다."

그러고서 그가 계단으로 뛰어올라 갔고, 데 제르미는 계단을 막아서며, 앞에 선 뒤르탈을 밀었다.

나선형 계단을 다시 올라가기 시작하면서 뒤르탈이 물었다.

"그런데 자네 친구 카렉스, 저 사람이 카렉스 맞지? 그가 종지기라고 왜 내게 말을 안 했나?"

데 제르미는 대답할 수 없었다. 그 순간 그들은 탑의

석재 궁륭에 도착했기 때문이었다. 카렉스는 한쪽으로 비켜서서 그들이 지나갈 수 있게 했다. 중앙의 발밑으로 구멍이 움푹 파여 있고, 녹이 슬어 오렌지색으로 부식된 쇠난간이 둥글게 처져 있는 둥근 방에 그들은 들어섰다.

가까이 다가가자 눈길이 심연의 바닥에까지 닿았다. 난간은 진짜 우물의 석재 테두리 같았다. 그리고 그 우물은 수리 중인 듯했는데, 지지대로 보강되어 종들을 지탱하고 있는 비계가 마치 우물의 위에서 아래까지 벽을 떠받치기 위해 세워져 있는 것처럼 보였기 때문이었다.

"겁내지 말고 가까이 오세요." 카렉스가 말했다. "그리고, 보세요, 선생님, 정말 멋지지 않은가요!"

하지만 뒤르탈에게는 그의 목소리가 거의 들리지 않았다. 아직까지 흔들리고 있지만 잠시 후면 다시 잠잠해져 완전한 휴식에 들어갈 종의 잦아드는 소리가 멀리서 불어오는 바람처럼 새어 나오고 있는 그 벌어진 구멍에 마음이 끌린 뒤르탈은 그처럼 허공에 떠 있는 것이 불편하게 느껴졌다.

그는 뒤로 물러섰다.

"탑 꼭대기에 가보고 싶지 않으세요?" 벽 속에 감춰져 있는 철제 계단을 가리키면서 카렉스가 다시 말했다.

"아닙니다, 다음에 하지요."

그들은 다시 내려왔고, 카렉스가 묵묵히 문을 열었다. 그들은 큰 창고 속으로 들어갔는데, 그곳에는 부서진 대형 성인 조각상들, 몸이 불편하고 문둥병에 걸린 사도들, 한쪽 다리가 절단되고 한 팔을 못 쓰는 성 마테오 상들, 반쪽짜리 소의 호위를 받고 있는 성 누가 상들, 다리를 절고 수염 일부가 없는 성 마르코 상들, 나사가 빠진 날개들을 일으켜 세우고 있는 성 베드로 상들이 들어 있었다.

"예전에는 이곳에 그네가 있었지요." 카렉스가 말했다. "이곳은 여자아이들로 가득했었답니다. 으레 그렇듯 특권이 남용되었지요… 황혼이 찾아오면 돈 몇 푼으로 온갖 일들이 벌어지곤 했답니다. 마침내 주임신부님이 그네를 없애고 방을 폐쇄시켰지요."

"그런데, 저것은 뭔가요?" 구석에서 둥근 모양의 커다란 쇳조각을 본 뒤르탈이 물었다. 거대한 반쪽짜리 구면체 같은 것으로, 먼지를 뒤집어쓰고 있었으며 점점이 무늬가 박힌 가벼운 천으로 망이 쳐져 있어서, 납 구슬이 달려 오톨도톨한 투망 같기도 하고 몸을 굽히고 있는 검은 거미의 몸 같기도 했다.

"저거라뇨! 아, 저것 말이군요, 선생님!" 카렉스의 멍한 눈에 다시 활력이 일고 불길이 타올랐다. "저것은 유례를 찾아볼 수 없는 소리를 내던 아주 낡은 종의 몸체랍니다. 저 종은 말이지요, 천상의 소리를 냈었지요!"

그러고는 갑자기 그가 흥분해서 말했다.

"보세요, 아마 데 제르미가 당신에게 말했겠지만 종들은 이미 끝났어요. 아니 차라리 더 이상 찾아보기 힘든 종지기들이 끝났다고 해야겠군요! 오늘날엔 탄광촌 아이들이나, 지붕 잇는 사람들, 석공들, 은퇴한 소방수들이 푼돈을 받고 현장에 모여들어 그 일을 하지요! 아! 그들을 보아야 하는데! 하지만 그보다 더 나쁜 게 있어요. '거리에서 군인들을 모아보세요. 10수*만 주면 그들은 그 일을 할 겁니다.'라고 서슴없이 말하는 주임 사제들이 있거든요. 그래요, 최근 노트르담 성당에 그런 사람이 하나 있었는데, 그는 제때 발을 빼내지 못했지요. 순식간에 종이 몸위로 떨어져서 마치 면도칼로 베듯 그 사람 다리를 싹둑 잘라버렸답니다.

그런 사제들이 제단 지붕을 위해서는 3만 프랑이나 되는 돈을 낭비하고, 음악을 위해서 물 쓰듯 돈을 쓴답니다. 그들은 자신들의 성당에 가스를 필요로 하고, 수많은 호화로운 장식을 필요로 하지요. 내가 제대로 알고 있는 거지요? 종 얘기가 나오면, 그들은 어깨를 으쓱할 뿐입니다. 뒤르탈 씨, 당신은 파리에 종지기가 둘밖에 없다는 사실을 아시나요? 나와 미셸 신부인데, 미셸 신부는 미혼인데다 그의 생활 습관 때문에 정상적으로 교회에 소속될 수 없답니다. 그 사람은 유례를 찾을 수 없는 최고의 종지기예요. 하지만 그 역시 흥미를 잃고 있어요. 그는 술을 마신답니다. 그리고 취했건 안 취했건 일을 하고, 그런 다음에 그는 다시 술을 마시고 잠이 든답니다.

아! 그래요, 이젠 정말 끝장이에요! 보세요, 오늘 아

---

* 프랑스의 옛 화폐단위. 1수는 5상팀(1프랑의 100분의 1)에 해당한다.

침에 대주교님의 교회 순시가 있었답니다. 여덟 시에 대주교님이 도착했음을 종을 쳐서 알려야 했지요. 당신이 이곳에서 보았던 종들 여섯 개가 울렸지요. 우리는 열여섯 명이 그 일에 달라붙어 있었어요. 정말, 유감이었지요. 그 사람들은 얼간이들처럼 몸을 흔들었고, 엇박자로 발길질을 해댔지요. 엉망이었어요!"

그들은 계단을 다 내려왔고, 카렉스는 이제 침묵을 지키고 있었다.

"종들은 말이죠," 그가 뒤돌아서서, 푸른 물이 끓어오르는 듯한 눈으로 뒤르탈을 뚫어지게 바라보며 말했다. "그야말로 진정한 교회음악이랍니다!"

그들은 성당 광장 위에 있는 지붕 덮인 큰 회랑에 도달했는데, 그 회랑 위쪽으로 탑들이 있었다. 카렉스가 미소를 지으며, 두 개의 기둥 사이에 자리를 잡은 채 널빤지에 달린 아주 작은 종들 일습을 보여주었다. 그가 줄들을 잡아당기자 구리종들이 가볍게 부딪치는 소리를 냈다. 그는 눈길을 집중하고, 입술을 실룩거려 수염을 쓸어 올리면서, 안개 속에 파묻히는 그 가벼운 종소리의 도약을 황홀한 모습으로 듣고 있었다.

그러다가 갑자기 그가 줄들을 내던졌다. "예전엔 이 일에 심취해 있었지요." 그가 말했다. "나는 이곳에서 학생들을 가르치고 싶었답니다. 하지만 점점 수익이 줄어드는 일을 배우려 하는 사람은 아무도 없었지요. 심지어 결혼식에서도 더 이상 종을 울리지 않고 이젠 어느 누구도 탑에 올라가지 않거든요!"

"사실," 그가 내려오면서 다시 말했다. "나로서는 불평할 처지가 아니에요. 나는 종탑 아래 거리가 싫어요. 바깥에 발을 내딛으면 나는 머릿속이 혼란스러워진답니다. 그래서 아침에만 내 종탑을 떠난답니다. 광장 끝에 있는 물 양동이를 찾으러 가기 위해서지요. 하지만 내 아내는 이 높은 곳을 지긋지긋해 하고 있어요. 정말, 끔찍하지요. 모든 구멍들을 통해 눈이 들어와서 쌓이거든요. 그래서 때로 바람이 몹시 심하게 불 때면 우리는 꼼짝 않고 머물러 있지요."

그들은 카렉스의 숙소 앞에 도달했다.

"여러분, 들어오세요." 문 앞에서 그들을 기다리고 있던 카렉스의 아내가 말했다. "좀 쉬시는 게 좋겠어요." 그러면서 테이블 위에 준비해놓은 잔 네 개를 가리켰다.

종지기는 히스 뿌리로 만든 작은 파이프에 불을 붙였고, 데 제르미와 뒤르탈은 궐련을 말았다.

"이곳은 정말 이야기 나누기에 좋군요." 뒤르탈이 말했다. 그가 있는 곳은 넓고, 한가운데가 돌로 재단되어 있고, 천장이 둥글고, 천장 근처의 반원형 창문에서 빛이 들어오는 그런 방이었다. 타일을 붙이고 싸구려 양탄자를 깐 그 방에 가구라고는 오직 식당의 둥근 테이블과, 위트레흐트산 청회색 벨벳으로 만든 낡은 안락의자와, 브르타뉴산 자기들과 작은 술 단지들, 그리고 접시들이 쌓여 있는 작은 잔장과, 니스 칠을 한 그 호두나무 잔장 앞에 있는, 책 50여 권을 꽂을 수 있는 검은색 나무로 된 작은 책장뿐이었다.

"책들을 보고 계시는군요." 뒤르탈의 눈길을 쫓던 카렉스가 말했다. "오! 선생님, 너그럽게 봐주셔야 합니다. 제게 있는 책이라곤 제 직업상 필요한 것들뿐이거든요!"

뒤르탈이 다가섰다. 그 책장은 특히 종에 관한 책들로 채워져 있는 것 같았다. 그는 제목들을 읽었다.

양피지로 된 아주 낡고 얇은 책에서 그는 손으로 쓴 적갈색 글씨를 보았다. 제롬 마기우스의 『작은 종에 관하여』(1664), 그리고 동 레미 카레의 『성당의 종에 관한 흥미롭고 유익한 문집』이었다. 익명의 저자가 쓴 또 하나의 『유익한 문집』이 있고, 샹프롱 비브레의 주임신부 장바티스트 티에르가 쓴 『종론(鐘論)』, 블라비냐크라는 이름의 건축가가 쓴 두꺼운 책 한 권, 그보다 덜 두꺼운, 푸아티에의 교구신부가 쓴 『종의 상징에 관한 시론』이라는 제목의 책 한 권, 바로 신부가 쓴 『해제』, 마지막으로 제목도 저자 이름도 없이 회색 표지로 제본되어 있는 일련의 소책자들이 있었다.

"이것들은 별거 아니에요." 카렉스가 한숨을 쉬며 말했다. "가장 훌륭한 것들이 빠져 있거든요. 안젤로 로카의 『시골의 회상』과 페르키켈리우스의 『종에 관하여』 말이에요. 하지만 희귀본들인데다, 발견한다 하더라도 너무 비쌀 거예요!"

뒤르탈은 다른 책들을 힐끗 둘러보았다. 대부분 종

교 서적들이었다. 라틴어 성경과 프랑스어 성경들, 『예수 그리스도의 모방』, 다섯 권으로 된 고에르의 『신비』, 오베르 사제의 『종교적 상징주의의 역사와 이론』, 플뤼케의 『이단 사전』, 그리고 성인전들이었다.

"아! 선생님, 이곳에 문학작품은 없답니다. 하지만요, 데 제르미가 흥미롭다고 생각하는 책들을 제게 빌려주거든요."

"수다 좀 그만 떠세요." 그의 아내가 그에게 말했다. "선생님 좀 앉으시게 말이에요." 그러고서 가득 찬 잔을 뒤르탈에게 내밀었다. 그는 향기로운 거품이 이는 진짜 시드르*를 맛보았다.

술맛이 정말 좋다고 하자 그녀는 그 술이 브르타뉴에서 왔고, 고향인 랑데베네크에서 부모님이 만들었다고 이야기해주었다.

뒤르탈이 예전에 그 마을에서 하루를 보낸 적이 있다고 이야기하자 그녀는 기뻐했다.

"오, 그래요, 그렇다면 우리는 정말 구면일지도 모르겠네요." 이렇게 말하며 그의 손을 잡았다.

지그재그 모양으로 허공에 걸린 연통관이 창유리를 대신하는 네모난 양철판을 통해 밖으로 나가는 난로의 열기로 인해 정신이 멍해지고, 카렉스와 그의 아내, 볼품없지만 솔직한 얼굴에 동정심 가득하고 꾸밈없는 눈을 가

---

* 프랑스의 노르망디와 브르타뉴 지방에서 나는 사과로 만든 양조주.

진 그의 친절한 아내가 뿜어내는 잔잔한 분위기에 긴장이 풀린 채, 뒤르탈은 도시에서 멀리 떨어진 곳으로의 하염없는 몽상에 몸을 내맡겼다. 그는 이 내밀한 방과 이들 친절한 사람들을 쳐다보면서 생각했다. '이 방을 잘 꾸미고 여기 파리 위쪽에 정착할 수 있다면 얼마나 좋을까. 마음을 진정시켜주는 안락한 체류지, 따스한 안식처가 될 텐데. 그렇게 되면 저 높이 구름 속에서 홀로 고독을 치유하는 삶을 살 수 있을 테고, 여러 해가 걸리겠지만, 내 책을 완성시킬 수도 있을 텐데. 요컨대 시간으로부터 벗어나서 존재한다는 것, 그리고 인간의 어리석음이 파도처럼 탑 밑으로 쇄도해오는데도 불구하고 훨훨 타오르는 램프의 부드러운 불빛을 받으며 아주 오래된 책들의 책장을 넘길 수 있다는 것은 얼마나 큰 행복일까!'

그는 자신의 소박한 꿈을 생각하며 미소 지었다.

"어찌 되었건, 이곳은 정말 안락하군요." 자신의 생각을 정리하기라도 하듯이 그가 말했다.

"오! 그렇지도 않아요." 부인이 말했다. "집이 커요. 우리에게는 이 방만큼이나 넓은 침실이 두 개 있고, 다락방들도 있어요. 하지만 너무 불편하고 또 너무 춥답니다! 게다가 부엌도 없잖아요!" 계단의 짧은 층계참에 그녀가 놓았을 화덕을 가리키면서 그녀가 다시 말했다. "더군다나 늙어가고 있어서 먹을 것을 가지러 갈 때 저렇게 많은 계단들을 다시 올라가기가 이젠 힘에 겹답니다!"

"심지어 이 동굴에는 못 하나 박을 수도 없어요." 남편 카렉스가 말했다. "못을 박으려고 하면 석재 때문에 못이 휘고 튀어나오거든요. 어쨌든 나는 이 집에 잘 맞는 사람이지만, 내 아내는 랑데베네크에 가서 여생을 보내고 싶어 한답니다!"

데 제르미가 자리에서 일어났다. 그들은 서로 손을 잡았고, 카렉스 부부는 뒤르탈에게 다시 올 것을 굳게 약속하게 했다.

"정말 괜찮은 사람들이군!" 광장에 다시 나왔을 때 뒤르탈이 소리쳤다.

"카렉스가 의견을 듣고 참고할 만한 귀중한 사람이라는 건 말할 것도 없지. 그는 많은 것들에 정통하거든."

"그런데, 이보게, 도대체 교육을 받을 만큼 받았고, 우습게 볼 사람도 아닌데 어떻게 일용 잡부의 일을… 요컨대 노동자의 일을 할 수 있는 걸까?"

"그가 자네 말을 들었으면 좋았을 텐데! 하지만, 이보게, 중세의 종지기들은 결코 보잘것없는 사람들이 아니었다네. 현대의 종지기들이 형편없이 타락했음은 사실이지. 왜 카렉스가 종에 매혹되었는지는 나도 모르겠네. 내가 아는 거라곤 그가 브르타뉴의 신학교에서 공부했다는 것, 그가 양심의 가책을 느꼈고 자신이 사제직에 적합하지 않다고 생각했다는 것, 그리고 파리에 와서 매우 머리가 좋고 학식이 있는 종지기의 명인 질베르 영감의 제자가 되었다는 것일세. 질베르 영감은 노트르담 성당의 자기 방에 아주 희귀한 파리의 고지도를 갖고 있었지. 질베

르 영감은 장인이라기보다 옛 파리에 관련된 자료들에 열
광하고 있는 훌륭한 수집가였다네. 카렉스는 노트르담에
서 생쉴피스 성당으로 옮겼고 그곳에 정착해서 산 지 벌
써 15년이 넘었지!"

"자네는 어떻게 그를 알게 되었나?"

"처음엔 의사로서였지. 그런 다음 친구가 되었다네.
벌써 10년 전 일이야."

"이상한 일이로군. 신학교 졸업생들이 갖고 있는 음
험한 정원사 같은 모습을 그에게선 볼 수 없으니 말이야."

"카렉스는 아직 몇 년 동안은 괜찮을 거야." 데 제르
미는 마치 자기 자신에게 말하듯 중얼거렸다. "그러고 나
서 그가 떠나야 할 시간이 오겠지. 이미 예배실에 가스를
도입하게 내버려두었던 교회도 결국 종 대신 전동 벨들을
들여오게 될 거야. 그렇게 되면 볼만하겠군. 그 기계 종들
은 전선들로 연결되겠지. 그 소리는 진짜 프로테스탄트의
종소리, 짧게 울리는 소리, 귀에 거슬리는 소리일 거야."

"그러면, 카렉스 부인의 경우는 피니스테르*로 되돌
아갈 수 있겠군!"

"그럴 수 없을 거야. 그들은 아주 가난하거든. 게다
가 카렉스는 자기 종을 잃어버리게 되면 아마 쇠약해질
거야. 자기가 좋아하는 물건에 대한 인간의 집착이란 정
말이지 이상해. 자신의 기계에 대한 기술자의 애정과도

* 프랑스 브르타뉴 지방의 현.

같은 것이지. 살아 있는 사람이라면 자신에게 복종하고 자신의 보살핌을 받는 대상을 사랑하지 않을 수 없어. 하긴 종이 특별한 물건임은 사실이지. 사람처럼 이름이 붙여져 있고, 구원의 성유(聖油)로 도유식을 받아 신성해지거든. 교황 전례서 규정에 따르면, 종은 주교에 의해 그 내부가 축성되는데, 신체장애자들이 가져온 기름으로 일곱 차례에 걸쳐 십자가 모양으로 도유식을 거치지. 그렇게 해서 종은 최후의 고통을 버티게 해주는 위안의 소리를 죽어가는 사람들에게 전달하게 되는 거야.

그리고 종은 교회의 말씀을 전하는 사자(使者)야. 목사가 교회 안쪽의 목소리라면 종은 바깥쪽의 목소리지. 그러니까 종은 단순한 청동 조각, 뒤집어놓고 흔들어대는 사발 같은 것이 아니야. 덧붙여 말하자면 오래된 포도주와 마찬가지로 종들도 나이를 먹어감에 따라 맛이 좋아지지. 소리가 더욱 풍요롭고 유연해지거든. 시큼한 과일 향, 즉 덜 익은 소리가 없어진다네. 어떻게 종에 심취하게 되는지가 이로써 약간은 설명이 되지!"

"저런, 그런데 자네도 종에 대해 잘 알고 있군 그래!"

"내가 말인가?" 데 제르미가 웃으며 대답했다. "천만에, 나는 아무것도 모른다네. 카렉스가 한 말을 들은 대로 반복하는 거지. 그런데, 자네가 이 문제에 관심이 있다면, 카렉스에게 설명을 부탁할 수 있을 걸세. 그가 자네에게 종의 상징체계를 가르쳐줄 거야. 그는 종에 관한 일이라면 이야기하기 무궁무신하고 누구 못지않게 잘 알고 있거든."

"분명한 건 말이야," 꿈꾸듯 뒤르탈이 말했다. "수도 원들이 있는 동네, 새벽부터 종악(鐘樂)의 물결에 의해 대기가 물결치는 거리에서 살고 있는 내가, 밤이면 병이 들었다가도 아침이면 마치 구원을 기다리듯 종소리를 기다렸다는 거야. 그 당시, 나는 새벽이면 요람 속에서 아주 부드럽게 흔들리는 기분, 어렴풋하고 은밀한 애무에 몸을 맡기는 기분을 느끼곤 했다. 그건 마치 아주 부드럽고 상쾌한 치료약 같았어! 나는 잠자지 않고 깨어나 있는 사람들이 다른 사람들을 위해, 그리고 나를 위해 기도를 올리고 있다고 확신했어. 나는 혼자라는 느낌이 덜 들었지. 그래, 정말이지 종소리는 특히 불면증으로 고통받는 환자들을 위해 울리는 거야!

종들은 아픈 사람들을 위한 것일 뿐만 아니라 호전적인 사람들의 신경안정제이기도 하지. 어떤 종에 쓰여 있는 '파코 크루엔토스(paco cruentos)', 즉 '나는 신경이 날카로워진 사람들을 진정시킨다.'라는 문구를 생각할 때면 특히 그렇지!"

이러한 대화 내용이 머릿속을 떠나지 않았기에, 그날 저녁 집에 혼자 있던 뒤르탈은 잠자리에 누워 공상에 잠기기 시작했다. 진정한 교회음악이란 바로 종악이라는 종지기의 말이 강박관념처럼 머리에 떠올랐다. 몽상은 갑자기 몇 세기를 거슬러 올라갔고, 그는 중세 수도사들의 느릿느릿한 행렬 가운데서 삼종기도 종소리에 화답하며 신에게 바쳐진 포도주라도 되는 듯 깨끗하고 맑은 종소리를 들이

70

마시는 일군의 무릎 꿇은 신도들을 보았다.

그가 알고 있던 아주 오래된 전례들의 세세한 내용들이 머릿속에 밀려들었다. 새벽 기도의 초대송(頌)들, 사람들이 들어찬 구불구불한 거리에서, 원추형의 작은 탑에서, 원추형의 박공에서, 원뿔 모양 구멍이 뚫려 있고 톱니모양의 것들이 달려 있는 벽에서 조화롭게 연속적으로 피어오르는 방울처럼 천천히 이어지는 종악들, 시간 전례들, 즉 일시경, 삼시경, 육시경, 구시경, 저녁기도 베스프레와 끝기도 콤플레토리움을 노래하고, 작은 종들의 가냘픈 웃음소리로 도시의 환희를 찬양하거나 혹은 고통스러운 큰 종들의 묵직한 눈물로 도시의 고뇌를 찬양하는 종악들이 그것들이었다!

당시 소리의 대가들, 진정한 종지기들은 기쁘거나 슬픈 곡조로 시민의 기분을 전해주었던 것이다! 순종적인 아들로서, 충실한 부제로서 그들이 섬기고 있는 종은 교회와 마찬가지로 매우 서민적이고 겸허해지곤 했다. 신부가 자신의 제의(祭衣)를 벗어버리듯 때때로 종은 경건한 소리를 벗어던졌다. 장날이나 축제날이면 종은 하층민들과 더불어 이야기하기도 했고, 비가 오는 날에는 교회의 중앙 홀에서 그들의 이해관계가 얽힌 일들을 논의하게 하면서 그 장소의 신성함을 통해 협상에 이르기 힘든 불가피한 논쟁들에 성실하게 임할 것을 요구하기도 했던 터!

이제 종소리는 죽은말이었고, 텅 빈 의미 없는 말일

뿐이었다. 카렉스의 말은 틀리지 않았다. 인간세계를 벗어나 허공의 무덤 속에 살고 있는 그 사람은 자기 예술을 신뢰하고 있었고, 따라서 더 이상 존재할 이유가 없었다. 연주회의 리고동* 무용곡에 즐거워하는 사람들 속에서 그는 쓸데없는 잉여의 모습으로 무위의 삶을 살아가고 있었다. 그는 노쇠하고 퇴보하는 피조물, 시대의 흐름을 거스르는 낙오자처럼 보였다. 특히 그는 초라한 세기말 성직자들의 눈 밖에 난 실패자였다. 성직자들은 잘 차려입은 사람들을 끌어들이기 위해 세속적인 음악, 무용, 희가극 제작자들이 교회 안에서 거리낌 없이 카바티나**와 왈츠곡을 연주하게 했다. 그보다 더한 신성모독이 없었다.

"불쌍한 카렉스!" 그는 촛불을 불어 끄면서 이렇게 중얼거렸다. "데 제르미만큼, 그리고 나만큼 자기 시대를 사랑하는 사람이 또 있다니! 그래도 그는 자기 종들을 보호하고 있고, 그의 보살핌을 받는 종들 중에는 그가 좋아하는 것이 틀림없이 있을 거야. 결론적으로 그를 그렇게 불쌍히 여길 필요는 없어. 그 역시 자신이 심취하고 있는 게 있으니까, 우리와 마찬가지로 그로 인해 그의 삶도 가능해질지 모르지!"

* 17–8세기 유행하던 춤곡.
** 아리아보다 짧은 독창곡, 혹은 선율에 호소하는 짧은 기악곡.

IV

"잘되어가나, 뒤르탈?"

"그래, 질 드 레의 생애 중 1부를 끝냈다네. 할 수 있는 한 빨리 그의 공적과 미덕들을 적어놓았지."

"그건 재미가 없겠군." 데 제르미가 말했다.

"물론이지. 질의 이름은 4세기 전부터 오직 그 이름이 상징하고 있는 어마어마한 악행들에 의해서만 존재해왔으니까 말이야. 나는 이제 범죄 부분에 이르고 있다네. 문제는, 자네도 알다시피 선량한 장수이자 선한 기독교인이었던 그가 어떻게 느닷없이 신성모독적이고 가학적인 사람으로, 잔인하고 비열한 사람으로 변했는지 설명하는 거라네."

"내가 아는 한에서는, 사실, 그처럼 갑자기 정신이 돌아버린 경우는 없었어!"

"그의 전기를 쓴 작가들이 그 영적인 마법, 마치 연극에서 요술 막대에 의해서나 생길 법한 영혼의 변화에 놀라는 이유도 바로 그 때문이지. 그 흔적들은 사라졌지만 분명히 악덕의 침투가 있었을 테고, 연대기 작가들이 모르고 있는 눈에 보이지 않는 죄악에 빠져 있었을 거야. 요컨대, 우리에게 전해져 내려온 작품들을 정리해보면 다음과 같은 사실들을 알 수 있다네.

질 드 레의 어린 시절은 알려지지 않았지만 1404년

경 브르타뉴와 앙주의 접경 지역에 있는 마슈쿨* 성에서 태어났어. 그의 아버지는 1415년 10월 말 사망했네. 그의 어머니는 그 즉시 에스투빌이라는 귀족과 재혼하고, 그와 그의 동생 르네 드 레를 버렸지. 그는 조부인 장 드 크랑, 즉 샹토세 지역과 라 쉬즈 지역 영주의 보호를 받고 자랐다네. 그런데 자료들에는 그 조부가 '늙고 구식이고 매우 나이가 많은 노인'이라고 쓰여 있더군. 그는 사람 좋고 주의가 산만한 그 노인에게서 감독도 받지 않고 교육도 받지 못했어. 그 노인은 1420년 11월 30일 그를 카트린 드 투아르와 결혼시켜 쫓아냈지.

그는 5년 후 황태자의 궁정에 모습을 드러냈다고 하네. 그와 같은 시대를 살던 사람들은 그를 신경질적이고 강인한 사람, 매혹적인 미모에 보기 드문 우아함을 갖춘 사람이라고 묘사하더군. 그가 궁정에서 어떤 역할을 했는지에 대해서는 정보가 부족해. 하지만 프랑스의 남작들 중 가장 부유했던 질이 가난한 왕의 궁정에 왔음을 생각하면 쉽게 추측할 수 있을 거야.

사실 그 당시 샤를7세는 곤경에 처해 있었지. 그에겐 돈이 없었고 왕으로서의 위엄도 없었으며 권위는 그저 그럴 뿐이었네. 루아르강 변 도시들만 겨우 그에게 복종하고 있을 뿐이었다네. 몇 년 전의 페스트로 이미 황폐화되어 있는 데다 몇 차례 대량 학살에 쇠진한 프랑스의 상

---

* 프랑스 서부 루아르아틀랑티크 주의 도시.

74

황은 끔찍했다네. 프랑스는 영국에 의해 피가 나도록 희생당했고 극도로 기진맥진해 있었거든. 영국은 전설상의 문어 크라켄*처럼 바다에서 솟아 나와, 해협 위로, 브르타뉴, 노르망디, 피카르디의 일부 지역, 일 드 프랑스, 북부 지역 전체, 오를레앙에까지 이르는 중부 지역 위로 자신의 촉수를 뻗쳤고, 그 빨판이 떨어질 때는 겨우 메마른 도시들만, 죽어버린 들판들만 남아 있었다네.

보조금을 요청하고, 부당 징수를 꾸며내고, 세금을 강요하는 샤를7세의 호소는 소용이 없었지. 약탈당한 도시들, 늑대들이 득실거리는 버림받은 들판은 정통성을 의심받기까지 하는 왕에게는 도움을 줄 수가 없었네. 그는 눈물을 흘리며 사방에 돈을 구걸했지만 소용없었다네. 시농**에 있는 그의 작은 궁정은 여기저기서 살인이 난무하는 복마전이었지. 루아르강 건너편으로 간신히 몸을 피한 후, 추적당하는 데 지친 샤를과 그의 신하들은 마침내 무수한 방탕 속에서 다가오고 있는 파탄을 잊기에 이르렀네. 그날그날 살아가는 이 왕국에서 약탈하고 빌려온 것으로 식사는 풍성해지고 술은 넉넉해졌지만, 끊임없는 경계와 경악에 대해 망각이 일어났고, 사람들은 술잔을 단숨에 비우고 여자들을 희롱하면서 내일을 비웃었지.

게다가 무기력하고 이미 시들어버린 왕에게서 무얼

* 스칸디나비아 신화에 등장하는 바다 오징어를 닮은 거대한 바다 괴물.
** 프랑스 서부 상트르 주에 있는 소도시.

기대할 수 있었겠는가, 천한 어머니와 미친 아버지 사이에서 태어난 사람에게서?"

"오! 자네가 샤를7세에 관해 무슨 말을 하든 루브르에 있는 푸케*의 초상화에는 미치지 못할 걸세. 나는 종종 그 수치스런 낯짝 앞에 멈춰 서곤 했는데, 거기서 내가 본 것은 돼지 코에, 시골 고리대금업자의 눈, 예찬자의 안색을 한 애처롭고 위선적인 입술이었지. 푸케가 그린 왕은 감기에 걸려 있고, 취하면 기분이 울적해지는 못된 사제 같았네. 비쩍 마르고 햇볕에 탄 그 사람, 음탕하기보다는 신중하게 잔인성을 드러내고, 고집이 세고 교활한 그 사람이 그의 아들이자 계승자인 루이11세의 유형을 낳은 거야. 게다가 그는 용맹공 장**을 암살시키고, 잔 다르크를 내버렸던 사람일세. 그것만으로도 그를 판단하기에 충분하지 않은가!"

"그렇지. 또 자기 돈으로 군대를 일으켰던 질 드 레는 분명히 그 궁정에서 열렬한 환영을 받았을 거야. 어쩌면 그가 마상 시합과 연회비를 대주었을지도 모르고, 조심스럽게 궁신들에게 돈을 꿔주고, 왕에게 막대한 금액을 빌려주었을지도 모르지. 하지만 그가 거둔 성공에도 불구하고 그는 샤를7세처럼 난행을 일삼는 이기주의에 빠졌

---

* Jean Fouquet(1420?–81). 프랑스의 화가.
** 용맹공 장(1371–419)은 부르고뉴의 용담공 필리프2세의 아들로 샤를6세가 정신이상 증세를 보이자 권력을 루이 도를레앙에게 넘길 것을 주장하며 그를 암살했고 그로 인해 시민전쟁을 야기했다. 파리에서 추방된 후 영국으로 갔다가 황태자(샤를7세)와 화해를 시도했지만 황태자의 심복에게 살해당했다.

던 것 같지는 않네. 우리는 거의 동시에 앙주와 멘에서 그의 모습을 다시 보게 되는데, 그는 영국인들에 대항해서 그 도시들을 방어했지. 그가 '선하고 용감한 장수'였다고 기록들에는 쓰여 있는데, 그렇지만 수적으로 불리했던 그는 도주할 수밖에 없었네. 영국군은 다시 합류해서 그 지역을 휩쓸었고, 점점 더 세력을 확장했으며, 중부에까지 침범했지. 왕은 남프랑스로 후퇴해서 프랑스를 포기할 생각을 했네. 바로 이 순간 잔 다르크가 나타났다네.

질은 그때 샤를 곁으로 되돌아갔고, 왕은 그에게 성녀를 지키고 보살피는 임무를 맡겼네. 그는 파리 성내에서조차 어디든지 그녀를 따라다녔고, 전투에 나선 그녀를 보좌했고, 대관식을 하던 날 랭스에서 그녀 곁을 지켰다네. 그날 그의 무훈으로 인해 왕은 그를 프랑스 원수로 지명했다고 몽스트를레*는 말하고 있지. 겨우 스물다섯의 나이에 말일세!"

"그래." 데 제르미가 끼어들었다. "그 시절에는 진급이 빨랐지. 번쩍이는 장식으로 치장한 우리 시대의 늙은 이들보다 결국 그들이 덜 우둔했고 덜 멍청했던 건지도 몰라!"

"오! 하지만 혼동해서는 안 되네. 당시의 프랑스 원수라는 직함은 프랑수아1세 시절의 것과는 달랐고, 특히 나폴레옹 황제 이후의 것과는 전혀 달랐다네.

---

* Enguerrand de Monstrelet(1400–53). 프랑스의 연대기 작가.

잔 다르크에 대한 질 드 레의 행동은 어땠을까? 그에 대해서는 정보가 없다네. 발레 드 비리빌은 그가 배신했다고 비난하지만 증거는 없네. 보사르 사제는 반대로 그가 잔 다르크에게 헌신했고, 충실하게 그녀를 지켜주었다고 주장하고 있고, 그럴듯한 이유를 들어 자신의 견해를 뒷받침하고 있지.

확실한 건 그가 신비스런 생각으로 가득 찬 영혼의 소유자였다는 점일세. 그의 모든 이야기들이 이를 입증하고 있네. 그는 그 비범한 사내 같은 아가씨 곁에서 살았지. 그 아가씨의 모험은 이곳 이승에서 일어나는 일에도 신이 개입할 수 있다는 사실을 입증하는 것처럼 보였네.

그는 못된 놈들과 무뢰한들의 궁정을 정복하고, 비겁하게 도망치려는 왕에게 생기를 불어넣어주는 시골 아가씨의 기적을 목격했지. 그는 라 이르* 가문, 쟁트라유** 가문, 보마누아르 가문, 샤반 가문, 뒤누아 가문, 그리고 고쿠르 가문같이 각자 불평의 목소리를 내며 호의호식하고 있는 늙은 야수들을 마치 유순한 암양처럼 풀밭으로 인도하는 처녀에 관한 그 믿을 수 없는 일화를 목격했네. 그 자신도 아마 그들처럼 순백 복음의 풀을 뜯어먹고, 전투가 있는 날 아침이면 영성체를 하고, 그리고 마치 성녀이기라도 하듯이 잔 다르크를 숭배했는지도 모르지.

---

* 백년전쟁 당시의 프랑스 장수(1390–443). 잔 다르크와 함께 오를레앙 수호 전투에 참여했고, 루앙에서 잔 다르크를 구출하려 시도했다가 포로가 되기도 했다.
** 백년전쟁 때의 프랑스 장수(1461년 사망). 잔 다르크와 함께 파테 승전에 참여했다.

그는 마침내 잔 다르크가 약속을 지키는 것을 보았네. 그녀는 오를레앙의 포위망을 풀고, 랭스에서 왕의 대관식을 거행하게 했고, 이제 자신의 임무가 끝났음을 선포한 후 신의 가호로 자신이 집으로 돌아가게 해달라고 요청했거든.

틀림없이 그러한 상황에서 질의 신비주의가 고조되었을 거야. 따라서 우리는 반은 난폭한 군인이고 반은 수도사의 영혼을 가진 한 남자와 마주 서게 되는 것이지. 게다가…."

"말을 끊어서 미안하네, 하지만 나로서는 자네만큼 잔 다르크의 개입이 프랑스를 위해 좋았다는 확신이 서지 않아."

"그래?"

"그렇네, 좀 들어보게. 자네도 알다시피 샤를7세의 옹호자들은 대부분 남부 지방의 난폭한 병사들이야. 다시 말해서 격렬하고 흉포한 약탈자들, 자신들이 보호해준 주민들로부터도 미움을 받는 약탈자들이지. 백년전쟁이란 결국 남부와 북부의 전쟁이었네. 예전에 영국을 정복했던 적이 있고, 그 혈통과 관습과 언어를 간직하고 있는 노르망디가 그 당시로서는 바로 영국이었지. 잔 다르크가 자기 어머니 곁에서 바느질을 계속했다면 샤를7세는 왕위를 박탈당했을 테고 전쟁은 끝났을 거야. 게다가 영불해협이 존재하지도 않았던 선사시대에는 단 하나의 동일한 영토였고 동일한 뿌리를 이루었던 영국과 프랑스를 플랑

79

타주네 가문*이 지배하고 있었지. 그렇게 랑그도크 지방에까지 확장된, 취향이라든가 본능, 습관이 유사한 모든 사람들을 포괄하는, 유일하고 강력한 북부 왕국이 있었던 거지.

그 반면 랭스에서 있었던 발루아왕조의 대관식은 응집력 없는 프랑스, 어처구니없는 프랑스를 만들었어. 유사한 요소들을 흩뜨려놓았고, 가장 반동적인 국민들, 가장 적대적인 인종들을 꿰어 연결시켜놓았지. 그 대관식을 통해 호두빛 피부에 눈이 흐릿한 사람들, 초콜릿을 갈아 먹고, 마늘을 씹어 먹는 사람들이 우리에게 주어졌는데, 그들은 전혀 프랑스인들이 아니었고 오히려 에스파냐인들이거나 이탈리아인들이었어. 결론적으로 잔 다르크가 없었다면 프랑스는 더 이상 이처럼 허풍 세고 시끄러우며 경박하고 불성실한 혈통의 사람들, 악마에게나 잡혀갈 빌어먹을 이 라틴 종족의 나라가 되지 않았을 거야!"

뒤르탈은 어깨를 으쓱했다.

"이보게," 뒤르탈은 웃으며 말했다. "자네는 지금 자네가 조국에 흥미를 갖고 있음을 증명해주는 생각들을 말하고 있네. 내가 짐작했던 대로지."

"그럴지도 모르지", 담뱃불을 붙이면서 데 제르미가 대답했다. "나는 옛 시인 테스테르노**의 의견에 동감하네. '내 조국이란, 내가 마음 편히 있는 곳'이라고 그는 말했

---

* 앙주의 백작 조프루아 5세의 별명. 1154년에서 1485년까지 영국을 지배한 왕조.
** Claude d'Esternod(1592-640). 프랑스 시인.

지. 그런데 나는 오직 북부 사람들과 함께 있을 때만 마음이 편해져. 그런데, 참, 내가 자네 말을 막았군. 아까 하던 이야기로 되돌아가세. 어디까지 이야기했었지?"

"나도 모르겠네. 그래, 맞아, 잔 다르크가 자신의 임무를 완수했다고 말했지. 이제 한 가지 문제가 제기되네. 잔 다르크가 체포되고 난 후, 죽고 난 후 질은 어떻게 되고, 무엇을 했을까? 아무도 알지 못한다네. 기껏해야 소송이 진행될 때 루앙* 근처에서 그를 보았다는 사람들이 있을 뿐이야. 하지만 그렇게 말하는 것과, 몇몇 전기 작가들처럼 그가 잔 다르크를 구하려 했다고 결론을 내리는 것과는 큰 차이가 있지!

어쨌든 그의 행적을 놓치고 난 후 우리가 그를 다시 보게 되는 건 스물여섯 살의 그가 티포주** 성에 틀어박혀 있을 때였지.

그에게 있었던 완고하고 난폭한 군인의 모습은 사라졌다네. 악행들이 시작되려 함과 동시에 질에게서는 예술가적 기질과 작가적 기질이 발휘되어 스며 나왔고, 왜곡된 신비주의에 이끌린 그는 가장 교묘한 잔혹 행위들, 가장 섬세한 범죄행위를 저지르게 되었다네.

그 까닭은 질 드 레 남작이 자신의 시대에서 거의 고립되어 있었기 때문일세! 그의 동료들이 단순한 야만인들

* 노르망디 지역의 중심 도시. 잔 다르크는 이곳에서 영국인에 의해 산 채로 화형에 처해졌다.
** 내서냥 현안의 방데 주에 있는 마을.

일 뿐이었던 데 반해, 그는 열정적인 예술적 세련미를 원하고, 폐부를 찌르는 심오한 문학을 꿈꾸고, 악마를 부르는 예술에 관해 논문을 쓰기까지 하고, 교회음악을 사랑하고, 찾기 힘든 물건들, 희귀한 것들로만 둘러싸여 있기를 원하는 사람이었다네.

그는 박식한 라틴 문헌학 전문가에, 신랄한 달변가이고, 관대하고 신뢰할 만한 친구였지. 신학과 성자전으로 독서가 한정되었던 그 당시로서는 보기 드문 서재를 그는 갖고 있었네. 우리에겐 그가 가진 필사본 몇 권의 목록이 있는데, 수에토니우스*와 발레리우스 막시무스,** 그리고 양피지에 쓰여져 진홍빛 자물쇠와 열쇠가 달려 있는 붉은색 가죽 장정의 오비디우스 작품이었다네.

그 책들에 대한 그의 애정은 광적일 정도여서 여행을 갈 때면 어디든지 가지고 다녔다네. 그는 토마라는 화가를 좋아했는데, 그 화가가 장식 글자와 세밀화로 그 책들을 장식했지. 한편으로는 그 자신이 직접 칠보로 그림을 그리고, 수소문해서 간신히 찾아낸 전문가로 하여금 금세공된 장정본 표지에 상감으로 새겨 넣게 했다네. 가구에 대한 그의 취향은 엄격하고 기이했지. 그는 수도원에서 만든 옷감들, 관능적인 명주, 오래된 어두운 황금색 비단에 황홀해했어. 그는 정성스럽게 양념한 음식들, 향신료를 넣어 색깔을 어둡게 만든 강렬한 맛의 포도주를

* Gaius Tranquillus Suetonius(69?–140?). 로마제정 초기 전기 작가.
** Valerius Maximus(기원전 1세기). 로마의 역사가.

좋아했어. 그는 색다른 보석들, 어마어마한 값의 금속들, 엄청난 값의 보석들을 갖고 싶어 했지. 그는 15세기의 데 제생트*였던 거야!

죄다 큰돈이 들어가는 것들이었어. 하지만 티포주 성 에서 그를 둘러싸고 있으면서 그 요새를 특이한 장소로 만 들고 있는 그 호사스런 궁정 사람들보다는 돈이 덜 들었지.

그에겐 200명 이상의 기사, 장수, 낮은 신분의 귀 족, 시동들로 구성된 근위대가 있었는데, 그들 모두는 질 의 돈으로 화려하게 격식을 차린 하인들을 거느리고 있었 다네. 그의 예배당과 교회의 사치는 정말 광란 상태로 변 해갔어. 티포주에는 도시의 모든 성직자들, 즉 수석 사제, 보좌신부들, 수장고 관리인들, 참사원들, 사제와 부사제 들, 성당 부속학교 교장들과 합창대의 아이들이 거주하고 있었지. 사제가 법의 위에 입는 겉옷, 스톨라,** 오뮈스,*** 작은 회색 다람쥐 모피로 안감을 댄 연회색 합창대 모자 들의 계산서가 우리에게 남아 있다네. 사제복들도 많다 네. 한쪽에서 우리는 진홍빛 천으로 만든 제단 장식이며, 에메랄드색 비단으로 만든 제단 뒤의 포장, 빨강과 보라 색 벨벳으로 만든, 황금빛 나사(螺絲)를 댄 소매 없는 긴 제의 한 벌, 황금빛 다마스쿠스 천으로 만든 또 다른 제

---

* 위스망스의 소설 『거꾸로(À rebours)』의 주인공. '세기병'에 걸린 유럽 젊은이들의 원형으로 간주된다.
** 겉옷 위에 푹 뒤로 길쳐서 몸 양쪽으로 늘어뜨리는 장식 천.
*** 교회 참사회원이나 성가대원이 교회 일을 볼 때 왼팔에 찬 모피 완장.

의 한 벌, 비단으로 만든 부사제용 제의들, 키프로스 섬에서 난 황금으로 장식된 그물 달린 제단 상부 장식들을 보게 되지. 다른 한쪽에는 은으로 만든 성 오노리우스의 두상을 포함해서, 망치로 두드려 만들었거나 둥글게 간 보석이 붙거나 박혀 있는 접시들, 술잔들, 성체기들, 그리고 성유물함들이 있는데, 그 모두는 성에 머물게 된 한 예술가가 주인의 취향에 따라 정으로 쪼아 만든 수많은 반짝이는 금은세공품들이야.

전부 다 그런 식이었어. 그가 쓰는 테이블은 함께 식사하는 모든 사람에게 공개되었지. 프랑스 각지에서 여러 무리들이 이 성을 향해 길을 떠났다네. 그곳에서는 예술가, 시인, 학자 들이 왕과 같은 환대를 받았고, 편안하게 지냈으며, 환영의 선물과 이별의 선물을 받았지.

전쟁으로 인한 많은 지출 때문에 이미 줄어 있던 그의 재산은 그러한 낭비로 인해 휘청거렸다네. 그러자 그는 무시무시한 고리대금의 길로 들어섰어. 최악의 부르주아들에게 돈을 빌리고, 성을 저당 잡히고, 영지들을 양도했지. 때로는 종교의식용 장식물들과 보석, 그리고 책들을 담보로 선금을 요구할 수밖에 없게 되기도 했어."

"중세의 파산하는 방식이 오늘날과 크게 다르지 않음을 보게 되어 기쁘군." 데 제르미가 말했다. "하지만 모나코*와 공증인들과 증권은 없네그려!"

---

* 모나코 국왕 샤를 3세는 재정 수입 확보를 위해 1856년 국내에 카지노 개장을 허가한다. 1863년 SBM 회사를 세운 샤를 3세는 회사 경영을 프랑수아 블랑에게 맡겼다.

"하지만 마술과 연금술이 더 있었지! 질의 상속인들이 왕에게 전한 회고록에 따르면, 그 막대한 재산이 겨우 8년도 안 되어 눈 녹듯 사라지고 말았다네!

어느 날, 콩폴랑스, 샤반, 샤토모랑, 롱베르의 영지들이 헐값에 헌병 대위에게 넘어가고 말았지. 또 어느 날은 퐁텐밀롱 봉토가 넘어갔는데, 그라트퀴스의 땅은 앙제의 주교가 구입하고, 사해의 생테티엔 요새는 기욤 르 페롱이 싼값에 사들였지. 또 어떤 날은 블레종과 슈미예의 성이 미리 정한 가격에 기욤 드 라 쥐믈리에르에게 넘어갔지만 한 푼도 받지 못했다네. 하지만 여기 이걸 보게, 영지와 숲, 염전과 초원의 완전한 목록이 있다네." 구입한 것과 판매한 것들을 자세하게 기록해두었던 기다란 종이를 펼치며 뒤르탈이 말했다.

"질 드 레 원수의 이 같은 광기 어린 행동에 놀란 가족들이 왕에게 개입해달라고 요청했지. 그리고 과연 1436년에 샤를7세는, 왕의 말마따나 '드 레 영주가 그릇된 통치를 하고 있음을 확신하고', 자문 회의를 열고 앙부아즈의 소인이 찍힌 편지를 통해 그에게 어떤 요새나, 성이나 영지도 팔지 못하고 양도하지 못하게 했다네.

그 명령은 단지 그 금치산자의 파산을 앞당겼을 뿐이네. 당시의 최고 고리대금업자이자 지독한 노랑이인

블랑의 사업 수완에 더해 1868년 니스와 모나코의 철도가 연결되고 몬테카를로 역이 생기면서 SBM은 막대한 수익을 내기 시작했다. 카지노 회사가 돈을 벌어들인다는 것은 잃는 사람이 많나는 듯이다.

브르타뉴공 장 5세는 그 칙령을 자신의 나라에서 공표하기를 거부했다네. 그렇지만 그는 질과 거래하고 있던 자기 신하들에게 은밀히 그 칙령을 알려주었지. 어느 누구도 이젠 질 드 레 원수의 영지를 감히 사려고 하지 않았네. 공작의 미움을 살까, 그리고 왕의 분노를 초래할까 두려웠던 게지. 그래서 장 5세는 유일한 구매자로 남게 되었고, 그때부터 그가 값을 결정했다네. 질 드 레의 재산들이 얼마나 싼값에 넘어가게 되었는지 상상이 갈 걸세!

이런 이야기는 또한 왕의 공개 특허장을 청원했던 가족들에게 질이 얼마나 분노했는지 알려주고 있네. 그래서 그는 자기 아내와 딸을 푸조주 성 깊숙한 곳으로 쫓아내고 평생 그들을 보살피지 않았다네.

그렇지! 조금 전에 내가 제기했던 질문, 어떻게, 그리고 어떤 이유로 질이 궁정을 떠났는지 알아보는 문제로 되돌아가자면, 그건 이러한 사실들로 적어도 부분적으로는 해명이 된 것 같네.

이미 오래전부터, 즉 질 드 레 원수가 재산 문제로 골머리를 앓기 이전부터, 샤를7세는 질의 아내와 다른 친척들의 불평에 시달리고 있었음이 분명하네. 다른 한편 궁신들은 젊은 질의 부와 사치 때문에 그를 미워했음에 틀림없어. 더 이상 쓸모가 없다고 판단되자 잔 다르크를 고의로 버렸던 국왕도 자신이 질에게서 받았던 봉사에 대해 복수할 기회를 찾았던 것이지. 흥청망청 노는 속도를 가속시키고 군대를 일으키기 위해 자신이 돈을 필요로 했

86

을 때 국왕은 질 드 레 원수가 그렇게 헤프게 돈을 쓴다고 는 생각하지 않았다네! 이제 질이 반쯤 파산했음을 보자 왕은 질이 주었던 선물들을 비난했고, 그를 배제했으며, 비난과 협박을 서슴지 않았지.

질이 아무런 미련 없이 그 궁정을 떠난 점이 이해가 되네. 하지만 또 다른 게 있었지. 유랑 생활의 권태, 야영 생활에 대한 혐오가 찾아왔었나 봐. 그는 분명히 자신의 책들 곁에서, 평화로운 분위기 속에서 자기 자신을 관찰 하고자 서둘렀을 걸세. 특히 그는 연금술에 관한 열정에 온통 사로잡혔던 듯하고, 이를 위해 모든 것을 버렸던 듯 하네. 금을 만들어내 시작되려는 듯한 궁핍에서 탈출하기 를 바랐는데 오히려 자신을 빙의망상에 빠뜨린 연금술이 지만, 사실 그는 부유했던 시절에도 그 학문을 그 자체로 서 사랑했다는 데 주목해야 할 거야. 실제로 그가 처음으 로 연금술을 시도한 건 그의 금고 속에 돈이 넘치던 때인 1426년경이었거든.

그러니까 우리는 티포주 성에서 증류 가마 위에 몸 을 굽히고 있는 그의 모습으로 되돌아왔군. 내가 쓴 건 거 기까지라네. 이제 쓰려고 하는 건 마법과 살인적인 사디 슴에 의한 일련의 죄악들이 시작되는 부분이지."

"그런데, 그런 것으로도 설명되지 않는 게 있네." 데 제르미가 말했다. "어떻게 독실한 신자였던 그가 갑자기 악마 숭배자가 되었는지, 박식하고 온화한 사람이 어떻게 어린아이들을 강간하고 소년 소녀들을 학살하는 사람이 되었는지가 말이야."

"이미 자네에게 말하지 않았나. 그렇게 이상하게 단절된 그 삶의 두 부분을 연결시켜줄 자료들이 부족하다고 말이야. 하지만 자네에게 방금 말했던 모든 것을 통해 벌써 자네는 수많은 실타래를 풀 수 있게 되었으리라 생각되네. 원한다면 요약해보세. 방금 지적했듯 그 사람은 진정한 신비주의자였네. 그는 역사가 보여주었던 그 어떤 것보다도 더욱 놀라운 사건들을 목격했지. 잔 다르크와의 잦은 만남으로 인해 신을 향해 비약하고자 하는 그의 마음은 분명히 급박해졌을 걸세. 그런데, 열광적인 신비주의와 과격한 악마 숭배는 백지 한 장 차이라네. 저승에서는 둘이 서로 맞닿아 있지. 그는 열광적인 기도들을 '거꾸로 된' 세계의 영역으로 옮겨놓았네. 그 점에서 그는 티포주에서 자신을 둘러싸고 있던 그 일단의 불경한 사제들, 연금술사들, 악령술사들에 의해 사주를 받았고 결심하게 되었지."

"그러니까 질로 하여금 중대한 범죄들을 결행하게 한 것이 잔 다르크란 말인가?"

"어느 정도까지는 그렇다네. 절제력이 없고, 과도한 범죄뿐만 아니라 신성한 향연까지 무엇이든 할 준비가 되어 있는 영혼에 그녀가 불을 쑤셔 일으켰음을 감안한다면 말일세.

게다가, 중간 단계가 없었지. 잔 다르크가 죽자마자 그는 가장 뛰어난 악당들이자 가장 명민한 교양인들이었던 마법사들의 영향을 받게 되었다네.

　　티포주에서 그와 자주 만났던 그 사람들은 열광적인 라틴 문헌학자들이었고, 왕성한 이야기꾼들이었고, 망실된 비약 조제법 소지자(所知者)들이었고, 오래된 비밀들의 보유자들이었다네. 질은 분명히 뒤누아* 가문이나라 이르 가문 같은 사람들보다는 그런 사람들과 살도록 만들어졌을 걸세. 모든 전기 작가들이 입을 모아 이들 마법사들을 저속한 기생충 같은 사람들이자 야비한 사기꾼이라고 표현하고 있지만 내가 보기에 그건 잘못일세. 그들은 요컨대 15세기의 정신적 귀족들이었다네! 교회 내에서라면 추기경의 자리나 교황의 자리 외에는 거들떠보지도 않았을 그들이 아무런 자리도 가질 수 없었기에, 그들은 그 무지와 혼돈의 시대에 질 같은 대영주들의 집으로 몸을 피할 수밖에 없었던 게 분명하네. 질은 그 당시에 그들을 이해할 수 있을 만큼 충분히 뛰어나고 학식을 갖춘 유일한 인물이었거든.

　　결론적으로 말해서 한편으로는 자연스런 신비주의가 있었고, 다른 한편으로는 악마 숭배에 사로잡힌 학자들과의 일상적인 교제가 있었지. 점점 커지며 다가오는, 악마의 의지로 쫓아낼 수 있을지도 모르는 불운이 있었고, 금지된 학문에 대한 뜨겁고 광적인 호기심이 있었던 거야. 연금술사 및 마법사들의 세계와 그와의 관계가 긴

* Jean de Dunois(1402–68). 오를레앙 공 루이의 사생아로, 잔 다르크와 더불어 오를레앙 빙어에 참녀했고, 노르망디와 귀옌의 수복에 기여했다.

89

밀해짐에 따라 그가 조금씩 불가사의한 것 속으로 빠져들고, 그로 인해 더욱더 터무니없는 범죄로 인도되고 있다는 점은 이에 의해 설명된다네.

그리고, 질이 어린아이들을 강간하고 죽이는 일은 연금술이 효력을 보이지 못했을 때 가서야 비로소 시작되지. 그래서 유아 살해에 대해서 보자면, 그가 당시의 다른 남작들에 비해 유별난 건 아니었다네.

그는 방탕의 화려함에서, 살인의 규모 면에서 그들을 능가했지, 그뿐일세. 그리고 그 점은 사실이야. 미슐레를 읽어보게. 거기서 자네는 당시의 군주들이 가공스러울 정도로 피에 굶주린 사람들이라는 점을 알게 될 걸세. 거기에 '지악'이라는 이름을 가진 영주가 하나 나오는데, 그는 자기 아내에게 독약을 먹이고, 자기 말에 걸터앉힌 다음 약 20킬로미터를 가는 동안 전속력으로 말을 몰아 결국 아내를 죽게 했다네. 이름이 기억나지 않는 또 다른 영주 하나는 자기 아버지에게 독약을 먹이고 맨발의 그를 눈 속에서 질질 끌고 가 말없이 지하 감옥에 던져 넣고 죽게 했다네. 그런 인간들이 얼마나 많은지! 나는 질 드 레 원수가 전투와 습격 도중에 중대한 범죄를 저질렀는지 찾으려 했지만 성공하지 못했네. 난 아무것도 발견하지 못했지. 공공연한 교수형 취향을 제외하고는 말이야. 그는 영국인 진영에서나 프랑스 국왕에게 그다지 충성스럽지 않은 도시들에서 붙잡힌 프랑스인 배신자들을 교수형시키기 좋아했거든.

이 교수형에 대한 취향은 훗날 티포주 성에서 다시 발견된다네.

마지막으로 이러한 모든 이유들에 엄청난 자존심을 추가하게. 그 자존심 때문에 그는 자신의 소송이 진행되는 동안 이렇게 말하게 된다네. '나는 너무나 좋은 사주팔자를 타고났기 때문에 이 세상의 어느 누구도 내가 이룩한 것을 했던 적이 없고 앞으로도 결코 하지 못할 것이다.' 라고 말이지.

분명 사드 후작이라 하더라도 그와 비교하면 겨우 소심한 부르주아, 보잘것없는 몽상가에 불과할 걸세!"

"성인이 된다는 건 정말이지 너무나 어려운 일이야. 그러니 남는 건 악마가 되는 일뿐이지." 데 제르미가 말했다. "모 아니면 도인 셈이지. 무기력에 대한 혐오, 평범한 것에 대한 증오, 그게 아마 악마 숭배에 관한 가장 너그러운 정의들 중 하나일 거야!"

"아마 그럴 걸세. 성인이 선행의 위업을 달성하는 데서 자부심을 느끼듯이 누군가는 범죄의 업적을 쌓는 데서 자부심을 느낄 수도 있지. 질 드 레의 본질이 바로 그거야!"

"하여튼, 그는 다루기 힘든 사람이야."

"분명히 그래. 중세에 사탄은 무서운 존재였어. 하지만 다행스럽게도 자료가 얼마나 많은지."

"오늘날은 어떻고?" 데 제르미가 일어서며 다시 말했다.

"오늘날이라고?"

"그래, 악마 숭배가 창궐하고 있고 몇 가지 끈에 의해 중세와 연결되어 있는 현대 말일세."

"아! 이보게, 자네는 오늘날에도 사람들이 악마를 부르고, 여전히 마법 의식을 거행하고 있다고 믿고 있는 건가?"

"그렇다네."

"확실한가?"

"물론이지."

"자넨 날 놀라게 하는군. 하지만 이보게, 자네도 잘 알다시피 내가 만일 그런 일들을 보게 된다면 내 작업에 특히 도움이 될 걸세. 설마, 자네는 오늘날에도 악마 숭배의 흐름이 있다고 믿고 있나? 증거가 있어?"

"그렇다네, 그리고 그에 대해서는 나중에 이야기하세. 오늘은 내가 바쁘니까 말이야. 그래, 자네도 알다시피 내일 저녁 카렉스 집에서 저녁 식사가 있네. 자넬 데리러 오겠네. 잘 있게. 그때까지 자네가 조금 전에 마법사들에 대해 했던 말에 대해 생각해보게. '그들이 교회에 들어갔더라면 그들은 오직 추기경이 되거나 교황이 되고자 했을 것이다.'라는 말 말이야. 그리고 그와 동시에 오늘날의 성직자들이 얼마나 끔찍한 무리인지도 생각해보게!

적어도 현대의 악마 숭배에 대한 설명은 대부분 그곳에 있지. 불경한 사제가 없다면 성숙한 악마 숭배도 없을 테니까."

"그런데 그들 불경한 사제들이 원하는 게 도대체 무엇일까?"

"모든 것이지." 데 제르미가 말했다.

"그렇다면 자기 자신의 피로 서명한 차용증을 통해 악마에게 '지식, 권력, 부'를, 즉 인간이 갈망하는 모든 것을 요구했던 질 드 레와 똑같군!"

V

"빨리 들어와서 몸 좀 녹이세요. 아! 두 분, 정말이지 화를 내게 될지도 몰라요." 뒤르탈이 주머니에서 종이에 싸인 포도주병들을 꺼내고 데 제르미가 끈으로 묶은 작은 꾸러미들을 테이블 위에 내려놓는 것을 보며 카렉스 부인이 말했다. "이러시지 않아도 되는데, 돈을 너무 많이 쓰셨군요."

"우리가 좋아서 하는 일이니까요, 카렉스 부인. 그런데 당신 남편은요?"

"위에 있어요. 아침부터 화를 삭이지 못하더군요!"

"부인, 오늘은 추위가 극심하답니다." 뒤르탈이 말했다. "그러니 이런 날씨에 탑에 있는 건 유쾌한 일이 아니지요!"

"오! 그는 자신 때문이 아니라 그곳의 종들 때문에 불평하는 거랍니다! 그런데, 우선 옷을 좀 벗으세요!"

그들은 웃옷을 벗고 난로에 다가섰다.

"이곳은 그다지 따뜻하지가 않아요!" 그녀가 다시 말했다. "이 숙소는, 보시다시피 따뜻하게 하려면 밤낮으로 난로를 피워놓아야 할 거예요."

"이동식 난로를 사세요."

"아이구, 안 돼요, 질식하라고요!"

"어쨌든 쉽지는 않겠군요." 데 제르미가 말했다. "굴뚝이 없으니 말이에요. 연장할 수 있는 관이 있으면 저 난로의 통풍관을 창문까지 내련만…. 그런데 이 장치에 대해 생각해봤나, 뒤르탈? 이 찌그러진 양철 관들이 우리가 살고 있는 공리주의 시대를 얼마나 잘 나타내고 있는지 말일세.

생각해보게. 이것을 발명하는 데 진가를 발휘한 기술자는 어떤 물건이든 괴이하거나 흉측한 모양이 아니면 불쾌하게 느끼는 거야. 그는 우리에게 이렇게 말한다네. '따뜻하기를 원하니까 따뜻하게 해주겠다.'라고. 하지만 그 이상은 없네. 보기 좋은 무언가가 있어야 할 필요가 없는 거지. 더 이상 탁탁거리며 타오르는 장작도 없고, 우아하고 부드러운 열기도 없다네! 실용적이긴 하지. 그렇지만 소리 내며 타오르는 마른 장작의 화염에서 솟아나는 이 글라디올러스처럼 아름다운 불꽃의 환상은 없다네."

"하지만 불꽃이 보이는 난로들도 있잖아요?" 카렉스 부인이 물었다.

"있어요, 그런데 그게 더 나쁜 것이지요! 운모판으로 만든 창 뒤의 불이나 감옥 속의 불꽃은 훨씬 더 슬프지요! 아! 시골의 나뭇단들, 포도나무 덩굴은 향기를 내뿜으며 만물을 황금빛으로 물들이지요! 현대의 삶은 그런 것들을 바꿔놓았어요. 가장 가난한 농부도 누릴 수 있는 호사가 파리에서는 수입이 두둑하지 못한 사람들에겐 불가능하답니다!"

종지기가 들어왔다. 비죽비죽 곤두서 있는 콧수염 끝마다 작은 하얀색 입자들이 달려 있었다. 뜨개질한 방한모를 쓰고, 털로 안을 댄 양가죽 외투를 입고, 모피로 안을 댄 벙어리장갑을 끼고, 오버슈즈를 신은 모습 때문에 마치 극지방에서 내려온 사모예드족* 같았다.

"두 분과 악수를 할 수 없겠군요." 그가 말했다. "온통 그리스와 기름투성이니까요. 무슨 날씨가 이런지! 생각해보세요. 아침부터 종들을 닦고 있답니다…. 걱정을 안 할 수 없거든요!"

"왜요?"

"왜냐고요? 잘 아시잖아요, 얼면 금속이 수축된다는 걸. 그러면 금이 가거나 깨진답니다. 몹시 추운 겨울이면 종들을 많이 잃었지요. 우리와 마찬가지로 종들도 그러한 날씨를 고통스러워하거든요!

여보, 다른 방에 씻을 물 받아놓았지?" 그가 지나가며 말했다.

"테이블보를 같이 마저 씌울까요?" 데 제르미가 제안했다.

하지만 카렉스 부인은 거절했다.

"아니, 아니에요, 앉아 계세요. 저녁 식사 거의 다 됐어요."

"냄새가 좋군요." 끓어 넘치는 포토푀 냄새를 맡으며 뒤르탈이 소리쳤다. 포토푀는 다른 야채들의 향기에 셀러리 한쪽이 더해져서 자극적인 냄새가 났다.

"식사들 하세요!" 수염을 깎고 작업복을 입고 다시

* 시베리아 서북부에 사는 유목민.

모습을 나타낸 카렉스가 소리쳤다.

그들은 자리에 앉았다. 불기운이 되살아난 난로가 웅웅거렸다. 뒤르탈은 따뜻한 물로 목욕이라도 한 것처럼 거의 실신한 듯했던 위축된 정신이 갑작스레 이완되는 느낌을 받았다. 그는 카렉스 부부와 함께 파리에서 아주 멀리 떨어진 곳에, 자신의 시대에서 멀리 떨어진 곳에 있었던 것이다!

이 집은 무척 가난하지만 얼마나 다정하고 부드럽고 포근한가! 이 시골 냄새 나는 테이블 세트, 깨끗한 컵들, 소금을 살짝 친 이 신선한 버터 접시, 이 시드르 항아리까지도, 넓은 테이블보 위로 도금 벗겨진 은빛을 뿌려주는 다소 낡은 램프의 조명을 받는 이 테이블의 친밀함을 거들어주고 있지 않은가.

'그래, 다음 모임에 오게 될 때는 영국 가게에서 아주 새콤달콤한 오렌지 마멀레이드를 담을 그릇 하나를 사와야겠군.' 뒤르탈은 속으로 이렇게 생각했다. 데 제르미와 뜻을 모아 그들은 종지기의 집에서 저녁 식사를 할 때면 몇 가지 요리를 가져오곤 했기 때문이었다.

카렉스는 포토푀 요리와 간단한 샐러드를 차려 냈고 시드르를 따르고 있었다. 그들에게 비용 부담을 주지 않기 위해 그들은 포도주, 커피, 브랜디, 디저트를 가지고 갔고, 카렉스 부부 둘이서만 먹었다면 분명히 며칠 동안은 먹었을 수프와 소고기가 그들이 사온 물품들 중 남은 것들로 보충될 수 있도록 했다.

"이번엔 딱 맞았네요!" 금빛 띤 적갈색 물결이 표면에서 일렁이고, 황옥색 기름기가 둥둥 떠 있는 마호가니 빛깔 수프를 차례로 덜어내면서 부인이 말했다.

닭고기를 끓여 만들었기에 풍부하고 연한 맛, 강하지만 섬세한 맛, 세련된 맛이었다.

이제 모두가 접시에 코를 박고 아무 말도 하지 않았다. 향내 나는 수프 김을 쐬어 다시 활기를 찾은 모습들이었다.

"플로베르가 즐겨 쓰는 표현을 되풀이할 때로군. '식당에서는 이런 식으로 먹지 못해.'라고 말이야." 뒤르탈이 말했다.

"음식점들을 헐뜯지 말자구." 데 제르미가 말했다. "음식점들은 그곳을 샅샅이 뒤질 줄 아는 사람들에게는 아주 특별한 기쁨을 되찾아주지. 이보게, 이틀 전 일이었네. 환자를 왕진하고 나서 돌아오는 길에 어떤 건물에 들어서게 됐는데, 거기서 3프랑을 내고 수프 한 접시, 두 가지 선택 요리, 샐러드 한 접시, 그리고 디저트를 먹을 수 있었지.

이제는 거의 한 달에 한 번 꼴로 들르게 된 그 식당에는 아주 고상하고 적대적인 사람들, 부르주아 계층의 관리들, 국회의원들, 고급 관료들이 단골로 드나들고 있지.

나는 그라탱 소스를 친 무척이나 큰 가자미 요리를 깨지락거리면서 내 주변에 있는 단골손님들을 쳐다보았네. 그러다가 지난번에 들렀을 때와는 달리 그들이 이상하게 변했다는 걸 알았어. 그들은 살이 빠졌거나 부어올라 있었지. 눈은 주위가 거무스름해지고 퀭해졌거나 아니면 멍이 들어 있었다네. 살찐 사람들은 누렇게 되었고, 마른 사람들은 창백해졌지.

엑실리*의 잊힌 마법의 독보다 더욱 확실한 효과를 가진 그 집의 무시무시한 혼합 약제에 고객들이 천천히 중독된 거야.

자네들 짐작대로 난 거기에 흥미가 생겼지. 나는 독물학을 공부하고 있었는데, 음식을 살펴보다가 놀라운 성분들을 발견했다네. 그것들이 시체 냄새를 없애듯 숯과 탠피(皮)**의 분말 혼합물로 소독된 생선의 맛을 감춰주고, 소스를 듬뿍 바른 소고기의 맛이나, 염기성 물감으로 색을 내고 푸르푸롤***로 향을 내어 당밀과 석고로 무게를 맞춘 포도주들의 맛을 감춰주는 거였어!

나는 그들 모두가 쇠약해지는 걸 지켜보기 위해 매달 그곳을 다시 들르기로 다짐했지….”

“오, 저런!” 카렉스 부인이 외쳤다.

“이보게.” 뒤르탈이 외쳤다. “자네도 꽤나 악마 같은 면이 있군 그래!”

“보세요, 카렉스, 그가 드디어 자신의 목적을 드러냈

---

* Exili. 17세기 이탈리아의 화학자, 독약 전문가. 생몰년도와 생애에 대해서는 자세히 알려져 있지 않다.
** 무두질에 쓰이는 참나무 껍질.
*** 무색의 특수한 냄새를 가진 액체.

군요. 이 친구는 악마 숭배에 대해 말하고 싶어 해요. 아마 우리에게 숨 쉴 여유도 주지 않을 걸요. 사실을 말하자면 오늘 저녁에 당신과 그 문제에 대해 이야기하기로 그에게 약속했었답니다." 종지기의 놀란 시선에 답하면서 그가 계속 말했다. "그래요. 당신도 아시다시피 질 드 레 이야기에 빠져 있는 뒤르탈이 어제 중세의 악마 숭배에 관해 모든 정보를 갖고 있다고 선언하더군요. 나는 그에게 오늘날의 악마주의에 관한 자료들도 갖고 있는지 물어보았지요. 그는 코웃음을 치며 오늘날엔 그러한 행위들이 지속되고 있지 않다고 했답니다."

"분명히 지속되고 있답니다." 카렉스가 정색하고 답했다.

"그 점에 관해 이야기하기 전에 데 제르미에게 하나 물어보고 싶습니다." 뒤르탈이 말했다. "이보게, 농담으로 넘기거나 웃음으로 얼버무리지 말게. 자네는 가톨릭을 믿는지 안 믿는지를 최종적으로 내게 말할 수 있겠나?"

"저분이요!" 종지기가 외쳤다. "저분은 믿지 않는 사람 이상이에요, 그는 이교의 시조랍니다!"

"사실, 내가 무언가를 믿는다면 나는 기꺼이 마니교로 기울어질 걸세." 데 제르미가 말했다. "그건 가장 오래된 종교 중 하나이자 가장 단순한 종교이고, 어쨌든 오늘날의 가증스런 혼돈 상태를 가장 잘 설명해주는 종교라네.

악의 원리와 선의 원리, 광명의 신과 암흑의 신, 이 두 경쟁자가 우리의 영혼을 두고 서로 다투고 있다는 것

101

만큼은 분명한 사실이야. 확실히 오늘날에는 선신이 궁지에 몰려 있고 악신이 주인이 되어 이 세계를 통치하고 있지. 그런데, 이러한 이론들 때문에 괴로워하는 우리 불쌍한 카렉스가 나를 비난할 수 없는 점이 바로 이건데, 나는 약자들의 편이거든! 이것은 고귀한 생각이고 올바른 의견이라고 생각하네!"

"하지만 마니교는 불가능합니다." 종지기가 외쳤다. "두 명의 절대자가 함께 존재할 수는 없는 일이지요!"

"논리적으로 생각해보면 아무것도 존재할 수 없다네. 당신들이 가톨릭 교리를 검토하는 순간, 제기랄, 모든 것이 붕괴될 걸세! 두 명의 절대자가 공존할 수 있다는 증거는 바로 이러한 생각이 이성을 초월한다는 점, 그리고 그것이 '집회서'*에서 이야기하는 생각의 범주 속에 들어간다는 점에서 찾을 수 있지. '네가 도달할 수 있는 곳보다 더 높이 있는 것을 찾지 말라, 왜냐하면 어떤 것들은 인간의 감각으로 파악할 수 없음이 밝혀졌기 때문이니라!'

마니교에는 확실히 어떤 묘미가 있었네. 사람들은 피바다 속에서도 그에 빠졌으니까. 12세기 말에는 마니교의 교리를 실천하던 알비 종파 수천 명이 화형에 처해졌지. 특히 마니교도들이 악마에게 바치던 그 의식을 남용하지 않았다고 감히 말하지는 않겠네!"

"지금 나는 그들에게 더 이상 동조하지 않네." 카렉

---

* 구약 외전 중 하나.

스 부인이 일어나 접시를 거두고 소고기를 가지러 간 사이에 잠시 침묵하던 그가 조용히 말을 이었다.

"우리끼리만 있을 때 자네들에게 그들이 무슨 일을 했는지 말하겠네." 카렉스 부인이 계단으로 사라지는 것을 보면서 그가 다시 말했다. "프셀로스*라는 뛰어난 인물이 『악마의 활동에 대하여』라는 책에서 우리에게 밝혀준 바에 따르면, 그들은 의식을 시작할 때 대소변을 맛보고 성체 빵에 인간의 정액을 섞어놓았다고 하네."

"정말 끔찍하군요!" 카렉스가 외쳤다.

"오! 그들이 빵과 포도주로 성체를 배령할 때는 그보다 더했다네." 데 제르미가 다시 말했다. "그들은 아이들의 목을 자르고, 그 피를 재와 섞었지. 그리고 그 반죽을 음료에 풀어서 성찬용 포도주를 만들었다네."

"음! 정말 악마 숭배의 핵심이로군." 뒤르탈이 말했다.

"물론이야. 자네가 상상하는 대로 악마 숭배의 핵심이지."

"데 제르미 씨가 또 끔찍한 이야기를 지어내서 말씀하셨군요." 야채를 두른 접시에 소고기 조각을 담아 가지고 오던 카렉스 부인이 속삭이듯 말했다.

"오! 부인." 데 제르미가 항변했다.

그들은 웃음을 터뜨렸다. 카렉스가 고기를 자르는 동안 카렉스의 아내는 시드르를 따랐고, 뒤르탈은 앤초비

---

* Michael Psellos(1018-78). 비잔티움 제국의 작가, 철학자. 철학, 역사, 의학, 언어, 법학, 악마학 등 다양한 주제로 책을 썼다.

가 담긴 작은 병 마개를 땄다.

　"너무 익지 않았나 걱정되네요." 다른 세계의 모험 이야기보다 자신이 요리한 소고기에 훨씬 더 관심이 가 있는 카렉스 부인이 말했다. 그러고서 주부들이 흔히 하는 유명한 말을 덧붙였다. "수프가 맛있으면 고기가 잘 안 썰어진대요."

　남자들은 그 말에 이의를 달면서 고기가 풀어지지 않았고 적당히 익었다고 단언했다.

　"자, 뒤르탈 씨, 앤초비와 버터, 그리고 당신 고기예요."

　"아니, 여보, 우리에게도 당신이 절여놓았던 붉은 양배추를 줘야지." 카렉스가 말했다. 그의 창백했던 얼굴은 밝아져 있었던 반면 커다란 두 눈은 눈물로 가득 차 있었다. 따뜻한 탑 안에서 친구들과 함께 테이블에 앉아 있음에 행복해하며 몹시 기뻐하고 있음이 분명했다.

　"그런데, 당신들 잔을 비우셔야죠, 전혀 마시지 않고 있군요." 그가 시드르 단지를 들어 올리면서 말했다.

　"이보게, 데 제르미, 자네가 어제 주장했지. 중세 이후 악마 숭배는 결코 중단된 적이 없다고 말이야." 자신의 머릿속을 떠나지 않는 그 대화로 돌아가기 바라면서 뒤르탈이 다시 말했다.

　"그랬지, 그리고 그 자료들은 반박의 여지가 없다네. 원한다면 자네가 그것들을 입증할 수 있도록 해주겠네.

　15세기 말, 다시 말해 질 드 레가 살았던 시절이었

지. 더 이상 거슬러 올라가지는 않겠네. 그때 악마 숭배는 자네도 알고 있는 규모였지. 16세기에는 아마 더 악화되었을 거야. 카트린 드 메디시스와 발루아 왕가 사이의 악마의 계약과 수도사 장 드 보의 소송, 스프랑제 일가와 랑크르 일가, 그리고 남녀 마술사 수천 명을 불에 태워 죽였던 현학적인 그 종교재판관들의 심문을 자네에게 상기시킬 필요는 없을 거라 생각하네. 그 모든 것들은 이미 알려진 것, 그것도 아주 잘 알려진 것들이니까 말일세. 조금 신선한 것으로 기껏해야 베네딕투스 신부의 이름을 거명할 수 있겠지. 그는 여자 악마라 할 아르멜리나와 동거했고 희생자들을 거꾸로 잡고 제물로 바쳤던 사람이야. 이제 그 세기를 우리 시대에 연결시켜주는 아들들이 나타나지. 마법 소송이 계속되고, 루뎅*의 마귀 들린 자들이 나타났던 17세기에는 마법 의식이 창궐했지. 하지만 이미 더욱 은폐되고 더욱 은밀해졌다네. 수많은 예들 중 한 가지를 자네에게 인용해주겠네.

기부르라는 사제가 이러한 더러운 행위들의 전문가가 되었다네. 제단으로 쓰이는 테이블 위에 한 여자가 벌거벗은 채 혹은 턱까지 옷자락을 걷어 올린 채 누워 있고, 예배가 진행되는 동안 내내 두 팔을 뻗어 불 켜진 양초들을 들고 있었지.

그런 식으로 기부르는 마담 드 몽테스팡, 마담 다르

* 시농에서 약 20킬로미터 떨어진 마을. 이곳의 성 우르술라 수녀회 수녀원은 유명한 마법 사건의 중심지였다.

장송, 마담 드 생퐁의 배 위에서 미사를 집전했다네. 게다가 이러한 미사는 루이14세 시절에는 아주 흔했지. 오늘날 수많은 여성들이 카드 점쟁이들 집에 좋은 점괘를 뽑으러 가는 것과 마찬가지로 당시의 수많은 여성들도 그 미사에 가곤 했다네.

이러한 예배 의식은 상당히 끔찍했지. 그들은 대개 한 아이를 강탈해와서 들판에서 가마솥에 넣고 태우곤 했지. 그러고 나서 그 유해 가루를 몸에 지녔고, 살해된 다른 아이의 피와 그것을 섞어서 방금 자네에게 말했던 마니교도의 반죽 비슷한 것을 만들었다네. 기부르 사제는 제식을 집전하고, 성체 빵을 축성하고, 작은 조각으로 잘라서 바로 그 유해 가루와 피의 혼합물과 섞었지. 그게 성사(聖事)의 재료였다네."

"정말 끔찍한 신부였군요!" 카렉스의 아내가 분노에 차 소리쳤다.

"그렇지요. 그 사제는 또한 다른 종류의 미사를 집전하기도 했답니다. 그 미사의 이름이… 제기랄, 입에 올리기가 쉽지 않군…."

"말해보세요, 데 제르미 씨, 이곳에 모인 우리처럼 그러한 일들에 대해 증오심을 갖고 있으면 듣지 못할 게 없어요. 그것 때문에 오늘 저녁에 내가 기도를 못 하지는 않을 테니까요."

"나도 마찬가지요." 그 남편이 덧붙여 말했다.

"그럽시다, 그 미사는 '정액 미사'라고 불렸답니다!"

"아!"

"흰 제복과 스톨라, 성대(聖帶)*를 갖춰 입고 기부르는 오로지 액막이용 반죽을 만들기 위해서 그 미사를 집전했지.

바스티유 기록 보관소 자료에 의하면 그가 그렇게 행동한 것은 데 죄예트라는 부인의 요청에 의해서라고 하더군.

몸이 불편했던 그 여인은 자신의 피를 주었다네. 그녀를 따라온 남자가 방 안 구석으로 물러나 그 짓을 했고, 기부르는 그의 정액을 성배에 받아 담았지. 그러고 나서 그는 피와 밀가루를 첨가했고, 신성모독적인 의식이 끝난 다음 데 죄예트 부인은 그가 만든 반죽을 갖고 갔다네."

"맙소사, 파렴치한 짓투성이로군요!" 종지기의 아내가 한숨 쉬듯 말했다.

"그렇지만 중세에는 미사가 다른 식으로 집전되었다네. 당시 제단은 여자의 벌거벗은 엉덩이였지. 17세기에는 여성의 배였고. 그렇다면 지금은 어떤가?" 뒤르탈이 말했다.

"지금은 여자가 제단으로 쓰이는 경우가 거의 없다네, 지레짐작하지 말게.

18세기에 우리는 또다시 신성모독 행위들을 하는 사제들을 발견하게 되지, 수많은 사람들 중에서 말이야!

* 시제기 미사 내 왼쪽 팔에 늘어뜨리는 헝겊.

그런 사람들 중 하나인 뒤레 참사원은 특히 마법에 몰두했다네. 그는 강령술을 실행해서 악마를 부르곤 했지. 마침내 서기 1718년에 그는 마법사로 처형당했네.

파라클레,* 즉 성령의 구현을 믿었고, 롬바르디아에서 자신의 의식을 전도할 임무를 띤 사도 열두 명과 여자 사도 열두 명을 임명해 그곳을 몹시 시끄럽게 만들었던 또 한 사람이 있었는데, 베카렐리 사제가 바로 그라네. 그는 자신과 같은 부류의 신부들과 마찬가지로 남성과 여성을 욕보였고, 자기 자신의 음욕을 고백하지 않은 채 미사를 올리곤 했지. 그는 조금씩 관습에 역행하는 의식에 빠졌다네. 그 의식에서 그는 참석자들에게 성욕을 불러일으키는 알약을 나누어주었는데, 그 알약을 삼키면 남자는 자신이 여자로 변했다고 생각하게 되고, 여자는 남자로 변했다고 생각하게 되는 특성이 있었지."

"이러한 교미 촉진제 조제법은 사라져버렸다네." 거의 슬픔에 가까운 미소를 머금은 채 데 제르미가 계속해서 말했다. "결론적으로 베카렐리 사제는 처참한 결말을 맞이했지. 신성모독 행위로 기소된 그는 1708년에 7년 동안 갤리선의 노를 젓는 형벌에 처해졌다네."

"그 끔찍한 이야기들을 하시느라 음식을 드시지 않고 있군요." 카렉스 부인이 말했다. "보세요, 데 제르미 씨,

---

* Paraclet. 그리스어 'Parakletos'에서 온 말. 어원상 보호자, 변호인 등의 의미인데, 기독교에서는 '진리의 영'을 뜻한다. 한국어 성경에서는 협조자, 보호자, 보혜사 등으로 번역하고 있다.

샐러드 좀 더 드릴까요?"

"아니오, 괜찮습니다. 그런데, 이젠 치즈도 여기 있고 하니 포도주를 딸 시간이 된 것 같은데." 그러면서 그는 뒤르탈이 가져온 포도주 여럿 중 한 병의 마개를 땄다.

"정말 좋은 술이군요!" 종지기가 입맛을 다시면서 소리쳤다.

"도수 낮은 시농산 포도주인데 그렇게 약하지는 않아요. 강둑길 근처의 포도주 상점에서 찾아냈지요." 뒤르탈이 말했다.

그는 잠시 묵묵히 있다가 다시 말했다. "사실, 전대미문의 범죄적 전통이 질 드 레 이후 계속 보존되어왔음을 난 알고 있다네. 모든 세기마다 실패한 신부들이 있었고, 그들이 신성을 거스르는 사기를 저질렀음을 알고 있지. 하지만 지금으로서는 그러한 일이 실제로 일어날 수 있었던 건지 긴가민가해. 이젠 '푸른 수염'과 기부르 사제가 살던 시대처럼 아이들의 목을 잘라 살해하지 않으니까 말일세!"

"그게 아니라 사실은 사법기관이 철저히 조사하지 않고 있는 것이겠지요. 아니면 더 이상 학살당하는 사람은 없지만, 지명된 희생자들이 기존의 지식으로는 알 수 없는 방법들을 통해 죽어가고 있다는 뜻이겠지요. 아! 만일 고해실이 말을 할 수 있다면!" 종지기가 외쳤다.

"그러면, 현재 악마 쪽에 가담해 있는 이들은 어떤 부류에 속한 사람들일까?"

"상급 선교사들, 교단의 고해신부들, 고위 성직자들과 수녀원장들이지. 현재 마법의 중심지인 로마에서 그들은 최고위층에 속한 사람들이라네." 데 제르미가 대답했다. "일반인들은 부유한 계층에서 선발되지. 경찰이 발견한다 해도 그러한 추문들이 어떻게 은폐되는지는 이로써 설명될 걸세!

그리고, 악마에게 바치는 의식에 앞서 선결 조건으로 살인이 없다는 것까지도 인정하세. 어떤 경우에는 그런 일이 있을 수 있지. 아마도 어느 정도 적당히 자랐을 때 낙태시킨 태아의 피를 사용하는 것으로 만족하기도 할 거야. 그러나 유혈은 필요 이상의 자극제일 뿐이고 양념에 불과해. 중요한 문제는 희생 제물을 바친다는 것이고, 그 제물을 추잡한 용도에 쓰이게 한다는 점이지. 그게 핵심일세. 나머지는 변화하지. 현재로서는 악마 의식에 정해진 의례는 없다네."

"그래도 그 의식을 진행하려면 사제가 꼭 필요하겠지?"

"물론이지. 사제만이 화체(化體)*의 신비를 실행할 수 있으니까. 내가 알기로는, 어떤 신비주의자들은 성 바울처럼 주님에 의해 축성을 받았다고 주장하고, 그렇기 때문에 진짜 사제들과 마찬가지로 자신들도 진짜 미사를 올릴 수 있다고 생각하고 있다네. 그야말로 기괴한 일이

---

* 성찬의 빵과 포도주가 예수의 살과 피가 되는 것을 말한다.

지! 그런데 실제 미사가 없고 잔인한 사제들이 없지만, 그럼에도 불구하고 신성모독증에 사로잡힌 사람들은 그들이 꿈꾸는 파렴치한 행위를 실행한다네. 들어보게, 이런 일이 있었지.

1855년 파리에 대부분 여성들로 이루어진 모임이 하나 있었다네. 그 여자들은 하루에도 몇 차례씩 성체를 배령했고, 입속에 성체를 물고 있다가 다시 뱉고 찢거나 혐오스러운 것들과 접촉해 더럽히거나 했다네."

"확실한 건가?"

"물론이지, 그 사건은 종교 신문인 『신성 연보』에 의해 폭로되었는데, 그 신문은 파리 주교조차 권위를 인정하지 않을 수 없거든! 덧붙여 말하자면 1874년에, 마찬가지로 그처럼 추악한 거래를 했다고 해서 여자들이 파리에 끌려왔지. 그 여자들은 받아온 제병들에 대해 돈을 지불받았는데, 그걸 보면 왜 그 여자들이 매일 여러 교회의 영성체대에 돌아가며 나타났는지 설명되네."

"그건 아무것도 아녜요! 보세요." 이번엔 카렉스가 말했다. 그는 일어나 서가에서 파란색 책자를 한 권 꺼냈다. "1843년 나온 『라 셉텐의 목소리』라는 잡지랍니다. 이 잡지를 보면 아장에서는 한 악마 단체가 25년 동안 끊임없이 악마 의식을 거행했고, 3320명을 살해하고 타락시켰다는군요! 선량하고 열정적인 성직자인 아장의 주교도 자신의 교구 안에서 저질러진 기괴한 일들을 감히 부정하지 못했답니다!"

"그래, 우리끼리니까 이야기할 수 있는데", 데 제르미가 다시 말을 이었다. "19세기는 불순한 사제들이 넘쳐나고 있어. 비록 참고 자료들이 확실하긴 하지만, 불행하게도 그것들을 입증하기는 어려운 일이라네. 왜냐하면 어떤 성직자도 그와 유사한 악행을 자청해서 떠벌리지 않으니까. 신을 살해하는 의식의 집전자들은 스스로의 몸을 감추고서 그리스도에게 자신의 몸을 바쳤다고 공언하지. 그들은 엑소시즘을 통해 악령에 사로잡힌 자들과 싸움으로써 그리스도를 수호하고 있다고 주장하기까지 한다네.

바로 그게 속임수야. 악령 들린 자들을 만들어내고 키우는 건 바로 그들 자신들이거든. 그들은 특히 수도원에서 그런 식으로 실험 대상들과 공범들을 확보하지. 살인과 관련된 가학적인 모든 광기들을 그들은 엑소시즘이라는 고대의 경건한 외투로 가리는 걸세!"

"공정하게 말해보죠. 그들이 더러운 위선자들이 아니라면 완전한 악마 숭배자라 할 수 없을 거예요." 카렉스가 말했다.

"위선과 오만은 못된 사제들이 지닌 가장 터무니없는 악덕들이라고도 할 수 있지요." 뒤르탈이 지지했다.

"결국은," 데 제르미가 다시 말했다. "아무리 조심에 조심을 거듭하더라도 마지막엔 모두 알려지는 법이지. 이제까지 내가 이야기한 건 단지 지방의 악마 단체들뿐이었다네. 하지만 보다 더 규모가 크고, 신구 세계를 휩쓸고 있는 다른 단체들이 있다네. 이렇게 말할 수 있을지 모르겠네만, 상당히 현대적이라 할 악마 숭배는 행정적으로 조직화되어 있고 중앙집권화되어 있기 때문이지. 악마주의는 이제 위원회, 소위원회들을 갖추고 있지. 그것들은 교황의 쿠리아*처럼 아메리카와 유럽을 조절하는 일종의 쿠리아라네.

이들 단체 중 가장 규모가 크고 설립 연대가 1855년으로 거슬러 올라가는 단체가 '귀족 마법사 협회'라네. 겉으로는 통합된 모습을 보이고 있지만 협회는 두 진영으로 나뉘어 있지. 하나는 세계를 파괴하고 그 잔해 위에서 통치할 것을 주장하는 진영이고, 다른 하나는 단순히 악마 숭배를 세계에 강요하고, 자신들이 그 의식의 제사장을 맡고자 하는 진영일세. 자칭 '망령을 부르는 새로운 마법'의 위대한 사제였던 롱펠로가 한때 경영하기도 했던 그 협회는 아메리카에 본부를 두고 있다네. 오랫동안 프랑스, 이탈리아, 독일, 러시아, 오스트리아, 심지어 터키에까지 지부들을 두고 있었지.

현재 그 협회는 거의 소멸 직전이거나 아니면 아마도 완전히 소멸되었을 걸세. 하지만 또 다른 단체가 만들어졌다네. 새로 생긴 단체의 목표는 죽음의 적그리스도라 할 반(反)교황을 선출하는 것이지. 자네들에게 두 개만 인용했지만, 얼마나 많은, 그리고 얼마나 은밀한 다른 단체

---

* 고대 로마 시대에 로마 시민의 구분 단위였으나 점차 종교적 예배 장소, 단체의 집회소, 원로원이 의사당 등을 지칭하게 되었고, 세성 시대에는 지방 도시 평의회를 통칭하기도 했다.

들이, 그 모두가 하나같이 성체 축제가 열리는 날이면 아침 열 시에, 마법사들이 득실거리는 파리에서, 로마에서, 브뤼헤에서, 콘스탄티노플에서, 낭트에서, 리옹에서, 그리고 아일랜드에서 마법 의식들을 거행하는지 모른다네!

그리고 이러한 세계적인 단체들이나 지역적인 모임 이외에도, 어렵게 불을 밝히고 명멸하고 있는 개별적인 경우들이 많이 있다네. 몇 년 전에는 멀리서 로트레크라는 백작이 고해성사를 하고 죽었는데, 그는 신자들을 악마에 물들게 하기 위해 자신이 주술을 건 성상들을 교회에 기증했지. 브뤼헤에서는 내가 알고 있는 어떤 신부가 성체기를 오염시키고, 사기술과 주술을 준비하기 위해 사용하고 있지. 마지막으로, 무엇보다도, 아주 순수한 '마귀들림'의 경우를 인용할 수 있을 걸세. 캉티아뉴의 경우가 그러한데, 그녀는 1865년 오세르 시뿐만 아니라 상스 교구 전체까지 발칵 뒤집어놓았지.

몽생쉴피스 수도원에 있던 캉티아뉴는 열다섯 살이 되자마자 한 신부에 의해 강간당한 후 악마에게 바쳐졌다네. 그 신부 자신도 어린 시절에, 루이16세가 기요틴에 의해 처형당한 바로 그날 저녁 만들어진 '마귀 들린 자들' 모임의 일원이었던 성직자에게서 성병을 옮겨 받은 적이 있었지.

히스테리가 극심했음에 틀림없는 몇몇 수녀들이 캉티아뉴의 에로틱한 광란 행위와 신성모독적인 분노에 동참했던 그 수도원에서의 일은 고프레디와 마들렌 팔뤼,

위르뱅 그랑디에와 마들렌 바방, 예수회의 지라르와 라카디에르의 이야기들을 상기시키고 있다네. 지난날의 마술 소송과 구별할 수 없을 정도야. 그 이야기들에 관해서는, 한편으로는 히스테리성 간질의 관점에서, 다른 한편으로는 악마 숭배의 관점에서 할 이야기가 대단히 많았을 걸세. 어쨌든 수도원에서 쫓겨난 캉티아뉴가 토레라는 교구신부에 의해 마귀 추방 의식을 받았음은 사실인데, 그 교구신부는 자기 환자의 유혹을 잘 뿌리친 것처럼 보이지는 않았네. 곧이어 오세르에서도 그처럼 추잡한 장면들, 그처럼 악마와 관련된 위기가 있어서 주교가 개입해야 했던 것 같아. 캉티아뉴는 그 지역에서 추방되었고, 토레 사제는 규정에 따라 조치되었고, 사건은 로마로 이송되었지.

이상한 점은, 자신이 본 것에 두려움을 느낀 주교가 사표를 내고 퐁텐블로로 은둔했다는 점인데, 거기서 그는 여전히 공포에서 헤어나지 못한 채 2년 후 사망했다네."

"여러분," 카렉스가 손목시계를 보며 말했다. "지금 시각이 여덟 시 15분 전이군요. 나는 저녁 삼종기도 종을 치러 종루로 올라가야 하니 기다리지 말고 커피들 드세요. 10분 후 다시 오겠습니다."

그는 그린란드에서나 입을 옷을 걸치고, 램프에 불을 붙인 후 문을 열었다. 한줄기 차가운 바람이 들이쳤다. 흰색 입자들이 어둠 속에서 소용돌이치고 있었다.

"바람 때문에 총안을 통해 눈이 계단에 들이치고 있어요." 부인이 말했다. "이런 날씨에는 루이가 폐렴에 걸리지나 않을까 항상 걱정돼요. 자요, 데 제르미 씨, 커피예요. 따라 드시기 바랍니다. 이 시간이 되면 내 불쌍한 다리들이 지탱하지 못하거든요. 다리 뻗고 쉬러 가야겠어요."

"사실 말이지." 그녀에게 잘 자라고 인사하고 나서 데 제르미는 한숨 쉬듯 말했다. "사실인즉슨 카렉스 부인은 상당히 노쇠했어. 강장제로 원기를 북돋우려 해보았지만 소용없더군. 전혀 나아지지 않았다네. 정말이지 철저하게 약해졌어. 살아오는 동안 계단을 너무 많이 오르내렸거든. 불쌍한 여자야!"

"그런데, 자네 얘기는 이상하군." 뒤르탈이 말했다. "결론적으로 현대에서는 악마주의의 중요한 일이 마법 의식이라는 것이지 않은가!"

"그렇다네. 그리고 주술이며, 몽마(夢魔)*며 몽정마녀(夢精魔女)**에 대해서는 내가 이야기해주지. 아니, 차라리 그 문제들에 대해 나보다 더 전문가인 다른 사람에게 부탁해서 자네에게 이야기해주겠네. 신성모독적인 미사, 주술, 그리고 몽정마녀, 이것들이 악마주의의 진정한 정수라네!"

"신성모독적 희생 제의에 바쳐진 그 면병들을 찢지 않을 때면 어떻게 이용했나?"

"아니, 이미 자네에게 말하지 않았나. 그것들은 추잡한 행위에 이용되었다네. 자, 들어보게." 그러면서 데

---

* 잠자는 여자를 범한다는 악마(incube).
** 여자의 모습을 하고 잠든 남자와 정을 통한다는 악령(succube).

116

제르미는 종지기의 서가에서 고에르의 『신비주의 신학』 제5권을 꺼내 책장을 넘겼다. "여기에 그 구절이 있네."

고약한 짓을 행함에 있어서 이들 신부들은 때로는 커다란 면병들을 갖고 미사를 집전하기까지 한다. 그들은 그 면병들의 가운데를 자른 다음 같은 식으로 배열한 양피지 위에 그것들을 붙이고, 추잡한 방식으로 그것을 사용해 자신들의 정념을 만족시킨다.

"그렇다면 신에 대한 간음이란 말인가?"

"그렇다네!"

그때 탑에서 난타되던 종이 붕 하고 울렸다. 뒤르탈이 있는 방이 떨리더니 거의 윙윙 울리기 시작했다. 마치 벽에서 음파가 튀어나와 소용돌이치는 것 같았다. 마치 꿈속에서, 귀에 갖다 대면 요란하게 파도치는 소리가 들리는 듯한 조개껍질들 속으로 자리를 옮긴 듯했다. 시끄러운 종소리에 익숙해 있는 데 제르미는 오직 커피에만 신경을 쓰면서 난로 위에 놓고 데웠다.

더욱 느린 속도로 웅웅거리던 종소리가 잦아들었다. 창문의 유리창들과 서가의 유리들, 그리고 테이블 위에 있던 잔들이 조용해졌고, 가냘프고 약간 날카로운 소리들, 거의 쉰 듯한 소리들만 났다.

계단에서 발소리가 들렸다. 카렉스가 다시 들어왔다. 온통 눈으로 덮인 모습이었다.

117

"이런, 제기랄, 바람이 지독하게도 부는군!" 그는 몸을 털고, 옷을 벗어 의자 위에 던져놓고, 들고 있던 손전등 불을 껐다. "종탑의 바람막이를 통해 가림판과 반향판을 뚫고 눈이 마구 들이닥쳐 눈을 뜰 수가 없었답니다! 무슨 겨울 날씨가 이런지! 집사람은 자러 갔군요, 잘됐군요. 그런데, 커피들 안 드셨네요?" 잔에 커피를 따르고 있는 뒤르탈을 보며 그가 다시 말했다.

그는 난로에 가까이 가서 불을 뒤적거리고, 너무나 매서운 추위 때문에 눈물이 가득 고인 눈을 닦았다. 그러고는 커피를 한 모금 마셨다.

"이제, 됐군요! 어디까지 이야기하셨나요, 데 제르미?"

"악마주의에 관한 짧은 설명을 마쳤지요, 하지만 진짜 괴물에 대해서, 현재 실제로 존재하고 있는 유일한 지배자에 대해서는 아직 말하지 못했답니다. 환속한 사제인…."

"오!" 카렉스가 말했다. "주의하세요, 그 사람의 이름만으로도 불행이 닥쳐오니까요!"

"설마요! 그의 이름을 들먹였다고 해서 도크르 참사원이 우리에게 해를 끼칠 일은 전혀 없을 거예요. 솔직히 말하면 나는 왜 사람들이 그를 두려워하는지 잘 이해가 되지 않아요. 하지만 그 문제는 접어둡시다. 그 인물에게 관심을 두기 전에 뒤르탈이 그 인물을 가장 잘, 그리고 가장 철저히 아는 듯한 당신 친구 제뱅제를 만나게 해주었으면 좋겠군요.

그 친구분과 대화하게 되면, 내가 악마주의에 관해서나, 특히 마법에 의한 독살과 몽정마녀에 관해 덧붙여야 할 설명이 상당히 간결해질 거예요. 자, 이곳에서 저녁 식사를 하도록 그를 초대해도 될까요?"

카렉스는 머리를 긁적이더니 손톱으로 파이프의 재를 비웠다.

"그 사람과 나 사이에 다소간 의견 충돌이 있어서요." 그가 말했다.

"아니, 왜요?"

"오! 심각한 문제로 그런 건 아니에요. 바로 이 자리에서 언젠가 내가 그의 경험담들을 중지시켰거든요. 조금만 따라서 드시지요, 뒤르탈 씨. 그런데 데 제르미 씨, 당신은 술을 안 드시는군요." 그러고서 뒤르탈과 데 제르미가 담배에 불을 붙이면서 코냑 몇 모금을 거의 스트레이트로 마시는 동안 카렉스가 다시 말했다.

"제뱅제는 점성술사이긴 하지만 선한 기독교인이고 성실한 사람이라 내가 기꺼이 만나려는 사람인데, 그가 내 종들을 구경하고 싶어 했지.

여러분들에겐 놀라운 일이겠지만 그게 그렇답니다. 예전에는, 금지된 학문에서 종들이 상당한 역할을 했거든요. 종소리를 듣고 미래를 예언하는 기술은 비술(秘術)에서 가장 덜 알려지고 가장 사용되지 않는 분야 중 하나랍니다. 제뱅제는 이띤 자료들을 발굴해냈는데, 그것들을 탑에서 확인해보고 싶었던 거죠."

"그가 어떻게 했는데요?"

"내가 아나요! 그 나이에, 그는 허리를 다칠 위험을 무릅쓰고 종 아래쪽으로 들어갔지요. 그의 몸이 반쯤 종 속에 파묻혔고, 어떻게 보면 엉덩이까지 그 종을 뒤집어 쓰고 있는 것 같았어요. 그는 혼잣말을 하면서 자신의 목소리를 반사하는 청동 종의 떨림 소리를 들었지요.

그는 또 내게 종에 관한 꿈의 해석에 대해 이야기했어요. 그의 말에 따르면 자는 동안 종이 흔들리는 것을 보는 사람에게는 사고가 날 위험이 있다더군요. 종이 울린다는 건 욕먹을 전조래요. 종이 떨어진다면, 운동 능력 상실이 틀림없다더군요. 종이 깨지면 고통과 재난이 확실하대요. 마지막으로 그가 덧붙여 말했던 것으로 생각되는데, 야행성 새들이 달빛에 빛나는 종 주변을 날아다니면, 교회 내에서 어떤 신성모독적인 절도가 일어나거나 신부에게 위험이 닥치는 게 확실하다더군요.

어쨌거나 축성(祝聖)된 종인데, 그런 식으로 종을 만지고, 그 속에 들어가고, 그 예언 능력을 말하고, 그것을 레위기가 공식적으로 금지한 꿈의 해석에 뒤섞어놓는 방식이 마음에 들지 않았지요. 그래서 다소 거칠게 그런 짓 그만두라고 그에게 말했지요."

"당신들 둘 사이가 틀어진 건 아니죠?"

"아니에요, 고백하자면, 내가 왜 그리 흥분했는지 후회된답니다!"

120

"그렇다면, 내가 조정해보죠. 그를 만나러 가야겠군요." 데 제르미가 말했다. "그렇게 합시다, 괜찮겠죠?"

"그렇게 하시지요."

"이쯤에서 당신이 주무시도록 우리가 가야겠군요. 당신은 새벽부터 서 있어야 할 테니까요."

"오! 여섯 시 삼종기도를 위해 다섯 시 반에는 일어나 있어야지요, 그러고 나서는 원하면 다시 잘 수도 있답니다. 그 이후 일곱 시 45분까지는 종을 칠 일이 없거든요. 그리고 주임신부님의 미사를 위해 몇 번만 종을 치면 됩니다. 아시다시피 그건 그다지 힘든 일이 아니지요!"

"음!" 뒤르탈이 말했다. "나도 그렇게 일찍 일어나야 하는데!"

"습관의 문제랍니다. 그런데, 떠나기 전에 한 잔씩만 더 하세요. 싫으신가요? 정말요? 그렇다면, 가시죠!" 그가 램프에 불을 밝혔고, 그들은 몸을 떨며 일렬로 줄지어 깜깜한 층계의 얼어붙은 나선형 계단을 내려갔다.

VI

다음 날 아침 뒤르탈은 평소보다 더 늦게 잠에서 깨어났다. 눈을 채 뜨기도 전에 그는 머릿속을 언뜻 스쳐가는 빛 속에서, 데 제르미가 말했던 악마 단체들이 사라반드*를 추는 모습을 보았다. "여자 곡예사들이 발을 묶은 채 물구나무서서 기도를 드리고 있군!" 그는 이렇게 중얼거리며 하품을 했다. 기지개를 켜고 나서 그는 눈꽃과 성에 고사리가 피어 있는 창문을 쳐다보았다. 그는 재빨리 침대 속으로 팔을 거둬들이고서 이불 속에 몸을 파묻었다.

'집에 머물러서 일하기에 좋은 날씨야.' 그는 다시 생각했다. '일어나서 난로에 불을 지펴야지. 자, 힘 좀 내자구….' 그러면서도 그는 이불을 걷어내기는커녕 턱 밑까지 높이 끌어당겼다.

"아! 그러니까 내가 늦잠을 자는 게 너에겐 불만이란 말이지." 발치에 있는 침대보에 누운 채 까만색 눈으로 그를 뚫어져라 쳐다보고 있는 고양이에게 그가 말했다.

이 짐승은 다정다감하고 아양을 잘 떨었지만 성격이 지나치게 까다롭고 교활했다. 어떠한 환상도, 어떠한 일탈도 인정하지 않았고, 같은 시각에 일어나고 잠잘 것을 요구했다. 불만스러울 때면 침울한 눈빛 속에 아주 분명하게 분노의 낌새를 보이곤 했는데, 주인인 그는 그러

---

* 12세기 스페인에서 시작된 활발하고 선정적인 무용.

한 느낌을 잘못 감지한 적이 없었다.

그가 저녁 열한 시 이전에 되돌아올 때면 고양이는 현관에서 그를 기다렸고, 그가 방 안에 들어서기도 전에 문에서 나무 문을 긁어대며 야옹거리곤 했다. 그리고 나서 슬픔을 호소하는 듯한 녹색 기운이 도는 황금빛 눈동자를 굴리며 그의 바지에 자신의 몸을 문지르고, 가구들 위로 뛰어올라 말처럼 뒷발로 일어서서, 그가 다가가면 우정의 표시로 머리를 그에게 디밀곤 했다. 열한 시가 지나면 고양이는 그의 앞을 지나가지 않았고, 그가 가까이 가도 일어서기만 했으며, 등을 둥글게 하긴 했지만 애정을 나타내지는 않았다. 더 늦은 경우에는 꿈쩍도 하지 않았고, 그가 감히 머리를 쓰다듬거나 목 아래쪽을 긁어주기라도 하면 불평하듯 그르렁거렸다.

그날 아침 고양이는 그의 게으름에 짜증을 냈고, 일어나 앉아서 몸을 부풀렸고, 슬그머니 다가와서 주인 얼굴 가까운 곳에 앉아 지독히 교활한 눈으로 그의 얼굴을 뚫어지게 쳐다보며, 그가 자리에서 물러나 자기에게 따뜻한 자리를 넘겨주어야 함을 암시했다.

이러한 수작에 즐거워진 뒤르탈은 오히려 꿈쩍도 하지 않고 고양이를 쳐다보았다. 고양이는 몸집이 컸고, 평범하면서도 특이했다. 반쪽은 오래된 코크스 재처럼 다갈색이고 나머지는 새 빗자루의 털처럼 회색인 옷을 걸치고 있었고, 그 옷에는 꺼진 불 위에 떠다니는 보풀처럼 작고 하얀 장식용 술이 여기저기 달려 있었다. 그놈은 키가 크

124

고, 몸이 길고, 얼굴은 갈색이고, 아주 규칙적인 검은색 줄무늬가 마치 검은색 팔찌처럼 다리를 둘러싸고 있고, 잉크로 크게 두 줄 지그재그를 그린 듯한 무늬가 눈 옆으로 나 있는, 아주 일반적인 종류의 고양이였다.

"흥을 깨뜨리는 성격에 편집증적이고 참을성 없는 노총각의 특징을 보이지만, 그래도 너는 착한 녀석이로구나." 뒤르탈은 고양이의 환심을 사기 위해 구슬리는 어조로 말했다. "그러고 보니 아무에게도 말하지 않는 것을 너한테 이야기한 지도 오래되었네. 너는 내 영혼의 원동력이자 무관심하고 관대한 고해신부야! 너는 내가 마음의 짐을 벗기 위해 고백하는 정신적인 잘못들을 놀라지도 않고 대가도 요구하지 않으면서 막연하게 인정하잖아. 사실, 그게 네 존재 이유지. 너는 고독과 독신 생활의 정신적 배출구야. 하지만 아무리 그렇다고 해도 네가 오늘 아침처럼 토라져 있으면, 참아줄 수가 없단다!"

고양이는 계속해서 그의 얼굴을 뚫어지게 쳐다보고 귀를 기울이며 목소리의 굴절을 통해 자신이 듣고 있는 말의 의미를 파악해내려 애쓰는 듯했다. 고양이는 뒤르탈이 침대에서 일어나고 싶은 생각이 전혀 없다는 점을 아마도 이해한 듯했다. 먼저 있던 자리로 다시 돌아가 자리를 잡았기 때문이었다. 하지만 이번엔 등을 돌린 채였다.

"자, 질 드 레에 대한 일을 시작해야 할 텐데." 의기소침해진 뒤르탈이 손목시계를 쳐다보며 말했다. 그러고는 벌떡 일어나서 바지를 걸쳐 입었다. 그러자 고양이가 재빨리 몸을 일으켜 지체 없이 이불을 건너뛰었고, 따스한 시트 속에 몸을 웅크렸다.

"무슨 날씨가 이렇게 춥담!" 뒤르탈은 뜨개질한 조끼를 꿰어 입고 난로에 불을 피우기 위해 다른 방으로 건너갔다.

"얼어 죽겠군." 그가 중얼거렸다. 다행히도 집은 난방을 하기 쉬웠다. 사실 6층에 있는 그의 숙소는 문, 작은 거실, 작은 침실, 꽤 넓은 화장실로만 단출히 이루어져 있었는데, 아주 밝은 안마당 쪽을 향해 있는 그 모두의 세가 800프랑이었다.

숙소 가구들은 사치와는 거리가 멀었다. 뒤르탈은 작은 거실을 작업실로 삼고, 책이 가득 들어찬 검은색 목재 칸막이 선반으로 벽을 덮어놓았다. 창문 곁에는 커다란 테이블과 가죽 소파, 의자 몇 개가 있었다. 천장과 낡은 천을 씌운 작은 테이블 사이의 벽난로 위에는 거울 대신 목판에 그린 오래된 작은 그림이 하나 걸려 있었는데, 그 그림에는 푸른색이 회색으로, 흰색이 갈색으로, 초록색이 검은색으로 바뀐 배경 속에 추기경 모자와 자줏빛 외투를 곁에 두고 나뭇가지로 만든 오두막 아래 무릎을 꿇고 있는 한 은자가 그려져 있었다.

전반적으로 마른 양파처럼 어두운 색조로 그려진 그림의 가장자리에는 서로 겹쳐져서 이해하기 힘든 에피소드들이 펼쳐져 있었는데, 검은색 떡갈나무 프레임 근처

126

에 있는 작은 집들에는 릴리퍼트* 사람들처럼 작은 사람들이 오밀조밀 모여 있었다. 한쪽에서는, 뒤르탈이 이름을 찾으려 애썼지만 실패한 성자가, 매끄럽고 고요한 물이 흐르는 강굽이를 배로 건너고 있었다. 다른 한쪽에서는 그 성자가 손톱만 한 크기의 마을을 산책하고 있었는데, 그러다가 그는 그림의 어두운 부분 속으로 사라졌으며, 더 높은 곳에서 단봉낙타들을 이끌고 봇짐을 든 모습으로 동방의 동굴 속에서 다시 모습을 드러냈다. 그는 시야에서 다시 사라졌다가, 숨바꼭질하듯 잠깐잠깐 모습을 감추었다가는 이전보다 더욱 작은 모습으로, 손에 막대기를 들고 등에는 가방을 맨 모습으로 다시 나타나서 아직 완성되지 않은 기이한 모습의 성당 쪽으로 홀로 올라가고 있었다.

늙은 네덜란드 무명 화가의 그림이었는데, 화가는 이탈리아 대가들이 사용하던 색조나 몇 가지 기법을 자기 것으로 만들고 있는 점으로 보아 이탈리아를 방문했던 것 같았다.

침실에는 커다란 침대가 하나, 불룩 튀어나온 부분이 있는 서랍장이 하나, 안락의자가 몇 개 있었다. 난로 위에는 오래된 괘종시계와 구리 촛대들이 있었다. 벽에는 베를린 박물관에 있는 보티첼리의 그림을 찍은 아름다운 사진이 걸려 있었다. 사진 속 성모마리아는 애처로우면

* 『걸리버 여행기』 1부에 나오는 소인국

127

서도 강인한 모습, 회개하는 주부의 모습이었다. 성모 곁에는 전선 같은 것으로 겉을 둘러싼 양초를 손에 들고 있는 사랑에 번민하는 젊은이들과 긴 머리카락에 꽃을 꽂은 귀여운 여자아이들, 성모마리아 곁에 서서 축복을 내리고 있는 아기 예수 앞에서 욕망으로 죽어가는 고약한 시동들의 모습을 한 천사들이 있었다.

그리고 코크*가 새긴 브뤼헐** 그림의 판화가 한 점 있었다. '현명한 성모마리아들과 경솔한 성모마리아들'이라는 작은 판화인데, 가운데가 병마개 뽑이 모양의 구름으로 나뉘어 있고, 팔을 걷어붙인 채 나팔을 울리고 있는, 얼굴이 부은 천사들이 양쪽에 있으며, 한편 구름 가운데에서는 늘어진 옷 아래로 배꼽을 드러내고 있는 또 하나의 천사, 성직자처럼 보이면서도 기괴한 모습의 천사가 "저기 신랑이 온다. 어서들 마중 나가라."***라는 복음서 구절이 쓰여 있는 플래카드를 펼치고 있었다.

구름 아래, 한쪽에서는 현명한 성모마리아들, 즉 선한 플랑드르 여인들이 앉아서 아마 섬유 실인 듯한 것을 잦고, 불 켜진 램프 곁에서 성가를 부르며 물레를 돌리고 있었다. 다른 한쪽, 초원의 풀밭 위에서는, 경솔한 성모마리아들이, 즉 환희에 찬 아낙네들 네 명이 서로 손을 잡고

---

* Jérôme Cock(1518–70). 플랑드르의 화가, 판화가로 인쇄업자이면서 판화상이기도 했다.
** Pieter Brueghel(1525–69). 네덜란드의 화가.
*** 「마태오복음」 25장 6절.

둥글게 춤을 추고 있고 다섯 번째 아낙네는 텅 빈 램프 곁에서 백파이프를 연주하며 발로 박자를 맞추고 있었다. 구름 위에서는, 여전히 날씬한 현명한 성모마리아들 다섯 명이 매혹적인 나체로, 불 켜진 등을 흔들며, 고딕식 성당을 향해 올라가고 있고, 그리스도가 그들을 성당에 들여보내고 있었다. 한편 다른 쪽에서는 경솔한 성모마리아들이 역시 텁수룩한 털을 드러낸 벗은 모습으로, 피로에 지친 손에 꺼진 횃불을 든 채 열리지 않는 문을 두드리고 있었다.

뒤르탈은 아래쪽 장면에서는 부드러운 친근감이 느껴지고 위쪽 장면에서는 원초주의 화가들의 넉넉한 소박함이 느껴지는 이 오래된 판화를 좋아했다. 그는 그 그림에서 정화된 오스타더*의 기법과 티에리 바우츠**의 기법이 그림 한 폭에 어느 정도 결합되어 있음을 보곤 했다.

석탄이 탁탁 튀는 소리를 내고 마치 튀김 기름처럼 지글거리기 시작한 난로의 석쇠가 빨갛게 달궈지기를 기다리며 그는 책상 앞에 앉아서 자신의 노트들을 분류했다.

"어디까지 했더라?" 그는 담배를 말면서 중얼거렸다. "그 선량한 질 드 레가 연금술 탐구를 시작하는 순간까지였지. 금속을 금으로 변화시키는 방법에 관해 그가 얼마만큼의 지식을 갖고 있었는지 알아보는 건 그다지 어

* Adriaen van Ostade(1610–85). 농민이나 빈민 계층의 꾸밈없는 생활을 주로 그린 네덜란드의 화가.
** Thierry Bouts(1415–75). 주로 종교화를 그린 네덜란드의 화가.

렵지 않아.

그가 태어나기 한 세기 전에도 이미 연금술은 매우 발전해 있었어. 알베르 르 그랑, 아르노 드 빌뇌브, 레몽 뢸의 책들을 연금술사들은 갖고 있었지. 니콜라 플라멜*의 원고들이 떠돌아다니고 있었는데, 기서와 희귀본들에 열광해 있던 질이 그 원고들을 획득했으리라는 데에는 의심의 여지가 없어. 또 당시 연금술을 금지하고 위반하면 감금 및 교수형에 처한다던 샤를5세의 칙령과 연금술사들을 통렬히 비난하던 교황 요한 22세의 교서「그들은 자신들이 만들어내지 못하는 것을 약속한다(Spondent pariter quas non exhibent)」가 여전히 효력을 발휘하고 있었다는 점을 기억해야 해. 이러한 작품들은 금지된 것이었고, 따라서 선망의 대상이었어. 질이 그것들을 오랫동안 연구했음은 분명해. 하지만 연구했다는 것과 이해한다는 것은 전혀 다르지!

사실 이 책들은 전혀 알아볼 수 없는 터무니없는 글, 아무리 이해하려 애써도 이해할 수 없는 글들이었기 때문이야. 모든 것이 알레고리와, 괴상하고 모호한 은유와, 앞뒤가 맞지 않는 상징과, 얽히고설킨 비유와, 숫자로 가득한 수수께끼들로 이루어져 있었거든! 그런 예가 여기 있군." 이렇게 중얼거리면서 그는 책장 선반에서 유태인 아브라함의 책『아쉬메자레프』의 원고, 니콜라 플라멜의 것

---

* Nicolas Flamel(1330?–418). 14세기 프랑스의 연금술사.

을 엘리파스 레비가 복원해서 번역하고 주석을 붙인 원고를 꺼내들었다.

　어느 날 케케묵은 서류들 속에서 데 제르미가 그 원고를 발견했고, 뒤르탈에게 빌려주었던 것이다.

　"이 안에는 이른바 화금석(化金石)의 비결이, 즉 현자의 수은과 정기로 된 신묘한 영약의 처방이 들어 있다고 하지. 그런데 그림들은 그다지 선명하지 않군." 뒤르탈은 채색된 장식 펜화를 넘기면서 이렇게 생각했다. '화학적 성교'라는 표제 아래 병 속에 들어 있는 그림은 초승달 속에서 거꾸로 서 있는 초록색 사자를 나타내고 있었다. 그리고 다른 플라스크들 속에는 비둘기들이 그려져 있었는데, 그중 어떤 것들은 병 주둥이를 향해 날아오르는 모습이고, 어떤 것들은 바닥 쪽으로 머리를 돌린 채, 때로는 진홍빛과 금빛 물결로 출렁이는 검은 액체 속으로, 때로는 개구리 한 마리 혹은 별 하나가 들어 있는 잉크 반점이 박힌 흰색 액체 속으로, 또 때로는 표면이 희뿌옇고 분명치 않거나 혹은 펀치처럼 파란색 불꽃을 내며 타오르고 있는 액체 속으로 돌진하는 모습이었다.

　엘리파스 레비는 물병 속에 그려진 이 새들의 상징을 최선을 다해 설명했지만, 위대한 묘약의 그 유명한 처방을 알려주는 데까지 나가지는 않고, 자신의 다른 책들에서 했던 것과 같은 말장난을 계속하고 있었다. 다른 책들에서 그는 엄숙한 어조로 이야기를 시작하면서 오래된 비약의 비밀을 파헤치고 싶다고 해놓고, 정작 약속을 지켜야 할 순간에 가서는 그처럼 무시무시한 비밀들을 밝히게 되면 자신이 죽게 될 거라는 말도 안 되는 변명을 늘어놓으며 침묵하곤 했었다.

'바로 이러한 거짓말로 연금술사들은 자신들이 연금술에 관해 아는 바가 전혀 없다는 사실을 숨겨왔는데, 오늘날의 가련한 신비주의자들은 그 거짓말을 되풀이하고 있는 거야. 요컨대 문제는 간단해.' 뒤르탈은 니콜라 플라멜의 원고를 덮으며 생각했다.

'현대 과학이 오랫동안 부정해왔지만 이제 더 이상 옳다고 인정하지 않을 수 없는 무언가를 고대 연금술사들은 발견했던 거야. 그들은 금속들이 화합물이라는 점, 그리고 그 성분은 동일하다는 점을 발견했어. 따라서 금속들은 단순히 화합 요소들의 비율에 따라 서로 달라질 뿐이야. 이제 그 요소의 비율을 바꾸는 촉매의 도움을 얻으면 물질을 변화시킬 수 있게 되는 거지. 예를 들면 수은을 은으로, 납을 금으로 전이시킬 수 있는 거야.

그 촉매가 바로 화금석, 즉 수은이야. 하지만 그 수은은 연금술사들이 그저 버려진 금속의 정자(精子)에 불과한 것으로 간주하는 통상의 수은이 아니라, 철학자의 수은이었다. 그건 초록색 사자, 뱀, 동정녀 마리아의 젖, 흑해의 물이라고 불리기도 했지.

그 수은은, 그 현자의 돌의 비결만은 한 번도 알려진 적 없었어. 중세와 르네상스, 그리고 우리 시대를 포함한 모든 시대가 추적하고 있는 게 바로 그거였어.'

"그런데 안 찾아본 데가 있었던가?" 뒤르탈은 이렇게 중얼거리며 자신의 노트들을 뒤적였다. "비소에서, 일반 수은에서, 주석에서 찾아보았군. 황산염 속에서, 초산염 속에서, 그리고 질산염 속에서도 찾아보았어. 산쪽풀의 즙에서, 애기똥풀의 즙에서, 그리고 쇠비름 즙에서도 찾아보았고. 공복의 두꺼비 뱃속에서, 인간의 소변에서, 여성들의 월경과 젖에서도 찾아보지 않았나!"

질 드 레의 탐구도 그 정도까지는 이르렀음에 틀림없었다. 비밀 전수자의 도움 없이 티포주에서 홀로 효과적인 탐색을 시도하기란 분명 불가능했다. 그 당시 연금술의 중심은 프랑스 파리였는데, 그곳 연금술사들은 노트르담 성당에 모여 니콜라 플라멜이 죽기 전에 유태교 신비 철학의 상징들을 이용해 그 유명한 돌의 조제법을 기록해놓았던 유아 납골당과 생자크 드 라 부슈리 현관의 비밀 문자들을 연구하고 있었다.

질 드 레 원수는 길을 막고 있던 영국군을 피해서 파리에 갈 수가 없었다. 따라서 그는 가장 간단한 방법을 택했다. 그는 큰돈을 들여 남부 지방에서 가장 유명한 연금술사들을 티포주에 불러들였다.

우리가 갖고 있는 자료에 따르면, 그는 연금술사의 가마, 즉 대형 증류기를 건조하게 했고, 펠리칸 증류기, 도가니, 그리고 증류 가마들을 구입하게 했다. 그는 자기 성의 한쪽 날개 부분에 실험실들을 세웠고, 앙투안 드 팔레른, 프랑수아 롱바르, 파리의 금은세공사 장 프티와 함께 그곳에 틀어박혀 밤낮으로 화금석의 열처리에 매달렸다.

아무것도 성공하지 못했다. 쓸 만한 수단은 다 써본 후 이들 연금술사들은 뿔뿔이 흩어졌는데, 이때 티포주에서는 믿을 수 없을 정도로 많은 유리병 제조 기술자들과 연금술 대가들이 왕래했다. 브르타뉴, 푸아투, 멘의 전 지역에서 그들은 혼자 혹은 남녀 마법사들을 대동하고 왔다. 질 드 시예, 로제 드 브리크빌 같은, 질 드 레 원수의 사촌들과 친구들이 주변 지역을 돌아다니며 필요한 기술자들을 질 쪽으로 몰아왔으며, 한편 그의 교회 사제인 외스타슈 블랑셰는 기술자를 찾아 금속공들이 많았던 이탈리아로 떠났다.

그때까지 질 드 레는 낙심하지 않고 계속해서 실험했지만 모두 실패로 끝나고 말았다. 그는 마침내 마법사들이 옳다고, 사탄의 도움 없이는 어떠한 새로운 발견도 불가능하다고 믿기에 이르렀다.

그러던 어느 날 밤, 그는 푸아티에에서 온 마법사 장 드 라 리비에르와 함께 티포주 성 근처의 숲으로 갔다. 그는 시종인 앙리에와 푸아투와 함께 숲 가장자리에 머물러 있었고, 마법사는 숲으로 들어갔다. 칠흑 같은 밤이었고 달도 뜨지 않았다. 질은 어둠 속을 탐색하는 데 짜증이 났고, 침묵에 싸인 들판에서 무겁게 느껴지는 부동(不動)의 소리를 듣는 데 짜증이 났다. 두려움에 싸인 그의 동료들은 바람 소리가 조금만 나도 서로 몸을 꼭 껴안았고, 몸을 떨며 귓속말을 주고받았다. 갑자기 날카로운 외침이 울렸다. 그들은 망설이다가, 더듬거리며 어둠 속을 뚫고 앞으로 나아갔고, 갑자기 나타난 한 줄기 불빛 아래 라 리비에르가 기진맥진해서, 몸을 떨며 얼이 빠진 채 램프 곁에 있는 모습을 발견했다. 그는 작은 소리로 악마가 표범의 모습으로 갑자기 나타났지만, 자기를 쳐다보지도 않고, 자기에게 아무 말도 하지 않은 채, 자기 곁을 지나가버렸다고 이야기했다.

다음 날, 그 마법사는 도망가버렸다. 하지만 다른 마법사가 또 왔다. 뒤 메닐이라는 이름을 가진 떠버리였다. 그는 '자신의 목숨과 영혼을 제외하고' 원하는 모든 것을 악마에게 바치겠다고 약속하는 각서에 질이 피로써 서명하라고 요구했다. 하지만, 주술을 돕기 위해 만성절 축제 때 자신의 교회에서 지옥에 떨어진 사람들을 위한 기도를 하게 하는 데 질이 동의했음에도 불구하고 사탄은 나타나지 않았다.

질 드 레 원수는 마법사들의 능력을 의심하기 시작했는데, 그때 새로 시도된 작업으로 인해 그는 때때로 악마가 나타나기도 한다는 점을 납득하게 되었다.

이름이 기억나지 않는 한 영매가 티포주 성의 한 방에서 질과 드 시예와 함께 모였다.

그 영매는 땅에 커다란 원을 그려놓고, 함께 있던 두 사람에게 그 속으로 들어가라고 명령했다.

시예는 거절했다. 설명할 수 없는 두려움에 사로잡힌 그는 사지를 떨기 시작했고, 열어놓은 십자 유리창 근처로 몸을 피해, 악마 추방 주문을 낮은 소리로 중얼거렸다.

그보다는 담대한 질은 원 한가운데로 들어갔다. 하지만 최초의 주술이 시작되자, 그도 역시 몸을 떨었으며 성호를 그으려고 했다. 마법사는 그에게 움직이지 말라고 명했다. 한순간 그는 누군가에 의해 목덜미를 붙잡힌 듯한 느낌을 받았다. 그는 공포에 사로잡혀 몸을 떨며, 성모 마리아에게 자신을 구원해달라고 간청했다. 분노한 영매는 그를 원 밖으로 내쫓았다. 그는 문으로, 시예는 창문으로 달려 나갔다. 그들은 아래층에서 입을 다물 수가 없었다. 마법사가 작업하고 있는 방에서 울부짖는 소리들이 솟구쳤기 때문이었다. '쨍그랑 하고 떨어져서 축받이에 짓눌리는 칼 소리'가 들려왔고, 이어서 신음, 고통스런 외침, 살해당하는 남자의 부르짖음이 들려왔다.

겁에 질린 채 그들은 귀를 세우고 있었다. 그러다가 소동이 가라앉자, 용기를 내서 문을 밀고 들어가, 마룻바닥에 누워 있는 마법사를 발견했다. 마법사는 심하게 두들겨 맞은 흔적이 있고, 이마는 깨졌으며, 피에 흥건히 젖어 있었다.

그들은 그를 데려갔다. 질은 연민에 가득 차 마법사를 자신의 침대에 눕히고, 그를 포용하고, 그에게 붕대를 감아주고, 그가 죽을까 봐 고해성사를 하게 했다. 마법사는 며칠 동안 생사의 갈림길에 있다가 마침내 회복되었고, 그러고는 도망쳤다.

질은 악마로부터 최고의 묘약 처방을 얻는 데 절망

하고 있었다. 그때 외스타슈 블랑셰가 이탈리아에서 돌아왔다고 했다. 외스타슈는 피렌체의 대마법사, 즉 악마들과 악령들이 저항할 수 없는 영매인 프랑수아 프렐라티를 데려왔다.

프렐라티는 질의 얼을 빼놓았다. 그는 겨우 스물세 살이었지만, 당대의 가장 영적이고, 박식하고, 세련된 사람들 중 하나였다. 그가 티포주에 머무르며 질 드 레 원수와 함께 예측할 수 있는 일련의 가장 놀라운 범죄들을 시작하기 전에 무엇을 했을까? 질의 범죄 소송에서 나온 심문조서는 그러한 점에 관해 그다지 자세한 정보들을 제공하지 않았다. 그는 피스투아의 뤼크 교구에서 태어났고, 아레초 주교에 의해 사제로 임명되었다. 성직에 들어선 지 얼마 지나지 않아 피렌체의 마법사 장 드 퐁트넬의 제자가 되었고, 바론이라는 이름의 악마와 계약을 체결했다. 그때부터 말솜씨가 뛰어나고 유창하며, 박식하고 매력적인 그 사제는 가장 혐오스러운 신성모독 행위들에 자신을 맡겨야 했고 마법의 살해 의식을 실행해야만 했다.

어찌 되었든 간에 질은 그 인물에게 매료되었다. 꺼졌던 가마들에 다시 불이 붙은 것이었다. 프렐라티가 보았던 그 현자의 돌, 유연하고, 깨어지기 쉽고, 붉은색이고, 검게 태운 바다 소금 냄새가 나는 그 돌을 그들 두 사람은 광적으로 찾아 헤매며 지옥을 간구했다.

그들의 주술은 효과가 없었다. 실망한 질은 주술을 두 배로 늘렸다. 하지만 상황은 점점 더 나빠져갔다. 어느 날 프렐라티는 하마터면 주술에 목숨을 잃을 뻔하기도 했다.

어느 날 오후 외스타슈 블랑셰는 성안의 회랑에서 질 드 레 원수가 하염없이 눈물을 쏟고 있는 모습을 보았다. 프렐라티가 악마를 부르고 있던 방의 문을 통해 고통받는 이의 하소연이 들려왔다.

"저 안에서 악마가 불쌍한 프랑수아를 때리고 있네. 제발 좀 들어가보게." 질이 외쳤다. 하지만 겁에 질린 블랑셰는 거절했다. 그러자 질은 겁이 났지만 결심했다. 그가 가서 문을 부수었다. 문이 열리자 프렐라티가 비틀거리며 나와 피를 흘리면서 그의 품에 안겼다. 프렐라티는 두 친구에게 의지해서 질 드 레 원수의 방에 올 수 있었고, 거기서 잠이 들었다. 하지만 너무나 큰 충격을 받은 그는 헛소리를 늘어놓았다. 열이 높아졌다. 절망에 빠진 질은 그의 곁에 자리를 잡고 간호했으며, 그에게 고해성사를 하게 했고, 그가 죽음의 위기를 벗어나게 되자 기쁨의 눈물을 흘렸다.

'이름을 알 수 없었던 마술사와 프렐라티가 동일한 상황에서, 즉 텅 빈 방에서, 치명적인 상처를 입은 일이 되풀이되었다는 사실은, 어쨌든 간에 놀라운 일이야.' 뒤르탈은 이렇게 생각했다.

'그리고 이 사건들을 자세히 말하고 있는 자료들은 진실해. 바로 질의 소송사건 서류들이니까. 또한 피고들의 고백과 증인들의 증언은 일치하고 있어. 질과 프렐라티가 거짓말을 했다고는 생각할 수 없어. 사탄을 불러내려 했다고 고백함으로써 그들은 산 채 화형에 처해지는 형벌을 받게 되었으니까 말이야.

그들이 악마가 그들에게 나타났고, 몽정마녀들이 그들을 방문했다고만 했다면, 그들이 목소리를 듣고 냄새를 맡고, 심지어 그 몸에 손을 대었다고만 했다면, 비세트르*에 수용된 어떤 이들의 것과 유사한 환각이라고 말할 수 있을지도 몰라. 하지만, 여기서는 감각의 혼란이나 병적인 환상은 있을 수가 없어. 왜냐하면 상처들, 매를 맞은 흔적, 다시 말해서 눈에 보이고 손으로 만질 수 있는 물질적인 사실이 존재했으니까 말이야.

그와 같은 장면들을 목도하고 난 다음 신비주의자 질 드 레가 얼마나 철저하게 악마의 실재를 믿을 수밖에 없었는지 상상할 수 있겠지!

그렇기 때문에 여러 차례 실패했음에도 불구하고 질 드 레는, 그리고 또한 반쯤 죽을 정도로 맞은 프렐라티 역시 의심할 수 없었어. 만일 사탄의 환심을 산다면, 자신들을 부유하게 만들어주고 거의 영생을 누리게 해줄 그 약을 결국 발견하게 될 거라고 말이야. 당시 화금석은 질 낮은 금속, 즉 함석이나 납, 구리 같은 금속을, 은이나 금 같은 귀금속으로 변환시킬 수 있는 것으로 간주되었을 뿐만 아니라, 모든 병을 치료할 수 있고, 신체에 아무런 장애를 일으키지 않으면서, 구약성서 시대의 족장들에게 할

* 루이13세가 불구자가 된 군인들을 위해 세운 시료원

139

당되었던 한계에까지 이르도록 인간의 생명을 연장시킬 수 있는 것으로 간주되었거든.'

'정말이지 특이한 학문이야!' 난로의 바람 조절판을 들어 올리고 발을 데우면서 뒤르탈은 곱씹어 생각했다. '발명이라는 측면에서 볼 때 이미 사라진 것들만을 되살려내고 있는 우리 시대가 비록 조롱을 거듭하고 있지만, 그래도 연금술은 완전히 헛된 것만은 아니야.

현대 화학의 대가 뒤마는 이성질현상이라는 이름으로 연금술사들의 정당한 이론을 인정하고 있고, 베르틀로는 '원소라고 말하는 물질의 제조가 선험적으로 불가능하다고 단언할 수 있는 사람은 아무도 없다.'고 공언하고 있어.

게다가 인증된 보고서들, 확실한 사실들이 있었지. 실제로 화금석을 만들어냈던 것처럼 보이는 니콜라 플라멜 말고도, 17세기에 판 헬몬트는 미지의 인물에게서 소량의 화금석을 받아 그것으로 8온스의 수은을 금으로 변환시켰어.

같은 시대에, 연금술사들의 신념을 공박하던 엘베시우스 역시 다른 미지의 인물로부터 한 줌의 시료 가루를 받아, 그것으로 한 덩어리의 납을 금으로 변환시켰지. 엘베시우스는 쉽게 속아 넘어가는 사람이 절대 아니었어. 그리고 그 실험을 검증하고 그것의 절대적 진정성을 증명했던 스피노자 역시 고지식한 바보나 풋내기가 아니었어!

마지막으로, 알렉상드르 세통이라는 불가사의한 인물, '세계인'이라는 이름으로 유럽을 누비고 다니며, 군주

140

들 앞에서 작업하고, 공개 석상에서 모든 금속들을 금으로 변환시키던 인물은 어떻게 생각해야 할까? 자신이 만들어낸 금을 보유하지 않고 신에게 기도를 드리며 가난한 사람으로 살았던 것으로 미루어보아 재물을 경멸했던 듯한 이 연금술사는 작센의 선거후 크리스티안 2세에 의해 투옥되었지만 마치 성자처럼 고난을 견뎌냈어. 그는 채찍으로 맞고 바늘로 찔리면서도, 니콜라 플라멜과 마찬가지로 자신이 하느님에게서 직접 받았다고 주장하던 비밀을 넘겨주기를 거부했거든!

현재에도 이러한 연구들은 계속되고 있잖아! 다만 대부분의 연금술사들이 그 유명한 돌의 의학적이고 신성한 효력을 부인하고 있을 뿐이지. 그들은 화금석이라는 것이, 용해된 금속 속에 던져져서, 유기물이 효모에 의해 발효될 때 나타나는 변화와 유사한 분자 변형을 일으키는 촉매라고만 생각하고 있어.

그 세계를 알고 있는 데 제르미는, 현재 마흔 개 이상의 연금술 가마가 프랑스에서 타오르고 있고, 하노버, 바비에르에는 훨씬 더 많은 연금술사들이 있다고 주장하잖아.

그들은 그 비할 데 없는 고대의 비밀을 다시 찾아낸 걸까? 몇몇 사람들이 주장하긴 하지만, 그 금속을 솜씨 있게 만들어내는 사람은 아무도 없는 것으로 보아, 그런 것 같지는 않아. 그 금속의 기원이 너무나 기이하고 의심스러웠기에, 파리의 압축공기 시계 제작자 꼬프 씨와 출자

자들 사이에 벌어졌던 1886년 11월 소송사건 당시, 광업 학교의 화학자들과 기술자들은 규석에서 금을 추출할 수 있다면 우리를 둘러싸고 있는 벽들이 금광상이 되고 천연 금괴들은 다락방에 숨겨질 거라고 청중에게 말했었잖아!'

"어쨌거나 그 학문은 유망해 보이지 않아." 그는 계속 중얼거리며 미소를 지었다. 생자크 가의 집 6층에 연금술 실험실을 설치했던 한 노인이 생각났기 때문이었다.

오귀스트 르두테라는 이름의 그 노인은 매일 오후 국립도서관에서 니콜라 플라멜의 저작들을 읽었고, 아침과 저녁에는 자신의 가마 곁에서 화금석에 관한 연구를 계속하곤 했다.

작년 3월 16일에 옆자리에 앉았던 사람과 함께 도서관을 나온 그는 돌아오는 길에 자신이 마침내 그 유명한 비법을 찾아냈다고 말했다. 실험실에 도착한 그가 증류가마 속에 쇳조각들을 던져 넣고, 몇 가지 조작 작업을 통해 핏빛 결정체들을 얻었다. 상대가 그것이 소금임을 확인하고 농담을 던졌다. 그러자 노인은 노발대발하며 달려들어 망치로 그를 내리쳤고, 그로 인해 구속되어 곧바로 생탄느*로 실려갔다.

'16세기에 룩셈부르크에서는 비교(秘敎) 입문자들을 철창에 가두어 불태웠어. 17세기에 독일에서는 지푸라기로 만든 옷을 입히고 황금빛 말뚝에 묶어 교수형에 처했

* 과들루프섬의 도시.

142

지. 이제 아무도 그들을 귀찮게 하지 않으니까, 그들은 미쳐가고 있는 거야! 결국, 결말은 슬프게 나는군.' 뒤르탈은 그렇게 결론지었다.

뒤르탈은 일어나서 문을 열러 갔다. 누군가가 벨을 울렸기 때문이었다. 그는 수위가 가져다준 편지를 들고 돌아왔다.

편지를 뜯었다.

"이게 도대체 뭐지?" 그가 놀라서 소리쳤다. 편지에는 다음과 같이 쓰여 있었다.

'선생님,

저는 모험을 즐기는 여자도 아니고, 다른 사람들이 술과 향수에 열광할 때 대화에서 즐거움을 찾는 재치 있는 여자도 아니고, 연애를 추구하는 여자도 아닙니다. 저는 저자가 자기 작품 속에 제시한 것과 같은 용모를 갖고 있는지 확인하려고 안달하는 호기심 많은 사람은 더더욱 아닙니다. 요컨대, 당신이 혹시 추측할지도 모를 그런 종류의 사람이 아닙니다. 사실, 당신의 최근 소설을 이제 막 읽었답니다…'

"상당히 꾸물거렸군, 그 책이 나온 지 1년이 넘었는데." 뒤르탈이 중얼거렸다.

'…감옥에 갇힌 영혼의 심장 고동만큼이나 고통스러운 소설…'

"아, 제기랄! 칭찬은 넘어가자. 항상 그렇듯이 핵심을 벗어나거든!"

'…그런데 선생님, 저로서는 어떤 욕망을 실현시키고자 하는 데에는 필연적으로 불합리와 어리석음이 있게 마련이라고 생각하고 있습니다만, 권태에 빠져 있는 한 자매가 당신이 지정하는 장소에서 어느 날 저녁에 당신을 만나 뵙도록 허락하실 수 있으신지요? 그런 다음에 우리는 각자의 가정으로, 시대와 어울리지 않기 때문에 추락할 수밖에 없는 사람들의 가정으로 되돌아가게 되겠지요. 안녕히 계세요, 선생님, 제가 이 빛바랜 동전처럼 낡고 너절한 시대에 당신을 무언가 중요한 사람으로 간주하고 있다는 점을 알아주시기 바랍니다.

이 쪽지에 대해 답장을 하실지 몰라서, 제가 누구인지 알리지 않도록 자제하고 있답니다. 오늘 저녁, 당신 아파트 관리인실에 하녀가 들러서 모벨 부인 앞으로 답신이 있는지 물어볼 것입니다.'

"음!" 뒤르탈은 편지를 접으며 중얼거렸다. "누군지 알 것 같군. 애정 운세나 영혼의 담보물들을 파는 저 나이든 여자들 중 하나가 틀림없어. 적어도 마흔다섯은 되었겠지. 돈을 지불하지 않아도 되면 항상 만족해하는 젊은이들이거나, 아니면 그다지 어렵지 않게 만족시킬 수 있는 문인들이 그녀의 고객들일 거야. 그런 세계의 여자들이 못생겼다는 건 정평이 나 있으니까! 그런데, 이게 단순히 속임수가 아니라면? 하지만 누굴까? 그리고 목적이 뭘까? 난 이제 아는 사람이 아무도 없는데!"

어쨌든 답장을 안 하면 그뿐이었다.

하지만 그는 자신도 모르게 편지를 다시 펼쳐 들며 중얼거렸다.

"이런, 내가 무슨 위험한 짓을 하는 거지? 만일 이 여자가 내게 너무 늙어빠진 사랑을 팔려고 하더라도, 그걸 내가 꼭 사야 할 필요는 없는 거잖아. 약속 장소에 가기만 하고 별일 없이 끝날 거야.

그래, 하지만 약속 장소를 어디로 정하지? 이곳은 안 돼. 일단 내 집에 오면 문제가 복잡해져. 여자를 길모퉁이에 버려두기보다 문밖으로 쫓아내는 게 더 어려우니까. 아베오부아 수도원 담을 따라서 나 있는 세브르 길과 라 셰즈 길이 만나는 모퉁이로 하면 어떨까. 한적한데다가 여기서 멀지도 않으니까. 그래, 우선 답장을 써야겠군. 하지만 정확한 장소는 정하지 말고 애매하게 써야겠어. 그 문제는 나중에 답장을 받고 난 후에라도 다시 정할 수 있을 테니까."

그러고 나서 그는 편지를 썼다. 그는 편지 속에서 자신도 역시 영혼의 권태를 느낀다고 말했고, 그러한 만남은 무익한 것이라 생각한다고, 왜냐하면 자신은 이 세상에서는 더 이상 아무런 행복도 기대하지 않기 때문이라고 말했다.

'몸이 아프다고 덧붙여야겠군. 그런 건 항상 잘 통하니까. 게다가 필요한 경우에 아프다는 건 핑곗거리가 될 수 있거든.' 뒤르탈은 담배를 말면서 생각했다.

'자, 이세 됐군. 그녀로서는 그다지 유쾌하지 않겠는

145

걸… 오! 그리고…. 또 뭐가 있을까? 그렇군! 앞으로 있을 지도 모를 귀찮은 일을 피하려면, 가정상의 이유로 심각하고 지속적인 관계는 불가능하다는 점을 이해시켜야겠군. 한 번으로 충분하잖아….'

그는 편지를 접고 주소를 휘갈겨 썼다.

그런 다음 그는 편지를 손가락 사이에 끼우고 생각에 잠겼다.

'답장을 보내는 게 바보 같은 짓임은 분명해. 하지만 누가 알아? 이러한 시도로 어떤 상황에 처하게 될지는 예측할 수 없잖아?' 어떤 종류의 여자건 간에, 여자란 고통과 걱정거리를 낳음을 그는 잘 알고 있었다. '여자가 착하면, 대개는 너무 어리석거나, 건강이 좋지 않거나, 아니면 손을 대자마자 난처하게도 임신을 하고 말지. 게다가, 만일 여자가 악하다면, 온갖 역경과 걱정과 수치를 예상할 수 있는 법이야. 아! 어떻게 하든 내가 손해를 보게 되어 있는 거야!'

그는 젊은 시절 사귀었던 여자들의 기억을 되살리고, 기다림과 거짓말, 속임수와 부정, 아직 젊은 여성들의 비정하고 추악한 영혼을 떠올렸다!

'아니, 분명히 그러한 것들은 더 이상 내 나이에 어울리지 않는 짓이야. 오! 이제 와서 여자들을 필요로 하다니!'

하지만 그럼에도 불구하고 그는 그 미지의 여인에게 관심이 끌렸다.

'알 수 없는 일 아닌가? 혹시 아름다울지도 모르잖

아? 또 어쩌면, 혹시라도 그다지 못생기지 않았을지도 모르지? 확인하는 데 비용이 들지는 않잖아.'

그는 편지를 다시 읽었다. 철자법 오류는 하나도 없었다.

"필체가 싸구려 같지는 않군. 내 책에 관한 생각들은 형편없지만, 제기랄, 내 책에 대해 전문가가 되라고 요구할 수는 없잖아!" 봉투에 코를 대고 킁킁거리며 그가 다시 중얼거렸다. "헬리오트로프* 냄새가 희미하게 나는군."

"에이, 될 대로 되라지!"

점심을 먹으러 내려오면서 뒤르탈은 관리실에 답장을 남겨놓았다.

* 지칫과에 속하는 여러해살이 풀. 뿌리에는 독성분이 있으며, 대량생산되어 향수를 얻는 데 쓰인다.

VII

"이런 식으로 계속된다면 돌아버리겠는걸." 뒤르탈은 테이블 앞에 앉아서 중얼거렸다. 그는 지난 일주일 동안 그 여자에게서 받은 편지들을 다시 훑어보았다. 상대는 지칠 줄 모르고 편지를 써 보냈고, 접근하기 시작한 이후 그에게 상황에 대처할 여유조차 주지 않았다.

'빌어먹을, 정신 차릴 시간 좀 갖자.' 그는 생각했다. '첫 번째 쪽지에 다소 퉁명스런 답장을 보내자 그녀는 내게 즉각 이런 편지를 보내왔지.'

'선생님,

이것은 작별의 편지랍니다. 마음 약하게 제가 선생님께 또 편지를 쓴다면, 그 편지들은 아마 제가 느끼고 있는 끝없는 권태처럼 단조로울 거예요. 게다가, 잠시 동안이지만 무기력한 상태로부터 절 뒤흔들어놓았던, 그 불분명한 색채의 쪽지를 통해 당신의 최상의 모습을 제가 받지 않았던가요? 선생님, 당신과 마찬가지로 저도 알고 있답니다. 아! 아무 일도 일어나지 않으리라는 것, 그리고 가장 확실한 쾌락들이 아직은 우리의 꿈에 불과하다는 것 말이에요. 또, 당신을 만나게 되기를 열렬히 바라고 있긴 하지만, 당신과 마찬가지로 저 역시 두려워하고 있답니다. 한 번의 만남이 우리 둘 모두에게 자발적으로 몸을 맡겨서는 안 될 후회의 원천이 되지나 않을까 하고 말이에요…'

'하지만 편지의 끝부분은 이 첫머리가 아주 공허한 말임을 증명해주고 있잖아.'

'선생님이 제게 편지를 쓰고 싶은 마음이 생긴다면, 리트레 가 우체국 사서함으로 H. 모벨 부인에게 편지를 부치실 수 있을 거예요. 월요일에 우체국에 들를 예정이거든요. 제겐 너무 가슴 아픈 일일 테지만, 이런 상태로 머물러 있기를 원하신다면, 솔직하게 말씀해주세요. 아셨죠?'

'그 문제에 관해, 나는 어리석게도 첫 번째 편지가 그랬던 것처럼, 이도 저도 아닌 가련하고도 과장된 편지 한 통을 썼어. 내 은근한 수작에 가려져 있는 망설임에서 그녀는 내가 마음이 끌리고 있음을 알아차렸던 거야.

세 번째 편지가 이를 입증하고 있어.'

'제게 위안을 줄 수 없다고 해서 당신 자신을 비난하지 마세요, 선생님(제 입가에 맴도는 보다 달콤한 호칭을 참았답니다.). 하지만, 보세요, 아무리 지쳐 있고, 아무리 환멸을 느끼더라도, 아무리 우리가 우리 본래의 모습에서 벗어나 있더라도, 때로 우리의 영혼이 나지막이, 아주 나지막이 서로 말하게 내버려두는 게 어떨까요, 제가 오늘 밤에 말씀드렸듯이 말이에요. 제 생각은 끊임없이 당신을 따라다닐 테니까요….'

"이런 어조의 말이 네 페이지나 되는군." 그는 편지지를 넘기면서 중얼거렸다. "그중 이게 제일 낫군."

'오늘 저녁만이라도 한마디 해주세요, 알 수 없는 분이여. 저는 끔찍한 하루를 보냈답니다. 신경은 곤두서고,

150

아무것도 아닌 일들로 고통에 차서 거의 울부짖다시피 했지요. 그런 일이 하루에도 수백 번 되풀이되곤 한답니다. 짤깍거리는 문 때문이기도 하고, 길에서 들려오는 거칠고 듣기 싫은 음색의 목소리 때문이기도 하답니다. 어떤 때는 집에 불이 난다고 해도 전혀 움직이지 않을 정도로 무감각해진답니다. 당신에게 이처럼 우스꽝스러운 한탄을 해야 할까요? 아! 고통을 놀랍게 치장할 수 있고, 문학적이거나 음악적인 대목으로 멋지게 변형시킬 수 있는 재능이 없다면, 그에 관해 말하지 않는 편이 가장 나을 거예요.

　　당신에게 나지막이 작별 인사를 해야겠군요. 첫째 날 그랬듯 당신을 만나고 싶은데, 그러한 꿈에 손대지 못하도록 스스로 금하고 있답니다. 그 꿈이 사라지는 모습을 보게 될까 두렵기 때문이지요. 아, 그래요, 지난번에 당신이 쓰셨지요, 불쌍한, 가련한 우리들이라고요! 사실, 아주 가련하고, 아주 비참한 이 소심한 영혼들은 모든 현실에 겁을 집어먹고 있어요. 자신을 사로잡고 있는 호감이 호감을 낳게 한 남자나 여자 앞에서도 유지되리라고 감히 단언하지 못할 정도로요. 그렇지만 이처럼 그럴듯한 추론에도 불구하고 당신에게 고백해야 하는데… 아니, 아니에요, 아무것도 아니에요. 추측할 수 있다면 알아맞혀 보세요, 그리고 이처럼 진부한 제 편지를 용서하시거나, 아니면 행간을 읽어보세요. 아마 선생님은 제 마음의 일부를, 그리고 제가 침묵하고 있는 많은 부분을 찾아내실 거예요.

이건 제 이야기로 가득 찬 바보 같은 편지예요. 하지만 이 편지를 쓰면서 제가 오로지 당신만을 생각했음을 누군들 의심할까요?'

　　'여기까지는 꽤 괜찮군.' 뒤르탈은 생각했다. '이 여자는 적어도 흥미롭기는 해. 그리고 얼마나 독특한 잉크인가.' 그는 이렇게 생각하면서 도금양잎처럼 초록색이지만, 연하고 상당히 희미한 초록색 글씨를 쳐다보았고, 아직도 편지의 세로획에 묻어 있는 가루를, 즉 헬리오트로프 향내가 나는 분가루를 손톱으로 떼어냈다.

　　'이 여자는 틀림없이 금발일 거야.' 그는 그 가루의 색조를 검토하면서 계속해서 생각했다. '이건 갈색 머리 여자들이 쓰는 색조가 아니거든. 하지만 거기서 모든 게 엉망이 됐지. 나는 나도 모르는 어떤 열기에 사로잡혀, 더욱 부자연스럽고 간절한 편지를 보냈어. 난 쓸데없이 나 자신을 선동해 그녀를 부추겼고, 즉시 또 한 장의 편지를 받았지.'

　　'어떻게 하지요? 당신을 보고 싶지도 않고, 당신을 만나고자 하는 열렬한 소망을 버리고 싶지도 않거든요. 그 소망은 놀라울 정도로 커지고 있답니다. 어제저녁에는 저를 흥분시키는 당신의 이름이 저도 모르게 입에서 튀어나왔답니다. 제 남편은 당신을 찬양하는 사람들 중 하나이긴 하지만 제가 정신을 빼앗기고 참을 수 없는 전율을 느낄 정도로 당신에게 관심을 보인 데 대해 다소 모욕을 느끼는 것 같았습니다. 우리가 공동으로 알고 있는 친구들 중 한 사람—사교계에서 만난 것을 서로 알게 된 거라고 말할 수 있다면 우리가 서로 알고 있다고 할 수 있겠지요—, 당신 친구 중 한 사람이 와서 당신을 진정으로 사랑한다고 선언했습니다. 저는 너무나 짜증이 났답니다. 때마침 이름을 들으면 웃지 않을 수 없는 특이한 인물의 이름을 누군가가 말했는데, 그 무의식적인 도움이 없었다면 제가 어떻게 되었을지는 저도 모르겠군요. 안녕, 당신이 옳았습니다. 저는 더 이상 당신에게 편지를 쓰지 않겠다고 생각했지만 그 반대로 행동하고 있군요.

안녕, 제가 그러지 않는 것처럼 당신 역시 우리 둘 관계를 깨뜨리지 않기를.'

'내가 열정에 찬 답장을 보내자 하녀 하나가 달려와서 마지막 쪽지를 전했지.'

'아! 제가 경악에 이를 정도로 두려움에 사로잡혀 있지 않다면—당신도 저만큼이나 그런 두려움을 느끼고 있겠지요—, 얼마나 당신에게로 날아가고 싶은지! 아니, 제 영혼이 당신의 영혼을 귀찮게 하면서 얼마나 많은 대화를 하는지 당신은 이해할 수 없을 거예요. 저는요, 서글픈 삶 속에서 여러 시간 동안 착란에 사로잡히는 때가 있답니다. 그게 어떤 건지 생각해보세요. 미친 듯이 당신을 부르며 온밤을 지새우기도 했답니다. 분노로 울부짖기도 했지요. 오늘 아침, 남편이 제 방에 들어왔어요. 제 눈은 충혈되어 있었지요. 저는 마치 미친 여자처럼 웃기 시작했고, 말을 할 수 있을 만큼 진정되자 남편에게 이렇게 말했어요. 직업이 무엇이냐는 질문에 "나는 침실의 몽정마녀입니다."라고 대답하는 사람에 대해 어떻게 생각하느냐고요. "아! 여보, 당신 몸이 좋지 않은 모양이구려."라고 남편이 내게 대답하더군요. "당신이 생각하는 것 이상이에요."라고 제가 대꾸했지요. 고통스러워하는 이여, 당신이 그러한 상황에 처해 있는데 도대체 제가 당신에게 가서 무슨 말을 할 수 있을까요? 당신의 편지는 절 당황하게 했답니다. 비록 당신은 당신의 병을 격렬하게 비난했지만, 그로 인해 제 정신은 멍해지고 육체는 들떴답니다. 아! 어쨌든 우리가 꿈꾸는 바가 실현될 수 있다면!

아! 한 마디만 해주세요, 한 마디, 단 한 마디의 말, 당신의 입안에 맴도는 말을. 당신의 편지가 저 이외의 다른 사람 수중에 떨어지는 일은 전혀 없을 테니까요.'

'그래, 그렇군, 재미없게 되어가고 있어.' 뒤르탈은 편지를 접으며 결론을 내렸다. '이 여인은 결혼을 했고, 그것도 나를 알고 있는 남자와 결혼한 것 같아. 무슨 귀찮은 일이람! 그런데, 도대체 그가 누굴까?' 그는 예전에 참석했던 파티들을 꼽아보았지만 알 수 없었다. 자신에게 그러한 편지들을 전할 수 있는 여자가 누구인지 전혀 짐작이 가지 않았다. '게다가 서로가 알고 있는 친구라고? 하지만 데 제르미를 제외하고는 내겐 친구가 없는걸. 자, 그렇다면 그 친구가 최근 어떤 사람들의 집에 드나들었는지 알아봐야겠군. 그런데, 그가 의사니까 얼마나 많은 사람들을 만나느냐 말이야! 게다가 그에게 어떻게 상황을 설명해야 할까?

자초지종을 털어놓을까? 그는 나를 놀리겠지, 그리고 내가 이야기를 끝내기도 전에 이 예기치 않은 이야기의 환상을 깨뜨릴 거야!'

뒤르탈은 짜증이 났다. 마음속에서 정말로 이해할 수 없는 현상이 일어났기 때문이었다. 그는 그 미지의 여인에 대해 열정이 타올랐으며, 실제로 푹 빠져버렸다. 여러 해 전부터 모든 육체관계를 포기했고, 관능이 살아나는 경우 그 혐오스런 감각을 도살장으로 인도해 매춘부들로 하여금 단숨에 처치하게 하고는 만족하던 그였다. 그런데 그런 그가 온갖 경험과 상식에 어긋나게도 그 여인처럼 열정적인 이와 함께 있다면 거의 초인적인 느낌을, 새로운 휴식을 얻게 되리라 믿게 되기에 이르렀던 것이다! 그리고 그는 자신이 원하는 모습으로, 즉 금발 머리에 탄탄한 몸매, 유연하고 호리호리하며, 광적이고 서글픈 모습으로 여인을 상상했다. 그러한 모습으로 그녀가 보이면 그는 너무나 긴장해서 이를 꽉 다물곤 했다.

고독한 생활 속에서 그는 일주일 전부터 그녀의 꿈을 꾸었으며, 깨어 있을 때도 아무 일도 할 수 없었고, 심지어 책을 읽을 수도 없었다. 그 여인의 모습이 책갈피 속에 어른거렸기 때문이었다.

그는 역겨운 장면들을 스스로에게 암시하려고 해보고, 육체적으로 병들어 있는 여인의 모습을 상상하려고 해보았으며, 추잡한 환각에 빠져보기도 했다. 하지만 전

에는 소유할 수 없는 여자를 탐할 때면 성공을 가져다주
곤 했던 이러한 방법이 이번엔 완전히 실패였다. 그는 그
미지의 여인이 비스무트*나 속옷을 찾고 있는 모습을 상
상할 수 없었다. 그녀는 단지 우수에 싸인 반항적인 모습,
욕망으로 어쩔 줄 모르는 모습, 눈으로는 그의 욕망에 불
을 붙이고, 파리한 손으로는 그를 흥분시키는 모습으로만
나타날 뿐이었다! 다 시들어가는 육체에서, 죽음을 향해
가는 영혼에서 갑자기 타오르는 뜨거운 그 열기를 믿을
수 없었다! 쇠약해지고, 기진맥진하고, 진정한 욕망이 없
고, 평온하고, 흥분할 일이 없고, 거의 발기불능이었고, 몇
달 전부터는 섹스에 전혀 무관심했던 그가 다시 태어나고
있었다. 그것도 불가사의하게 광적인 편지들에 의해 헛되
이 자극을 받아서 말이다!

　　"아! 기가 막히는군, 하지만 더 이상 참을 수 없어."
그가 주먹으로 테이블을 내리치며 소리쳤다.

　　그는 모자를 움켜쥐고 쾅 소리 나게 문을 닫고서 집
을 나섰다.

　　"그래, 이상적인 여성 따위는 꺼져버려!" 그러면서
그는 자신이 알고 있는 카르티에라탱의 창녀에게로 달려
갔다.

　　"너무나 오랫동안 얌전히 지내왔어." 그가 걸음을
옮기면서 중얼거렸다. "내가 횡설수설하는 건 아마도 그

---

* 창연(蒼鉛)이라고도 한다. 이 원소의 화합물은 창상, 화상, 궤양 등의 치료에
사용되기도 한다.

때문일 거야."

그 여자는 집에 있었다. 그 집은 끔찍했다. 상냥한 얼굴에, 기쁨에 넘친 눈빛으로 입을 크게 벌리며 갈색 머리 미녀가 나왔다. 육욕이 강하고 기술이 능란한 그녀는 몇 번의 교접으로 골수를 무너뜨리고, 허파를 갈아내고, 허리를 못 쓰게 만들곤 했다.

여자는 왜 그렇게 오랫동안 오지 않았느냐고 그를 비난했고, 달콤한 말을 속삭이며 키스했다. 하지만 그는 서글픔과 숨 가쁨, 그리고 답답함을 느꼈고, 정작 욕망은 느끼지 못했다. 그는 마침내 쓰러지듯 침대에 등을 대고 누웠고, 소리 지를 정도로 흥분한 상태에서 바닥을 훑는 듯한 공들인 몸놀림에 자신의 몸을 맡겼다.

그는 더할 수 없이 육체를 증오하고, 자신을 혐오하고, 피로를 느끼면서 방을 나왔다. 그는 발길 닿는 대로 수풀로 가를 따라 걸었다. 미지의 여인 모습이 그의 머릿속을 떠나지 않았다. 더욱 자극적이고, 더욱 완강한 모습이었다.

"내가 몽정마녀 강박증을 이해하기 시작한 거야." 그가 중얼거렸다. "브롬으로 엑소시즘을 시도해봐야겠는 걸. 오늘 저녁 취화칼륨* 1그램을 먹어야겠군. 그러면 감각이 좀 진정되겠지." 하지만 그는 육체의 문제는 부수적일 뿐임을, 예기치 않은 정신 상태의 결과에 불과함을 알

---

* 브롬괴 킬륨의 화합물. 진정제나 수면제, 시약, 사진 현상액 원료 등으로 쓰인다.

고 있었다.

그렇다, 그의 마음속에는 성적 혼란 이외의 것, 감각의 폭발 이외의 다른 무언가가 있었다. 말로 표현되지 않는 것을 향한 충동, 최근 미술에서 그를 자극했던 저 아래를 향한 투사가 이번에는 한 여인 쪽으로 굴절되었던 것이다. 그건 지상에서 되풀이되는 평범한 일상을 벗어나 비상하고자 하는 욕구였다.

"내 머리가 이처럼 이상해진 건, 이 세상의 범위를 벗어난 이 빌어먹을 연구들, 교회와 악마의 장면들에 사로잡힌 생각들 때문이야." 그는 이렇게 중얼거렸다. 자신이 골몰하고 있는 그 끈질긴 작업 탓이라는 판단이 옳았다. 그때까지 방치되어 있던 무의식적인 신비주의가 완전히 개화하면서 무질서한 상태로 새로운 환희 또는 고통을 추구하며 새로운 분위기를 찾아 나섰던 것이다!

그는 걸음을 옮기면서 그 여인에 대해 알고 있는 사항들을 정리해보았다. 기혼이고, 금발 머리이며, 침실을 따로 쓰고 하녀가 있으니 부유할 테고, 리트레 가의 우체국에 편지를 찾으러 간다고 하니 그 구역에 거주하고 있고, 편지 속에서 모벨이라는 성 앞에 붙인 이니셜이 정확하다면 이름이 앙리에트이거나 오르탕스, 오노린, 위베르틴, 혹은 엘렌일 터였다.

그리고 또 뭐가 있을까? 그를 만났다고 하는데, 그가 몇 년 전부터 부르주아 살롱에 가지 않았으니까 아마도 예술가들의 사교계에 자주 드나드는 게 틀림없었다.

마지막으로 여인은 병적인 가톨릭 신자였다. 비신도들 사이에서는 잘 쓰지 않는 몽정마녀라는 말이 이를 입증하고 있었다. 그게 전부였다! 남편이 남아 있는데, 그 남편이 조금만 통찰력 있다면 아마 그들의 관계를 의심할지도 몰랐다. 그녀 자신의 고백에 따르면, 여인은 자신을 사로잡고 있는 강박적인 생각들을 잘 숨기지 못하기 때문이었다.

'사실, 흥분한 게 잘못이었어! 즐거움을 얻기 위해서라지만 나 역시 비단벌레나 가뢰*의 가루를 버무려 넣은 듯한 해로운 편지들을 썼고, 정말로 이성을 잃고 말았잖아. 우리는 차례를 바꿔가며 꺼져가는 숯불에 바람을 불어넣었고, 그 불이 지금 빨갛게 타오르고 있어. 서로를 속이려고 하면 분명히 결말이 좋지 않을 거야. 여인의 열정적인 편지들로 판단하건대, 그녀의 경우나 내 경우나 마찬가지니까 말이야.

어떻게 하지? 계속해서 이렇게 막연히 서로에게 손을 내밀어야 하나? 아냐, 천만에. 이건 이제 끝내고, 그녀를 만나서, 예쁘면 함께 자는 게 더 낫겠어. 적어도 마음은 편안해지겠지. 딱 한 번 진심으로 편지를 쓰자. 만날 약속을 하면 어떨까?'

그는 주변을 둘러보았다. 어떻게 왔는지도 모르게 식물원 안에 들어와 있었다. 방향을 정한 그는 둑 곁에 카페가 하나 있음을 기억해내고 거기로 갔다.

---

* 딱정벌레목 가뢰과 곤충류의 총칭. 인체의 중추신경 자극 증세를 일으키는 칸타리딘을 함유한다.

그는 억지로라도 정열적이고도 단호한 편지를 쓰고 싶었다. 하지만 손에 쥔 펜이 흔들렸다. 그는 아주 빠르게 편지를 써내려가면서, 제안해온 약속에 처음에 동의하지 않았던 점을 후회하고 있고, 미칠 것 같다고 고백했다. 그러고는 외치듯 썼다. '하지만 우리는 만나야 합니다. 이렇게 어둠 속에 숨어서 서로를 자극하면서 우리가 서로에게 주고 있는 고통을 생각해보세요. 치료약이 있다는 것을 생각해보세요, 제발….'

그러고서 그는 약속 장소를 지정했다. 거기서 그는 편지 쓰기를 멈추었다.

"생각해보자." 그가 중얼거렸다. "내 집에 갑자기 찾아오지 않았으면 좋겠어. 너무 위험하거든. 그렇다면 가장 좋은 방법은 포르토*와 과자를 대접한다는 핑계로 카페레스토랑 겸 호텔인 라브뉘로 끌어들이는 거야. 방을 준비해놓으라고 해야겠군. 식당 별실이나 창녀들의 접객용 방보다는 덜 혐오스러울 거야. 이 경우 라 셰즈 가 모퉁이 대신 인적 드문 몽파르나스 역 대합실에서 만나는 게 좋겠어. 그래, 거기야." 그는 봉투에 풀칠을 했다. 긴장이 풀리는 듯한 느낌이었다. "아! 잊고 있었군. 웨이터, 파리 전화번호부 좀!"

그는 모벨이라는 이름을 찾으면서, 혹시라도 그 이름이 가짜가 아닐까 하고 생각했다.

---

* 두로 계곡의 포도로만 만든 포르투갈산 포도주.

"우체국에서 실명으로 편지를 부치지는 않을 것 같은데." 그는 중얼거렸다. "하지만 너무나 들떠 있는 듯하고, 너무나 조심성이 없어 보이니 실명을 썼을 수도 있어! 한편, 내가 사교계에서 만났는데도 이름을 알지 못할 수도 있겠지. 어디 볼까."

그는 모베라는 이름과 모벡이라는 이름은 찾아냈지만 모벨이라는 이름은 찾을 수 없었다.

"결국, 아무것도 증명되지 않는군." 전화번호부를 덮으면서 그가 중얼거렸다. 그는 밖으로 나가서 편지를 우체통 안에 던져 넣었다. '이 모든 일에서 곤란한 건 남편이야.' 그는 다시 생각했다. '아! 제기랄, 아마 그에게서 오랫동안 아내를 빼앗지는 않을 테니까!'

그는 집으로 되돌아갈까도 생각해보았지만, 일을 하게 되지 않을 것 같았고, 홀로 있으면 다시 환상에 빠지게 될 것 같았다. '데 제르미한테 갈까, 그래, 그가 진찰하는 날이군, 좋은 생각이야.'

그는 걸음을 재촉해 마담 가에 도착했고, 중이층 초인종을 눌렀다. 가정부가 문을 열었다. "아, 뒤르탈 씨군요. 나가셨는데, 곧 돌아오실 거예요. 기다리시겠어요?"

"그런데 금방 돌아온다는 게 확실한가요?"

"네, 벌써 돌아오셨어야 할 시간이긴 하지만요." 가정부가 난로에 불을 다시 지피면서 말했다.

가정부가 물러가자마자, 뒤르탈은 자리에 앉았다. 따분해진 그는 자기 방괴 마찬가지로 벽을 따라 놓은 선반에 쌓아둔 책들을 뒤적거렸다.

"그런데, 데 제르미 이 친구에게는 희한한 책들이 있
군." 그는 아주 옛날 책을 펼치며 중얼거렸다.

"몇 세기 전에, 내 경우에 꼭 맞아떨어지는 책이 있
었군. 『엑소시즘 편람』이라. 아, 이런, 플랑탱*의 것이로
군! 마귀 들린 사람들을 위해 만든 이 책엔 뭐라고 쓰여
있을까?

저런, 이상한 주문들이 들어 있군. 여기는 마귀 들린
사람들과 저주에 걸린 사람들을 위한 주문들이고, 이쪽은
사랑의 묘약과 역병에 대한 주문들이로군. 먹을 것들에
걸린 저주를 푸는 주문도 있네. 버터와 우유가 변질되지
않도록 기원하는 주문들도 있군!

똑같군, 옛날에도 별의별 일에 죄다 악마를 이용했던
거야. 그런데, 이건 뭐지?" 그는 단면이 새빨갛고 갈색 송
아지 가죽으로 장정된 얇은 책 두 권을 집어 들었다. 그는
그 책들을 펼치고 제목을 보았다. 1624년 제네바에서 출판
되었다고 기록된, 피에르 뒤 물랭의 『미사의 해부』였다.

"어쩌면 재미있을지도 모르겠군." 그는 발에 불을
쬐러 가서 그 책들 중 한 권을 대충 넘기면서 훑어보았다.
"어라! 아주 훌륭한걸!"

그가 읽고 있는 부분에서는 성직자의 지위가 문제
가 되고 있었다. 저자는 육체가 신성하지 않거나 사지 중

---

* Christophe Plantin(1520–89). 프랑스 인쇄업자, 출판업자.

하나가 절단되어 있거나 하면 어느 누구도 사제의 직무를 수행해서는 안 된다고 단언하고 있었다. 그리고 이런 면에서 거세당한 사람이 사제 서품을 받을 수 있는지를 자문하면서 스스로 답하고 있었다. '안 된다. 가루가 되었을지언정 쇠약해진 부분들이 자신의 몸에 달려 있지 않는 한 안 된다.'

하지만 모두가 채택했던 이러한 해석을 톨레 추기경이 받아들이지 않았다고 그 책은 덧붙였다.

뒤르탈은 기쁜 마음으로 계속 읽어나갔다. 뒤 물랭은 이제 사치에 물든 사제들의 성직을 정지시켜야 하는가 하는 문제를 고찰하고 있었다. 그리고 그는 그에 대한 답으로『막시미아누스* 정전』의 우울한 주석을 인용했는데, 81구획에 있는 그 주석은 다음과 같이 한탄조로 쓰여 있었다. '간음죄에서 벗어나 있는 사람이 거의 없으므로, 어느 누구도 그 죄에 대한 짐에서 자유로울 수 없다고들 한다.'

"이런, 자네 왔군." 데 제르미가 들어오며 말했다. "읽고 있는 게 뭔가?『미사의 해부』로군. 별 볼 일 없는 개신교 서적일세! 몹시 피곤하군." 테이블 위에 모자를 던지면서 그가 다시 말했다. "오! 여보게, 사람들이 어쩌면 그렇게 잔인할까!" 그러면서 몹시 원통한 사람처럼 그는 속마음을 털어놓았다.

"그래, 나는 방금 신문에서 '과학의 왕자들'이라고

---

* Marcus Aurelius Valerius Maximianus(?-310). 로마 황제(재위 286-305).

떠드는 사람들의 모임에 참석하고 왔다네. 15분 동안 아주 다양한 견해들을 들었지. 하지만 내 환자가 회복 가망성이 없다는 데에는 모두가 동의하더군. 그런데도 그들은 마침내 서로 의기투합했고, 뜸을 처방함으로써 그 불쌍한 사람을 쓸데없이 고문했다네!

나는 머뭇거리면서, 고해신부를 한 명 부르고 계속 모르핀 주사를 놓아 환자의 고통을 완화시키는 편이 더 간단할 거라고 했지. 자네가 그들의 얼굴을 봤더라면! 그들은 나를 거의 사제의 염탐꾼 정도로 취급하더군.

아! 현대 과학은 대단해! 너도나도 새 질병 혹은 사라졌던 질병을 찾아내고, 잊고 있었거나 새로 알게 된 치료법을 떠들어대는데, 진짜로 아는 사람은 아무도 없어. 게다가, 의사가 절대 무지한 사람이 아닌데도, 약학이 너무나 복잡해서 어떤 의사도 자신의 처방이 현재 엄밀하게 실행되고 있는지 확신할 수 없다고 한다면 그게 무슨 소용이 있겠나? 한 가지 예를 들어보세. 오늘날 흰색 양귀비 시럽, 그러니까 고대 약전에 나오는 '디아코드'*는 더 이상 존재하지 않는다네. 마치 똑같기라도 한 양 우리는 아편과 설탕 시럽으로 그걸 제조하고 있지!

우리는 더 이상 물질들을 배합하지 않고, 이미 만들어진 치료제를 처방하고, 신문 광고란을 가득 채우고 있는 놀라운 특제품들을 사용하기에 이르렀네. 모든 경우에

* 진통제로 사용되었던 양귀비 시럽.

듣는 치료법이 있다는 건 병에는 다행한 일이긴 하지. 참으로 부끄럽고 어리석은 짓이야!

그래, 이런 말 하기는 뭣하지만, 경험에 근거를 둔 옛날 치료법이 더 나았네. 적어도 환약이나, 과립, 큰 환약 형태의 치료약들이 효과가 없음을 알고 있었고, 그래서 오로지 물약으로만 치료제를 처방했지! 그리고 지금은 모든 의사들이 전문화되어 있네. 안과 의사들은 오직 눈만을 보고, 눈을 치료하기 위해 소리 없이 육체를 중독시키고 있다네. 그들은 필로카르핀*으로 사람들의 건강을 영원히 파괴시켜놓지 않았는가! 어떤 이들은 피부병을 다루면서 노인들의 습진을 물리치지만, 그 노인들은 치료되자마자 곧 치매에 걸리거나 광인이 된다네. 더 이상 조화란 없지. 다른 부분들을 파괴하면서 한 부분을 공격하는 거야. 엉망진창이지! 요즘은 존경하는 나의 동료들도 갈피를 잡지 못하고 있고, 그들이 사용할 줄도 모르는 약물 치료에 심취해 있다네. 보게, 한 가지 예를 들자면 안티피린**이 있지. 오래전 화학자들이 발견해낸, 유일하게 진짜 효과가 있는 제품 중 하나일세. 그런데, 요오드화물이 포함된 봉도노***의 차가운 물을 묻힌 습포에 닿으면 안티피린이 치료 불가능한 병으로 유명한 암에 대항해 싸운다는

---

* 동공수축제로 사용되는 약.
** 해열, 진통제로 쓰이는 약.
*** 19세기 중반 프랑스 남동부 알랑 시에서 온천이 발견된 후 세워진 온천장. 봉노노 온천장의 물은 브롬요오드화물이 늘어 있다고 널리 알려졌다.

점을 알고 있는 의사가 과연 누군가? 안 그럴 것 같지만 정말 그렇다네!"

"정말로", 뒤르탈이 말했다. "자네는 고대의 치료사들이 치료를 더 잘했다고 믿고 있나?"

"그렇다네, 그들은 속임수를 쓰지 않고 제조한 확실한 약들의 효과를 놀라울 정도로 잘 알고 있었기 때문이지. 그렇지만, 늙은 파레*가 봉투 치료법을 추천하면서, 치료해야 할 병의 성격에 따라 형태가 변화하는 작은 봉투, 즉 머리에 대해서는 머리쓰개 모양의 봉투, 위(胃)에 대해서는 백파이프 모양의 봉투, 비장(脾臟)에 대해서는 소 혓바닥 모양의 작은 봉투 안에 건조된 분말약을 지니고 다니라고 환자들에게 명했을 때, 그는 분명 그다지 생생한 효과를 얻지 못했어! 붉은 장미, 산호초, 유향, 압생트와 박하, 육두구**와 아니스*** 가루를 섞어 복통을 치료하자는 그의 주장은 최소한 날조된 거야. 하지만 그에게는 또 다른 이론 체계들이 있었고, 종종 치료에 성공하곤 했지. 지금은 사라져버린 약초에 관한 지식을 갖고 있었기 때문이야!

---

* Ambroise Paré(1509–90). 프랑스의 외과의사. 앙리2세, 프랑수아 2세, 샤를9세, 앙리3세의 시의를 지냈다.
** 쌍떡잎식물 미나리아재비목 육두구과의 상록 활엽 교목. 말려서 방향성 건위제, 강장제, 그리고 향미료로 사용한다.
*** 쌍떡잎식물, 미나리과의 한해살이 풀. 증류하여 얻은 아니스유는 약용 향료, 조미료 등으로 사용한다. 히브리, 그리스, 로마 사람들이 중요하게 여겼던 약초로, 그들은 이 종자를 지니면 미치지 않고, 베개에 넣고 자면 악마가 침범할 수 없다고 믿었다.

오늘날 의사들은 앙브루아즈 파레에 관해 이야기하면 무관심하다는 듯 어깨를 으쓱해 보이지. 또 금이 병을 치료한다고 말하면서 연금술사들의 교리를 들먹이면 그들은 악의적인 농담을 늘어놓는다네. 그렇지만 지금도 갈증 나는 분량이긴 하지만 줄밥과 그 금속의 염화물들이 이용되고 있어. 빈혈증에 대해서는 활성화된 비산염화 금이 이용되고, 매독에 대해서는 염화물이, 무월경과 연주창에 대해서는 시안화물이, 오래 묵은 궤양에 대해서는 염화나트륨과 염화금이 이용되지!

아냐, 단언컨대 의사가 된다는 건 혐오스러운 일이야. 내가 의학박사이고 수많은 병원들을 돌아다녔어도 소용없어. 나는 시골의 보잘것없는 건재(乾材) 상인들보다도 못하고, 은자들보다도 못해! 그들이 나보다도 훨씬 더 많이 알고 있다는 것, 그걸 난 알고 있거든."

"그럼, 동종 요법*은?"

"오! 좋은 면도 있고 나쁜 면도 있지. 치료는 못 하지만 일시적으로 고통을 완화시키고, 때로 병을 진정시키기도 하거든. 하지만 중병이고 급성인 경우에는 무용지물이야. 긴박한 고비를 넘길 필요가 있을 때 완전히 무기력한 마테이 요법과 똑같다네!

* 건강한 사람도 질병과 유사한 증상을 일으킬 수 있으며, 질병 원인과 같은 물질을 소량 사용하면 그 증상을 낫게 할 수 있다는 사실을 발견한 히포크라테스의 견해를 1790년대에 독일의 의사 사무엘 하네만이 발전시켜 개발한 치료법이다. 동종의 불실을 써서 치료한다는 유사성의 법칙에 근본을 두고 있어 유사 요법이라고도 한다.

하지만 지연 수단이나 임시 치료제 또는 매개물로
서는 유용하기도 해. 혈액과 림프액을 정화시키는 생성물
들, 즉 안티스크로폴로소와 안지오티코와 안티칸세로소
같은 것들로써 다른 방법들이 듣지 않는 병의 상태를 변
화시키기는 경우도 있거든. 예컨대 그건 요오드화칼륨 때
문에 기진맥진한 환자가 참을 수 있게, 시간을 벌 수 있게
하고, 자신을 추스를 수 있게 해서 결국 요오드화물을 마
셔도 위험하지 않게끔 하지!

　　덧붙여 말하자면, 클로로포름이나 모르핀으로도 듣
지 않는 극심한 통증들이 때로는 녹색 전류를 씀으로써
진정되기도 하지. 자넨 아마 그러한 액체 전류가 어떤 재
료들로 만들어지는지 궁금하겠지? 나도 그에 관해서는
전혀 아는 바 없다네. 마테이는 어떤 식물들이 갖고 있는
전기적 속성들을 자신의 환약과 물약 속에 넣을 수 있다
고 주장했지. 하지만 그는 자신의 처방을 전혀 남겨놓지
않았네. 그러니까 그는 자기 편한 대로 이야기할 수 있었
던 거야. 어쨌거나 재미있는 건 가톨릭 신자이고 로마인
인 어떤 백작이 상상한 그 약이 특히 신교도 목사들에 의
해 추구되고 확산되는데, 그들의 치료론에 수반된 믿을
수 없을 정도로 많은 설교 속에서 그 신교도 목사들의 타
고난 어리석음이 엄숙하게 찬양되고 있다는 점이지. 실
상, 모든 것을 고려할 때, 이러한 체계적 이론들이라는 건
말도 안 되는 소리야! 진실은, 치료학에 있어서 우리는 모
험을 향해 나아가고 있다는 것이지. 그럼에도 불구하고

약간의 경험과 상당한 행운이 있으면 때로는 도시에 주민들이 너무 감소하지 않게 만들기도 하지. 자, 내 얘기는 끝났네. 그런 것 말고, 자넨 어떻게 지내고 있나?"

"난, 별것 없네. 그 질문은 자네에게 해야 할 거야. 일주일 이상이나 자네를 못 봤잖은가."

"그래, 현재로서는 환자들이 들끓고 있어서 여기저기 다니고 있지. 그런데, 다시 통풍이 발작한 샹트루브를 보러 갔었지. 그는 자네가 없어서 아쉬워하더군. 그리고 그의 아내 말인데, 자네 책들, 특히 자네의 최근 소설에 대해 얼마나 칭찬하는지 모르겠네. 그 책들과 자네에 대해 이야기를 멈추지 않더군. 그렇게 신중한 여자가 자네에게 그렇게 열광한 것처럼 보이다니, 샹트루브 부인이 말일세! 아니, 무슨 일인가?" 얼굴이 붉어진 뒤르탈을 보고 그가 놀라서 물었다.

"아무것도 아닐세. 아, 그래, 해야 할 일이 있어서 가야겠네, 잘 있게."

"아하, 저런 무슨 일이 있군?"

"천만에, 아무 일도 아니라니까. 정말이야."

"아! 이것 좀 보게." 데 제르미가 다시 말했지만 그는 더 이상 추궁하려 하지 않고, 그를 이끌고 가서 부엌 창문 곁에 걸려 있는 기막힌 넓적다리 고기를 보여주었다.

"내일이면 눅눅해지도록 바람이 통하는 곳에 두었지. 카렉스의 집에서 점성술사 제뱅제와 같이 이 고기를 먹을 걸세. 허지만 넓적나리 고기를 영국식으로 끓이는 방법을 아는 사람이 나밖에 없어서 내가 준비해야 하니까, 자네를 데리러 자네 집에 가지 못할 걸세. 자넨 요리사로 변한 나를 그 탑에서 다시 보게 될 거야."

일단 밖으로 나오자 뒤르탈은 숨을 내쉬었다. '아, 이런.' 그는 꿈을 꾸는 듯했다. '그 미지의 여인이 샹트루브 부인이라니! 아냐, 그럴 리 없어! 조금이라도 내게 관심을 기울인 적이 한 번도 없었잖아. 매우 조용하고 상당히 냉정한데. 그럴 리가 없지. 하지만 왜 데 제르미에게 그런 식으로 말했을까?

하지만, 나를 보고 싶었다면, 서로 안면이 있으니까 자기 집으로 나를 불러들였을 텐데. H. 모벨이라는 가명을 써서 그런 편지를 보내지는 않았을 텐데.'

'에이치(H)라.' 그는 갑자기 생각이 났다. '샹트루브 부인에게는 썩 잘 어울리는 남자 같은 이름이 있지. 이아생트(Hyacinthe) 말이야. 리트레 가의 우체국에서 멀리 떨어져 있지 않은 바뉘 가에 살고 있고, 금발 머리에, 하녀가 한 명 있고, 독실한 가톨릭 신자잖아. 맞아 그녀야!'

계속해서 거의 동시에 그는 완전히 상반된 두 가지 느낌이 들었다.

우선은 환상이 확 깨는 느낌이었다. 왜냐하면, 그 미지의 여인이 더 마음에 들었기 때문이었다. 샹트루브 부인은 그가 스스로 만들어왔던 이상적인 모습, 즉 그가 마음속에 그린 독특하고 묘한 모습, 그가 꿈꾸던 민첩해 보이는 엷은 황갈색 얼굴에, 우수가 서려 있고 열정적인 용

170

모를 결코 충족시켜주지 못할 터였다!

뿐만 아니라 미지의 여인을 알게 된다는 사실 하나만으로도 그녀는 덜 바람직하고 더욱 저속한 모습이 되었다. 접근할 수 있다는 생각이 들자 공상이 사그라진 것이었다.

그렇지만 또한 곧이어 그는 기쁨을 느꼈다. 늙고 못생긴 여자가 걸릴지도 모르는 일이었는데, 그가 벌써 그렇게 짧게 이름을 부르고 있듯이, 이아생트는 탐을 낼 만한 여자였다. 많아야 서른세 살이니까. 예쁘지는 않다. 그래, 하지만 특이한 모습이었다. 연하고 부드러운 금발 머리에, 걸을 때 알아보기 힘들 정도로 엉덩이를 흔들고, 골격이 작은 살집 없는 여자였다. 너무 큰 코 때문에 망쳐져서 얼굴은 보잘것없었지만, 입술은 빨갛게 타오르고, 이는 놀랍도록 희고, 안색은 거의 푸르스름하지만 쌀뜨물처럼 다소 탁한 흰색 우윳빛에 아주 약간 장밋빛이 돌았다.

진정한 매력, 믿을 수 없는 수수께끼는 바로 그녀의 눈이었다. 첫눈에 잿빛처럼 보였는데, 근시로 인해 흐릿하고 불안정하며, 체념한 듯한 고통의 표정이 스쳐가는 눈이었다. 어떨 때는 마치 회색의 물처럼 그 눈동자가 흐려져서 은빛으로 빛나곤 했다. 그 눈동자들은 때로는 처량하고 쓸쓸하다가 때로는 나른하고 오만하기도 했다. 뒤르탈은 예전에 그 눈앞에서 무기력했음이 생생하게 기억났다!

어쨌든 아무리 생각해봐노 그 열정에 가득 찬 편지

들은 그 여자의 용모와 전혀 어울리지 않는 것이었다. 왜냐하면 어느 누구도 그보다 더 잘 꾸며낸 태도를 취하고 더 침착할 수 없기 때문이었다. 그는 그 여자 집에서 열렸던 파티들을 다시 상기해보았다. 그녀는 조심스런 태도를 취했고, 대화에는 거의 끼어들지 않았으며, 미소를 띠고 소홀하지 않게 손님들을 접대하곤 했다.

'결국, 현실적으로 이중인격이라는 것을 인정해야 할 것 같군. 한편으로는 사교계 여성, 즉 살롱에 드나드는 여자로서의 사려 깊고 신중한 측면이 있고, 반면 다른 한편으로는 열정에 싸인 광적인 여자, 예민한 낭만주의자, 육체의 히스테리 환자, 영혼의 색정광이라는 알려지지 않은 측면이 있는 거야. 정말 믿을 수 없는 일이로군!'

'아니야, 내가 잘못 생각하고 있음이 분명해.' 그는 다시 생각했다. '샹트루브 부인이 데 제르미에게 내 책에 관해 이야기한 건 우연이었을 수도 있어. 그녀가 내 책 이야기를 한 것과 그녀가 내게 빠져 있고 그러한 편지들을 썼다고 결론짓는 건 전혀 다른 일이야. 아니야, 그 여자가 아니야. 그렇다면 도대체 누굴까?'

그의 생각은 제자리를 맴돌고 한 발짝도 더 나아가지 못했다. 그는 다시 그 여자를 떠올리고, 여자가 정말 매혹적이고, 몸매가 소녀 같고, 유연하고, 혐오스러울 정도로 처치 곤란한 살이 없음을 인정했다! 그와 더불어 애처로운 눈과 내향적인 태도에 의해, 그리고 실제로 그렇건 의도적이건 간에 냉정함 자체로 신비감을 주는 여자였다!

그는 그 여자에 관해 가지고 있는 정보들을 요약해 보았다. 그가 알고 있는 건 단지 그녀가 샹트루브와 재혼 했다는 것, 아이가 없다는 것, 상제의(上祭衣)* 제조업자 였던 첫 남편이 알 수 없는 이유로 자살했다는 것뿐이었 다. 그게 전부였다. 반면에 샹트루브에 관해 떠도는 이야 기는 끝이 없을 정도로 많았다!

그는 폴란드 역사, 북유럽의 내각들, 보니파스 8세 와 그의 시대, 아농시아드 수도회의 창시자인 잔 드 발루 아의 생애, 성 우르술라 수녀회 교사인 존경스런 수녀 안 드 생통주의 전기 및 기타 르코프르 출판사, 팔메 출판사, 푸시글뤼 출판사에서 나온 같은 종류의 다른 책들의 저자 이자, 반드시 나무뿌리 무늬의 양가죽이나 겉이 오톨도톨 한 양가죽으로 장정되었으리라 여겨지는 책들의 저자로 서 금석학 아카데미**에 후보자로 나설 준비를 하고 있었 고, 공작 진영의 지원을 기대하고 있었다. 그는 또한 일주 일에 한 번씩 영향력 있는 신자인 척하는 사람들, 시골 귀 족들, 그리고 사제들을 초대하곤 했다. 아마 결코 하고 싶 지 않은 일이었을 것이다. 아첨꾼 같은 소심한 태도를 보 여주고 있지만, 사실 그는 말이 많고, 웃기를 좋아하기 때 문이었다.

한편 그는 파리의 주요 문학계에 모습을 드러내기 를 좋아했고, 주중 하루는 자기 집에 문인들을 초대하곤

* 사제가 미사 때 흰옷 위에 입는 소매 없는 제의.
** 프랑스의 다섯 개 아카데미 중 하나로, 투보 사학, 고고학, 문헌학 학자들로 구성된다.

했다. 그들 덕에 도움을 확보하고, 어찌 되었든 간에 그가 후보자로 나섰을 때 있게 될 공격들을 막기 위해서였다. 호기심 때문에 아주 다양한 사람들이 드나들었던 그 괴상한 모임을 생각해낸 것도 아마 적대자들의 마음을 끌기 위해서였던 듯했다.

그리고 생각해보면 더욱 은밀한 다른 이유들도 있었다. 그는 돈을 자주 꾸는 사람, 그다지 섬세하지 못한 사람, 사기꾼이라는 평을 듣고 있었던 것이다! 뒤르탈은 샹트루브가 베푼 저녁 모임 때마다 옷을 잘 차려입은 미지의 인물이 한 명 있다는 데 주목했었는데, 그 사람은 외국인으로 샹트루브가 그에게 문인들의 밀랍상을 보여주고 상당한 금액의 돈을 빌리곤 했다는 소문이 돌았다.

'명백한 점은 이들 부부가 여유롭게 살고 있고, 아무런 수입원이 없다는 거야.' 뒤르탈은 생각했다. '게다가 가톨릭 서적상들과 신문들은 세속 출판업자들과 신문들보다도 더 형편없는 액수를 지불하잖아. 그러니까 그의 이름이 성직계에 널리 퍼져 있기는 하지만, 그처럼 돈을 펑펑 쓰면서도 자신의 집을 유지할 정도로 충분한 인세를 만진다는 건 불가능해!'

그는 다시 생각했다. '어쨌든 간에 모호한 점투성이로군. 그 아내가 가정적으로 불행하고, 남편이라는 수상쩍은 독신자를 사랑하지 않는다는 건 얼마든지 가능하지. 하지만 그 가정 안에서 그 여자의 진짜 역할은 뭘까? 그녀는 샹트루브가 벌이는 금전 사기를 알고 있을까? 하여간 왜 내게 관심을 갖게 되었는지 잘 모르겠군. 만약 남편과 공모한 거라면, 상식적으로 생각해볼 때 영향력이 더 크거나 부유한 애인을 찾아야 할 텐데. 게다가 내가 이러한 조건들 중 어느 하나도 충족시키지 못한다는 점을 잘 알고 있을 텐데. 사실 내가 몸치장 비용을 갚을 능력이 없고 그들 부부의 불확실한 거래에 도움이 될 수 없음을 샹트루브는 모르지 않을 거야. 내게 거의 3천 리브르의 수입이 있긴 하지만, 홀로 살아가기에도 빠듯하잖아!'

'그러니까 그게 아냐. 아무리 그래도 그 여자와의 관계는 확실하지 않아.' 이러한 생각들로 인해 상당히 침착해진 그가 결론을 내렸다. '하지만 나도 참 어리석군! 그 집안 상황만 봐도 미지의 여인이 샹트루브의 아내가 아니라는 게 입증되잖아. 그리고 모든 점을 고려해볼 때 그 여자가 아닌 게 더 나아!'

VIII

다음 날, 파도처럼 밀려들던 생각들이 모두 진정되었다. 미지의 여인이 여전히 그의 머리를 떠나지 않았지만, 때로는 생각나지 않거나 멀찌감치 떨어지곤 했다. 그다지 확실하지 않은 용모는 어렴풋한 안개 속으로 사라져갔다. 유혹은 점점 더 약해졌고, 더 이상 그의 마음을 사로잡지 못했다.

데 제르미의 말을 듣고 문득 떠올랐던 이런 생각, 즉 미지의 그 여인이 샹트루브의 아내일지도 모른다는 생각은 어쨌거나 그의 열기를 억제시켰다. 만일 미지의 여인이 그 여자라면—어제의 것과 정반대의 결론이 났는데, 왜냐하면 생각하면 할수록, 그리고 그가 사용했던 논거들을 하나하나 다시 검토해보면 그 미지의 여인이 그 여자 아닌 다른 사람일 이유가 없었기 때문이었다—, 그렇다면 그 관계는 모호하고 위험하기까지 한 동기가 숨어 있는 셈이었다. 그래서 그는 전처럼 아무렇게나 자신을 내맡기지 않고 경계하는 태도를 취했다.

그렇지만 또 한 가지 놀라운 일이 그에게 일어났다. 그로서는 이아생트 샹트루브를 생각해본 적이 한 번도 없었으며, 사랑했던 적도 전혀 없었다. 신비스런 개성과 삶에 관심이 끌리기는 했지만, 결국, 그 여자의 집 이외의 곳에서는 거의 생각한 적 없었다. 그런데 이제 그녀를 돌이켜보기 시작했고, 거의 욕망을 느끼기 시작했다.

갑자기 그 여자 얼굴이 미지의 여인 얼굴과 겹쳐졌고, 그 미지의 여인의 몇 가지 특징들을 따갔다. 뒤르탈의 기억 속에서 그녀의 모습은 단지 희미하게만 떠오를 뿐이었는데, 미지의 여인에 대해 그가 상상했던 모습 속에 그녀의 모습이 용해되었기 때문이었다.

남편의 위선적이고 음험한 면은 마음에 들지 않았지만 그녀는 그럼에도 상당히 매력적이라고 그는 생각했다. 하지만 그의 욕망은 더 이상 쏜살같이 내달리지는 않았다. 경계심을 불러일으키기는 하지만, 그녀는 흥미로운 애인, 자신의 파렴치한 하자를 친절로 대신 메꾸는 애인이 될 수 있었다. 그러나 더 이상 이상형이 아니었고, 고통의 순간 속에서 승화된 상상의 인물이 아니었다.

한편, 이러한 추론들이 틀렸고 그 편지들을 쓴 사람이 샹트루브 부인이 아니라 하더라도, 그가 알고 있는 사람의 모습으로 구현될 수 있었다는 사실만으로 그 미지의 여인의 매력은 다소 줄어들었다. 여인은 여전히 멀리 떨어져 있긴 하지만 덜 멀게 느껴지는 존재가 되었다. 그리고 그 아름다움도 변질되었다. 이번엔 그녀가 샹트루브 부인의 몇 가지 특징들을 빼앗아갔기 때문이었다. 그리고 샹트루브 부인이 그러한 비교에서 이득을 보았다고 한다면, 반대로 미지의 여인은 뒤르탈이 겪은 혼동으로 손해를 보았다.

이런 경우든 저런 경우든, 그러니까 편지의 주인공이 샹트루브 부인이든 다른 사람이든, 그는 마음이 가벼워지고 더 진정되는 느낌이었다. 사실, 그 사건을 곱씹어 보았지만, 그로서는 매력이 약해지긴 했어도 자신이 상상했던 미지의 여인을 더 사랑하는지, 아니면 현실적으로 적어도 카라보스 노파*의 키에 나이 들어 주름진 세비네 부인**의 얼굴로 실망을 주지는 않게 될 이아생트를 더 사랑하는지조차 스스로 알 수 없었다.

그는 한숨 돌리고 다시 일에 착수했다. 그렇지만 자신의 힘을 너무 과신했다. 질 드 레의 범죄에 관한 장을 시작하고자 했을 때, 그는 두 문장을 연속해서 쓸 수 없음을 확인했다. 질 드 레 원수를 추적하다가 길을 잃곤 했고, 그를 다시 따라잡긴 했지만, 그를 명확하게 그리고자 하는 글은 느슨하고 밋밋한 데다 구멍이 숭숭 뚫려 있었다.

그는 펜을 집어던지고 의자에 몸을 파묻었다. 그러고는 상상 속에서 티포주 성에 자리를 잡았다. 티포주 성은 자신의 모습을 드러내기를 그렇게 완강히 거부하던 사탄이 짐작도 못 한 사이에 질 드 레의 마음속에 강생해, 울부짖는 그를 살인의 기쁨으로 몰고 갔던 곳이었다.

'사실 악마 숭배란 그런 거지.' 그는 생각했다. '생각해보면, 세상이 만들어진 이후 이러니저러니 말 많았던 악령들의 모습에 관한 문제는 부차적이야. 악마는 자기 존재를 입증하기 위해 인간이나 짐승으로 모습을 드러낼 필요가 없어. 존재를 입증하기 위해서라면 악마는 자기

---

* 동화 『잠자는 숲속의 미녀』에 나오는 심술쟁이 요정.
** 17세기 프랑스의 사교계 여성으로 친구들과 딸에게 보낸 편지가 유명하다.

가 흠집을 내고, 설명할 수 없는 범죄들로 유혹하는 영혼들 속에 거처를 정하기만 하면 충분해. 그러고 나면 악마는, 자신이 그 영혼들에게 불어넣은 희망에 의해, 즉 그가 그들 속에 거주하는 대신 그들의 부름에 복종해서 모습을 드러내고, 몇 가지 범죄에 대한 대가로 부여하는 이익들을 공정하게 처리하리라는 희망에 의해 그들을 사로잡을 수 있지. 때로는 악마와 협정을 맺으려는 의지만으로도 우리들 마음속에 악마가 나타날 수 있는 게 틀림없어.

따지고 보면 롬브로소*와 모즐리** 같은 사람들의 현대 이론들도 모두 질 드 레 원수의 독특한 악습들을 설명해주지는 못하고 있어. 그를 편집광 계열로 분류하는 것보다 더 정확한 건 없을 거야. 왜냐하면, 편집광이라는 말이 한 가지 고정된 생각에 지배되는 모든 사람을 지칭한다면 그가 바로 그랬었으니까. 그렇다면, 모든 생각이 이익에 대한 생각으로 몰리는 상인부터 시작해서 작품 생산에 몰두하는 예술가들까지, 우리들 모두가 다소간 편집광인 셈이야. 그런데 질 드 레 원수는 왜 편집광이었을까? 어쩌다 그렇게 되었을까? 그건 이 세상의 모든 롬브로소들도 모르는 일이야. 이러한 문제들에서 뇌 손상이니, 연뇌막과 대뇌의 협착 따위로는 아무것도 설명되지 않아. 그건 단순한 결과들, 한 가지 원인에서 파생된 결과들이고, 그 원인을 설명해야 하는데 어떤 유물론자도 설명하지 못하고 있

* Cesare Lombroso(1835~909). 이탈리아의 정신의학자, 법의학자.
** Henry Maudsley(1835~918). 영국의 의사. 영국 정신의학의 선구자.

어. 뇌엽의 교란으로 인해 살인과 신성모독이 일어난다고 말하는 건 너무나 쉬운 일이야. 우리 시대의 유명한 정신병 전문의들은 미친 사람의 뇌를 분석해보면 회백질이 손상되었거나 변질되었음을 알게 된다고 주장하지. 그렇다 해도 상관없어! 예컨대 빙의망상에 사로잡힌 여인이 있다면, 빙의망상증 환자이기 때문에 손상이 일어났는지, 아니면 그러한 손상 때문에 빙의망상 환자가 되었는지 알아야할 거야! 정신의 콤프라치코스*들은 여전히 외과술에 호소하지 않고 있어. 그들은 머리뼈 절개술을 열심히 연구하고 나서도, 소위 잘 알려져 있는 뇌엽을 절단 수술하지 않아. 그들은 제자에게 영향력을 미치고, 그에게 추잡한 생각들을 주입시키고, 나쁜 본능들을 전개시키고, 조금씩 악의 길로 접어들도록 강요하는 데 한정하고 있지. 그게 더 확실하거든. 만일 이러한 설득의 훈련이 환자의 뇌 조직을 변화시킨다면, 그건 바로 손상이 파생된 결과일 뿐이지 정신 상태의 원인은 아님을 입증하는 거야!

그리고… 그리고… 현재 범죄자와 정신이상자, 편집광과 미치광이들을 혼동하고 있는 이 이론들은 생각해보면 터무니없는 것들이야! 9년 전 펠릭스 르메트르라는 열네 살짜리 소년이 생면부지의 어린아이를 살해했는데, 그

---

* 17세기 유럽에서 성행하던 귀족들의 기형 인간 수집 취미를 충족시키기 위해 어린아이들을 납치해 정상적인 성장이 불가능하게끔 물리적, 화학적 처리를 한 후 팔아넘기던 유랑 무리. 빅토르 위고는 소설 『웃는 남자(L'Homme qui rit)』에서 이 악명 높았던 유랑 무리 콤프라치코스(Comprachicos)를 비판한 바 있다.

가 그렇게 한 이유는 아이가 고통스러워하는 모습을 보고 싶었고 그 비명을 듣고 싶어서였다고 했지. 그 소년은 아이의 배를 칼로 가르고 따뜻한 피가 흘러나오는 구멍 속에 칼날을 넣고 이리저리 휘저었다지. 그러고 나서 그는 천천히 아이의 목을 잘라냈어. 그 소년은 전혀 뉘우치는 기색이 없었고, 신문(訊問)을 받는 가운데서도 영리하고 잔인한 모습을 드러냈지. 르그랑 뒤 솔 박사와 다른 전문가들이 몇 달에 걸쳐 소년을 끈기 있게 살펴보았지만, 그들은 그 소년에게서 광기의 징후를, 편집광 비슷한 것조차도 확인하지 못했어. 소년은 교육을 잘 받았고, 다른 사람들에 의해 타락하지도 않았어!

그 소년은, 의식적이건 무의식적이건, 악을 위해 악을 행하는 빙의망상 환자들과 아주 똑같았어. 자신의 독방에서 희열에 차 있는 승려나 선을 위해 선을 행하는 사람이 미친 사람이 아니듯 그들 빙의망상 환자들도 미친 사람이 아니야. 어떤 치료법도 듣지 않는 그들은 정신의 상반된 두 극단에 처해 있는 것이지, 그뿐이야!

15세기에는 그러한 극단적 경향이 잔 다르크와 드레 원수를 통해 나타났어. 잔 다르크가 놀라운 과격성을 보여주었지만 정신착란이나 망상과 관련되었다고 여겨지지 않았던 것처럼 질 드 레가 미쳤다고 할 만한 이유는 없는 거야!

어쨌든 그는 이 성에서 무시무시한 밤들을 보냈음에 틀림없어.' 뒤르탈은 지난해 방문했던 티포주 성을 다시 떠올리면서 생각했다. 그는 자신의 작업을 위해 질 드 레가 살았던 고장에서 살며 그곳의 폐허 냄새를 맡고 싶 었다.

그는 오래된 주루(主樓) 아래 펼쳐져 있는 작은 마을 에 거처를 정했고, 브르타뉴와의 경계에 있는 방데의 그 외딴 마을에서 푸른 수염의 전설이 얼마나 생생하게 남아 있는지 확인했다.

"그 사람은 비참하게 죽은 젊은이였죠." 젊은 여자 들은 이렇게 말하곤 했다. 보다 겁 많은 노파들은 저녁이 면 성벽 기슭을 따라 걸으면서 성호를 긋곤 했다. 목 졸려 죽은 아이들에 관한 기억이 여전히 남아 있기 때문이었 다. 단지 그 별명으로만 알려져 있는 질 드 레 원수는 아 직도 공포의 대상이었다.

뒤르탈은 자신이 묵고 있는 여인숙을 나와 매일 그 성에 가곤 했다. 그 성은 표피 박리로 화강암괴가 드러나 있고 엄청나게 큰 떡갈나무들이 서 있는 언덕 맞은편 쪽 크림 계곡과 세브르 계곡 위로 우뚝 솟아 있었다. 언덕의 떡갈나무들은 뿌리가 땅에서 삐져나와 거대한 뱀들의 무 시무시한 소굴 같았다.

마치 브르타뉴 중심부에 와 있는 듯했다. 똑같은 하 늘이고 똑같은 땅이었다. 하늘은 음침하며 육중했고, 다 른 곳에서보다 더 오래되어 보이는 태양은 슬픔에 찬 듯 한 수백 년 묵은 숲들과 사암에 끼어 있는 오래된 이끼 위 로 그저 희미하게 금빛 빛을 비추고 있었다. 불그레한 녹

183

물이 차 있는 습지가 여기저기 있고, 불모의 황무지가 대지 위로 끝없이 펼쳐져 있었다. 그 위로 바위가 삐죽삐죽 솟아 있고, 히스들 속에 장미꽃들이 군데군데 있으며, 가시양골담초 덤불과 금작화들 사이로 노란색 작은 콩깍지들이 곳곳에 섞여 있었다.

이 쇳빛 하늘, 흑맥의 진홍빛 꽃으로 여기저기 거의 붉게 물든 허기진 땅, 석회나 시멘트를 바르지 않고 무더기로 겹쳐 쌓아놓은 돌들로 가장자리가 둘러쳐진 도로들, 뒤엉킨 울타리가 쳐진 오솔길들, 들쭉날쭉한 식물들, 도움의 손길이 닿지 않는 들판들, 벌레가 들끓고 때가 덕지덕지 앉은 불구의 거지들, 세련되지 못하고 작은 가축들, 작달막한 암소들, 레즈비언과 슬라브족의 투명하고 차가운 시선 같은 눈을 가진 검은색 양들, 이 모든 것들이 여러 세기 동안 동일한 풍경 속에서 완전히 비슷한 모습으로 영속하고 있는 것처럼 느껴졌다!

꽤 멀리 세브르 강 주변의 공장 굴뚝으로 인해 미관이 망쳐지긴 했지만 티포주 들판은 잔해 속에 우뚝 선 성과 완벽하게 조화를 이루고 있었다. 성은 거대한 모습을 드러내고 있었고, 아직도 탑 잔해들 흔적이 남아 있는 성곽 내부에는 보기 흉한 채소밭으로 바뀐 들판이 있었다. 과거 기사들이 공격의 함성을 올리며 칼싸움을 벌이고, 향연이 피어나고 송가가 울려 퍼지는 가운데 행렬이 전개되던 그 거대한 원형 들판을 따라서는 열 맞춰 심어진 푸르스름한 배추들, 메마른 당근과 앙상한 무들이 있었다.

구석에는 작은 초가집이 한 채 서 있었는데, 야생 상태로 되돌아간 그곳 아낙네들은 더 이상 말뜻을 알아듣지 못했고, 은화를 보고서야 비로소 멍한 상태에서 깨어나 그것을 움켜잡으며 열쇠를 내밀곤 했다.

그러면 그는 여러 시간 동안 산책하고, 폐허를 수색하고, 여유 있게 담배를 피우면서 몽상을 즐길 수 있었다. 불행하게도 몇몇 지역은 접근 불가능했다. 주루 주변에는 티포주 성 쪽으로 아직까지 거대한 해자가 둘러쳐져 있었는데, 그 해자 바닥에서는 생명력 강한 나무들이 자라나고 있었다. 걸어서 다른 편으로 가기 위해서는, 즉 어떠한 도개교로도 더 이상 닿지 않을 입구에 가기 위해서는, 구덩이 가장자리를 부채질하는 듯한 그 나무 잎사귀들의 꼭대기를 지나가야 할 것 같았다.

그렇지만 세브르 계곡 가장자리를 두르고 있는 다른 부분으로는 접근하기가 쉬웠다. 그곳에는 우듬지가 하얀 덩굴나무와 담장나무 덩굴로 뒤덮인 성의 날개들이 손상되지 않은 채 있었다. 속돌처럼 해면질에 메마른 재질로 구축되어, 이끼가 껴서 금빛과 은빛으로 반짝거리고 있는 탑들은 방어용 요철의 테두리에 이르기까지 온전한 모습으로 우뚝 솟아 있었지만, 그 파편들은 밤바람을 맞으며 조금씩 허물어지고 있었다.

그 안쪽으로는 방들이 연이어 있었는데, 화강암을 잘라 만든 그 방들은 배 바닥 모양과 비슷한 둥근 천장으로 되어 있었으며, 침침하고 냉랭한 모습이었다. 그리고 나선형으로 된 계단을 통해서는 무엇에 쓰이는지 모를 작은 골방들과 깊숙한 벽감들이 움푹 패여 있는 지하 복도에 의해 연결된 비슷비슷한 모양의 방들로 오르내릴 수 있었다.

둘이 나란히 나아갈 수 없을 정도로 그 지하 복도들은 완만한 경사를 이루며 내려가고 있었고, 뒤죽박죽으로 엉켜 있는 작은 길로 나뉘어 진짜 지하 감옥에까지 이어졌는데, 그 감옥 벽의 결은 철이 함유된 운모처럼 전등 빛을 받아 반짝였고, 설탕 알갱이처럼 반짝반짝 빛나고 있었다. 위층의 작은 방들, 지하실의 감방들에서는, 때로는 중앙에, 때로는 구석에 뚫려 있는, 함정이나 우물을 파고 덮지 않은 구멍 때문에 걸려 넘어지곤 했다.

마지막으로, 탑들 중 하나, 들어서서 왼편에 우뚝 솟아 있는 탑 꼭대기에는 바위에 새겨진 원형의 긴 의자와 함께 회전하는 천장 딸린 회랑이 있었다. 거기엔 아마도 무장한 사람들이 있었을 것이고, 그들은 아래쪽에, 이상하게 그들 키보다 낮게 무릎 높이로 나 있는 넓은 총안을 통해 침입자들에게 활을 쏘았을 것이다. 그 회랑에서는, 아무리 낮은 목소리라도 원형의 벽을 타고서, 한쪽 끝에서 다른 한쪽 끝까지 들렸다.

요컨대, 성의 외부는 그곳이 장기간의 포위를 버티기 위해 건축된 요새임을 나타내고 있었다. 그리고 이제 제 모습을 드러내고 있는 내부는 물에 불은 살들이 몇 달에 걸쳐 썩었음 직한 감옥이라는 생각이 들게 했다. 일단 바깥으로 나와 채소밭으로 되돌아오자 안도감이 들고 안심이 되었지만, 줄지어 선 배추밭을 건너 폐허가 되어 인적 드문 예배당에 도달하면, 그리고 지하실 문을 통해 아래 지하 묘지로 들어가면 다시 고통에 사로잡히곤 했다.

그 예배당은 11세기의 것이었다. 작고 나지막한 그 예배당은, 아치형 천장을 육중한 기둥들이 떠받치고 있었는데, 기둥머리에는 마름모꼴과 소용돌이꼴 무늬가 새겨져 있었다. 제단석은 그대로 남아 있었다. 뿔로 만든 얇은 판에 의해 걸러진 듯한 소금기 어린 햇빛이 통로를 통해 흘러들어와, 벽의 어두운 부분과 함정이나 우물로 아직도 구멍이 나 있는 땅에 눌어붙은 검댕을 간신히 비춰주고 있었다.

저녁 식사 후 그는 가끔 언덕으로 올라가서 폐허의 금 간 벽들을 따라 걷곤 했다. 맑은 날 밤이면 성의 반은 어둠 속에 숨어 있고, 반대쪽 반은 마치 수은을 입힌 것처럼 은색과 청색으로 물든 채 세브르 계곡 위로 모습을 드러내고 있었다. 계곡의 물 위로는 달빛이 마치 물고기 등의 비늘처럼 빛나고 있었다.

참기 힘들 정도의 정적이었다. 아홉 시부터는 개 한 마리, 사람 하나 보이지 않았다. 그는 검은 옷을 입은 노파가 중세에나 썼을 법한 코르네트 모자를 쓰고서 촛불을 켜놓고 그를 기다리고 있는 보잘것없는 여인숙 방으로 되돌아오곤 했다. 노파는 그가 들어오자마자 문에 빗장을 지르곤 했다.

"이 모두는 죽은 주루의 뼈대에 불과해." 뒤르탈은 중얼거렸다. "되살리려면 이 사람으로 된 뼈대를 덮고 있던 풍만한 살들을 재구성해야겠지."

'유물 자료들은 틀림없어. 이 석재 골격은 겉이 화려하게 장식되어 있었어. 그러니 당시의 상황 속에 질을 되살려놓기 위해서는 15세기 양식의 화려한 가구들을 상기시킬 필요가 있어.

누더기가 된 그 벽들을 아일랜드 목재, 혹은 그 당시 많은 사람들이 찾던 황금과 아라스*산 실로 짠 수직직(織) 태피스트리로 치장해야 해. 굳은 잉크 같은 땅은 초록색과 노란색 벽돌이나 흰색과 검은색 타일로 포장해야 하고. 천장을 칠하고, 쪽빛 바탕 위에는 황금빛 별을 그려넣거나 강철 활을 박아넣고, 질 드 레 원수의 흑색 십자가가 그려진 황금빛 방패를 뚜렷이 드러나게 해야지!

질과 그의 친구들이 잠을 자던 방에는 가구들이 아무렇게나 배치되어 있어. 영주들이 앉던 쇠토막 달린 의자들, 작은 의자들, 그리고 연단이 이곳저곳에 흩어져 있고. 칸막이벽에는 식기대들이 놓여 있었는데, 그 널판 위에는 성모의 수태고지와 갈색 레이스가 달린 덮개 아래로 몸을 피하고 있는 동방박사들의 경배 모습, 중세의 목공들이 즐겨 만들던 성녀 안나, 성녀 마르그리트, 성녀 카트린의 채색 조각상과 도금 조각상들이 부조로 표현되어 있

---

* 프랑스 북부의 도시.

어. 내의류와 튜닉들을 담기 위해, 암퇘지 가죽으로 덮고, 못을 박고, 철제 부품을 단 궤짝들을 설치해야 하고, 금발 머리 천사들이 또렷이 드러나는, 표구된 가죽이나 천을 입히고 쇳조각을 단 상자들을 설치해야 해. 마지막으로 양탄자를 덮은 단 위에 침대들을 설치하고, 침대보와 기다랗게 벌어져 방향(芳香) 처리가 된 줄무늬 베개, 그리고 누비이불을 씌우고, 새시에 펼쳐진 닫집을 그 위에 달고, 수놓인 문장(紋章)이나 별이 총총히 박힌 커튼으로 둘레를 쳐야지.

벽과 연통 달린 키 큰 벽난로, 받침쇠는 없지만 예전에 피운 불에 의해 검게 그을린 넓은 아궁이 외에 아무것도 남아 있지 않은 다른 방들도 모든 것을 다시 갖추어놓아야 해. 또한 식당들을, 낭트에서 소송이 진행되는 동안 질이 한탄했던 그 끔찍한 식사를 생각해야 해. 질은 숯 덩어리가 된 음식으로 인해 자신의 감각이 분노를 불러일으켰노라고 눈물을 흘리며 고백했지. 그가 비난했던 그 메뉴들을 복원하는 건 쉬운 일이야. 식기대에 접시들이 있고, 손을 씻는 데 쓰는 모과수, 장미수, 싸리수가 가득 담긴 물병들이 놓여 있는 천장 높은 방에서 자신의 충복들인 외스타슈 블랑셰, 프렐라티, 질 드 시예와 함께 테이블에 앉아 질은 소고기 파테, 연어와 잉어 파테, 붉은 포도주로 요리한 새끼 토끼와 작은 새, 따뜻한 소스를 넣은 부레, 피사식 파이, 구운 왜가리, 황새, 두루미, 공작새, 알락해오라기, 그리고 백조 구이, 신 포도즙을 넣어 요리한 멧

189

돼지 고기, 낭트산 칠성장어, 브리오니아, 홉, 안틸러스 및
접시꽃 샐러드, 꽃박하와 육두구 껍질, 미나리, 샐비어, 모
란, 로즈마리, 바질과 히솝, 파라다이스 씨앗과 생강으로
맛을 낸 맵싸한 요리들, 향료가 들어가 시큼하고, 마치 마
시는 자극제처럼 뱃속을 뒤틀리게 하는 요리들, 위에 부
담을 주는 케이크들, 딱총나무 꽃과 순무 파이, 헤이즐넛
유를 넣고 계피를 친 쌀, 단지에 가득 찬 맥주와 발효시킨
과일 주스, 단맛 없는 포도주나 황갈색 아페리티프용 포
도주, 계피, 아몬드, 사향 등의 향료를 넣은 포도주들, 황
금 조각들이 둥둥 떠 있는 독주들, 식사가 끝날 즈음에는
화려한 대화를 촉진시키고 함께 식사하는 사람들을 발을
구르게 만드는 굉장한 음료들을 먹고 마시는 거야!'

'복장에 대해서도 되살려야 할 것이 아직 남아 있
군.' 뒤르탈은 생각했다. 그래서 그는 화려한 성 안에서 질
과 그의 친구들이 금과 은이 박힌 야전용 갑옷 대신 실내
복을, 휴식 때 입는 옷을 걸친 모습을 상상했다. 그는 주
변의 호화로움에 어울리게 그들이 눈부신 옷들, 허리 부
분에서 작은 주름치마 모양으로 벌어지는 주름 잡힌 재킷
종류를 입고 있고, 다리는 어두운 색 타이즈를 벗어 던지
고, 머리는 루브르에 걸린 샤를7세 초상화에서처럼 볼로
방* 모양 혹은 아티초크잎 모양의 모자를 쓰고 있고, 몸통
은 금은세공품이 달린 마름모꼴 천 혹은 은실로 짜고 담

---

* 파이 껍질 속에 고기, 생선 따위를 넣은 요리.

비 모피로 가장자리를 두른 다마스 천으로 감싸고 있는 모습을 상상했다.

그리고 그는 또 여성들의 몸단장도 생각했다. 값비싼 꽃가지 무늬 천으로 만든 드레스, 좁은 소매와 가슴, 어깨 위로 접혀진 깃, 허리를 꼭 죄고 뒤로 가면서 기다란 꼬리 모양이 되는 스커트, 흰색 모피로 가장자리를 두른 소용돌이 모양의 스커트를 생각했다. 그리고 그는 무거운 보석 목걸이, 보라색 또는 우윳빛 수정, 뿌연 색의 둥그스름한 보석, 은은한 물결무늬 모양의 보석으로 치장시킨 가상의 모델에게 마음속으로 제작한 그 옷을 입혔다. 그러자 그 옷을 입은 여인이 슬그머니 나타나 드레스를 걸치고 블라우스를 입고 술 달린 원추형 모자를 쓰고는 미지의 여인과 샹트루브 부인의 모습을 한 채 미소 지었다. 그는 황홀하게 바라보았으나 그녀가 샹트루브 부인인지는 알아차리지 못했다. 그때 고양이가 무릎 위로 뛰어올라 생각의 방향을 바꾸어놓고 그를 현실로 되돌아오게 했다.

"아! 그래, 또다시 그녀로군!" 그리고 그는 티포주까지 집요하게 자신을 따라온 그 미지의 여인 생각에 자신도 모르게 웃기 시작했다. "그런 식으로 헤매는 건 어리석은 일이야, 하지만 즐거운 일은 그것뿐, 나머진 너무나 뻔하고 공허해!" 그는 기지개를 켜면서 중얼거렸다.

'정말이지 이 중세라는 시기는 독특한 시대야.' 그는 담배에 불을 붙이며 다시 생각을 이어나갔다. '어떤 사람들에게는 중세가 전적으로 백색인 반면, 어떤 사람들에게는 완전히 검은색이야. 중간색은 없어. 고등사범학교 출신들과 무신론자들은 무지와 암흑의 시대라고 되뇌곤 하지. 종교 사상가들과 예술가들은 고통스럽고 미묘한 시대라고 증언하고 있어.'

'확실한 건, 그 당시 귀족, 성직자, 부르주아지, 민중이라는 확고부동한 계급들이 보다 더 고매한 정신을 갖고 있었다는 점이야. 이렇게 단언할 수도 있지. 사회가 타락하기 시작한 건 우리가 중세와 분리되었던 4세기 전부터라고 말이야.

사실 중세의 영주는 대개 아주 교양 없는 사람이었어. 주색을 밝히는 강도였고, 잔인하고 잠시도 가만히 있지 못하는 폭군이었지. 하지만 사고방식이나 정신의 측면에서는 어린아이에 불과했어. 교회는 그를 꼼짝 못 하게 누르곤 했지. 그래서 영주들은 예루살렘을 구하기 위해 재산을 바치고, 자신들의 집과 아이들, 여인들을 포기했으며, 치유할 수 없는 피로, 극단의 고통, 듣도 보도 못한 위험들을 감수했던 거야!

그들은 종교적 영웅주의로 저속한 풍습의 죄를 대속했던 거야. 이들 계급은 그 이후로 변모했어. 그들은 살육과 강간의 본능을 누그러뜨리고 심지어 버리기까지 했지만 이는 사업에 대한 편집증과 금전욕으로 대체되었지. 그들은 훨씬 더 나빠졌고, 비열함에 빠져 가장 추잡한 악당들이나 하는 짓거리들을 저질렀지. 오늘날 귀족계급은 무희 분장을 하고, 발레용 스커트와 어릿광대용 타이츠를 걸치고 있어. 이제 그들은 대중 앞에서 그네를 타고, 굴렁쇠 구멍을 통과하고, 서커스단 무대의 모래 속에서 무거운 역기들을 들어 올리고 있어!

몇몇 수도원들이 사치와 악마주의의 광기에 침범당했음에도 불구하고 놀라운 태도를 보여주었던 성직자 계급은 초인적인 열정으로 정진해 신에게 도달했지! 그 시대 내내 성인들이 넘쳐났고, 기적이 꼬리를 물고 이어졌어. 전지전능한 능력을 갖고 있음에도 교회는 가난한 사람들에게 부드러웠고, 고통받는 사람들을 위로해주었고, 힘없는 사람들을 보호했고, 미천한 사람들과 함께 즐거워했어. 오늘날 교회는 가난을 증오하고 있고, 신비 사상은 성직자층 안에서 죽어가고 있어. 사제들은 열정을 불신하고, 냉철한 정신과 절제된 청원, 상식적인 기도, 부르주아적인 정신을 설파하고 있어! 그렇지만 이 미적지근한 사제들과는 달리, 이곳저곳에는, 아직도 몇몇 진정한 성자라 할 사제들이 수도원 깊숙한 곳에서 때로 눈물을 흘리면서 우리들을 위해 기도를 올리고 있어. 마귀 들린 사람들과 더불어, 그들은 중세와 우리 시대를 연결시켜주는 유일한 끈을 이루고 있어.

부르주아계급에서는 샤를7세 시대에도 이미 거드름을 피우며 만족해서 살아가는 측이 존재했지. 그렇지만 탐욕은 고해신부에게 질책을 받았어. 그리고 장인과 상인은 조합들을 통해 유지되었는데, 그 조합들은 사기와 기만을 고발하고 판매 금지 상품을 파기하며, 반대로 좋은 상품들을 정당한 가격에 값을 매겼지. 대대손손, 장인들과 부르주아들은 같은 일을 해왔어. 조합은 그들에게 일감과 봉급을 확보해주었어. 그들은 오늘날처럼 시황의 변동에 굴복하고 자본의 엉덩이에 짓눌리지 않았어. 갑작스런 행운은 존재하지 않았고, 모든 사람들이 충실한 삶을 살아갔어. 미래를 확신하며, 서두르지 않고, 그들은 그 화려한 기술로 놀라운 것들을 만들어냈지. 그런데 그 비법이 영원히 사라져버린 거야!

재능이 있어서 견습공, 직인, 명인의 세 단계를 뛰어넘은 모든 장인들은 자신들의 직업을 가다듬어 진정한 예술가로 변모했어. 그들은 가장 단순한 철 세공품들, 가장 흔해빠진 도자기들, 가장 평범한 궤짝과 함들을 고귀한 것으로 만들었어. 이들 조합들은 종종 간절한 기도의 대상이 되어 깃발에 초상화가 그려지는 성자들을 후원자로 채택해 수 세기에 걸쳐 정직한 서민들의 존재를 보존시켰고, 특히 그 성자들의 초상에 의해 보호받고 있는 사람들의 정신 수준을 고양시켰어.

그 이후로 다 끝난 거야. 부르주아지는 망령 들거나 방탕에 빠진 귀족계급을 대신했어. 스포츠와 음주 모임, 장내외 마권 및 경마 서클은 그들 부르주아지 덕분에 생겨난 거야. 오늘날 상인에겐 오직 한 가지 목표밖에 없어. 노동자를 착취하는 것, 싸구려 물품을 만들어내는 것, 상품의 질을 속이는 것, 판매하는 식품의 무게를 속이는 것이지.

민중은 예전에 지옥에 관해 갖고 있던 두려움을 빼앗겼어. 그와 동시에, 죽고 난 후 살았을 때의 고통과 고뇌에 대한 어떠한 보상도 더 이상 기대해서는 안 된다고 통고받았지. 그러자 그들은 벌이가 별로 좋지 않은 일은 대충대충 해치우고 술을 마시지. 때때로 너무 독한 술을 들이켜고서 반란을 일으키면 죽도록 두들겨 맞곤 해. 일단 고삐가 풀리면 어리석고 잔인한 짐승의 모습을 드러내기 때문이야.

맙소사, 얼마나 엉망진창인가! 그런데도 19세기는 흥분해서 자화자찬하고 있잖아! 입만 열면 진보를 부르짖지. 그런데 누구의 진보인지? 무엇이 진보했다는 거야? 이 보잘것없는 세기는 대단한 걸 발명하지도 못했잖아!

19세기는 아무것도 확립하지 못했고, 모든 것을 파괴했어. 현재 19세기는 전기(電氣)를 자랑스럽게 내세우고 있지. 자신이 발견했다고 생각하면서 말이야! 하지만 전기는 아주 오래전부터 알려져 있었고, 다루어져왔지. 비록 고대인들이 전기의 성질과 본질까지를 설명할 수는 없었다고 해도, 현대인들 역시 전선을 따라 빛을 전달하고, 콧소리 비슷한 소리로 목소리를 운반하는 그 힘의 원인을 증명할 수 없는 건 마찬가지 아닌가 말야! 19세기는 자신이 최면술을 만들어냈다고 생각하지. 하지만 이집트와 인도에서는 사제들과 브라만들이 그 무서운 지식을 철저히 알고 실천했었어. 아니, 19세기가 발견한 건 음식의 조작이고, 상품의 변조야. 그런 면에서는 19세기가 정통

195

하지. 19세기는 심지어 배설물을 변조하는 데에까지 이르렀거든. 그래서 하원에서는 1888년에 비료 사기를 처벌할 법률을 표결해야만 했던 거야. 정말 압권이었어!'

'이런, 누가 벨을 누르는군.' 그는 문을 열고 흠칫 한 걸음 뒤로 물러섰다.

샹트루브 부인이 그 앞에 서 있었던 것이다.

그가 당황해서 허리를 굽혀 인사했지만, 부인은 한마디도 하지 않고 곧장 작업실로 갔다. 거기서 돌아섰고, 뒤따르던 뒤르탈은 그녀와 정면으로 마주 보고 서게 되었다.

"앉으시지요." 그러면서 그는 고양이가 말아놓은 양탄자를 발로 펴려고 하면서, 그리고 그렇게 방 안이 어지러운 데 대해 변명을 늘어놓으면서 안락의자 하나를 내밀었다. 그녀는 모호한 몸짓을 했고, 선 채, 아주 침착하고 다소 낮은 목소리로 말했다.

"당신에게 그처럼 어리석은 편지들을 보낸 사람이 바로 저랍니다… 그 나쁜 열기를 몰아내기 위해, 아주 단호하게 끝장내기 위해 온 거예요. 당신도 그렇게 썼다시피, 우리에겐 어떤 관계도 가능하지 않아요… 그러니 이제까지 있었던 일은 잊어버립시다… 그리고 떠나기 전에 절 원망하지 않겠다고 말해주세요…."

그는 소리쳤다. "아, 천만에요, 안 됩니다!" 그는 그처럼 자신을 낙담케 하는 제안은 받아들이지 않겠다고 했다. 타오르는 열정적인 글로 답장했을 때 자신이 절대로 미치지 않았노라 말했다. 진심이었으며, 사랑한다고 했다….

"당신이 절 사랑한다고요! 하지만 그 편지들을 제가 썼다는 것조차 몰랐잖아요! 당신은 미지의 여인을, 하나의 환상을 사랑한 거예요. 아니, 당신 말이 사실이라 해도 그 환상은 더 이상 존재하지 않는답니다. 제가 있으니까요!"

"틀렸습니다. 나는 모벨 부인이라는 가명 뒤에 샹트 루브 부인이 숨어 있음을 분명히 알고 있었습니다." 그러고 나서 자신이 어떻게 정체를 알아냈는지 상세히 설명해 주었다. 물론 자신의 의심은 알려주지 않았다.

"아!" 그녀는 생각에 잠겼다. 눈에 동요가 일었고 눈썹이 파르르 떨렸다. "어쨌든", 정면으로 그를 쳐다보며 그녀가 다시 말했다. "당신은 최초의 편지들에서부터 절 알아볼 수는 없었어요. 그 편지들에 당신이 정열적인 답장을 보내긴 했지만요. 그러니까 당신의 그 정열적인 외침은 결국 저를 향하지 않았던 거죠!"

그는 이러한 관찰 내용에 항변했지만, 사건이 일어났던 날짜들과 편지 쪽지를 주고받은 날짜들을 혼동했다. 그녀 자신도 결국 그가 무슨 말을 하는지 갈피를 잡지 못했다. 상황이 너무나 우스꽝스럽게 되자 그들은 입을 닫았다. 그녀가 자리에 앉으며 웃음을 터뜨렸다.

이 날카로운 고음의 웃음소리, 아름답지만 짧고 끝이 뾰죽한 이를 드러내며, 빈정대듯 입술을 비죽거리는 이 웃음에 그는 당황했다. '이 여자가 나를 갖고 놀고 있군.' 이렇게 생각했다. 그리고 그 대화의 모양새에 불만을 품으며, 자신이 쓴 정열적인 편지와는 달리 너무나 냉정한 여자의 모습에 화가 나 퉁명스러운 어조로 물었다.

"왜 그렇게 웃으시는지 알 수 있을까요?"

"미안해요. 신경에 거슬리죠, 합승 마차를 타고서도 종종 그래요. 그 문제는 이제 그만해두고, 분별 있게 이야기해봐요. 당신은 절 사랑한다고 하셨는데…."

"그렇습니다."

"좋아요, 당신이 제게 그렇게 무관심하지 않다고 가정한다 해도, 그로 인해 우리에게 어떤 일이 닥칠까요? 오! 당신은 그걸 너무나 잘 알기에 제가 잠시 미쳤을 때 청했던 만남을 즉각 거절했지요. 잘도 꾸며낸 거절의 이유를 들면서 말이에요!"

"그때는 당신인 줄 몰랐기 때문이지요! 말했던 대로, 우연찮게 데 제르미가 당신 이름을 내게 알려준 건 며칠이 지난 뒤였지요. 당신 이름을 알자마자 내가 망설이기라도 했나요? 아닙니다. 즉시 당신에게 와달라고 청했지요!"

"좋아요. 하지만 당신의 처음 편지들은 저 아닌 다른 여자에게 쓴 게 맞다고 인정하세요!"

여자는 잠시 생각에 잠겨 있었다. 뒤르탈은 그러한 말싸움이 몹시 짜증 나기 시작했다. 그는 대답하지 않는 편이 현명하겠다고 생각하고 궁지에서 벗어나기 위한 완곡한 방법을 모색했다.

그런데 그녀 자신이 그를 궁지에서 꺼내주었다.

"더 이상 다투지 말기로 해요. 아무래도 결론이 나지 않을 것 같아요." 여자는 웃으며 그렇게 말했다. "자,

현재 우리가 처한 상황은 이런 거예요. 전 무척 호인인 데다 절 사랑하고 있는 남자와 결혼했어요. 그런데 그 남자가 지은 죄라는 건 자기 수중에 있는 행복을 다소 밋밋하게 표현한 것뿐이랍니다. 첫 편지에서 당신에게 써 보냈듯이 죄는 제게 있어요. 그리고 그 사람에 대해 제가 고통스러워한다는 걸 믿어주세요. 당신은 작품들을 써야 하고, 멋진 책들을 써야 해요. 어떤 몰지각한 여자가 삶에 끼어드는 일이 당신에겐 필요치 않아요. 그러니까 우리는 진정한 친구, 정말 진정한 친구로 남고 그런 상태를 지속하는 것이 최선임을 아셔야 해요."

"그렇게 정열적인 편지를 썼던 여인이 이제는 이성과 양식을 이야기하니, 무슨 까닭인지 모르겠군요!"

"어쨌든 솔직하게 말하세요, 당신은 절 사랑하지 않아요!"

"내가요…!" 그는 부드럽게 손을 잡았다. 여자는 저항하지 않고 가만히 있다가, 단호한 태도로 그를 응시하며 말했다.

"보세요, 사랑했다면, 당신은 절 만나러 오셨을 거예요. 그런데 몇 달 동안이나 당신은 제가 살아 있는지 죽었는지 알려고도 하지 않았어요…."

"하지만 지금과 같은 관계로 당신에게 접대받기를 바랄 수 없었다는 점을 이해하셔야 해요. 게다가 당신 살롱에는 언제나 초대 손님들이 있고, 남편이 있잖아요. 당신 집에서라면 아마 당신은 내게 눈곱만큼도 관심을 기울이지 못했을 거예요!"

그는 더욱 강하게 손을 쥐었고, 곁으로 더 바싹 다가
섰다. 여자는 몽롱한 눈으로 그를 쳐다보았는데, 그는 그
눈 속에서 자신을 유혹했던 그 애처로운 표정, 거의 고통
스러워하는 듯한 표정을 다시 찾아냈다. 그는 관능적이고
애처로운 그 얼굴에 진정으로 반했다. 하지만 여자는 아
주 단호한 몸짓으로 손을 뺐다.

"자, 앉아서 다른 얘기 해요! 당신 방 근사한 거 아세
요? 이 성인은 누구가요?" 그녀가 벽난로 위에 걸린 그림
을 쳐다보며 다시 말했다. 추기경 모자와 항아리를 옆에
두고 수도사 한 명이 무릎을 꿇은 채 기도를 올리는 그림
이었다.

"나도 모릅니다."

"제가 찾아봐드릴게요. 집에 성인 열전이 있답니다.
그걸 보면 자줏빛 외투를 버리고 오두막에 가서 살았던
추기경이 누구인지 쉽게 알 수 있을 거예요. 잠깐만요. 성
페트루스 다미아니*가 그런 경우였던 것 같아요. 그렇지
만 확실하지는 않아요. 기억력이 그다지 좋지 않거든요.
자, 생각 좀 해보세요."

"모른다니까요!"

여자가 다시 다가와 그의 어깨에 손을 얹었다.

"화가 나셨군요. 절 원망하시나요?"

---

* Petrus Damiani(1007–72). 중세의 교회 개혁 운동이 진행되던 때에 은둔적 수도원
이념에 기초해 수도원과 교회를 개혁하기 위해 노력했던 인물.

"그래요! 당신을 미치도록 원하고 있건만, 일주일 전부터 이러한 만남을 꿈꾸어왔건만, 당신은 우리 사이는 다 끝나고, 나를 사랑하지 않는다고 알리러 이곳에 왔으니까요…."

여자는 다정한 태도를 보였다. "하지만, 당신을 사랑하지 않는다면 제가 왔겠어요! 현실은 꿈을 소멸시킴을 아서야 해요. 끔찍하게 후회할 일은 벌이지 않는 게 더 나아요! 우리는 더 이상 어린아이가 아니잖아요. 안 돼요, 절 놓아주세요, 그렇게 꼭 껴안지 마세요." 여자는 몹시 창백한 모습으로 그의 품에서 발버둥 쳤다. "정말이지 전 떠날 거예요. 그리고 절 놓아주지 않으면 당신은 결코 절 다시 보지 못할 거예요." 목소리가 새되고 거칠어졌다. 그는 그녀를 놓아주었다.

"저기, 테이블 뒤에 앉으세요. 저를 위해 그렇게 해주세요." 발꿈치로 마룻바닥을 두드리면서 여자는 우울한 목소리로 말했다. "한 남자와 친구가 된다는 것, 한 남자의 여자 친구로만 있는 건 정말 불가능한가요? 그렇지만 나쁜 생각에 겁먹지 않고 당신을 만나러 올 수 있다면 좋은 일 아니겠어요?" 그녀는 입을 다물었다. 그러고는 덧붙여 말했다. "그래요, 그렇게만 서로 만난다면. 그리고 서로 이야기할 고상한 일이 없으면, 서로 침묵하지요. 아무 말 않는 것도 꽤 괜찮답니다!"

여자는 한숨을 쉬고 나더니 말했다. "시간이 다 되었네요. 이제 돌아가야 해요!"

"내게 아무런 희망도 남겨주지 않을 건가요?" 장갑 낀 손에 입을 맞추며 그가 말했다.

"자, 다시 오실 거죠?"

여자는 대답 대신 천천히 고개를 저었다. 그러다가 그가 애원하자 말했다.

"보세요, 제게 아무것도 요구하지 않고, 얌전히 있겠다고 약속한다면 모레 저녁 아홉 시에 이곳으로 올게요."

그는 여자가 원하는 대로 모두 약속했다. 그가 장갑 위쪽으로 입김을 불어넣고, 경직되었음이 느껴지는 목덜미를 입으로 더듬으려 하자, 그녀는 자신의 손을 빼내 그의 손을 꼭 쥔 다음, 이를 꼭 문 채 안절부절못했다. 결국 그에게 목덜미를 내주었고 그는 거기 입을 맞추었다.

여자가 떠났다.

"휴우!" 그는 문을 닫으며 한숨을 내쉬었다. 만족스럽기도 하고 불만스럽기도 했다.

만족한 이유는 여자가 신비롭고 변화무쌍하다고, 요컨대 매력적이라고 생각되었기 때문이었다. 이제 혼자 있게 되자 그는 검은색 드레스를 꼭 끼게 입은 그녀의 모습, 목덜미에 입 맞출 때 그의 볼에 부드럽게 와 닿던 깃 달린 따스한 모피 망토와 그 망토를 걸친 모습을 되새겨보았다. 여자는 귀에 걸린 푸른색 불꽃 모양의 사파이어 귀걸이 말고는 보석으로 치장하지 않았고, 약간 헝클어진 금발 머리에는 감청색 모자를 쓰고 있었고, 긴 가죽 장갑을 끼고 있었다. 황갈색 스웨이드로 만든 긴 장갑에서는

202

모자에 드리운 베일에서처럼, 보다 더 강한 향기에 파묻혀버린 채 계피향이 약간 남아 있는 듯한 이상한 냄새가 났다. 여전히 손에 배어 있던 부드럽고 야릇한 그 냄새를 맡기 위해 그는 손을 코에 댔다. 몽롱한 눈길, 갑자기 섬광에 흘린 회색의 은밀한 눈물, 촉촉하게 젖어 갈아대던 이빨들, 꼭 다문 여린 입술이 다시 눈앞에 떠올랐다. "오! 내일모레면 그 모든 것에 키스하게 될 터이니 얼마나 즐거운 일인가!" 그는 이렇게 중얼거렸다.

한편으론 불만스럽기도 했다. 그 자신과 그녀에게 말이다. 그는 퉁명스러웠던 것, 슬픔을 보였던 것, 열광하지 않았던 것을 자책했다. 보다 더 개방적이고 덜 어색하게 보였어야 했다. 하지만 잘못은 여자에게 있었다! 그를 너무나 놀라게 했으니 말이다! 편지 속에서 관능과 비탄을 외치던 여인과 그의 눈앞에서 우아하게, 너무나 자신을 잘 통제하던 여인 사이의 불일치가 정말이지 너무나 컸으니까!

'어쨌든, 여자들이란 놀라워.' 그는 이렇게 생각했다. '그 여자만 해도, 상상할 수 있는 가장 어려운 일을 완수했잖아. 한 남자에게 엄청난 편지들을 부치고 그 남자의 집에 찾아왔으니 말이야! 그런데 나는 어리석은 바보 같았어. 꿔다놓은 보릿자루처럼 어색했고, 무슨 말을 해야 할지 몰랐어. 그 여자는 잠시 후 마치 제 집에 있는 사람처럼, 혹은 살롱을 방문한 사람처럼 편안해졌는데. 전혀 어색함이 없고, 쾌활한 몸짓에, 평범한 말들, 그리고 이 모두를 보충해주는 눈망울들! 그녀가 그리 손쉽지는 않을 거야.' 여자가 그의 품을 벗어나면서 내비쳤던 퉁명스런 어조를 떠올리며 그는 계속해서 이렇게 생각했다. '하지만 어린아이 같은 면들이 있어.' 그녀가 말한 내용보다는 몹시 다정했던 목소리의 몇 가지 변화와 비탄에 빠진 부드러운 눈길들을 상기하며 그는 꿈을 꾸듯 생각을 계속 이어나갔다. '내일모레는, 신중하게 행동해야겠군.' 여자들을 본 적이 없었기에 샹트루브 부인을 보자마자 도망쳐서 침대 밑에 숨었던 고양이에게 말을 걸면서 뒤르탈은 결론을 내렸다. 고양이는 거의 엎드려 기다시피 하며 그녀가 앉았던 안락의자에 코를 박고 킁킁거렸다.

  '사실, 잘 생각해보면, 이아생트는 진짜 전문가야!' 그는 생각했다. '그녀는 카페나 길에서 만나기를 원치 않았어. 아마 단연코 카페의 별실인지 호텔인지를 눈치챘을 거야. 그리고, 우리 집으로 가자고 권유하지 않았다는 그 사실만으로도 내가 이 방으로 데려오고 싶어 하지 않는다는 점을 분명히 알 수 있었을 텐데도 불구하고, 일부러 이곳에 왔어. 게다가 처음에 보여주었던 모습은, 냉정하게 생각해보면, 멋진 속임수야. 관계를 맺으려 하지 않는다면, 이곳에 올라오지도 않았을 거야. 아니야, 내가 자신에게 간청하기를 바랐던 거야. 게다가 모든 여자들이 그렇듯 자신이 원하는 바를 제안받고 싶어 했어. 내가 속은 거야. 그녀는 이곳에 옴으로써 내 모든 방안들을 무너뜨려버렸어. 그래서 어쨌다는 거야? 그래도 매력이 넘치기만 하는걸.' 불쾌한 생각들을 떨쳐버리고, 그녀에 대해 품고 있는 열렬한 환상에 다시 빠져들게 되어 행복을 느끼며 그는 다시 생각했다. '내일모레는 아마 그렇게 시시하지 않을 거야.' 그는 여자의 눈을 다시 떠올리고, 실망스러워하고 탄식하는 듯 사랑의 유희에 빠진 그 눈을 상상하고, 옷을 벗겨 모피 옷과 꼭 끼는 드레스로부터 희고 날씬한, 따스하고 유연한 몸을 드러내게 하는 상상을 하면서 말했다. "그녀는 아이가 없는데, 그건 서른 살의 나이에도 거의 싱싱한 몸매를 갖고 있을 가능성을 나타내는 거야."

뒤르탈은 갑작스런 젊음의 열기에 도취되었다. 그는 거울에 비친 자신의 모습을 보고 놀랐다. 피로에 지친 눈이 빛나고 있었다. 얼굴은 더 젊고 덜 지쳐 보였으며, 콧수염은 더 멋있어진 듯했고, 머리는 더욱 검게 보였다. '다행히 최근에 면도를 했었군.' 그는 생각했다. 하지만 생각을 거듭하는 동안, 평소에 그다지 자주 쳐다보지 않던 그 거울 속에 비친 자신의 모습이 점점 느슨해지고 눈에서 빛이 사라짐을 보았다. 그다지 크지 않은 키는 정신의 격변으로 커진 듯했다가 다시 오그라들었다. 생각에 잠긴 얼굴에 슬픔이 다시 찾아왔다. '이건 여자들이 좋아할 만한 용모라 할 수 없겠군.' 그는 이렇게 결론을 내렸다. '그런데 그녀는 내게 무엇을 원하는 걸까? 나 말고 다른 사람과 함께해야 자기 남편을 속이기가 쉬울 텐데! 아! 쓸데없는 생각을 정말 오래도 하고 있군. 이제 그만둬야지. 상황을 정리해보면, 나는 그녀를 머리로 사랑하지 가슴으로 사랑하는 게 아니야. 중요한 건 그거야. 이런 상황에서는 어떤 일이 일어나더라도 짧은 사랑으로 끝날 거야. 요컨 대 바보 같은 짓을 저지르지 않고 거의 확실하게 빠져나 올 수 있지!'

다음 날, 뒤르탈은 전날 밤 잠자리에 들었을 때와 마찬가지로 잠에서 깨어나서도 여자를 생각했다. 그는 다시 여러 가지 우여곡절들에 관해 추리하고, 추측들을 되새겨보고, 스스로에게 이유들을 내세우기 시작했다. 그는 다시 한 번 더 스스로에게 물어보았다. '왜, 내가 그녀의 집에 갔을 때 그녀는 내게 마음이 있음을 보여주지 않았을까? 마음을 떠보거나 격려하는 눈길 한번 없었고, 그런 말 한번 없었잖아. 왜 그런 편지를 보냈을까? 내게 저녁 식사를 함께하자고 하거나, 그녀 집에서건 다른 곳에서건 우리가 서로 만날 수 있는 기회를 만들기는 너무나 쉬웠는데 말이야.'

그는 스스로 답했다. '그랬다면 너무 진부해서 재미가 없었을 거야! 그녀는 아마 이런 문제에 능숙한 것 같아. 미지의 것은 인간의 이성을 당황하게 만든다는 점, 정신은 공허함 속에서 동요한다는 점을 알고 있고, 그래서 자신의 본명을 내세워 공격을 시도하기에 앞서 내 정신을 자극하고, 와해시키려고 했던 거야.'

'이러한 예상들이 맞는다면, 놀랍도록 교활하다고 해야겠지. 생각건대 정말 열렬한 낭만주의자이거나 배우인지도 몰라. 자질구레한 연애 사건을 만들어내고, 흔해 빠진 음식들을 그럴듯한 음식들로 꾸며내는 일이 그녀를 즐겁게 만들고 있어.'

'그런데 남편 샹트루브는?' 뒤르틸은 이제 그에게 생

각이 미쳤다. '그는 자기 아내를 감시했을 거야. 아내의 부주의 탓에 쉽게 행적을 추적할 수 있었겠지. 그런데, 그녀는 저녁 아홉 시에 오기 위해 어떻게 한 걸까? 봉마르셰 백화점에서 쇼핑을 하거나 목욕을 한다는 핑계로 오후나 오전에 연인 집에 가는 편이 더 쉬웠을 텐데.'

이 새로운 질문에는 답이 나오지 않았다. 그러나 그는 점차 더 이상 스스로에게 질문하지 않았다. 그 여자에게 집착하자 그가 편지를 읽으면서 상상했던 미지의 여인에 대해 몹시 흥분했을 때 겪었던 것과 유사한 상태에 빠져들었기 때문이었다.

미지의 여인은 완전히 자취를 감추었고, 더 이상 모습조차 기억나지 않았다. 용모가 일치하지도 않고 닮지도 않은, 현실에 있는 그대로의 샹트루브 부인이 온 마음을 사로잡았고, 머리와 감각을 하얗게 달구었다. 그는 약속된 다음 날을 고대하며 미치도록 그녀를 갈망하기 시작했다. '그런데 만일 오지 않는다면 어떡하지?' 그는 생각했다. 그녀가 집에서 빠져나올 수 없거나 그를 더욱 고통스럽게 만들기 위해 기다리게 할지도 모른다는 생각을 하자 등골이 서늘해졌다.

'이제 그런 생각은 그만두어야겠군.' 그는 생각했다. 그러한 정신적 흥분에는 으레 그를 불안하게 만드는 기력 쇠퇴가 따르기 마련이기 때문이었다. 그는 사실, 극도로 흥분된 밤들을 보낸 뒤, 때가 되어 자신이 아주 서글픈 기사임이 드러나게 될까 두려웠다!

"그 문제는 더 이상 생각하지 말아야 해." 그는 점성가 제뱅제와 데 제르미와 함께 저녁 식사를 하기로 약속한 카렉스의 집으로 향하면서 그렇게 계속 되뇌었다.

"그렇게 되면 생각의 흐름이 바뀌겠지." 어두운 탑 속을 더듬어 올라가며 그는 중얼거렸다. 그가 올라오는 소리를 들은 데 제르미가 문을 열어, 나선형 어둠 속에 한 줄기 빛을 비춰주었다.

현관에 도착한 뒤르탈은 친구가 웃옷도 걸치지 않은 셔츠 차림으로, 몸에 앞치마를 두르고 있는 모습을 보았다.

"자네가 보다시피 요리를 하고 있는 중이라네!" 그러면서 그는 압력계와 함께 못에 걸려 있는 시계를 보고 화덕에서 끓고 있는 냄비를 살펴보았다. 기계를 보살피는 기술자처럼 간결하고 확신에 찬 눈길이었다. "자, 보게." 뚜껑을 들어 올리며 그가 말했다. 뒤르탈은 허리를 굽혔고, 구름처럼 피어오르는 수증기 너머 출렁거리는 냄비 속에서 젖은 행주를 발견했다.

"양 다리 고기인가?"

"그렇다네, 친구. 천으로 꼭 꿰매서 공기가 들어갈 틈이 없지. 부글부글 끓고 있는 이 맛있는 쿠르부용 수프, 건초 한 줌하고 마늘쪽, 둥글게 썬 당근, 양파, 육두구, 월계수잎, 백리향을 넣은 수프 속에서 고기가 익고 있다네! 새로운 소식 좀 말해보게… 제뱅제가 너무 늦지 않으면 좋겠는데. 영국식 양 다리 고기 요리는 푹 삶아서는 안 되거든."

카렉스의 아내가 불쑥 나타났다.

"들어오세요, 남편은 안에 있답니다."

뒤르탈은 책 먼지를 떨고 있는 그를 발견했다. 그들은 서로 악수를 나누었다. 뒤르탈은 테이블에 놓인, 먼지를 털어낸 책들을 되는대로 뒤적거렸다.

"이것들은 금속과 종 주조에 관한 책들인가요, 아니면 종과 관련된 의식들에 관한 책들인가요?"

"주조에 관한 건 아닙니다. 과거의 주조공들, 호시절에는 '생티에(saintiers)'라고 불리던 사람들이 때로는 언급되고 있긴 하지요. 여기저기서 순동과 정련된 주석 합금에 관한 자세한 내용을 몇 가지 찾아보실 수 있을 거예요. 제 생각으로는 3세기 전부터 생티에의 기술이 쇠퇴하고 있다는 점까지 확인할 수 있을 것 같군요. 특히 중세 때 신자들이 보석과 귀금속들을 주물 속에 던져 넣어서 합금의 성질을 변화시킨 것과 관계가 있을까요? 아니면, 화로 속에서 청동이 끓고 있는 동안 주물공들이 은둔자성 앙투안에게 더 이상 기원을 드리지 않았기 때문일까요? 저도 모르겠습니다. 어쨌든 오늘날엔 종을 대량으로 만들어내는 게 사실입니다. 그것들은 개인의 영혼이 결핍된 소리를 냅니다. 모두가 똑같은 소리들을 갖고 있지요. 예전에는 가족의 일원이 되어 고통과 기쁨을 함께 느낄 수 있었던 아주 오래된 하녀와 비슷했는데, 이제는 다만 무심하고 순해빠진 가정부에 불과할 뿐이지요. 하지만 성직자들과 신도들에게는 그게 무슨 상관이겠어요? 이

210

충성스런 의식의 보조 수단들이 이젠 아무런 상징이 되지 못하고 있답니다!

그럼에도 모든 것이 그 안에 있어요. 조금 전에 이 책들이 의식 차원에서 종들을 다루고 있는지 제게 물으셨지요. 맞습니다. 책들 대부분은 종들을 구성하고 있는 각 요소들의 의미를 상세하게 설명하고 있답니다. 대체로 그 설명들은 단순하고 그리 다양하지 못합니다만."

"아! 그러면 그 설명들은 어떤 것들인가요?"

"오! 관심 있으시다면 몇 마디로 요약해드리지요. 기욤 뒤랑의 전례 해설서에 따르면, 금속의 단단함은 설교자의 힘을 뜻한답니다. 추와 종 가장자리의 부딪침은 설교자가 타인들의 죄를 탓하기 전에 자신의 악행을 고치기 위해 스스로를 질타해야 한다는 생각을 나타냅니다. 종을 매달아두는 목재 양이나 염소는, 그 모양 자체로 보아 그리스도의 십자가를 나타내고, 예전에 종을 잡아당기는 데 쓰던 줄은 바로 십자가 자체의 신비에서 유래하는 성서의 지식을 우의적으로 나타냈답니다.

더 이전의 전례학자들도 거의 유사한 상징들을 제시하고 있답니다. 1200년대에 살았던 장 벨렛도 종은 설교자의 이미지라고 선언했지요. 하지만 그는 이렇게 덧붙였답니다. 종을 흔들 때, 그 종이 왔다 갔다 하는 건 사제가 말을 교대로 올렸다 내렸다 해야 한다는 점을 가리키고 있다고요. 사람들을 더 잘 이해시키기 위해서지요. 위그 드 생빅토르는, 추는 종의 양 가장자리와 부딪침으로

211

써 신약과 구약의 진리들을 동시에 알리는, 성무일도 담당 성직자의 혀라고 했습니다. 마지막으로, 아마 최고(最古)의 전례학자라 할 포르투나투스 아말라리우스*의 책을 보면 종의 몸체는 설교자의 입이고 종 치는 망치가 혀를 나타낸다는 점을 알게 된답니다."

"하지만, 그건… 뭐랄까, 그다지 심오한 내용은 아니군요." 다소 실망해서 뒤르탈이 말했다.

문이 열렸다.

"잘 지내나?" 카렉스가 제뱅제의 손을 잡으며 말했고, 그를 뒤르탈에게 소개했다.

종지기의 아내가 테이블을 차리는 동안 뒤르탈은 새로 온 인물을 관찰했다.

그는 키가 작고, 검고 부드러운 펠트 모자를 쓰고 있었으며, 파란색 천으로 만든 두건 달린 옷을 입어서 마치 합승 마차의 차장 같은 차림이었다.

머리는 달걀 모양으로 위가 비죽 솟아 있었다. 목으로 길게 늘어진, 뻣뻣하고 마치 마른 코코넛 열매 섬유와 유사한 머리카락 위로 건조제를 바른 것처럼 왁스 바른 머리가 솟아 나와 있는 듯했다. 코는 매부리코였고, 짧은 턱 주위에 난 턱수염과 마찬가지로 희끗희끗해진 무성한 콧수염에 파묻힌 이 빠진 입 위로는 콧구멍이 넓은 화물 창처럼 벌어져 있었다. 첫눈에 그는 미술가이거나 목판화

* 메스의 아말라리우스(775년경–850). 전례 사례, 교회의 축제와 각급 직책 그리고 성직자들의 예복들에 관해 기록한 『교회의 성무일도』를 썼다.

가, 또는 성화나 성상 채색공 같은 인상이었다. 하지만 좀 더 오래 그를 지켜보고, 코에 가까이 붙은 회색빛의 둥근 눈, 거의 사시에 가까운 눈을 관찰하고, 그의 엄숙한 목소리와 지나치게 공손한 태도를 살피고 나면, 그 남자가 어떤 특별 성기실(聖器室)에서 나온 것이 아닐까 하는 생각이 들었다.

그가 실외복을 벗고, 목수들이 입는 검은색 프록코트를 입고 나타났다. 그 목에 걸려 있는 고리 모양의 금목걸이는 낡은 조끼의 불룩한 주머니 속으로 뱀처럼 구불구불 사라졌다. 그런데 제뱅제가 자리에 앉자마자 스스로 만족해 무릎 위에 손을 올려놓고 보란 듯이 노출시켰을 때, 뒤르탈은 당황했다.

손가락들은 굵고 둥글고 거대했으며, 오렌지색 반점이 있었고, 손톱은 젖빛으로 짧게 깎여 있었다. 그는 커다란 반지들을 끼고 있었는데, 그 반지에 얹은 보석들은 손가락 관절 하나씩만큼 자리를 차지하고 있었다.

뒤르탈의 시선이 손가락에 고정된 것을 보고 그가 웃으며 말했다.

"이 보석들을 살펴보고 계시는군요. 금과 백금, 은으로 만든 거랍니다. 이쪽 반지에는 전갈이 새겨져 있는데, 제가 태어난 별자리를 나타내고 있지요. 꼭짓점이 위를 향한 삼각형과 아래를 향한 삼각형 두 개가 짝지어져 있는 이쪽 반지는 대우주와 솔로몬의 인장, 거대한 별 모양을 상징하고 있습니다." 그는 두 송이 장미꽃 속에 작은 사파이어가 박힌 여자 반지를 보여주며 말을 계속했다. "여기 보시는 이 작은 반지는 제가 별자리로 운명을 알아봐주었던 어떤 사람이 제게 준 기념품이지요."

"아! 그렇군요." 그가 보여준 그러한 자기도취에 다소 놀라며 뒤르탈이 대답했다.

"저녁 준비 다 됐어요." 종지기의 아내가 말했다.

앞치마를 벗고 몸에 꼭 끼는 체비엇 양모 상의를 입은 데 제르미가 화롯불 덕에 얼굴이 평소보다 덜 창백하고 뺨이 발갛게 달아오른 모습으로 자리를 권했다.

카렉스가 수프를 퍼주었고, 접시 가장자리 쪽에서 덜 뜨거운 부분을 숟가락으로 떠먹느라 모두가 입을 다물었다. 그러고 나자 카렉스의 아내가 앞서 화제에 올랐던 양 다리 고기를 썰도록 데 제르미에게 가져다주었다.

고기는 빨갛게 잘 익었고, 칼로 자르자 굵은 핏방울이 흘러나왔다. 무즙 퓌레로 향을 내고, 흰색 풍접초 꽃봉오리 소스를 첨가한 그 감칠맛 나는 고기를 맛보고는 모두가 경탄해 마지않았다.

쏟아지는 찬사 속에 데 제르미가 허리를 굽혀 답했다. 카렉스가 각자의 잔을 가득 채워주었는데, 제뱅제 때문에 다소 서먹했던 그는, 그들 사이에 있었던 과거의 악감정을 잊게 하기 위해 그에게 무척이나 주의를 기울이고 있었다. 데 제르미가 그를 거들어주는 한편, 뒤르탈에게도 도움을 주고자 점성술 쪽으로 화제를 돌렸다.

그러자 제뱅제는 위엄을 차리고 말할 수 있었다. 만

족한 듯한 어조로 그는 자신의 위대한 작업들에 대해, 한 가지 점성을 하는 데 걸렸던 6개월간의 계산 기간이며, 그렇게 작업하고도 복채 500프랑을 받지 않겠다고 그가 선언했을 때 놀라던 사람들에 대해 이야기했다.

"하지만 공짜로 내 지식을 줄 수는 없지요." 그가 결론적으로 말했다.

"그런데, 고대에는 경외의 대상이었던 점성술이 오늘날엔 의심을 받고 있어요." 잠시 침묵하던 그가 다시 말했다. "중세에도 마찬가지로 점성술은 거의 신성한 일이었답니다. 그런데, 여러분, 파리 노트르담 성당의 정면 현관을 보세요. 기독교의 신비로운 상징 이론을 접해보지 못한 고고학자들이 '심판'의 문, '동정녀'의 문, '성 안나 혹은 성 마르셀'의 문이라는 이름으로 부르고 있는 세 개의 문들은 실제로는 '신비', '점성술', 그리고 '연금술'이라는 세 개의 위대한 중세 과학을 나타내고 있답니다. 오늘날엔 '별들이 인간의 운명에 영향을 미친다고 정말 확신하세요?'라고 말하는 사람들이 있지요. 하지만 여러분, 점성술 신봉자들을 위한 상세한 내용에까지 들어가지 않더라도, 어떤 별들, 예컨대 달 같은 천체가 남성과 여성의 신체 기관들에 육체적인 영향을 미치고 있는데, 왜 영적인 영향이 그보다 더 이상한 겁니까?

데 제르미 선생, 당신은 의사인데, 자메이카에서 질 스핀 박사와 잭슨 박사가, 동인도에서는 발포 박사가 인간의 건강에 미치는 별자리의 영향을 확인했다는 사실은 아마 모르실 겁니다. 달 모양이 변할 때마다 환자의 수가 증가하지요. 극심한 발열이 달의 위상 변화와 일치한답니다. 마지막으로, 달의 영향을 받아 주기적으로 발광하는 사람들도 존재합니다. 광인들이 언제 울타리를 벗어나 들판을 돌아다니는지 확인해보세요! 하지만 믿지 않는 사람들을 설득하려 해봐야 무슨 소용이 있을까요?" 자신의 반지들을 바라보며 지친 듯한 모습으로 그가 덧붙였다.

"하지만 제가 보기엔 점성술이 다시 수면 위로 떠오르고 있는 것 같습니다." 뒤르탈이 말했다. "신문 광고 면에는 신비의 치료제 광고 옆에 별자리로 운명을 알아보는 점성술사가 현재 두 사람 있지요."

"참으로 부끄러운 일이지요! 그들은 그 지식에 관해 가장 기본적인 사항조차 모르고 있어요. 단지 그렇게 해서 몇 푼 벌어보려 하는 광대들일 뿐입니다. 점성술사가 존재하지도 않는데 그들에 관해 말해본들 무슨 소용이 있겠습니까! 그런데, 이건 꼭 말해야겠군요. 탄생 시의 별자리에 관한 문제를 밝히고 점성술의 이론 체계를 구축할 수 있는 곳은 이제 미국과 영국밖에 없습니다."

"자칭 점성술사들뿐 아니라 현재의 모든 마법사들, 모든 접신론자들, 모든 신비술가 및 유대교 신비학자들이 전혀 아무것도 모르는 건 아닌지 몹시 걱정되는군요." 데제르미가 말했다. "내가 알고 있는 사람들은 틀림없이 완전한 무식꾼이고 의심의 여지없는 멍청이들이군요."

"틀림없이 그럴 겁니다, 여러분! 그런 사람들은 대

부분 실패한 늙은 연재물 담당자들이거나, 아니면 실증주의에 신물 난 대중의 취향을 악용하려 애쓰는 젊은이들이랍니다! 그들은 엘리파스 레비*를 표절하고, 파브르 돌리베**를 베끼면서, 그들 자신도 설명하지 못하는 지리멸렬한 논문들을 쓰고 있지요. 그 생각을 하면 정말 슬픕니다!"

"뒤죽박죽인 가운데 누락되어 있긴 하지만 분명히 진리를 내포하고 있는 지식들을 그들이 우스꽝스럽게 만들고 있기 때문이죠." 뒤르탈이 말했다.

"게다가 더욱 한심한 건, 쉽게 속아 넘어가는 사람들과 어리석은 사람들 외에도 또 이들 군소 파벌들이 사기꾼들과 허풍쟁이들을 보호하고 있다는 점이지요." 데제르미가 말했다.

"특히 펠라당***이 그렇죠. 이 떠돌이 점성가, '남부의 오뚝이'를 모르는 사람은 없을 거예요!" 뒤르탈이 외쳤다.

"오! 그 사람…."

"요컨대, 여러분." 제뱅제가 다시 말했다. "그들 모두는 실제적으로 어떤 효과를 얻어낼 능력이 없어요. 금세기에 성자가 되거나 악마가 되지 않고 신비를 꿰뚫어 본 사람은 단 한 명, 윌리엄 크룩스****밖에 없습니다." 뒤르탈이 그 영국인이 말한 환영들이 진실인지 의심하는 듯한

---

* Eliphas Levi(1810–75). 프랑스 낭만주의 시인, 신비학 연구가.
** Fabre d'Olivet(1767–825). 프랑스 작가, 문헌학자, 신비학 연구가.
*** Joséphin Péladan(1858–918). 작가이자 신비학 연구가. 장미 십자회 운동의 개혁자.
**** William Crookes(1832–919). 영국의 화학자, 물리학자. 영매에 대한 연구로 유명하다.

모습을 보이고, 어떤 이론으로도 그것들을 설명할 수 없다고 주장하자 제뱅제가 거드름을 피우며 말했다.

"잠깐만요, 선생님. 우리는 다양한 의견들, 감히 말하건대 매우 분명한 의견들 중에서 선택할 수 있습니다. 환영이란 신들린 상태에 도달한 영매에게서 나와서 현존하는 인물들의 기와 결합된 영기에 의해 만들어진다고 하는 의견이 있습니다. 또 공기 중에는 비물질적인 존재들, 흔히 말하길 정령들이 존재하는데, 그것들은 거의 알려진 조건 속에서 모습을 드러낸다는 의견도 있지요. 또한, 순수한 강신술 이론으로서 이러한 현상들이 죽은 자들 가운데서 불려 나온 영혼들 탓이라는 의견도 있습니다."

"알고 있습니다." 뒤르탈이 말했다. "그 때문에 무서운 거죠. 제가 알기로는 죽은 다음에 방황하는 영혼의 윤회에 관한 힌두교의 교리도 있습니다. 이들 육체에서 분리된 영혼들은 다른 육체에 깃들 때까지, 그리고 변모에 변모를 거듭하며 완전한 순수성에 도달할 때까지 떠돌지요. 그런데, 제가 보기엔 한번 사는 것으로도 충분한 듯한데요. 저라면 차라리 무(無), 즉 공백이 이러한 모든 변모들보다 더 낫습니다. 그편이 더 마음 놓이거든요! 죽은 자들의 영혼을 불러내는 문제에 대해서 말인데, 길모퉁이에서 돼지고기나 파는 사람이 위고나 발자크, 보들레르의 영혼을 불러내서 억지로 자신과 대화하게 할 수 있다는 생각만으로도 저는 화가 치밀 거예요. 제가 그걸 믿는다면 말이죠. 아! 그래요, 아무리 형편없다 해도 유물론이 그보다는 나을 거예요!"

"강신술은 교회에 의해 유죄판결을 받고 저주받은 고대 마법의 다른 이름이지요." 카렉스가 말했다.

제뱅제는 자신의 반지들을 쳐다보더니 잔을 비웠다.

"어쨌든", 그가 말을 이었다. "여러분들은 이러한 이론들이 지지할 만하다는 점을 인정하게 될 겁니다. 특히 정령들의 이론은, 악마주의만 빼버리면, 가장 진실되고 가장 분명해 보입니다. 공간에는 세균들이 득실거리지요. 그곳이 또한 정령들과 악령으로 넘쳐난다는 게 놀라운 일인가요? 물과 식초에는 극미 동물들이 많습니다. 현미경을 통해 우리는 그것들을 볼 수 있습니다. 인간의 시력과 도구로는 접근 불가능한 대기에 왜 다른 요소들과 마찬가지로 어느 정도 몸체를 가진 존재들, 다소 성숙한 유충들이 가득 들어 있지 않겠습니까?"

"고양이들이 갑자기 호기심에 차서 허공을 바라보고, 우리 눈으로는 볼 수 없는 무언가가 지나가고 있음을 눈으로 쫓는 건 아마 그 때문인가 보군요." 카렉스의 아내가 말했다.

"아니에요, 괜찮습니다." 계란을 넣은 민들레잎 샐러드를 권하는 데 제르미에게 제뱅제가 말했다.

"친구 여러분", 종지기가 말했다. "당신들은 단 하나 유일한 교리를 잊고 계신 것 같습니다. 그처럼 설명할 수 없는 모든 현상들을 악마의 탓으로 돌리는 교회의 교리 말입니다. 오래전부터 가톨릭은 그런 현상들을 알고 있었습니다. 제 기억으로 1847년 미국 폭스 가문에서 있었던 정령들의 현현 이전에 이미 가톨릭은 교령(交靈) 현상이 악마의 지배를 받는다고 포고했습니다. 그건 어느 시대에서나 있었으니까요. 그 증거는 성 아우구스티누스에게서 찾아보실 수 있을 겁니다. 왜냐하면 그는 교령술에서 나타나는 것과 유사한 소리들과, 물건이나 가구의 뒤집힘 현상을 멈추게 하기 위해 히포 레기우스* 교구에 사제 한 사람을 보내야 했기 때문입니다. 테오도리크** 시대에도 성 세제르***가 악령들이 출몰한다는 집을 치워주었지요. 아시다시피 신의 왕국과 악마의 왕국이라는 두 개의 왕국만이 있을 뿐입니다. 그런데, 신이 이처럼 더러운 음모들에서 벗어나 있기 때문에 신비학자들과 강신술사들은 그들이 원하든 않든 간에 어느 정도 악마주의를 행하고 있는 것이지요!"

"그럼에도 불구하고 악마주의는 거대한 임무를 수행했습니다." 제뱅제가 말했다. "미지의 문턱을 넘어섰고, 성역의 문을 깨뜨렸습니다. 지상 차원에서 프랑스의 1789년이 이루었던 바에 버금가는 혁명을 자연계 외의 세계에서 수행했습니다. 악마주의는 강령을 대중화시켰고 완전히 새로운 길을 열어놓았습니다. 다만 입문으로 이끌 지도자들을 갖지 못했고, 아무런 지식을 갖지 못한 채 선한 정

* 아프리카 지중해 연안의 옛 도시. 오늘날 알제리 북동부의 도시 안나바이다.
** 동고트족의 왕(454?–526).
*** 아를의 주교(470–542).

령과 악령들을 닥치는 대로 휘저었습니다. 그 이후 그 속에는 모든 것들이 조금씩 들어 있게 되고, 이렇게 말할 수 있을지 모르겠습니다만, 뒤죽박죽되어 있는 것이지요!"

"그 모든 것 중에서도 가장 슬픈 건 우리에게 아무것도 보이지 않는다는 점이지요." 데 제르미가 웃으며 말했다. "실험들이 성공했다고 알고 있는데, 내가 참여하고 있는 실험들은 목적을 달성하지 못하고 실패하고 있어요."

"놀라운 일이 아닙니다." 점성가가 새콤달콤한 오렌지 잼을 빵에 바르면서 대답했다. "마법과 강신술에서 지켜야 할 첫 번째 규칙은 바로 믿지 않는 사람들을 배제하는 겁니다. 그들의 기가 점쟁이나 영매의 영기를 방해하는 일이 잦기 때문이지요!"

"그렇다면 그런 현상들의 진실성은 어떻게 확보하지?" 뒤르탈이 중얼거렸다.

카렉스가 일어섰다. "여러분, 10분 후 돌아오겠습니다." 그러면서 그는 긴 외투를 걸쳤고, 탑 계단으로 발소리가 사라져갔다.

"이런, 여덟 시 15분 전이군." 손목시계를 보며 뒤르탈이 중얼거렸다.

방 안에는 한순간 침묵이 흘렀다. 모두가 디저트를 더 먹지 않겠다고 하자 카렉스 부인은 테이블보를 걷어내고, 밀랍 먹인 천을 테이블 위에 펼쳐놓았다. 점성가는 자기 손가락의 반지를 돌리고 있었고, 뒤르탈은 빵의 부드러운 속을 만지작거려 둥글게 만들고 있었고, 데 제르미는 한쪽으로 잔뜩 몸을 기울인 채 엉덩이 위에 달린 주머니에서 일제 담배쌈지를 꺼내 담배를 말았다.

종지기의 아내가 모두에게 안녕히 주무시라고 하며 자기 방으로 물러간 사이 데 제르미가 주전자와 커피포트를 가져왔다.

"도와줄까?" 뒤르탈이 말했다.

"그래, 작은 잔들을 찾아주고 술병 마개들을 따주면 고맙겠네."

찬장을 열다가 뒤르탈이 휘청거렸다. 벽을 흔들리게 하고, 웅웅거리는 소리로 방 안을 가득 채운 갑작스런 종소리에 놀란 탓이었다.

"방 안에 정령들이 있다면 틀림없이 가루가 되겠는걸." 뒤르탈이 작은 잔들을 테이블에 내려놓으며 말했다.

"종은 유령들을 흐트러뜨리고 마귀들을 내쫓는답니다." 파이프를 채우던 제뱅제가 잘 아는 체하며 대답했다.

"자, 필터 안에 뜨거운 물을 천천히 붓게." 데 제르미가 뒤르탈에게 말했다. "나는 난로에 땔감을 넣어야 하거든. 온도가 내려가서 발이 얼 지경이야."

카렉스가 되돌아와서 램프 불을 불어 껐다.

"오늘 저녁은 날이 건조한 덕에 종소리 상태가 좋았어요." 그러면서 그는 방한모와 웃옷을 벗었다.

"자넨 그를 어떻게 생각하나?" 파이프 담배 연기에 파묻혀 있는 점성가를 가리키며 데 제르미가 작은 소리로 뒤르탈에게 물었다.

"쉬고 있을 때는 늙은 부엉이 같은 모습인데, 말할 때 청산유수 같은 말솜씨하며 침울한 모습을 보면 학교 선생을 연상시키는군."

"하나만!" 커피 잔 위로 설탕 조각을 들어 보이는 카렉스에게 데 제르미가 말했다.

"질 드 레의 이야기를 쓰고 계신다던데요?" 제뱅제가 뒤르탈에게 물었다.

"그렇습니다. 현재 그 사람과 함께 악마주의의 폭력 행위들과 사치에 정신이 푹 빠져 있습니다."

"아, 그렇군요! 그 문제에 대해서는 당신의 높은 식견에 도움을 청해야겠군요." 데 제르미가 소리쳤다. "당신만이 악마주의에 관한 가장 애매한 문제들 가운데 한 가지에 대해 내 친구에게 가르침을 줄 수 있을 겁니다!"

"어떤 건데요?"

"몽마와 몽정마녀 문제랍니다."

제뱅제는 선뜻 대답하지 않았다.

"문제가 더욱 심각해지는군요." 마침내 그가 말했다. "이제 우리는 강신술이라는 문제와는 다르게 가공할 만한 문제에 다가서고 있습니다. 하지만 선생께선 벌써 그 문제에 대해 뭔가 알고 계시지요?"

"그래요! 의견들이 분분함을 잘 알고 있지요. 예컨대 델 리오와 보댕은 몽마가 여성들을 겁탈하는 남성 악마라고 생각하고, 몽정마녀는 남자들과 육체관계를 맺는 여성 악마라고 생각하지요.

그들의 이론에 따르면 몽마는 남성이 꿈속에서 잃어버리는 정액을 빼앗아 사용한다는군요. 그래서 두 가지 문제가 제기된답니다. 첫 번째는, 그 결합에서 어린아이가 생길 수 있는지 여부의 문제입니다. 교회 박사들은 이러한 생식이 가능하다고 판단했는데, 그들은 심지어 이런 관계에서 태어난 아이들이 다른 아이들보다 더 무게가 많이 나가고, 유모 셋의 젖을 마르게 하고도 살이 찌지 않는다고 단언합니다. 두 번째 문제는, 이 아이의 아버지가 누구인가의 문제, 즉 어머니와 성적 관계를 맺은 악마인지, 아니면 정액을 빼앗긴 남자인지의 문제입니다. 이 문제에 대해 성 토마스는 다소 교묘한 논증에 의거해 답하고 있는데, 진짜 아버지는 몽마가 아니라 사람이라는 겁니다."

"시니스트라리 다메노*가 보기에 몽마와 몽정마녀들은 엄밀히 말해서 악마가 아니라 악마와 천사 사이의 중간자인 동물의 정령들입니다. 이교도에서 말하는 것처럼 일종의 사티로스, 즉 반수신들이지요." 뒤르탈이 지적했다. "중세가 몰아낸, 일종의 장난꾸러기 요정과 꼬마 악마들입니다. 시니스트라리는 덧붙여서 그들이 생식기를 갖고 있고 강한 번식력을 부여받았다고 말합니다…"

"맞습니다. 그리고 다른 건 없습니다." 제뱅제가 말

* Ludovico Maria Sinistrari d'Ameno(1622–701). 이탈리아의 철학자, 신학자. 엑소시즘과 악마학의 전문가였고, 그의 저작 대부분이 17세기 종교재판소의 참고 서적이었다. 『악마론, 몽마와 몽정마녀(De Daemonialitate et Incubis et Succubis)』가 1875년 이지도르 리죄(Isidore Liseux)에 의해 프랑스어로 번역되어 출간되었다.

했다. "그렇게 박식하고 정확한 괴레스*도 자신의 『자연과 악마의 신비주의 신학』에서 재빠르게 그 문제를 지나치고, 심지어 침묵을 지키는 교회처럼 무시하기까지 합니다. 교회가 침묵하는 것은 그 문제를 다루고 싶지 않기 때문이고, 그 문제에 몰두하고 있는 사제를 비뚤어진 시선으로 바라보기 때문입니다."

"실례지만, 교회는 그처럼 지저분한 문제들에 대해 말하기를 망설인 적이 없습니다." 언제나 교회를 옹호할 준비가 되어 있는 카렉스가 말했다. "몽정마녀와 몽마의 존재는 성 아우구스티누스, 성 토마스, 성 보나방튀르, 드니 르 샤르트뢰, 교황 이노센트 8세, 그리고 또 얼마나 많은 사람들에 의해 입증되었는데요! 그 문제는 분명하게 종지부를 찍었습니다. 그러니 가톨릭 신자라면 누구나 그렇게 믿어야 할 의무가 있지요. 내가 틀리지 않다면, 그것들의 존재는 성자전들 속에서도 역시 나타납니다. 성 이폴리투스의 전설에서 자크 드 보라진이 얘기한 바에 따르면, 벌거벗은 몽정마녀에게 유혹받은 신부가 스톨라**를 그의 머리에 던지자 그 앞에는 어떤 죽은 여인의 시체만 남았다고 합니다. 그를 유혹하기 위해 악마가 그 시체에 생명을 불어넣었던 것이지요."

"그렇습니다." 제뱅제가 눈을 빛내며 말했다. "교회가 몽정마녀의 존재를 인식하고 있음은 나도 인정합니다.

* Joseph von Görres(1776~848) 독일이 작가, 철학자, 신학사.
** 겉옷 위에 목뒤로 걸쳐서 몸 양쪽으로 늘어뜨리는 장식 천.

225

그렇지만 내 말을 들어보면 여러분들도 알게 될 것입니다. 내 관찰에도 나름대로 근거가 있다는 걸 말입니다!"

"여러분들은 책들이 무엇을 가르치고 있는지 잘 알고 계실 겁니다." 제뱅제는 데 제르미와 뒤르탈을 보며 다시 말을 이었다. "하지만 100년 전부터 모든 것이 변했습니다. 내가 여러분들에게 밝히려고 하는 사실들이 로마교황청에 샅샅이 알려져 있다고 해도, 많은 성직자들은 이를 모르고 있고, 당신들도 어떤 경우에서건 책 속에 기록된 바를 찾아보지 못할 겁니다.

오늘날 몽마와 몽정마녀라는 물리칠 수 없는 역할을 맡는 것은 대개 악마들이기보다는 불려나온 사자(死者)들입니다. 다시 말하면, 예전에는 몽정마녀를 받아들인 사람에게 '마귀 들림' 현상이 있었습니다. 죽은 자들을 불러냄으로써 악마적 측면에 흡혈 미신의 끔찍한 육체적 측면이 결합되자 엄격한 의미에서의 '마귀 들림'은 이제 존재하지 않게 되었지만, 상황은 훨씬 더 나빠졌습니다. 그렇게 되자 교회로서는 어떻게 해야 할지 더 이상 알지 못했습니다. 때로 침묵을 지켜야 하기도 했고, 또 때로는 이미 모세가 금지했던바, 죽은 자들을 불러내는 일이 가능함을 고백해야 하기도 했습니다. 그런데 그러한 고백은 위험하기 짝이 없었지요. 모르는 사이 강신술이 진보한 까닭에 그러한 고백은 예전보다 더 쉽게 행할 수 있는 행위들에 관한 지식을 널리 유포시켰기 때문이었지요.

그래서 교회는 침묵을 지켰습니다. 그렇다고 해서

오늘날 수도원 내에서 몽마를 빙자한 행위가 얼마나 많이 전개되어왔는지 로마가 모르고 있는 건 아닙니다!"

"그건 고독 속에서는 금욕을 유지하기가 힘들다는 것을 증명하지요." 데 제르미가 말했다.

"그건 특히 인간의 영혼이 약하다는 것, 그리고 인간이 더 이상 기도할 줄 모른다는 것을 증명합니다." 카렉스가 말했다.

"어쨌든, 여러분에게 그 문제의 진상을 알려주고자 몽마와 몽정마녀에 홀린 존재들을 두 부류로 나누어보겠습니다.

첫 번째 부류는 정령의 악마적 행위에 스스로 몸을 바친 사람들입니다. 이들의 수는 상당히 드물지요. 그들은 모두가 자살 혹은 급격한 형태의 죽음 중 한 가지를 통해 죽음에 이릅니다.

두 번째 부류는 주술을 통해서 어쩔 수 없이 악령에 사로잡힌 사람들입니다. 이들은 수적으로 대단히 많은데, 특히 악마 단체들이 몰려드는 수도원에 많습니다. 대개 이들 희생자들은 미쳐버리게 됩니다. 정신병자 수용소에는 이들이 득실거립니다. 의사들과 대부분의 사제들까지도 그들이 미친 원인을 짐작하지 못합니다. 하지만 이런 경우는 치료가 가능하지요. 내가 알고 있는 마법사 한 사람은, 그가 없으면 샤워기의 물세례를 받으며 비명을 질러대던 많은 주술 걸린 사람들을 구했답니다! 몇 가지 훈증 요법, 배출 요법들, 부석에 새겨지거나 세 차례 축성된 깨끗한 양피지에 기록된 계명들이 있는데, 이런 것들에 의해 환자는 거의 언제나 구출되지요!"

"한 가지 질문이 있는데요." 데 제르미가 물었다. "여자가 몽마의 방문을 받는 건 잠들어 있을 때인가요 아니면 깨어 있을 때인가요?"

"구분할 필요가 있습니다. 만일 그 여자가 주술에 걸려 있지 않다면, 즉 순수하지 않은 악령과 의도적으로 하나가 되기를 원한 거라면, 여자는 육체적 행위가 일어나는 동안 계속해서 깨어 있는 상태입니다.

반대로 그 여자가 마법의 희생자라면, 죄악이 저질러지는 건 잠들어 있는 때일 수도 있고, 완전하게 깨어 있는 때일 수도 있습니다. 하지만 깨어 있을 때에도 자신을 스스로 방어할 수 없는 경직 상태에 놓여 있습니다. 이 시대의 가장 강력한 구마사로서 이 문제를 가장 깊이 연구한 신학 박사 요하네스는 이틀, 사흘, 나흘까지도 쉬지 않고 계속해서, 몽마들에게 시달리던 수녀들을 구한 적이 있다고 내게 말했습니다!"

"그래요, 나도 그 사제를 알고 있어요." 데 제르미가 말했다.

"그러면 그 행위는 현실에서와 똑같은 방식으로 이루어지나요?" 뒤르탈이 물었다.

"그렇기도 하고 아니기도 합니다. 이 점에 관해서는, 추잡해서 자세히 이야기하지 못하겠군요." 얼굴이 약간 붉어진 채 제뱅제가 말했다. "여러분에게 아주 기이한 것을 말씀드리죠. 몽마의 생식기는 둘로 나뉘어 동시에 두 개의 그릇 속으로 들어갈 수 있다고 해요.

어떤 때는 그게 늘어나서, 하나가 제대로 난 길을 따라 움직이는 동안 다른 하나는 동시에 얼굴 아래에 이르기도 한답니다…. 여러분, 생각해보세요, 모든 감각기관에서 이처럼 활동이 늘어난다면 우리의 생명은 얼마나 단축될까요!"

"그런 일들이 존재한다고 확신하시나요?"

"절대 확신합니다."

"그렇다면, 증거가 있나요?" 뒤르탈이 도전적으로 말했다.

제뱅제는 입을 다물었다가 이윽고 대답했다. "문제가 너무 중대한 데다 내가 이미 너무 많이 말했기 때문에 끝까지 가지 않을 수 없겠군요. 나는 환각에 사로잡혀 있거나 미친 게 아닙니다. 자, 여러분, 나는 언젠가 한번, 지금은 악마주의에 사로잡혀 있는 가장 위험한 대가가 살던 방에서 잔 적이 있습니다…."

"주교좌 참사원 도크르군요." 데 제르미가 재빨리 말했다.

"그렇습니다. 하지만 나는 잠들어 있지는 않았습니다. 훤하게 동이 텄었지요. 단언하건대, 몽정마녀가 왔지요. 그것은 초조해하고, 숨을 헐떡이고, 집요했습니다. 다행히도 나는 구원의 주문들을 기억해냈습니다. 그렇지 않았더라면….

마침내 나는 바로 그날로 좀 전에 말씀드렸던 요하네스 박사 댁으로 달려갔습니다. 그는 즉시 저주를 풀어주었지요. 바라건대 영원히 저주를 피했으면 좋겠습니다."

"무분별한 질문이 아닌가 싶기도 하지만, 당신을 공격했던 그 몽정마녀가 어떤 모습이었는지 물어봐도 될까요?"

"그게, 벌거벗은 여느 여자와 다름없었습니다." 점성가가 머뭇거리며 말했다.

"그것이 작은 선물, 팁을 요구했다면 이상한 일이었을 텐데." 뒤르탈은 입술을 깨물면서 이렇게 생각했다.

"그런데, 그 무서운 도크르가 어떻게 되었는지 아십니까?" 데 제르미가 물었다.

"아뇨, 다행히도요. 그는 남부 지방에, 아마도 님* 근처에 있을 거예요. 예전에 그곳에 살았었거든요."

"그런데, 그 사제는 지금은 무슨 일을 하고 있나요?" 뒤르탈이 물었다.

"무슨 일을 하냐고요! 악마를 불러내고, 자신이 축성한 희생 제물들로 흰 쥐들을 사육한답니다. 신성모독에 대한 그의 광기가 얼마나 큰지 언제나 그리스도를 짓밟을 수 있도록 자기 발바닥에 십자가를 문신했답니다!"

"그렇군요." 카렉스가 중얼거렸다. 헝클어진 그의 콧수염은 말려 올라갔고, 반면 그의 커다란 눈은 불타오르고 있었다. "그 가증스러운 사제가 여기, 이 방 안에 있

* 프랑스 남부의 도시.

다면, 맹세코 그의 발에 입을 맞추고 계단 아래로 머리를 처박아줄 텐데!"

"그리고, 마법 의식도 하지요?" 데 제르미가 다시 말했다.

"추잡한 남녀를 거느리고 마법 의식을 거행한답니다. 그는 유산 착복과 알 수 없는 죽음들로 인해 공공연하게 비난받고 있습니다. 불행하게도 신성모독을 처벌할 법률은 없습니다. 그리고 원격으로 병을 전파하고, 부검에서도 독살 흔적이 전혀 나타나지 않도록 서서히 죽이는 사람을 어떻게 기소할 수 있겠습니까?"

"현대판 질 드 레로군요!" 뒤르탈이 소리쳤다.

"그렇다네. 덜 야만적이고, 덜 노골적인 대신, 보다 더 위선적이고 잔인하지. 그는 목을 쳐서 죽이지 않아. 그는 아마도 사람들에게 마법을 걸거나 자살을 교사하는 일에만 만족할 거야. 왜냐하면, 내 생각에 그는 그러한 교사 재주가 아주 뛰어나기 때문이지." 데 제르미가 말했다.

"그가 제시하는 독극물, 병든 것처럼 보이게 만드는 독극물을 조금씩 마시게끔 희생자에게 넌지시 암시를 줄 수 있는 걸까?" 뒤르탈이 물었다.

"물론이지. 허가받은 강도들이라 할 현대의 의사들도 그러한 일들의 가능성을 충분히 인식하고 있다네. 보니스, 리주아, 리에보, 그리고 베른하임*의 실험들이 명백

* 히스테리를 다루는 데 있어 살페트리에르 병원의 샤르코와 다른 방식을 취했던 의사, 법률가, 법의학자들로 '낭시 그룹'을 구성했다. 이들은 최면술사와 환자와의 관계,

231

한 증거지. 심지어는 타인에게 암시를 주어 그가 범죄의 의도를 기억하지 못한 채 지정된 사람을 죽이게 만들 수도 있다네."

"한 가지가 생각나는군요." 생각에 잠겨 있다가 최면에 관해 주고받는 이야기를 듣지 못한 카렉스가 내뱉듯 말했다. "종교재판 말인데요, 그건 분명히 나름대로 존재 이유가 있었어요. 그것만이 사제직을 박탈당하고 교회에서 내쫓긴 그 사람에게 타격을 줄 수 있을 거예요."

"종교재판관들의 가혹함은 상당히 과장된 측면이 있어요." 입가에 미소를 띠며 데 제르미가 말했다. "아마도 자비로운 보댕이라면 마법사의 손가락과 손톱 사이에 긴 바늘을 박으라고 말할지도 모릅니다. 그것이 고문 중에서 가장 훌륭한 거라고 그는 말했지요. 그는 또, 그가 우아한 죽음이라고 규정한 화형을 권할지도 모릅니다. 하지만, 화형을 하는 건 그 마법사들이 혐오스런 삶을 벗어나서 영혼의 구원을 받게 하기 위해서랍니다! 그리고 델리오는 마귀 들린 사람들을 식사 후에 고문해서는 안 된다고 말합니다. 그들이 토할까 봐 그런 거지요. 그 선량한 사람은 그들의 위장을 염려했던 것입니다. 하루에 두 번 고문을 반복해서는 안 된다고 결정한 사람도 그 사람 아

즉 암시 행위에 있어서 전자가 후자에 미치는 영향에 대해 관심을 갖고 연구했는데, 보니스와 리주아가 최면이 치료에 이용될 수 있는가, 그것이 사람들을 범죄 행위로 몰아갈 가능성은 없는가의 문제에 관심을 기울였다면, 베른하임은 리에보의 뒤를 이어 암시를 이용한 다양한 신경계 질병들의 치료 가능성을 탐구했다.

닌가요. 두려움과 고통 속에서 마음을 가라앉힐 시간을 주기 위해서였지요…. 어쨌든 간에, 그 훌륭한 예수회 사제는 세심한 사람이었음을 인정해야 해요!"

"도크르는요," 데 제르미의 말을 더 듣지 않고 제뱅제가 다시 말을 이었다. "그는 고대의 비밀을 다시 발견했고, 그것을 실천하며 결과를 얻어낸 유일한 사람입니다. 여러분들이 믿어주시면 좋겠는데, 그는 우리가 좀 전에 이야기했던 모든 멍청이들과 교활한 자들보다도 조금 더 뛰어난 사람입니다. 게다가, 그 사람들은 그 무서운 참사원을 알고 있습니다. 그가 안과 의사들조차 고칠 수 없는 심각한 안질을 그들 중 몇 사람에게 전해주었기 때문이지요. 도크르라는 이름만 들어도 그들은 몸을 떤답니다!"

"그렇지만 어쩌다 사제가 그렇게 되었을까요?"

"나도 모릅니다. 그 사람에 관해 더 많은 정보를 얻고 싶으시면, 당신 친구인 샹트루브에게 물어보세요." 제뱅제가 데 제르미를 향해 다시 말했다.

"샹트루브라고요!" 뒤르탈이 소리쳤다.

"그렇습니다. 그와 그의 아내는 예전에 그 참사원 집에 자주 드나들었거든요. 그렇지만 나로서는 그들이 오래전부터 그 괴물과 교제를 완전히 끊었기를 바라는 마음입니다."

뒤르탈에겐 더 이상 그의 말이 들리지 않았다. '샹트루브 부인이 도크르 참사원을 알고 있었다니! 아! 그렇다면, 부인 역시 악마 숭배자였단 말인가! 아니야, 천만에.

233

부인에게서는 악령에 사로잡힌 사람 같은 태도가 전혀 보이지 않았어. 분명히 이 점성가가 제정신이 아닌 거야.' 그는 이렇게 생각했다. 그녀가! 그 모습을 떠올리며 그는 그녀가 다음 날 속마음을 털어놓을지도 모른다고 생각했다. 아! 너무나 기묘한 그 눈, 짙은 구름이 낀 듯한 눈, 총기로 터질 듯한 눈이여!

이제 그 모습을 다시 떠올리자, 탑에 올라오기 이전처럼 그의 생각은 온통 여자에게로 쏠렸다. "하지만, 당신을 사랑하지 않았다면 제가 왔겠어요?" 그녀가 내뱉었던 이 말이 다시 귀에 들려왔다. 감미로운 억양의 목소리와 빈정거리면서도 부드러운 용모와 더불어서!

"아, 이런, 자네 또 몽상에 빠져 있군!" 그의 어깨를 툭 치며 데 제르미가 말했다. "이제 떠나세, 벌써 열 시 종이 치는군."

일단 길로 나서서 그들은 강 건너에 사는 제뱅제와 악수를 나누고 몇 발짝 걸음을 옮겼다.

"그런데, 자넨 저 점성가가 마음에 드나?" 데 제르미가 물었다.

"조금 머리가 이상한 것 같지 않나?"

"머리가 이상하다고? 흠!"

"하지만 그의 이야기들이 모두 거짓말 같지 않은가!"

"전부 다 믿을 수는 없지." 외투 깃을 올리며 데 제르미가 차분하게 말했다.

"하지만 제뱅제가 몽정마녀의 방문을 받은 적이 있

다고 말할 때는 놀랐다네." 데 제르미가 계속 말했다. "그의 진실성은 의심의 여지가 없거든. 내가 알기로 그는 허영이 있고 현학적인 체하기는 하지만, 정확하기 때문이지. 물론 나는 살페트리에르*에서는 그러한 경우가 잊힌 적도 없고 드물지도 않다는 것을 알고 있어. 히스테리성 간질에 걸린 여자들은 대낮에도 자기 주변에서 유령들을 보고, 강경증 상태에서 그들과 성관계를 갖고, 매일 밤 영적 존재인 몽마를 상기시키는 환영들과 잠을 잔다네. 하지만 그 여자들은 히스테리성 간질 환자들이야. 그런데 내 환자이긴 하지만 제뱅제는 히스테리성 간질 환자는 아니야!

그러면 믿을 수 있는 건 무엇이고, 입증될 수 있는 건 무엇일까? 유물론자들은 과거의 소송들을 재검토하는 수고를 했다네. 그들 유물론자들은 루됭의 성 우르술라 수녀회 수녀들과 푸아티에 수녀들의 부마(付魔) 사건에서, 또 생메다르의 기적으로 치유된 사람들의 이야기에서 중증 히스테리 증상들, 즉 전반적인 위축과 근육 이완, 마비, 마지막으로 그 유명한 아치**까지도 되찾아냈지.

그런데 그것이 나타내는 바는 뭘까? 이들 망상 환자들이 히스테리성 간질 환자라는 걸까? 틀림없이 그럴 거

---

* 파리의 정신병원.
** 샤르코는 살페트리에르 병원에 근무하며 히스테리를 연구한 후, 중증 히스테리 증상 네 가지를 밝혔다. 그중 '아치'란 등을 활처럼 거꾸로 휘게 하는 몸의 뒤틀림 현상을 말한다.

야. 이 문제에 전문가인 리셰 박사의 관찰이 결정적인 증거지. 그런데 어떤 점에서 그런 사실이 부마의 문제를 약화시킬까? 살페트리에르에 있는 많은 환자들이 히스테리 환자이긴 하지만 악령 들린 건 아니라는 사실에서 당연한 결론이 나오게 되지 않겠나. 똑같은 병에 걸린 다른 여자들 역시 악령 들린 게 아니라는 결론 말이야. 그리고 또, 악마나 악령에 사로잡혔다고 믿는 사람들은 모두가 히스테리 환자들이라는 점을 입증해야 할 텐데, 그건 틀렸어. 왜냐하면 본인 스스로는 짐작도 못 하지만 히스테리 환자인데도 불구하고 차분한 감각과 굳건한 두뇌를 갖고 있는 여자들이 있기 때문이지!

이 마지막 관점이 논쟁의 여지가 있음을 인정하더라도, 여전히 풀리지 않는 문제가 남아 있다네. 즉 여자는 히스테리 환자이기 때문에 악령에 사로잡히는 건가, 아니면 악령이 들렸기 때문에 히스테리 환자인 건가? 교회만이 답할 수 있는 문제이지, 과학은 답을 줄 수 없다네.

아니야. 다시 생각해보면 실증주의자들의 뻔뻔스러움에 머리가 혼란스러워져! 그들 실증주의자들은 악마주의가 존재하지 않는다고 선언하고 있지. 그들은 모든 것을 히스테리 탓으로 돌리고 있는데, 그 끔찍한 병이 어떤 것인지, 그 원인이 무엇인지에 대해서는 알지도 못한다네! 그래, 아마 샤르코*가 발병의 양상들을 아주 잘 조사

---

* Jean Martin Charcot(1825–93). 프랑스의 정신과 의사. 살페트리에르 병원에 근무하면서 특히 히스테리와 최면 상태에 관해 연구했다.

하고, 비논리적이고 격정적인 태도들, 어릿광대 같은 동작들에 주목하고 있긴 하지. 그는 히스테리 대(帶)를 찾아내고, 난소를 교묘히 조작함으로써 발작을 막거나 촉진시킬 수 있다네. 하지만 그 발작을 예방하는 문제와 발작의 근원과 동기를 찾아내는 문제, 그리고 그것들을 치료하는 문제는 별개일세! 설명할 수도 없고, 몹시 놀랍기 그지없는 이 병, 따라서 가장 다양한 해석을 내포하는 이 병에 대해서는 어떤 시도도 실패로 돌아간다네. 그 해석들 중 어느 것도 결코 옳다고 단언할 수 없을 걸세! 왜냐하면 그 안에 정신이, 육체와 갈등을 벌이고 있는, 신경의 광기 속에 전복되어버린 정신이 있기 때문이지!

보게, 자네도 알다시피 그 모든 것은 해결 불가능한 문제일세. 어디에나 신비는 있게 마련이고, 이성은 앞으로 나아가려 하자마자 어둠에 부닥치게 되지."

"휴우!" 자신의 문 앞에 도착한 뒤르탈이 말했다. "모든 게 가능하고 확실한 건 아무것도 없다니, 몽정마녀 쪽으로 결정해야겠군! 사실 그편이 더 문학적이고 더 적절하니 말이야!"

X

긴 하루였다. 새벽에 잠이 깬 그는 샹트루브 부인을 생각하며 잠시도 가만있지 못했고 멀리 나갈 구실들을 꾸며냈다. '그럴듯한 술이랑 과자, 사탕이 없군. 약속 날인데 비상용으로 뭐든 갖춰 놓는 게 좋겠지.' 그는 가장 먼 길을 택해 오페라 가까지 가서, 레몬유와 동방의 당의정 맛을 상기시키는 알케르메스*를 샀다. '중요한 건 이아생트에게 음식을 대접하는 게 아니라 마셔보지 못한 술을 맛보게 하는 거야, 그러면 그녀도 흔들리겠지.' 그는 이렇게 생각했다.

그는 물건을 잔뜩 사들고 돌아왔다가 다시 외출했다. 길을 걸으며 그는 커다란 걱정거리에 짓눌렸다.

부둣가를 따라 끝없이 걷다가 마침내 맥줏집에 도착했다. 의자에 털썩 주저앉은 그는 신문을 펼쳐 들었다.

사회면 기사들을 읽는다기보다 그저 멍하니 바라보면서 그는 무엇을 생각했을까? 아무것도, 심지어 그녀조차도 생각하지 않았다. 이리저리 헤맸지만 매번 같은 트랙을 맴도느라 의식이 정지 상태에 도달해 꼼짝하지 않기 때문이었다. 뒤르탈은 하룻밤 여행을 끝낸 후 미지근한 목욕통 속에 들어간 것처럼 몹시 피곤하고 몸이 무거웠다.

* 계피, 정향을 제재로 여러 향을 가미해 만든 이털리아의 붉은 알코올음료.

마침내 다시 정신을 차린 그는 생각했다. '일찍 집으로 돌아가야 해. 라토 영감이 내가 부탁했던 대로 청소를 철저히 하지 않을 게 분명하니까. 하지만 오늘은 내 가구들 위에 먼지가 굴러다니지 않았으면 좋겠어.'

'여섯 시군. 어디 적당한 곳에서 저녁이나 조금 먹을까.' 그는 예전에 괜찮게 식사했던 가까운 식당을 기억해냈다. 그곳에서 그는 물간 생선과 물렁물렁하고 차가운 소고기를 깨지락거렸고, 소스 안에서 주근깨 같은 벌레 두 마리를 건져냈다. 살충제로 인해 죽은 듯했다. 마지막으로 오래된 말린 자두를 먹었는데, 즙에서 곰팡내가 났고, 물이 많은 동시에 씁쓸했다.

집으로 돌아오자 그는 우선 침실과 서재의 불을 켰다. 그리고 방들을 검사했다.

그의 생각은 틀리지 않았다. 수위는 보통 때와 마찬가지로 거칠게, 서둘러 집안을 뒤죽박죽 어질러놓았다. 그렇지만 유리창을 닦으려고는 했던 것 같았다. 손자국들이 유리에 남아 있었기 때문이었다.

뒤르탈은 젖은 천으로 그 자국들을 닦아냈고, 오르간의 관처럼 말린 양탄자의 주름을 폈고, 커튼을 내렸으며, 장식품들을 걸레로 닦아 정돈해놓았다. 으깨진 담뱃재와 담배 가루, 연필 깎은 부스러기들, 촉이 떨어져나가고 녹이 슨 펜들이 사방에 널려 있었다. 고양이 털 뭉치들, 찢어진 원고 초고들, 구석구석 비질에 날려 흩어진 종잇조각들도 보였다.

그는 때에 절어 까맣게 광택이 나는 가구들을 어떻게 그리 오래 참고 볼 수 있었을까 하고 생각하기에 이르렀다. 그리고 먼지를 떨어내면서 라토 영감에 대한 분노가 커져갔다. "저것 봐!" 양초처럼 노랗게 된 초들을 발견하고 그가 소리쳤다. 그는 그것들을 교체했다. "자, 이제 좀 낫군." 그는 확신에 찬 모습으로 혼란스러운 서재를 정돈하며, 주석으로 가득 찬 공책들, 종이칼로 자른 책들의 간격을 맞추고, 낡은 2절판 책을 의자 위에 펼쳐놓았다. "작업의 상징이지!" 그는 웃으며 중얼거렸다. 그리고 나서 침실로 건너가 젖은 스펀지로 서랍장의 대리석 판을 닦고, 침대 커버를 손질하고, 사진과 판화들이 든 액자들을 똑바로 맞추어놓고, 그리고 화장실로 들어갔다. 거기서 그는 상심한 채 발을 멈추었다. 세면대 시렁 위쪽에 있는 대나무 선반 위는 유리병들로 난장판이었다. 그는 단호하게 향수병들을 집어 들고, 유리병들의 주둥이와 마개를 닦아내고, 고무지우개와 부드러운 빵으로 라벨들을 문지른 다음, 세면대에 비누칠을 하고, 암모니아수를 가득 채운 물에 빗과 솔 들을 적시고, 분무기를 작동시켜 페르시아산 라일락 가루를 뿌리고, 마루판과 벽의 방수포를 닦고, 작은 말 인형을 빗질해주고, 키 작은 의자의 등받이와 살들을 훔쳐냈다. 청결에 대한 갈망에 사로잡힌 그는 긁어내고, 잘라내고, 문질러 닦고, 능숙하게 적시고 말렸다. 그는 이제 더 이상 수위에게 원한을 품고 있지 않았다. 심지어 그는 윤을 내고 새롭게 힐 물선늘을 수위가 자신

241

에게 충분히 남겨두지 않았다고 생각하기까지 했다.

그런 다음 그는 새로 면도를 하고, 콧수염을 정돈하고, 물을 충분히 사용해 다시 꼼꼼히 얼굴을 닦고, 옷을 입으면서 단추 달린 실내화를 신을 것인지 슬리퍼를 신을 것인지 생각해보았고, 실내화가 덜 친숙하긴 하지만 더 위엄 있으리라 판단하고, 늘어진 넥타이를 매고, 예술가들 식으로 아무렇게나 차려입는 옷차림을 그 여자가 더 좋아하리라 생각하면서 품이 넉넉한 점퍼를 걸치기로 마음먹었다.

"자, 이제 됐군." 마무리 빗질을 한 후 그가 말했다. 그는 다른 방들로 가서 부지깽이로 불을 쑤셔 일으켰고, 마지막으로 고양이에게 저녁거리를 주었다. 고양이는 세탁한 물품들마다 냄새를 맡아보며, 아마도 자기가 매일같이 무심코 몸을 비벼대던 것과 다르다고 여겨지는지 놀라서 어슬렁거리고 있었다.

"비상 물품들을 잊고 있었군!" 뒤르탈은 난로 곁에 주전자를 놓고, 낡은 쟁반에 칠기, 잔, 다기, 설탕 그릇, 과자, 사탕, 문양이 새겨진 작은 잔들을 늘어놓았다. 사용할 때가 왔다고 여겨지면 곧바로 쓸 수 있도록 하기 위해서였다.

이번에는 나무랄 데 없었다. '방에서 이를 철저히 제거했으니, 이제 그녀가 와도 괜찮을 거야.' 들쭉날쭉 꽂혀 있는 서가의 책들을 가지런히 하면서 그는 생각했다. '모든 게 다 좋군. 다만… 심지 근처의 볼록한 부분이 캐러멜로 얼룩져 있고, 담뱃진 때문에 반점이 생긴 램프만 빼놓고. 하지만 이건 내가 제거할 수가 없겠는걸. 손가락을 데고 싶지 않으니까. 갓을 조금 내리면 보이지 않겠지.'

'자, 그녀가 오면 어떻게 할까?' 안락의자에 털썩 주저앉으며 그는 스스로에게 물어보았다. '그녀가 들어온다, 좋아. 손을 잡는다. 그 손에 키스한다. 그러고 나서 이곳, 이 방으로 데려와서 불 곁에 앉힌다. 이쪽 작은 의자 위에 말이지. 그리고 약간 다가가서 무릎을 만지며 손을 잡고 깍지를 끼는 거야. 그런 다음 몸을 일으키면서 내 쪽으로 그녀의 몸을 숙이게 하는 건 식은 죽 먹기지. 그렇게 되면 내 입술이 그녀 입술에 닿게 될 거고, 나는 구원을 얻게 되는 거야!'

'아니, 그렇지 않아. 그렇게까지는 안 될 거야! 그렇게 되면 난처한 일이 시작될 테니까 말이야. 그녀를 침실로 데려간다는 생각은 할 수가 없어. 옷 벗기기, 침대, 이런 것들은 이미 서로를 알고 있을 때에만 받아들일 수 있는 거야. 그런 점에서 보자면, 처음부터 사랑의 카드를 내미는 건 추잡한 짓이고, 내가 보기에도 끔찍한 일이야. 둘이서 저녁을 먹을 때, 여인을 흥분시킬 최고급 포도주를 약간 곁들이고서야 비로소 시행해야겠지. 그녀가 취하면, 그리고 어둠 속에 누운 채 나의 은밀한 입맞춤을 받으며 깨어나면 좋을 텐데. 오늘 저녁엔 식사를 안 하니까 서로 간에 곤란한 일은 피해야 해. 유일한 방법은 우리가 자제할 수 없다는 느낌, 우리가 정념의 광풍에 휩싸여 있다는

243

느낌을 만들어내는 거야. 그러니까 바로 이 방에서 그녀를 소유해야 해. 내가 이성을 잃었기 때문에 그녀로서는 어쩔 수 없다고 생각하게 만들어야 해.

이 방에는 소파나 긴 의자가 없어서 일을 처리하기가 쉽지 않겠군. 양탄자 위에 넘어뜨리는 게 좋겠어. 다른 모든 여자들처럼 그녀도 팔로 눈을 가리는 방책을 취하겠지. 그리고 얼굴을 가리겠지. 그녀가 다시 일어나기 전에 램프의 불꽃을 낮추도록 배려해야겠군.'

'좋아. 그녀 목에 받칠 쿠션을 준비해놓아야겠군.' 그는 쿠션을 하나 찾아서 안락의자 밑에 넣어두었다. '바지 멜빵을 지금 풀어놓을까. 그로 인해 종종 우스꽝스럽게 지체되는 일이 있으니 말이야.' 그는 멜빵을 풀고, 바지가 흘러내리지 않게 하기 위해 허리띠를 맸다. '그런데, 그 빌어먹을 치마가 문제로군! 드레스를 갖춰 입고 코르셋을 졸라맨 처녀들의 처녀성을 빼앗게 만드는 소설가들, 그것도 한 번의 짧은 입맞춤으로, 한 번의 윙크로 그렇게 만들 수 있는 것처럼 쓰는 소설가들이 존경스럽군! 싸구려 장신구들과 씨름하고, 풀 먹인 내의류 주름 속에서 헤매는 게 얼마나 짜증 나는 일인가 말이야! 샹트루브 부인이 그런 경우를 예상했기를, 그리고 가능한 한 그녀 자신을 위해서라도 그녀가 우스꽝스런 난관들을 피하게 되기를 바라야지!'

그는 손목시계를 보았다. '여덟 시 반이로군. 적어도 한 시간 동안은 기다려서는 안 돼. 모든 여자들과 마찬가지로 그녀도 늦게 올 테니까. 오늘 저녁 외출을 해명하기 위해 그녀는 그 불쌍한 샹트루브에게 도대체 어떤 핑계를 댈까?' 그는 이렇게 생각했다.

'어떻든 간에 나와는 상관없는 일이야. 음! 난로 곁의 이 주전자는 몸을 씻으라고 유혹하는 것 같군. 아니, 차를 우려야 한다는 핑계 때문에 추잡한 생각이 전부 쫓겨나겠군. 그런데 만일 이아생트가 오지 않으면 어쩌지?'

"그 여자는 올 거야." 그는 갑자기 흥분해서 중얼거렸다. "더 이상 내 욕망을 자극할 수 없음을 알고 있는데 이제 피한다고 한들 그녀에게 무슨 이득이 있겠어?" 그의 생각이 다람쥐 쳇바퀴 돌듯 이 생각에서 저 생각으로 맴돌았다. '아마 끝내는 파탄이 나겠지. 일단 포식하면 환멸이 오는 법이니까. 그렇다면 잘된 일이지, 한가해질 테니까. 이런 소란 때문에 더 이상 일을 못 하고 있잖아!'

'정말 비참하군! 스무 살로 되돌아갔는데 단지 마음만 그러니 말이야! 여러 해 전부터 사랑에 빠진 사람들, 정부(情婦)들을 경멸해왔는데, 그런 내가 한 여자를 기다리고 있다니. 그리고 5분에 한 번씩 시계를 쳐다보고, 나도 모르게 계단에서 발소리가 들리지 않는지 귀를 기울이고 있다니!

아니야, 인정할 건 인정해야 해. 감상이라는 처치 곤란한 정신의 산물은 근절하기도 어렵고, 계속해서 다시 또 자라나거든! 20년 동안 아무것도 나타나지 않다가, 갑자기, 왜 그런지도 모르게, 어떻게 그런지도 모르게, 가지

245

를 치고 샘솟듯 솟아나 풀 수 없는 타래가 되거든! 맙소사, 내가 왜 이리 어리석지!'

그는 안락의자에서 벌떡 일어섰다. 누군가가 조용히 벨을 눌렀다. "아직 아홉 시가 안 되었으니 그녀는 아닐 거야." 이렇게 중얼거리면서 그는 문을 열었다.

여자였다.

그는 손을 잡고, 그렇게 시간을 딱 맞춰 와준 데 대해 감사했다.

그녀는 몸이 좋지 않다고 했다.

"단지 당신을 기다리게 하지 않으려고 온 거예요!"

그가 걱정을 했다.

"머리가 깨질 듯이 아파요." 장갑 낀 손으로 이마를 만지며 그녀가 다시 말했다.

그는 모피 코트를 벗겨주고, 안락의자를 권했다. 그러고는 계획했던 대로 곁으로 다가가 작은 의자에 앉으려 했다. 하지만 그녀는 안락의자를 사양하고는 불에서 멀리 떨어진 곳, 테이블 옆에 있는 낮은 의자를 골라 앉았다.

그는 선 채 허리를 굽혀 손가락들을 잡았다.

"어쩌면 이렇게 손이 뜨거우세요." 그녀가 말했다.

"네. 열이 약간 있지요. 요즘 잠을 잘 못 잔답니다. 내가 당신 생각을 얼마나 하는지 알아주시면 좋으련만! 그런데 어쨌든 당신은 이곳에 왔군요, 날 위해서요." 그러면서 그는 그녀의 장갑에서 나는 뭔지 모를 냄새 속에 아련히 퍼져가는 지속적인 계피 향에 대해 말했다. 그러고는 그녀의 손가락을 만지며 말했다. "오늘은 가실 때, 당신 몸의 일부를 제게 남겨두고 가시겠군요."

여자는 한숨을 쉬며 일어서서 말했다.

"저런, 고양이를 키우시는군요. 이름이 뭔가요?"

"무슈*랍니다."

그녀가 무슈를 불렀다. 무슈는 황급히 도망쳤다.

"무슈! 무슈!" 뒤르탈이 소리를 질렀다.

그러나 침대 밑으로 도망친 무슈는 나오지 않았다.

"보시다시피, 저 녀석이 좀 겁이 많지요… 여자들을 본 적이 없거든요."

"오, 당신이 이곳에 여자들을 들인 적이 없다고 믿게 만들고 싶으신 모양이군요."

그는 여자들이 온 적이 없다고, 맹세코 그녀가 처음이라고 말했다….

"그런데 당신은 그… 첫 번째 여자가 오기를 아마 그다지 바라지 않았나 보군요."

그가 얼굴을 붉혔다. "왜 그렇게 생각하지요?"

여자는 모호한 제스처를 보였다. "당신을 괴롭히고 싶어서예요." 자리에 앉으며 그녀가 다시 말했다. 이번엔 안락의자였다. "사실, 제가 왜 예의에 어긋나게 그처럼 조심성 없는 질문을 당신에게 했는지 저도 정말 모르겠군요."

그는 그녀 앞에 앉았다. 그는 자신이 원하던 대로의

---

* 'Mouche'는 프랑스어로 '파리, 날벌레, 애교점, 얼룩' 등의 뜻이다.

장면을 마침내 만들어냈고, 이제 막 공격을 시작할 참이었다.

그는 자신의 무릎으로 그녀의 무릎을 슬쩍 건드렸다.

"여기서는 당신이 원하는 건 무엇이든 할 수 있답니다. 왜냐하면 오직 당신만이 그럴 권리가 있으니까요…."

"아니에요, 제겐 그런 권리가 없어요. 그런 권리를 원하지도 않고요!"

"왜 그렇지요?"

"왜냐하면…. 그래요." 그러면서 그녀의 목소리가 작아지고 신중해졌다. "제가 생각을 하면 할수록, 우리의 꿈을 그런 식으로 파괴하지 말아 달라고 당신에게 더 요구하게 되거든요. 그런데… 당신은 제가 솔직해지기를 원하시나요. 너무나 솔직해져서, 혹시 지독한 이기주의자로 당신 눈에 비치기를 원하시나요. 그래요, 개인적으로 저는 행복을 망가뜨리고 싶지 않아요… 뭐랄까요, 우리의 관계가 제게 주는 최종적이고 더할 나위 없는 행복 말이에요. 혼란스러워서 잘 설명할 수 없을 것 같군요. 요컨대, 저는 제가 원할 때 원하는 방식으로 당신을 소유한답니다. 제가 사랑하는 사람들인 바이런, 보들레르, 제라르 드 네르발을 오랫동안 소유했던 것과 마찬가지로요…."

"무슨 말씀이신지?"

"제 말은, 제가 잠들기 전에 그들을 원하기만 하면 된다는 것, 당신을 갈망하기만 하면 된다는 거죠…."

"그러면요?"

"그러면 당신은 제 환상, 다시 말해서 제가 사랑하는 뒤르탈, 애무로 매일 밤 저를 열광하게 만들어주는 뒤르탈에 미치지 못하는 거죠!"

그는 얼이 빠진 채 바라보았다. 여자의 눈빛은 애처롭고 흐릿했다. 더 이상 그를 쳐다보는 것이 아니라 허공에 대고 말하는 것 같았다. 그는 멈칫했고, 순간적으로 그녀가 제뱅제가 말했던 몽마 상태에 빠져 있음을 알아차렸다. "나중에 이 문제를 해결해야겠군." 그는 중얼거렸다. "그때까지…."

그는 팔을 천천히 잡아당기며, 여자를 향해 몸을 일으키고는 갑작스럽게 입에 키스했다.

그녀는 감전된 듯 소스라쳐 놀라 일어섰다. 그는 그녀를 껴안고 미친 듯이 입을 맞추었다. 그러자, 그녀는 부드러운 신음 소리, 목구멍에서 가르랑거리는 듯한 소리를 내며, 머리를 뒤로 젖히고 자신의 다리 사이에 낀 뒤르탈의 다리를 조였다.

그는 분노로 소리를 질렀다. 그녀의 엉덩이가 움직이고 있음을 느꼈기 때문이었다. 그는 이번엔 이해했다. 아니 이해했다고 믿었다! 그녀는 일방적인 쾌락을, 일종의 자위를, 말이 필요 없는 관능을 원했던 것이다….

그는 그녀를 밀어냈다. 그녀는 몹시 창백한 모습으로, 아연실색한 채 서 있었다. 눈은 감고 있었고, 손은 마치 겁에 질린 아이처럼 앞으로 내밀고 있었다…. 그러자 뒤르딜의 분노는 사라졌다. 말 울음 같은 소리를 내며 그녀 쪽으로 걸어가서 다시 붙잡았다. 하지만 그녀는 발버둥 치며 소리 질렀다. "안 돼요, 제발 절 놓아주세요!"

그는 그녀의 온몸을 으스러뜨릴 듯 꼭 껴안았고, 허리를 구부러뜨리려 했다.

"오! 제발요, 절 놓아달라고요!"

어조가 너무나 절박해서 그는 놓아주었다. 그리고 그녀를 거칠게 양탄자 위로 집어던지고 능욕해야 하는 게 아닐까 자문해보았다. 하지만 초점을 잃은 눈 때문에 그는 덜컥 겁이 났다.

여자는 팔을 늘어뜨린 채, 핏기 없는 얼굴로 서가에 기대어 숨을 헐떡이고 있었다.

"아!" 방 안을 거닐면서, 그리고 가구들을 뒤엎으면서 그가 말했다. "아! 정말이지, 당신이 아무리 간청하고 거절해도 당신을 사랑해야 하는데, 그래야만…."

그녀가 그를 떼어놓기 위해 손을 모아 쥐었다.

"제기랄," 몹시 화난 모습으로 뒤르탈이 다시 말했다. "도대체 무슨 일인가요?"

여자가 정신을 차리고는, 언짢은 기색으로 그에게 말했다.

"이보세요, 전 무척 고통스럽답니다. 이제 절 놓아주세요."

그러고는 횡설수설하며 자신의 남편에 대해, 그리고 고해신부에 대해 말하는 등 앞뒤가 맞지 않는 말들을 했다. 그는 겁이 났다. 그녀는 말을 멈추었다가, 노래하는 듯한 목소리로 다시 말했다.

"우리 집에 오실 거죠, 내일 저녁에요?"

"고통스러운 건 나 역시 마찬가지요!"

여자는 그의 말을 듣고 있는 것 같지 않았다. 흥분에 싸인 눈이 희미한 빛을 받아 멀리서도 환해졌다. 애잔한 어조로 그녀가 중얼거렸다.

"말해봐요, 오실 거죠, 그렇죠?"

"그래요." 마침내 그가 대답했다.

그러자 여자는 옷매무새를 고치고는 아무 말도 하지 않고 방을 나갔다. 그는 잠자코 따라 입구까지 갔다. 그녀가 문을 열더니, 돌아서서 그의 손을 잡았다. 그러고는 아주 천천히 손에 입술을 가져다 댔다.

그는 영문을 알지 못한 채 멍하니 서 있었다.

"이건 무슨 뜻일까?" 그는 그렇게 중얼거리며 방으로 되돌아와, 가구들을 다시 제자리에 놓고, 흐트러진 양탄자를 정돈했다.

'자, 이젠 머릿속을 정리할 필요가 있겠는걸. 생각 좀 해보자. 그 여자는 어쩌자는 걸까? 어떻든 목적이 있어! 그런데 행위 자체에까지 이르기는 원치 않아. 자기 말처럼 환멸을 두려워하는 걸까? 갑작스런 사랑이 얼마나 기괴한 일인지 납득하고 있는 걸까? 아니면, 내 생각대로, 자기 자신만을 생각하는 우울하고 성가신 선정적인 여자일까. 그렇다면 그건 순교자 대전(大典)에 담겨 있을 법한 복잡한 괴익 가운데 하나인 추잡한 에고이즘일 거야….

그녀의 경우는 접촉광일지도 모르겠군…!

그리고 그에 덧붙여 몽마 문제가 남아 있는데. 그녀는 자신이 꿈속에서 의도적으로 살아 있거나 죽은 존재들과 동거하고 있다고 고백하는 걸까, 그것도 아주 평온하게? 악마주의에 빠져 있는 걸까? 그녀를 알고 있는 도크르 참사관은 그런 단계를 거쳤을까?

풀 수 없는 의문들이 꼬리를 무는군. 생각지도 않았던 내일 밤 초대의 의미는 무엇일까? 오직 자신의 집에서만 몸을 맡기겠다는 걸까? 그곳에서 더욱 마음이 편한 걸까, 아니면 남편 곁에서, 방 안에서, 범하는 죄가 더욱 짜릿하다고 생각하는 걸까? 그녀는 샹트루브를 증오하는 걸까, 이것은 의도적인 복수일까, 자신의 관능에 스스로 채찍질을 가하기 위해 위험이 주는 두려움을 기대하는 걸까?

그렇지만, 어쩌면 아주 단순히 마지막 교태이거나 양심의 가책을 무마하려는 것일지도, 식사 전 마시는 아페리티프 같은 것일지도 모르지. 여자들이란 정말 이상하다니까! 아마도 이러한 책략으로 자신을 다른 여자들과 더 잘 차별화하기 위해 스스로 유예기간을 두는 건지도 몰라. 아니 어쩌면 하루를 연기해야 할 생리적인 이유가, 어쩔 수 없는 망설임이, 신체적인 불가피성이 있는 걸까?'

그는 다른 이유들을 더 찾아보았지만 전혀 찾을 수 없었다.

어쨌든 자신의 실패에 화가 난 그는 계속해서 생각했다.

'그래, 정말 바보였어. 좀 더 거칠게 나가야 했고, 간청과 속임수에 멈칫하지 말았어야 했는데. 입술을 강제로 빼앗고, 가슴을 요리해야 했어. 그랬으면 모든 것이 끝났을 텐데, 이제는 모두 다 새로 시작해야만 하잖아. 맙소사, 내겐 다른 할 일도 있는데!

지금 나를 조롱하고 있지나 않은지 누가 알겠어? 내가 좀 더 격렬하고 좀 더 대담하기를 바랐을지도 몰라. 아냐, 그렇지 않아. 애통한 목소리는 거짓으로 꾸며낸 게 아니었고, 가엾은 눈도 미망(迷妄)을 가장한 게 아니었어. 그렇다면 거의 존경을 표하는 듯한 그 입맞춤은 무슨 의미일까? 내 손을 스친 그 입맞춤에는 파악하기 힘든 존경과 감사의 뉘앙스가 묻어 있었잖아!

그 문제는 좀 더 생각해봐야겠군. 어쨌든 어수선해서 다과를 즐기는 걸 잊어버렸네. 이제 혼자니까 신발을 벗어야겠어. 이렇게 방 안에서만 맴돌았더니 발이 부었잖아.

아무래도 잠을 자는 게 좋겠군. 지금으로서는 일을 할 수도 없고 책을 읽을 수도 없잖아.' 그러면서 그는 침대 커버를 들추었다.

"결국, 아무것도 계획한 대로 되지 않았군. 그렇지만 계획이 그렇게 나빴던 건 아니야." 그는 침대 시트에 몸을 눕히면서 중얼거렸다. 그는 한숨을 내쉬며 램프 불을 껐다. 안정을 되찾은 고양이가 숨결보다도 가볍게 그의 몸을 지나쳐서, 소리 없이 자기 자리를 찾았다.

XI

예상과는 달리 그는 밤새 잠을 푹 잤고, 다음 날 다시 일어났을 때는 머리도 맑고, 원기도 회복되었으며, 상당히 진정되었다.

틀림없이 그의 감정을 격화시켰을 어제의 그 장면은 전혀 상반된 결과를 낳았다. 사실 뒤르탈은 장애물에 골치를 썩을 그런 사람이 전혀 아니었다. 그는 단 한 번 공격을 취해보았고, 그 장애물을 넘어설 수 없다고 판단하자마자 새롭게 싸워보려는 욕망을 버린 채 물러서버렸던 것이다. 만일 샹트루브 부인이 의도적으로 기다리게 만들고 시간을 늦추어서 그의 신경을 더욱 날카롭게 만들고자 했다면, 그녀는 방법을 잘못 택했다. 그는 신경이 무뎌졌고, 이날 아침에는 이미 그러한 표현들에 짜증을 느끼고, 그러한 기다림에 싫증을 느끼고 있었다.

그의 생각에도 약간의 신랄함이 섞여들기 시작했다. 그는 그녀가 몇 날 며칠을 기다리게 만들었음을 원망했고, 그런 식으로 우롱당했음을 자책했다. 그리고 처음에는 그다지 놀랍지 않았던 몇몇 무례한 표현들이 이제는 언짢아졌다. 샹트루브 부인이 자신의 신경질적인 웃음에 대해 무관심한 어조로 답했던 표현이 그랬다. "합승 마차를 타고서도 종종 그래요."라니. 특히 그녀가 그를 소유하기 위해서는 그의 허락도 필요 없고, 있는 그대로의 그 자신도 필요치 않다고 단언했던 표현은, 그 여자 뒤꽁무니

를 쫓아다닌 적도 없고, 요컨대 이전에 그녀를 안아본 적
도 없는 사람에게 한 말치고는 부적절해 보였다.

"내게 그럴 권리가 생기게 되면, 당신의 그 오만을
꺾어놓겠소." 뒤르탈은 중얼거렸다.

오늘 아침 진정된 상태에서 깨어난 탓에 그 여인에
대한 강박관념은 약해졌다.

그는 단호히 이렇게 생각했다.

'아직 두 번의 약속이 남았군. 오늘 저녁 그 여자 집
에서의 약속은 쓸데없고 중요치도 않아. 나로서는 공격당
할 생각도 없고 공격을 시도할 생각도 없으니까. 사실 죄
를 짓다가 샹트루브에게 걸리고 싶지도 않고, 경범 재판
소에 가게 되거나 총질을 당하고 싶지도 않거든. 나머지
다른 하나, 정말 중요한 약속은 이곳에서의 약속이야. 만
일 그녀가 굴복하지 않으면 어쩌나. 그럼 그걸로 끝이지
뭐. 다른 곳에나 가서 알아보라지 뭐!'

그리고 그는 맛있게 아침 식사를 했고, 테이블에 앉
아서 책을 쓰기 위해 어수선한 자료들을 뒤적거렸다.

그는 자신이 썼던 마지막 장을 살펴보다가 생각했
다. '연금술 실험들과 악마의 환기가 실패하는 순간까지
썼군. 프렐라티, 블랑셰 등 질 원수를 둘러싸고 있는 모든
연금술사들과 마법사들은, 사탄을 유혹하기 위해서는 질
이 자신의 영혼과 생명을 사탄에게 넘겨주거나, 범죄를
저질러야 하리라고 말하는 거야.'

질은 자신의 존재를 양도하고 영혼을 포기하기는

거부하지만, 살인을 생각하면서는 아무런 두려움도 느끼지 않는다. 전쟁터에서 그처럼 용맹했고, 잔 다르크를 수행하고 보호할 때는 그렇게 용감했던 그가 악마 앞에서는 몸을 떨고, 영원한 생명을 생각하고 그리스도를 생각할 때는 겁에 질린다. 공모자들에 대해서도 마찬가지다. 성에서 몰래 행해지고 있는 파렴치한 행위들을 공모자들이 폭로하지 못하게 만들기 위해서 그는 성스러운 복음서들을 걸고 그 비밀을 지킬 것을 서약하게 만든다. 그는 그들 중 어느 누구도 서약을 어기지 않으리라 확신한다. 중세에는 아무리 두려움을 모르는 강도라 할지라도 신을 속이는 것과 같은 돌이킬 수 없는 잘못을 감히 받아들이려 하지 않을 테니까!

어쨌든, 연금술사들이 아무런 성과도 낳지 못하는 화로를 내버림과 동시에 질은 진수성찬에 몰두하는데, 과도한 술과 요리에 자극받은 그의 육신은 폭발하고 소란스럽게 끓어오른다.

그런데 성에는 여자들이 전혀 없었다. 게다가 티포주에서의 질은 섹스를 혐오했던 듯 보인다. 주둔지의 매춘부들을 휘저어놓고, 센트라유*와 라 이르**와 함께 샤를

* 프랑스 남서부 센트라유의 영주 장 포통(Jean Poton, 1390년경-461). 잔 다르크와 더불어 백년전쟁에서 용기와 대담성, 열정으로 시선을 끌고, 샤를7세에 의해 원수의 지위에 오른 인물.
** 본명은 에티엔 드 비뇰(Etienne de Vignolles, 1390년경-443). 잔 다르크의 동료로 백년전쟁에서 활약한 무인. 난폭하고 신경질적인 성격에서 '라 이르'(옛 프랑스어로 '분노'를 뜻한다.)라는 별명이 유래됐다고 한다.

7세 궁정의 매춘부들을 섭렵한 이후로 그에게는 여성 혐오증이 생긴 듯하다. 육체적 욕망에 관한 생각이 변질되고 일탈된 모든 남색자들처럼, 질은 여성의 섬세한 피부, 향기에 염증을 느끼게 된다.

그래서 그는 휘하의 성가대 소년들을 타락시킨다. 성가대원 양성소의 이 어린 사제들, '천사처럼 아름다운' 사제들을 선발한 사람은 바로 그였다. 그들은 그가 사랑한 유일한 사람들, 그가 살인자의 흥분 가운데서도 너그럽게 봐주었던 유일한 사람들이었다.

하지만 아이들을 타락시키는 일의 매력도 이내 시들해졌다. 악마에게 선택된 자가 죄악의 구렁텅이 바닥에까지 곤두박질칠 것을 요구하는 악마주의의 율법이 다시 한 번 더 공표되려 했다. 종양으로 뒤덮인 이 붉은색 감실 안에서 악마가 편안히 거주하게 하려면 질의 영혼이 곪아야 할 필요가 있었던 것이다!

도살장에서 불어오는 소금기 어린 바람에 실려 발정기의 짐승 소리 같은 신도송이 울려 퍼졌다. 질의 최초의 희생자는 이름 모를 아주 어린 소년이었다. 질은 아이의 목을 졸랐고, 손을 잘랐으며, 심장을 뜯어내고, 눈을 뽑았다. 그러고서 그것들을 프렐라티의 방으로 가져갔다. 그들 둘은 열렬한 기도를 올리며 악마에게 그것들을 바쳤지만, 악마는 아무 말이 없었다. 화가 난 질은 자리를 떠났다. 프렐라티는 그 가엾은 잔해들을 천으로 둘둘 말아서, 두려움에 떨며 한밤중에 성 빈센트에게 헌정된 교회당 근처의 성역(聖域)에 묻으러 갔다.

강령의 주문과 주술들을 적기 위해 질이 남겨두었던 그 어린아이의 피가 흘러나와 무서운 씨가 되어 싹이 텄고, 이윽고 질은 알려진 대로 엄청난 양의 범죄들을 저지를 수 있었다.

1432년부터 1440년까지, 다시 말해서 질 드 레 원수가 은퇴해서 죽을 때까지 8년 동안 앙주, 푸아투, 브르타뉴의 주민들은 흐느껴 울며 길 위를 떠돌아다닌다. 아이들은 모두 실종된다. 목동들은 들판에서 납치된다. 학교에서 나온 어린 소녀들, 골목길에서 공놀이를 하거나 숲 근처에서 뛰놀던 소년들은 더 이상 되돌아오지 않는다.

브르타뉴 공의 명령으로 조사가 진행되는 동안, 그 문제를 담당한 경찰서장 장 투슈롱드의 서기들은 슬픔을 불러온 실종된 아이들의 끝없는 목록을 작성한다.

로슈베르나르에서 실종, 페론 부인의 아이, "학교에 다녔고 이해력이 빨랐다."고 엄마는 말한다.

생테티엔 드 몽뤼크에서 실종, 기욤 브리스의 아들. "기욤은 가난한 사람이었고, 동냥하러 다니곤 했다."

마슈쿨에서 실종, 조르제트 바르비에의 아들. "어느 날 롱도 호텔 뒤편에서 사과를 따는 모습이 목격되었다고 하나 그 이후로 본 사람이 없었다."

토네에서 실종, 마틀랭 투아르의 아이, "마틀랭 투아르의 탄식과 울음소리가 들리고 있는데, 아이는 대략 열두 살 정도였다".

다시 마슈쿨에서 성신강림축일*날, 세르장 부부는 여덟 살짜리 아이를 집에 남겨두고 밖에 나갔다가 돌아왔는데, "그 여덟 살짜리 아이가 더 이상 보이지 않았다. 그로 인해 그들은 몹시 놀랐고 건강이 나빠졌다".

샹트루에서, 교구의 식료품상 피에르 바디외는 1년 전쯤 질 드 레의 영지에서 형제간인 아홉 살 남짓의 아이 둘과 그곳에 사는 로뱅 파보의 아이들을 보았다고 한다. "그런데 그 이후로는 그들을 보지 못했고, 아이들이 어떻게 되었는지도 모른다."

낭트에서 잔 다렐은 "교황 축일에 일고여덟 살짜리 아들 올리비에를 마을에서 잃어버렸으며, 그날 이후로 그 아이를 보지 못했고 소식도 듣지 못했다."라고 증언했다.

조사 기록은 수백 명의 이름을 나열하고, 길에서 지나가는 사람들을 잡고 물어보는 엄마들의 고통이며 밭을 일구거나 삼씨를 뿌리기 위해 가족이 서로 떨어지자마자 아이들을 유괴당한 집에서 가족들이 울부짖는 모습을 이야기하며 계속해서 쌓여간다. 각 증언 말미에는 마치 유감을 표명하는 의례적인 말처럼 "그들이 고통스럽게 탄식하는 모습이 보인다."거나 "몹시 통곡하는 소리가 들린다."는 말들이 되풀이되고 있다. 질의 납골당이 세워지는 곳이면 어디든지 여인들이 눈물을 흘린다.

공포에 젖은 대중은 처음에는, 마음씨 고약한 요정

* 부활절로부터 일곱 번째 일요일.

과 악령들이 자식들을 갈라놓는다고 수군거리지만, 점차 무시무시한 의혹에 사로잡힌다. 질 원수가 티포주의 요새에서 샹토세 성으로, 그리고 그곳에서 라 쉬즈의 작은 성이나 낭트로 자리를 옮겨 이동하자마자, 그의 발걸음 뒤로는 눈물 자국이 길게 남는다. 그가 들판을 지나가면 그 다음 날로 여러 아이들이 없어진다. 또한 질 원수의 측근들인 프렐라티, 로제 드 브리크빌, 질 드 시예가 모습을 나타냈던 곳이면 어디에서건 어린아이들이 사라졌다고 농부들은 떨면서 증언한다. 마지막으로 농부들은 페린 마르탱이라는 노파가 회색 옷을 걸치고, 얼굴은 질 드 시예처럼 얇은 검은색 천으로 가린 채 돌아다닌다고 겁에 질린 모습으로 언급한다. 그녀는 어린아이들에게 다가가 말을 거는데, 그 말이 너무나 달콤하고, 베일을 들추는 순간 보이는 얼굴이 너무나 아름다워서 모든 아이들은 그녀를 따라 숲 근처에까지 가게 된다. 그곳에서 남자들이 입에 재갈을 물리고 아이들을 자루 속에 넣어 데려간다. 그래서 공포에 사로잡힌 대중은 이 육신 조달자, 이 여자 식인귀를 수리를 본떠 '라 메프레'*라고 부른다는 것이다.

이들 밀사들은 모든 마을과 부락들을 돌아다니면서 브리크빌의 영주인 수렵 담당관장의 명령에 따라 어린아이를 사냥했다. 이들 몰이꾼들에게 만족하지 못한 질은 성의 창문 근처에 자리를 잡고는, 그가 관대하다는 소

---

* 라 메프레(La Meffraye)는 수리(독수리)를 가리키는 프랑스어 '오르프레(orfraie)'를 변형시킨 것이다.

문을 듣고 찾아온 젊은 걸인들이 동냥을 요구할 때 그들을 눈여겨보다가, 용모가 마음에 들어 함께 난잡한 행동을 하고 싶은 사람들이 있으면 올라오게 하곤 했다. 그러고는 자신이 욕망을 느끼고 육체적 향연을 필요로 할 때까지 그들을 지하 감옥에 처넣어두곤 했다.

그가 얼마나 많은 아이들을 능욕하고 목 졸라 죽였을까? 그 자신도 몰랐다. 그 정도로 그는 수없이 강간하고 살인했다! 당시 기록은 희생자 수를 칠팔백 명으로 보고 있지만, 그 수는 충분하지도 않고 정확하지도 않은 것 같다. 전 지역이 황폐화되었다. 티포주 마을에는 젊은이들이 더 이상 눈에 띄지 않았고, 라 쉬즈에는 남자아이의 씨가 말랐다. 샹토세에서는 어떤 탑의 지하실 전체가 시체들로 가득 차 있었다. 조사 과정에서 인용되었던 증인 기욤 일레레는 또 이렇게 말한다. "뒤 자르댕이라는 사람은 앞서 말한 성에서 어린아이들의 시체로 가득 찬 큰 통이 발견되었다는 말을 들었다."

오늘날에도 여전히 이들 살해 행위의 흔적들이 남아 있다. 2년 전 티포주에서 어떤 의사가 지하 감옥을 하나 발견했는데, 그곳에서 그는 산더미 같은 해골과 뼈들을 가져왔다!

어쨌든 질이 끔찍스런 대량 학살을 고백했고, 그의 친구들이 소름 끼치는 세세한 내용들을 확인했음은 사실이다.

해 질 무렵, 사냥한 짐승 고기의 진한 즙에 의해 상

처를 입기라도 한 듯, 그리고 향신료를 가미한 가연성 음료에 의해 불이라도 붙은 듯이 그들의 관능이 불을 밝힐 때면, 질과 그의 친구들은 성에서 가장 후미진 곳의 방으로 물러났다. 그리고 그들은 바로 그곳으로 지하 감옥에 갇혀 있던 어린아이들을 데려왔다. 그들은 아이들의 옷을 벗기고 입에 재갈을 물린다. 질 원수는 그들을 손으로 만지고 강간한다. 그런 다음 단검으로 그들을 베고 사지를 절단해 조각내며 만족스러워 한다. 어떤 때는 그들의 가슴을 가르고 허파에서 나오는 바람을 들이마시기도 한다. 그는 또 아이들의 배를 갈라 킁킁거리며 냄새를 맡고, 상처를 손으로 후벼 파고 그 속에 들어가 앉기도 한다. 따스한 내장들로 적셔진 진흙 속에 자신의 몸을 담근 채, 그는 몸을 약간 돌려 최후의 발작, 마지막 경련을 어깨 너머로 뚫어지게 바라본다. 그 자신이 직접 이렇게 말하기도 했다. "나는 다른 어떤 쾌락보다도 고문과 눈물, 공포, 그리고 피를 즐기는 게 더 만족스러웠다."

이윽고 그는 이러한 지저분한 쾌락에 싫증을 느낀다. 그 소송에 관한 미간(未刊)의 판결문은 우리에게 이런 사실을 알려준다. "위에 언급된 영주는 어린 소년들과, 그리고 때로는 어린 소녀들과 함께 있으면서 흥분했다. 그리고 그들을 배 위에 올려놓고 육체관계를 맺으면서, 그렇게 하는 것이 본성에 따라 하는 것보다 더 즐겁고 덜 고통스럽다고 말했다." 그런 다음 그는 그들의 목을 천천히 톱으로 잘라냈고, 그 시체와 내의와 옷들을 마른 나무와 종이를 채운 난로 속에 던져 넣었고, 재는 일부는 화장실에 던지고, 일부는 탑 꼭대기에서 바람에 날려 보내고, 일부는 도랑이나 성벽 주위의 외호에 던져 넣었다.

이내 그의 광기는 더 심해졌다. 그때까지 그는 살아 있는 사람 혹은 빈사 상태에 이른 사람으로 자신의 맹렬한 성욕을 채워왔었다. 그는 꿈틀거리는 육체를 능욕하는 데 싫증이 났고 죽은 자들을 좋아하게 되었다.

열정적인 예술가인 그는 환희에 찬 소리를 지르며 희생자들의 매끈한 팔다리에 입을 맞추곤 했다. 그는 죽음의 미인 경연 대회를 열기도 했다. 그리고 잘린 머리들 중 하나가 일등상을 타게 되면 머리카락을 잡아들고 차가운 입술에 정열적으로 키스하곤 했다.

여러 달 동안 그는 흡혈귀 짓에 만족하며 지냈다. 그는 어린아이들의 시신을 모독했고, 피로 뒤덮인 무덤의 얼음 속에서 욕망의 열기를 식혔다. 심지어 그는 비축해 놓았던 아이들이 모두 없어진 날에는 임신한 여인의 배를 갈라 태아를 이용하기까지 했다! 그리고 이처럼 지나친 행위를 하고 난 다음이면 지쳐서 잠에 빠져들거나, 시간(屍姦) 뒤 베르트랑 하사*를 괴롭혔던 종류의 마비 증세와 유사한 짙은 혼수상태에 빠지곤 했다. 그러나, 이처럼 깊은 잠이 아직까지 제대로 관찰되지 않은 흡혈 행위의 국면 중 널리 알려진 하나라고 가정해도, 또 질 드 레가 왜

---

* 시간증(屍姦症)으로 1846년에서 1849년까지 파리 몽파르나스 묘지에 묻힌 여성의 시체들을 강간하고 투옥되었던 군인.

곡된 성욕을 가진 자이며 고통과 살인의 명수였을 뿐이라고 가정해도, 인간의 행위를 벗어난 듯 끔찍하기 이를 데 없는 내역을 보건대, 그가 화려한 범죄를 자랑하는 자들, 가장 도착적인 사디스트들 중에서도 단연 두드러지는 인물임을 인정하지 않을 수 없다!

이처럼 무시무시한 환락과 기괴한 범죄행위들로도 더 이상 만족하지 못하게 되자 그는 보기 드문 죄악의 정수로써 그것들을 잠식해갔다. 더 이상 단순히 희생자의 몸을 갖고 노는 맹수의 단호하고 명민한 잔인성이 아니었다. 그의 잔혹성은 이제 육체적인 것에만 머물지 않았다. 그 잔혹성은 점점 심해져 정신적인 것이 되었다. 그는 어린아이를 육체적으로도 정신적으로도 괴롭히고 싶었다. 몹시 사악한 속임수로 그는 감사의 마음을 속이고, 애정을 속이고, 사랑을 훔쳤다. 그 결과로 그는 인간의 파렴치함을 넘어서서 최종적인 악의 암흑 속으로 들어갔다.

그가 상상한 것은 이러했다.

불행한 아이들 중 하나를 그의 방으로 데려오면, 브릭크빌과 프렐라티와 시예가 벽에 박은 갈고리에 아이를 매달았다. 아이가 숨이 막혀 호흡이 곤란해질 때 질은 아이를 내려놓고 줄을 풀라고 명령했다. 그리고 그는 조심스럽게 아이를 자기 무릎 위에 올려놓고, 숨을 다시 불어넣고, 쓰다듬고, 토닥여주고, 눈물을 닦아주고, 자신의 공범들을 가리키면서 이렇게 아이에게 말했다. "이 사람들은 나쁜 사람들이란다. 하지만 보다시피 내 말에 따르지.

겁내지 말거라. 내가 널 살려주고 엄마에게 돌려보낼 테니까." 그러고는 기뻐서 어쩔 줄 모르는 아이가 그를 껴안고 그에게 애정을 표하는 그 순간에, 그는 천천히 목 뒤쪽을 칼로 베어 아이를, 그의 표현에 따르자면, "시들시들하게" 만들었다. 완전히 분리되지 않은 머리가 피를 철철 흘리며 인사하듯 수그러지면, 그는 아이의 몸을 주무르고, 돌려 눕힌 다음 울부짖으며 아이를 강간했다.

이처럼 가증스러운 놀이가 끝나면 그는 자신의 손끝에서 시체 처리 기술이 최후의 거품을 짜내고 마지막 고름을 흘려 내보냈다고 믿을 수 있었고, "이렇게 할 수 있는 사람은 지상에 아무도 없다!"고 자신의 심복들에게 오만한 태도로 크게 외쳐대곤 했다.

무한한 사랑과 선의 실행이 몇몇 사람에게는 가능할 수도 있다. 하지만 무한한 악의 실천은 어느 누구에게도 가능하지 않다. 난잡한 품행과 살인의 도를 넘어선 질원수는 그 방면으로 더 멀리 나아갈 수가 없었다. 그는 특이한 강간, 보다 더 머리를 써서 더 더디게 진행되는 고문을 꿈꾸었지만 소용없었다. 이미 이루어졌기 때문이었다. 인간의 상상력의 한계가 끝을 보았던 것이다. 그는 악마처럼 그 한계를 넘어서기까지 했다. 만족할 줄 모르는 그는 공허함 앞에서 헐떡거렸다. 그는 악령 연구가들의 공리, 즉 악마는 자신에게 몸을 바치거나 바치고자 하는 모든 사람들을 속인다는 공리를 입증할 수 있었다.

더 이상 내려갈 수 없게 되자 그는 제자리로 되돌아

가고 싶었다. 하지만 그러자 그에게 후회가 닥쳐와 그를 사로잡고 쉴 새 없이 그를 괴롭혔다.

그는 유령들에게 둘러싸인 채, 짐승처럼 죽게 해달라고 절규하며 속죄의 밤들을 보냈다. 성의 외진 곳들을 달리고 있는 그의 모습이 발견되곤 했다. 그는 눈물을 흘렸고, 무릎을 꿇었고, 회개할 것을 신에게 맹세했고, 종교 재단을 설립하겠다고 약속했다. 그는 죄 없이 죽어간 유아들을 위해 마슈쿨에 참사회 교회를 세웠다. 그는 자신이 수도원에 갇혀 지내겠다고, 빵을 구걸하면서 예루살렘에 가겠다고 말했다.

그러나 변덕이 심하고 흥분하기 쉬운 그의 마음속에서는 여러 가지 생각들이 쌓이고, 지나가고, 꼬리에 꼬리를 물고 이어지고, 그리하여 사라지려고 하던 생각들이 그 뒤를 이은 생각들 위에 그림자를 드리운다. 비탄의 눈물을 흘리다가도 그는 갑자기 새로운 방탕한 행위에 금세 빠져들고, 너무나 격렬하게 정신착란에 빠져들어, 아이에게 달려들어 눈을 후벼 파내고, 눈에서 흘러나오는 피를 손으로 휘젓고, 그리고 가시 달린 막대기를 집어 들어, 뇌수가 튀어나올 때까지 머리를 후려친다!

피가 뿜어져 나오고 뇌수가 튀면, 그제야 그는 이를 갈며 웃음 짓는다. 사냥꾼에게 몰린 짐승처럼 그는 숲으로 도망친다. 그동안 그의 심복들은 땀을 닦아내고, 시체와 누더기들을 조심스럽게 치워놓는다.

그는 티포주 주변의 숲을, 브르타뉴 지방의 카르노

에에서 아직도 볼 수 있는 것과 같은 짙고 빽빽하고 깊은 숲속을 방황한다.

그는 걸으며 오열하고, 미친 듯이 날뛰면서 자신에게 접근하는 유령들을 쫓아내고, 주변을 둘러보다가 갑자기 오래된 나무들의 추잡한 모습을 본다.

그의 눈앞에서 자연이 타락하는 것 같고, 그 자연을 타락시키는 것이 바로 자기 자신의 존재인 듯 보인다. 처음으로 그는 숲의 변함없는 음탕함을 이해하고, 숲속의 프리아포스* 찬가들을 발견한다.

이곳에서 나무는 살아 있는 존재처럼, 뿌리로 된 머리카락 속에 묻힌 머리를 아래로 하고 다리를 허공에 벌리고 있고, 그 다리가 각기 벌어져서 줄기로부터 멀어져 감에 따라 점점 더 작아지는 새로운 넓적다리로 분할되는 존재처럼 보인다. 나무 꼭대기에까지 이르도록 가지에서 가지로 반복되면서 크기가 작아지는 이들 다리 사이에는, 움직이지 않는 성교의 모습으로 다른 가지가 꽂혀 있다. 또 나무의 밑동은 땅에서 솟아나 나뭇잎 치마 속으로 사라지는 발기된 음경처럼 보인다. 혹은 그 반대로, 초록색의 무성한 털에서 빠져나와 땅의 부드러운 아랫배 속으로 내리꽂히는 음경같이 보인다.

이런 이미지들에 그는 몸이 오싹해진다. 그는 키 큰 너도밤나무들의 희고 매끈한 껍질에서 사내아이들의 양

---

* 그리스신화에서 풍요와 성욕을 상징하는 신.

피지처럼 희고 맑은 피부를 다시 본다. 나이 먹은 떡갈나무의 검고 우툴두툴한 껍질에서는 걸인들의 코끼리 가죽 같은 피부를 발견한다. 가지들이 갈라지는 곳에는 구멍들이 벌어져 있는데, 그것들은 타원형 모양의 홈 위에 껍질이 막혀 있는 구멍들, 더러운 배설기관이나 동물들의 벌어진 생식기 모양을 한 주름 잡힌 구멍들이다. 또 가지들이 휘어지는 부분에서는 팔 아래 움푹 파인 곳, 즉 회색 이끼로 곱슬거리는 겨드랑이를 본다. 나무의 몸통에는 갈색 벨벳 같은 털들, 이끼 다발들 아래로는 대음순 모양으로 길게 늘어져 있는 상처들이 있다!

어디에서나 대지로부터 외설적인 형상들이 떠올라 사탄 숭배로 물든 하늘로 무질서하게 솟아나고 있다. 구름들은 젖꼭지 모양으로 부풀고, 엉덩이 모양으로 갈라지고, 물이 가득 찬 가죽 부대처럼 둥글어지고, 길게 이어져 흘러내린 어백(魚白)* 모양으로 흩어진다. 그것들은 거대하거나 왜소한 엉덩이의 이미지, 여성의 삼각지대, 커다란 브이 자 모양, 소돔의 입구, 바깥쪽으로 벌어지는 상처 자국, 축축한 배출구에 불과한 수림의 어두운 향연과 어울리고 있다! 그런데 이 혐오스러운 풍경이 변화한다. 이제 질은 나무둥치에서 음산한 폴립을, 무시무시한 마디들을 본다. 그는 외골종증과 암종들, 수직으로 잘린 상처들, 암종병에 걸린 덩이줄기들, 끔찍한 부패병을 확인한다.

* 물고기 수컷의 배 속에 들어 있는 흰 정액 덩어리. '이리'라고도 한다.

그곳은 지상의 나병 환자 수용소, 나무들의 성병 진료소인데, 그 안쪽 오솔길 모퉁이에는 붉은색 너도밤나무 한 그루가 솟아나 있다.

자줏빛으로 물들어 떨어지는 낙엽들 앞에서 그는 자신이 혈우(血雨)에 젖고 있다는 생각이 든다. 그는 분노에 빠져들고, 나무껍질 속에 숲의 요정이 살고 있다고 상상하며, 여신의 살 속에서 더듬거리며 말하고 싶어 하고, 나무의 요정 드리아데스*를 죽이고 싶어 하고, 인간의 광기가 알지 못하는 미지의 장소에서 그녀를 강간하고 싶어 한다!

그는 그 나무를 처단할 수 있고 결딴낼 수 있는 나무꾼을 부러워한다. 그는 공포에 사로잡혀 울부짖고, 얼빠진 듯한 모습으로 자신의 욕망의 외침에 윙윙거리는 날카로운 바람 소리로 응답하는 숲의 소리를 듣는다. 그는 털썩 주저앉아 눈물을 흘리고, 다시 걷기 시작해 마침내 성에 도착하자 기진맥진한 채 침대 위에 풀썩 쓰러진다.

그가 잠이 들자 환영들이 더욱 명확해진다. 나뭇가지들의 음란한 얽힘, 숲속 다양한 수종들의 짝짓기, 부풀어 오르는 틈새들, 벌어지는 덤불숲 등이 사라진다. 차가운 북풍을 맞은 나뭇잎들의 눈물이 말라붙는다. 흰색의 구름 종양들이 회색빛 하늘 속으로 다시 흡수된다. 그리고 적막 속에서 몽마와 몽정마녀들이 떠다니고 있다.

* 그리스신화에서 드리아데스는 떡갈나무, 혹은 나무 전체와 연관된 세 명의 님프이다.

270

그가 살해했던 몸뚱이들, 그 재를 지하 감옥 속에 던져 넣게 했던 몸뚱이들이 구더기 모양으로 되살아나서 그의 하복부를 공격한다. 그는 발버둥 치고, 핏속에서 허우적거리고, 소스라쳐 일어서고, 그러다가 몸을 웅크린 채 마치 늑대처럼 네발로 기어 십자가 쪽으로 가서, 울부짖으며 십자가 아랫부분을 물어뜯는다.

그러다가 그는 갑작스레 방향을 전환하며 넘어진다. 그는 경련이 일어난 얼굴로 자신을 쳐다보고 있는 그리스도 앞에서 몸을 떤다. 그는 자신을 긍휼히 여겨달라고 그리스도에게 기원하고, 자신을 용서해달라고 빌고, 오열을 터뜨리고, 눈물을 흘리며, 더 이상 어찌할 수 없게 되었을 때, 낮은 소리로 신음하고, 자신의 목소리 속에서 어머니를 부르고 자비를 외치던 아이들의 눈물 젖은 소리를 들으며 공포에 사로잡힌다!

자신이 상상해낸 이러한 환영에 흥분한 뒤르탈은 노트를 덮었다. 그는 어깨를 들어 올리며, 요컨대 자신의 죄와 마찬가지로 단지 부르주아의 죄에 불과한, 즉 탐욕의 죄에 불과한 죄를 범한 여인에 관해 자신이 느끼는 정신적 갈등이 몹시 비열한 것이라 생각했다.

XII

'몇 달 동안 만나지 않았던 샹트루브에게 이번 방문이 이상하게 보일 수도 있겠지만, 핑계는 쉽게 찾아낼 수 있을 거야.' 뒤르탈은 바너 가를 향해 가면서 이렇게 생각했다. '이아생트가 고려했을 테니 그럴 일은 거의 없겠지만, 혹시 오늘 저녁에 그가 집에 있다면, 데 제르미를 통해서 그가 통풍이 재발했음을 알았다고, 그래서 그의 소식을 알고 싶었다고 이야기하면 되겠지.'

그는 샹트루브의 집 계단을 올라갔다. 철 난간이 설치되어 있는 상당히 넓은 계단이었다. 층계에는 붉은색 타일이 깔려 있었고 가장자리에는 나무가 둘러져 있었다. 투구 모양의 초록색 함석이 위에 달린 낡은 반사 램프가 그곳을 비추고 있었다.

그 오래된 집은 묘지의 썩은 물 냄새가 났지만 한편으로는 성스러운 냄새도 풍겼고, 틀로 찍어낸 듯한 오늘날의 건물들에서는 더 이상 찾아볼 수 없는 다소 엄숙하고 아늑한 맛을 발산하고 있었다. 그 집은 정부(情婦)들과 남부끄럽지 않은 합법적인 부부들이 구분 없이 거주하는 신축 아파트의 잡거 생활을 받아들일 수 있을 것 같지 않았다. 그는 그 집이 마음에 들었고, 이 유복한 환경에서 사는 이아생트가 부럽다는 생각이 들었다.

그는 2층의 벨을 눌렀다. 하녀 하나가 긴 복도를 통해 살롱으로 그를 안내했다. 그는 지난번 방문했을 때 이후로 아무것도 변하지 않았음을 한눈에 확인했다.

크고 천장이 높은 바로 그 방이었다. 창문은 끝없이 이어지고, 벽난로는 공 모양의 일본제 자기 램프 두 개 사이에 놓인 프레미에*의 청동 잔 다르크상 모형으로 치장되어 있었다. 그랜드피아노, 앨범이 들어찬 테이블, 긴 의자, 채색 양탄자가 깔린 루이15세 시대 양식의 안락의자가 그의 눈에 들어왔다. 십자형 유리창 앞마다 인조 흑단 대에 올려진 파란색 대형 도자기 속에 시든 종려나무들이 심어져 있었다. 벽에는 종교화들이 있었고, 비스듬한 자세로 자신의 작품 더미에 손을 기대고 있는, 아무 특징 없는 젊은 시절의 샹트루브의 초상화가 걸려 있었다. 니엘로 세공**을 한 은으로 만든 낡은 러시아제 성상벽(聖像壁)과 낭시의 보가르가 조각한 17세기 목제 그리스도상들 중 하나로서 도금한 낡은 나무틀 속 벨벳 깔개 위에 놓인 그리스도상만이, 부활절에 영성체를 하며 애덕 수녀회 수녀들과 신부들을 초대하는 이 부르주아 가정의 다소 상투적인 가구 배치를 돋보이게 할 뿐이었다.

난로에는 불이 활활 타고 있었다. 장밋빛 레이스 차양이 달린 키 큰 램프가 방을 비추고 있었다.

"정말이지 교권 옹호 세력 냄새가 물씬 풍기는군!" 뒤르탈이 이렇게 중얼거릴 때 문이 열렸다.

---

* Emmanuel Frémiet(1824–910). 프랑스 조각가.
** 15세기경 이탈리아에서 성행한 세공 방식.

샹트루브 부인이 몸매가 그대로 드러나는 흰색 플란넬 실내복을 입고 편도 크림 향을 풍기며 들어왔다. 뒤르탈과 악수하고는 맞은편에 앉았는데, 실내복 밑으로 반짝이는 작은 구두 속에 신은 쪽빛 체크무늬 비단 양말이 눈에 띄었다.

그들은 날씨에 대해 이야기했다. 그녀는 겨울이 계속되는 데 대해 불평하며, 허구한 날 난로를 때는데도 여전히 몸이 덜덜 떨리고 얼어붙어 있다고 말했다. 그러면서 만져보라고 그에게 손을 내밀었는데, 정말 손이 차가웠다. 그러고 나서 그의 건강을 걱정하며 안색이 창백하다고 했다.

"상당히 우울해 보이는군요." 그녀가 말했다.

"자신에게 관심이 쏠리게 되기를 바란다면 누구라도 그럴 겁니다." 그가 말했다.

여자는 즉각 대답하지 않았다. 잠시 후 말했다.

"어제는, 당신이 저를 얼마나 원하는지 알았어요! 하지만 왜, 왜 그렇게까지 원하는 거죠?"

그는 어렴풋이 원망하는 듯한 몸짓을 해보였다.

"어쨌든 당신은 특이한 분이세요." 그녀가 다시 말했다. "오늘 당신 책들 중 한 권을 다시 읽었어요. 거기서 이런 문구에 주목했지요. '소유하지 못하는 여자만이 사랑할 만한 가치가 있다.'라는 말이요. 그 말을 쓸 때의 당신 생각이 옳았던 거예요!"

"경우에 따라 다르지요. 당시에는 내가 사랑에 빠져

있지 않았거든요!"

여자는 머리를 설레설레 흔들었다.

"이제 당신이 왔음을 남편에게 알려야겠어요." 그녀가 말했다.

뒤르탈은 잠자코 자신이 이 집에서 정말로 무슨 역할을 하고 있는지 생각해보았다.

샹트루브가 자기 아내와 함께 왔다. 그는 실내복 차림이었고 입에 펜대를 물고 있었다.

그는 펜대를 테이블 위에 내려놓았고, 자신의 건강이 완전히 회복되었다고 뒤르탈을 안심시킨 후, 일거리가 너무 많다고, 지나치게 부담된다고 불평을 털어놓았다.

"저녁 식사 초대들과 리셉션들을 포기해야 했답니다. 더 이상 사교계엔 가지 않을 거요. 나는 아침부터 저녁까지 책상에 매달려 있답니다." 그가 말했다.

무슨 작업을 하고 있는지 묻는 뒤르탈의 질문에 그는 성자들의 삶에 관한 일련의 책이라고 말했다. 수출을 위해 투르의 한 출판사가 주문한, 작가의 이름이 서명되지 않는 그저 그런 작품이라는 것이었다.

"그래요, 그리고 이이가 준비하고 있는 건 정말로 잊힌 성자들이랍니다." 그의 아내가 웃으며 말했다.

뒤르탈이 설명을 요구하는 눈길을 보내자 이번에는 샹트루브가 웃으며 말했다.

"아내 말이 맞습니다. 그 주제들이 내게 주어졌지요. 그런데 편집자는 내가 더러운 사람들을 찬양하게 만들면서 좋아하는 것 같아요! 신의 축복을 받은 사람들에 대해 써야 하는데, 그들 대부분은 고약하게도 지저분한 사람들 이지요. 라브르*는 벌레와 악취로 마구간 주인들에게까지 도 혐오감을 일으켰답니다. 성녀 퀴네공드**는 겸손의 표 시로 자신의 육체를 돌보지 않았습니다. 성녀 오포르튄은 전혀 물을 사용하지 않았고 오직 눈물로만 침대를 씻었답 니다. 성녀 실비는 얼굴을 전혀 씻지 않았습니다. 성녀 라 드공드***는 고행하며 입은 셔츠를 절대 갈아입지 않았고 잿더미 위에서 잠을 잤지요. 얼마나 많은 사람들의 헝클 어진 머리에 황금빛 후광을 둘러주어야 할지!"

"그보다 더한 경우도 있습니다." 뒤르탈이 말했다. "마리 알라코크의 생애를 읽어보세요. 고행을 위해서 그 녀가 환자의 배설물을 혀로 그러모았고, 신체장애자의 발 가락에서 고름을 빨아냈음을 알게 될 거예요!"

"알고 있습니다. 하지만 솔직히 말해 그러한 지저분 한 고행들은 감동적이기보다는 혐오감을 불러일으키지요."

"저는 순교자 성 뤼스가 더 좋아요." 샹트루브 부인 이 말했다. "그 사람은 몸이 너무나 투명해서 가슴을 통해 자기 마음속 찌꺼기까지 들여다볼 수 있었다는군요. 그 찌꺼기들이라는 것도 우리들로서는 최소한 견딜 수 있을 만한 것들이었지요." 잠시 침묵하다가 계속 말했다. "그렇

---

* '로마의 거지'라는 별명을 가졌던 프랑스의 가톨릭 성인(1748-83).
** 헝가리의 왕족 출신의 가톨릭 성녀(1234-93).
*** 생트크루아 드 푸시디에 수도원 설립자(513?-87).

277

지만 그처럼 배려가 부족하다면 나는 수도원들에 혐오감을 갖게 될 거고, 당신이 다루는 그 중세에 역겨움을 느낄 거예요!"

"미안하오, 여보." 샹트루브가 말했다. "하지만 당신은 지금 큰 착각을 범하고 있소. 중세는 지금 당신이 생각하는 것처럼 지저분한 시대가 결코 아니었소. 그때 사람들은 꾸준히 목욕탕에 드나들었으니 말이오. 예컨대 파리에서는 목욕탕 건물들이 많았었는데, 목욕탕 주인들은 물이 뜨겁다고 소리치며 시내를 돌아다녔다오. 프랑스에 때가 끼게 된 것은 르네상스 시대부터일 뿐이오. 그 매력적인 여왕 마고의 몸이 향수에 절어 있었지만 프라이팬 바닥처럼 때가 눌어붙어 있었음을 생각해보시오! 또, 멋진 발과 세련된 겨드랑이를 갖고 있다고 자랑하던 앙리4세를 생각해보시오!"

"여보, 제발, 그 자세한 이야기는 하지 마세요." 샹트루브 부인이 말했다.

샹트루브가 말하는 동안 뒤르탈은 그를 바라보았다. 그는 통통하고, 키가 작고, 배가 나와 두 팔로 간신히 배를 감쌀 수 있을 정도였다. 뺨은 몹시 붉었고, 뒤쪽으로 길게 기른 머리카락은 포마드가 잔뜩 발라져 있고 관자놀이를 따라 크루아상 모양으로 빗어 넘겨져 있었다. 귀 안에 장밋빛 솜을 끼고 있었고, 짧게 면도했고, 쾌활한 낙천가이자 신앙심 깊은 공증인을 닮은 모습이었다. 그렇지만 예리하고 음흉스러운 눈이 쾌활하고 달콤한 그 표정과 어울리지 않았다. 그 눈빛 속에 비치는 모습은 음모를 꾸미고 있는 교활한 사업가의 모습, 짐짓 상냥한 태도로 상대의 뒤통수를 칠 수도 있는 사업가의 모습이었다.

'나를 쫓아내고 싶어 하는 게 분명해!' 뒤르탈은 이렇게 생각했다. '그는 분명히 자기 아내의 음모를 모르고 있지는 않을 테니까.'

그를 쫓아내고 싶어 하는 마음이 굴뚝같았어도 샹트루브는 그런 내색을 거의 보이지 않았다. 그는 다리를 꼬고, 마치 사제처럼 두 손을 포갠 채, 뒤르탈의 작업에 상당히 관심을 갖고 있는 척했다.

연극을 보고 있는 듯 몸을 약간 앞으로 숙이고 귀를 기울이던 그가 대답했다. "그래요, 나도 그 문제를 알고 있소. 예전에 책을 한 권 읽었는데, 질 드 레에 관해 잘 정리된 책 같았소. 보사르 신부의 책이었지요."

"그건 질 원수에 관해 쓰인 책들 중 가장 조예가 깊고 완전한 작품이랍니다."

"하지만," 샹트루브가 다시 말했다. "여전히 이해되지 않는 점이 하나 있어요. 왜 질 드 레에게 '푸른 수염'이라는 별명이 붙었는지 납득할 수가 없어요. 그의 이야기는 페로*의 동화와는 아무런 관계가 없는데 말이에요."

"사실, 진짜 푸른 수염은 질 드 레가 아니라 코모르라는 이름을 가진 브르타뉴의 왕이랍니다. 6세기 이후로

---

* Charles Perrault(1628-703). 프랑스 시인, 평론가, 동화 작가. 「잠자는 숲속의 공주」, 「신데렐라」, 「장화 신은 고양이」 등이 실린 『페로 동화집』을 썼다.

그의 성 일부가 카르노에 숲 경계 지역에 아직도 남아 있지요. 전설은 간단합니다. 그 왕이 반느의 백작 게록에게 딸 트리핀을 달라고 했지요. 게록은 거절했는데, 왜냐하면 브르타뉴의 왕이 항상 홀아비로 있는 까닭이 자기 아내들을 목 졸라 죽여서라는 이야기를 들었기 때문이지요. 마침내 백작이 딸을 보고 싶다고 요구하면 그에게 딸을 무사히 돌려보내겠다고 성 질다가 약속했고, 결혼은 성사되었습니다.

몇 달이 지난 후 트리핀은 코모르가 아내들이 임신하자마자 정말로 그들을 죽였다는 사실을 알았답니다. 그녀는 임신 중이었고 도망을 쳤지만 남편에게 붙들려 목이 잘렸지요. 슬픔에 싸인 백작은 성 질다에게 약속을 지킬 것을 촉구했고, 그 성인은 트리핀을 부활시켰답니다.

보시다시피 이 전설은 푸른 수염의 이야기보다는 재간둥이 페로가 정리한 옛 동화와 훨씬 더 유사합니다. 이제, 어떻게 해서, 그리고 왜 푸른 수염이라는 별명이 코모르 왕에게서 질 원수에게로 넘어갔는지 말하라고 한다면, 그건 저도 모릅니다. 세월의 어둠 속에서 잊혔지요!"

"하지만, 잠깐만요, 당신은 그 질 드 레와 악마주의를 열심히 뒤섞어놓고 있지 않습니까." 잠시 침묵하던 샹트루브가 다시 말했다.

"그렇습니다. 만일 그런 장면들이 우리에게서 그처럼 멀리 떨어진 시대의 것이 아니라면 아마 꽤 흥미로울 겁니다. 정말 더 매력적이고 더 새로운 일은 바로 우리 시

280

대의 악마주의를 묘사하는 일일 겁니다!"

"그럴지도 모르죠." 샹트루브가 친절하게 대답했다.

"왜냐하면요," 샹트루브를 바라보며 뒤르탈이 말을 이었다. "바로 지금 전대미문의 일들이 일어나고 있거든요! 신성모독적인 사제들에 대해, 중세의 마녀 집회 장면을 되살리려는 어떤 참사 주교에 대해 이야기를 들었답니다."

샹트루브는 잠자코 있었다. 그는 조용히 다리를 풀고 눈을 들어 천장을 보며 말했다.

"맙소사, 말썽꾸러기 몇 사람이 우리 사제 집단에 슬그머니 끼어들어오는 데 성공했을지도 모르겠군요. 하지만 너무나 미미한 숫자라서 고려할 만한 가치도 없습니다." 그러면서 그는 말을 끊고 자신이 방금 읽은 프롱드난*에 관한 책 이야기를 했다.

뒤르탈은 샹트루브가 도크르 참사 주교와의 관계를 말하고 싶어 하지 않음을 알았다. 그는 다소 당황해서 침묵을 지켰다.

"여보," 샹트루브 부인이 남편에게 말했다. "램프 심지 올리는 걸 잊으셨나 봐요. 검게 그을리겠어요. 문이 닫혀 있지만 여기서도 냄새가 나는군요."

샹트루브에게 가달라는 뜻인 것 같았다. 샹트루브가 일어나서, 희미하게 냉소를 띠며 자신의 작업을 계속해야만 해서 미안하다고 했다. 그는 뒤르탈과 악수했고, 그렇

---

* 17세기 중반, 루이14세 시절에 프랑스의 고등법원 판사와 귀족계급이 왕권에 대항해서 일으킨 두 차례의 반란.

게 어쩌다 한 번씩 모임에 나오지 말라고 했다. 그러고는 실내복 자락을 배 위로 끌어 올리고서 그곳을 떠났다.

여자는 그를 지켜보더니, 일어서서 문까지 갔고, 문이 닫혀 있음을 눈으로 확인하고서는 벽난로에 등을 기대고 있는 뒤르탈 쪽으로 돌아왔다. 그리고 한 마디도 하지 않은 채 뒤르탈의 얼굴을 양손으로 잡고 입에 입술을 갖다 대며 입을 열어젖혔다.

그는 미친 듯이 신음했다.

그녀가 무기력하고 혼란스러운 눈으로 그를 쳐다보았고, 그는 그녀의 눈에서 반짝이는 은빛이 흐르고 있음을 보았다. 몽롱한 상태로 주의를 기울이고 있는 그녀를 그가 품에 안았다. 그녀는 웃으며 천천히 몸을 빼냈고, 반면 어색해진 그는 손을 꼭 움켜쥐며 다소 멀리 떨어져 앉았다.

그들은 쓸데없는 것들에 대해 이야기를 나누었다. 그녀는 자기가 명령하면 하녀가 불길에라도 뛰어들리라고 과장해서 말했고, 그는 동의와 놀라움의 몸짓으로 화답했다.

그러다가 갑자기 여자는 이마에 손을 갖다 댔다.

"아!" 그녀가 말했다. "그가 있다고 생각할 때, 그가 일하고 있다고 생각할 때면 몹시 고통스러워요! 아니, 난 너무나 양심의 가책을 많이 느끼는 것 같아요. 실없는 말이긴 하지만, 그가 다른 남자라면, 사교계에 가서 여자들을 정복할 남자라면, 그렇지 않을 텐데…"

이야기를 듣고 있던 뒤르탈은 그 시답잖은 하소연에 짜증이 났다. 마침내 스스로 진정된 느낌이 들자 다가가 말했다.

"양심의 가책이라고 했나요, 하지만 우리가 강물에 뛰어들든 강가에 계속 남아 있든 간에, 약간의 뉘앙스 차이만 빼고는 결국 죄가 있는 건 마찬가지 아닌가요?"

"그래요, 저도 잘 알아요. 제 고해신부도, 좀 더 가혹하긴 하지만 거의 당신과 비슷하게 이야기하더군요. 아, 이런, 아녜요. 당신들이 뭐라고 이야기하든 소용없어요. 꼭 들어맞는 게 아니니까요."

그는 웃기 시작했다. 양심의 가책이란, 아마도 무감각해진 열정의 욕구 감퇴를 구해주는 양념 같은 것일지도 모른다고 생각했기 때문이다. 그래서 농담을 던졌다.

"고해신부 이야기 말인데요," 그가 다시 말했다. "내가 결의론자라면, 새로운 죄들을 만들어내려고 할 것 같군요. 그런데 나는 결의론자는 아니에요. 그래도 찾다 보면, 한 가지 죄는 발견했다는 생각이 드는군요."

"당신이요!" 이번엔 그녀가 웃으며 말했다. "내가 그 죄를 범할 수 있을까요?"

그는 여자의 얼굴을 뚫어지게 쳐다보았다. 그녀는 마치 탐욕스러운 아이 같았다.

"당신에게 답할 수 있는 사람은 오직 당신뿐입니다. 그게 전혀 새로운 죄가 아니라는 점을 이제 당신에게 고백해야겠군요. 왜냐하면 그건 '음욕'이라고 알려진 분야

283

에 포함되기 때문이지요. 그렇지만 '이교적 문명' 이래로 무시되고 있고, 어떠한 경우에서든 제대로 규정되지 않고 있어요."

여자는 안락의자에 몸을 깊이 파묻은 채 그의 말에 주의를 기울였다.

"그만 애태우세요." 그녀가 말했다. "본론으로 들어가서요, 그 죄가 어떤 것이죠?"

"설명하기가 쉽지 않군요. 그래도 해보죠. 내가 잘못 알고 있지 않다면, '음욕'의 땅에는 일상적인 죄, 자연에 반하는 죄, 그리고 수간(獸姦)이 있는데, 거기에 마성, 그리고 신성모독을 덧붙일 수 있겠군요. 그리고 그런 것들 이외에도, 내가 피그말리오니즘이라 부르는 것이 있는데, 그건 정신적인 수음과 근친상간적인 면을 동시에 갖고 있지요.

자, 자기 자식, 즉 자기 작품을 사랑하게 된 예술가, 자신이 글로 썼거나 그림으로 그린 헤로디아, 유디트, 헬레나, 잔 다르크를 사랑하게 되어, 머릿속으로 생각만 하다가 마침내 꿈속에서 그녀를 소유하게 되는 예술가를 상상해보세요! 그 사랑은 일반적인 근친상간보다도 더 나쁜 겁니다. 사실, 이 근친상간의 범죄에서 죄인은 절반의 위해 행위를 저지를 수밖에 없는데, 그 딸이 자신의 실체에서만이 아니라 또한 타인의 육체로부터 생겨나기 때문이지요. 따라서 논리적으로 보면 근친상간 속에 거의 자연스러운 측면, 낯설지만 거의 합법적인 부분이 있는 반면

284

에, 피그말리오니즘에서는 아버지가 정신적인 딸을, 실제로 순수하고 또 오직 자신에게만 속해 있는 존재, 다른 핏줄의 도움 없이 낳을 수 있었던 유일한 존재를 범하는 겁니다. 따라서 그 죄는 전폭적이고 완전하지요. 게다가 자연에 대한 경멸, 다시 말해 신의 작품에 대한 경멸도 있지 않습니까. 왜냐하면 죄의 주체가, 수간에서와 마찬가지로, 현실적이고 살아 있는 존재가 더 이상 아니고, 비현실적인 존재, 훼손된 재능의 투사에 의해 만들어진 존재, 천재성에 의해서, 기교에 의해서 종종 불멸의 것이 되기도 하기에 거의 천상의 것이라 할 존재이기 때문이지요.

원한다면 좀 더 자세히 알아봅시다. 어떤 예술가가 성인을 그림으로 그리고, 그 성인을 사랑하게 되었다고 가정해보세요. 그 경우 자연에 거스른 죄와 신성모독으로 복잡해질 겁니다. 엄청나지요!"

"그리고 아마도 매력적이겠지요."

그는 이 말에 어안이 벙벙해졌다. 여자가 일어나 문을 열고 남편을 불렀다.

"여보, 뒤르탈 씨가 새로운 죄를 찾아내셨어요!" 그녀가 말했다.

"그건 그렇지 않소." 문틀에 몸을 기댄 채 샹트루브가 말했다. "악덕과 미덕에 관한 판본은 '결정판'인 셈이오. 새로운 죄들을 만들어낼 수는 없소. 하지만 오래된 죄들을 없어지지 않게 할 수는 있지요. 그런데, 그 새로운 죄라는 게 뭐가요?"

뒤르탈은 그에게 자신의 이론을 설명했다.

"하지만 그건 그저 몽정마녀에 관한 세련된 표현일 뿐이오. 살아 움직이는 건 창작된 작품이 아니라 몽정마녀이지요, 그게 밤이면 형태를 취하는 거랍니다!"

"어쨌든, 아무런 도움 없이 자가수정되는 이러한 정신적 양성구유가 적어도 특별한 죄라는 것은 인정하시지요. 그건 예술가들의 특권이고, 선택된 사람들에게 한정되어 군중은 접근할 수 없는 악이니까요!"

"지저분한 것들을 꽤나 좋아하시는 모양이군요!" 샹트루브가 웃으며 말했다. "그렇지만 나는 성녀들의 악덕이라는, 나 자신의 일에 다시 몰두해야겠소. 그쪽이 분위기가 한결 더 우호적이고 신선하거든요. 실례하겠소, 뒤르탈 씨. 또 만납시다. 내 아내와 함께 악마주의에 관한 멋진 이야기를 계속하시지요."

그는 가장 단순하게, 가능한 한 대범한 듯 말했지만 그 속에는 일종의 비꼬는 말투가 섞여 있었다.

뒤르탈은 이를 느꼈다. "시간이 늦었겠는걸." 샹트루브가 나가고 다시 문이 닫혔을 때 그는 이렇게 생각했다. 손목시계를 보았다. 거의 열한 시가 다 되었다. 그는 작별인사를 하기 위해 일어섰다.

"언제 당신을 볼 수 있을까요?" 그가 아주 나지막한 소리로 속삭였다.

"당신 집에서, 내일 저녁 아홉 시에요."

그가 간청하는 눈빛으로 쳐다보았다. 그녀는 눈치챘

지만 그를 괴롭히고 싶었다.

그녀는 엄마가 아이에게 하듯 그의 이마에 키스하고, 다시 그의 눈에 입을 맞추었다.

그의 눈이 아마도 갈구하는 듯한 모습을 보이고 있었나 보았다. 애원하는 듯한 시선에 그녀가 기나긴 입맞춤으로 대답했기 때문이다. 그 입맞춤은 눈을 감기고 입술까지 내려와서는 고통스런 동요를 들이마셨다.

그런 다음 여자는 벨을 울려 하녀에게 뒤르탈 씨의 길을 밝혀드리라고 말했다. 마침내 내일이면 자신의 뜻에 따르겠다고 약속했음에 만족해하며 뒤르탈은 길을 나섰다.

XIII

그는 지난 저녁때처럼, 집 안을 청소하고, 일부러 물건들을 무질서하게 흩어놓고, 짐짓 어지럽혀놓은 안락의자 밑에 쿠션을 밀어 넣어두기 시작했다. 그러고 나서 방들을 따뜻하게 하기 위해 불을 지폈다.

그런데 그는 초조감이 들지 않았다. 그가 얻어낸 무언의 약속, 샹트루브 부인이 오늘 저녁 그를 더 이상 헐떡이게 않겠다고 한 약속이 그를 진정시켜주었다. 이제 그의 불확실성이 끝을 본 이상, 그때까지 그녀에 대한 흥분된 기대가 야기시켰던 그 격심한 고통으로 더 이상 떨지 않아도 되었다. 그는 난롯불을 뒤적이느라 팔이 저려왔다. 그의 정신은 여전히 그녀 생각으로 가득 차 있었지만, 그녀는 그 속에서 미동도 하지 않고 침묵을 지키고 있었다. 사고가 작동했을 때 그는 기껏, 기회가 왔을 때 상스럽지 않게끔 침대에 누워 뒹굴려면 어떻게 처신해야 할까 하는 문제만을 생각할 뿐이었다. 전날에도 그렇게 걱정했던 그 문제로 인해 여전히 답답했지만 그는 아무것도 할 수 없었다. 그는 이제 그 문제를 해결하려 애쓰는 대신 모든 것을 운에 맡겼고, 아무리 전략을 잘 짜더라도 거의 언제나 실패로 돌아가니 계획을 세우는 일은 쓸데없는 짓이라고 생각했다.

그러고 나서 그는 스스로의 견해를 반박했고, 자신의 나약함을 비난했고, 난롯불에서 피어나는 악취 탓으로

289

여겨지는 그 무기력함을 떨쳐버리기 위해 이리저리 걸었다. '아, 그래, 기다림에 지친 나머지 욕망이 고갈되었거나 지친 걸까? 아냐, 천만에. 그녀를 만질 수 있었던 그 순간에는 욕망이 일어났었잖아!' 그는 자신이 그처럼 활력이 없는 이유를 첫인상에 대한 어쩔 수 없는 걱정 때문이라고 생각했다. '그 이유가 설명되어야 비로소 오늘 저녁이 진정으로 매혹적인 저녁이 될 거야.'라고 그는 생각했다. '우스꽝스러운 면도 더 이상 없을 테고, 육체적인 교제가 이루어지겠지. 나도 모르게 그녀의 태도를 염려하지 않고, 내 태도를 불안해하지도 않고, 내 행동을 걱정하지 않고서도 이아생트를 되찾을 수 있을 거야. 정말 그런 순간에 이르렀으면 좋겠어!' 그는 마침내 이렇게 생각했다.

테이블 위에 앉아 있던 고양이가 갑자기 귀를 쫑긋 세우고 문을 뚫어지게 쳐다보더니 도망쳐버렸다. 벨이 울렸다. 뒤르탈은 가서 문을 열었다.

여자의 옷차림이 마음에 들었다. 그가 벗겨낸 모피 옷 아래 그녀는 거의 검은색으로 보일 만큼 짙은 자줏빛 드레스를 입고 있었다. 조밀하고 부드러운 천으로 만든 드레스는 몸매의 윤곽을 그대로 드러내었다. 팔은 꼭 끼고, 허리는 잘록했으며, 튀어나온 엉덩이가 돋보였고, 불룩한 코르셋 위는 팽팽했다.

"매혹적이군요." 손에 정열적으로 입을 맞추며 그가 말했다. 그는 키스 세례로 그녀의 심장박동 속도를 빠르게 하며 즐거워했다.

여자는 아무 말도 하지 않았다. 몹시 당황하고 다소 창백한 모습이었다.

그는 맞은편에 앉았다. 신비스럽지만 덜 깬 듯한 눈길로 그녀가 그를 바라보았다. 그는 옴짝달싹 못 하게 사로잡힌 느낌이었다. 그는 논리적 판단력과 두려움을 잊고, 호수 같은 눈동자에 빠져들며, 고통스러워하는 입가에 스치는 희미한 미소를 유심히 살펴보았다.

그는 그녀의 손을 깍지 끼워 잡았다. 그러고는 나지막한 소리로 처음으로 이아생트라는 이름을 불렀다.

여자는 가슴이 붕 뜨고 손은 열기에 싸인 채 그의 말에 귀를 기울였다. 그러고는 애원하는 목소리로 말했다.

"제발 그건 포기합시다. 욕망만으로도 좋잖아요. 오, 제 생각은 분명해요. 오는 동안 내내 그것을 생각했지요. 오늘 저녁, 저는 몹시 슬픈 마음으로 그를 떠나왔어요. 내가 어떤 기분인지 당신이 알았으면 좋겠는데… 오늘 전 교회에 갔었어요. 무서웠지요. 그래서 몸을 숨겼답니다. 고해신부의 모습을 보는 순간에요…."

이러한 후회의 말들을 그는 이미 알고 있었다. 그는 생각했다. '마음대로 말해봐. 하지만 오늘 저녁 당신은 춤을 추게 될 거야.' 그러고는 큰 소리로 짤막하게 대답하며 계속해서 공략해 들어갔다.

그는 그녀도 따라 일어서리라 생각하고서, 혹은 그녀가 그대로 앉아 있다면 자신이 몸을 굽혀 그녀의 입술에 더 잘 닿을 수 있으리라 생각하고서 일어섰다.

"당신의 입술을! 어제처럼 당신의 입술을 주오!" 이렇게 말하며 다가가자, 그녀는 일어선 채 입술을 내밀었다. 그들은 서로 엉킨 채 서 있었다. 그런데 손으로 더듬자 그녀는 물러섰다.

"우스운 일을 생각해보세요." 그녀가 나지막이 말했다. "옷을 벗고 셔츠 차림이 되어 침대로 올라가는 우스꽝스런 장면 말이에요!" 그는 말을 아끼면서, 곤경에 처하는 일은 없으리라는 점을 나긋나긋한 포옹으로 부드럽게 이해시키려 했다. 하지만 그녀의 허리가 경직되어감을 손끝으로 느끼며 그녀가 이곳, 거실의 난로 앞에서 몸을 맡기고 싶어 하지 않음을 알아차렸다.

"저런," 그녀가 몸을 빼내면서 말했다. "당신은 그것을 원하시는군요!"

그는 그녀가 다른 방으로 들어갈 수 있도록 비켜섰다. 그리고 그녀가 혼자 있고 싶어 한다는 걸 알고는, 문대신 두 방을 갈라놓는 커튼을 쳤다.

그는 다시 벽난로 곁에 앉아서 생각에 잠겼다. 어쩌면 침대 시트를 걷어놓고 그녀에게 수고를 끼치지 않았어야 했는지도 모른다. 하지만 그랬다면 아마 너무 두드러져 보이고 지나치게 노골적이었을 것이다. 아! 그리고 이 주전자! 그는 주전자를 들고 침실로 들어가는 대신 화장실로 가서, 세면대 위에 올려놓았다. 그러고는 손을 놀려 선반 위에 있는 분첩과 향수와 빗들을 정돈해놓고, 작업실로 돌아와서 귀를 기울였다.

여자는 가능한 한 소리를 내지 않았고, 마치 영안실에 있는 것처럼 발끝으로 걸었으며 촛불을 입으로 불어 껐다. 아마도 난로에서 비쳐 나오는 빨간 장작불 빛만으로 방을 밝히고 싶은 모양이었다.

그는 정말로 힘이 빠짐을 느꼈다. 이아생트의 입술과 눈이 주던 자극적인 느낌이 멀어져간 것이다! 그녀도 다른 여자와 마찬가지로 남자의 집에서 스스로 옷을 벗는 여자에 불과했다. 비슷한 장면들에 대한 기억으로 그는 괴로웠다. 소리가 나지 않도록 양탄자 위를 미끄러지듯 걷던 소녀들, 물병과 대야를 부딪쳐 소리를 낼 때면 부끄러움에 싸여 잠시 움직이지 않고 있던 소녀들이 떠올랐다. 그런 것이 다 무슨 소용이람? 그녀가 몸을 맡기게 되자 이제 그녀를 더 이상 원치 않게 되었는데! 보통 때처럼 일이 끝난 다음이 아니라, 욕구를 채우기도 전에 환멸이 찾아온 것이었다. 정신적 실망이 너무도 큰 나머지 그는 하마터면 눈물을 흘릴 뻔했다.

겁에 질린 고양이가 커튼 아래로 도망쳐서, 이 방 저 방으로 뛰어다녔다. 고양이는 마침내 주인 곁에 자리를 잡고 무릎 위로 뛰어올라왔다. 고양이를 쓰다듬으면서 뒤르탈은 생각했다.

'그녀가 원치 않는다고 했던 말이 옳았어. 우스꽝스럽고 끔찍한 상황이 될 거야. 내가 고집을 부린 게 잘못이지. 하지만 결국 그녀 잘못도 조금은 있어. 그녀가 온 걸보면 그녀도 그렇게 되기를 원했던 거야. 그런데, 이렇게 지연시켜서 충동을 억제하다니 무슨 어리석은 짓인지! 저 여자도 참 어설프군. 방금 전 내가 껴안았을 때, 그처럼 강력하게 자기를 탐했을 때가 훨씬 더 좋았을 텐데. 한데 지금은! 날 뭘로 보는 거야? 신부를 기다리는 젊은 남편인가, 풋내기인가 말이야! 맙소사, 참 어리석기도 하군!' 그는 귀를 기울이며 다시 생각했다. '음, 더 이상 소리가 들리지 않는 것으로 보아 잠자리에 누워 있군. 가봐야겠어.'

'그녀가 옷을 벗으려 한 건 아마 코르셋 때문이었을 거야. 그렇다면 그걸 입지 말았어야지!' 휘장을 걷으며 그가 결론을 내렸다. 그는 방 안으로 들어섰다.

샹트루브 부인은 털이불 속에 몸을 감춘 채 입은 반쯤 벌리고, 눈은 감고 있었다. 하지만 그는 그녀가 가느다랗게 실눈을 뜨고 보고 있음을 알았다. 그는 침대 가장자리에 걸터앉았다. 그녀가 이불을 턱 밑까지 끌어 올리고 몸을 움츠렸다.

"추운가요, 부인?"

"아니에요."

여자가 두 눈을 크게 뜨자 눈에서 불꽃이 튀었다. 뒤르탈은 이아생트의 얼굴에 눈길을 주면서 옷을 벗었다. 그의 모습이 어둠 속으로 사라졌다가, 잿더미 속에서 장작이 다시 타오름에 따라 빨간색 불빛으로 비춰지곤 했다. 그는 민첩하게 이불 속으로 미끄러져 들어갔다.

그가 껴안은 것은 죽은 여자였다. 너무나 몸이 차가워 그의 몸까지도 얼어붙었다. 그러나 그의 얼굴을 조용히 애무하는 여자의 입술은 불타오르고 있었다. 그는 자신의 몸을 둥글게 감싸 안은 몸, 칡넝쿨처럼 유연하고도 동시에 뻣뻣한 몸 때문에 숨이 막혀 얼빠진 채 멍하니 있었다! 더 이상 움직일 수도, 말할 수도 없었다. 그녀가 온 얼굴을 키스로 뒤덮었기 때문이었다. 하지만 간신히 몸을 빼낼 수 있었고, 자유로워진 팔로 그녀를 더듬었다. 그런데 갑자기, 그녀가 그의 입을 탐하고 있는 사이에 그의 기력이 빠졌고, 그리하여 당연히 아무런 성과도 없이 그녀에게서 떨어졌다.

"당신이 미워요!" 그녀가 말했다.

"왜요?"

"당신이 밉다니까요!"

그는 이렇게 대답하고 싶었다. "나도 마찬가지요!" 그는 몹시 화가 났다. 그녀가 다시 옷을 입고 떠난다면 그가 가진 전부라도 기꺼이 주었을 터!

벽난로의 불은 꺼졌고 더 이상 빛을 비추지도 않았다. 이제 진정된 그는 앉은 자세로 어둠 속을 바라보았다. 그는 잠옷을 찾고 싶었다. 입고 있는 옷이 너무 꼭 끼는데다가, 찢어지면서 말려 올라왔기 때문이었다. 그러나 이아생트는 침대 위에 누워 있었다. 그는 잠자리가 이미 엉망이 되었음을 확인하고 마음이 아팠다. 겨울이면 꼭 끼게 이불을 덮기 좋아하는데, 다시 이불을 정리할 수 없어서 추운 밤을 보낼 것이 예상되었기 때문이었다.

그런데 갑자기 샹트루브 부인이 그를 얼싸안았고,

육체가 다시금 조여왔다. 이번에는 맑은 정신으로 신경을 집중했고, 극진한 애무로 그녀를 허물어뜨렸다. 보다 더 낮고 목구멍 깊숙한 곳에서 나오는, 변화된 목소리로 그녀는 상스러운 말들 또는 그의 신경을 거슬리게 하는 어리석은 외침들, '여보'니 '내 영혼'이니, '아니야, 정말, 너무해' 같은 말들을 쏟아냈다.

그렇지만 그는 흥분된 채 무너져 내리며 뒤틀리는 그 육체를 붙잡았고, 차가운 붕대를 감았는데도 느껴지는 발작적인 욱신거림 같은 특이한 느낌을 경험했다.

그들은 녹초가 되어 뒹굴었다. 그는 베개에 머리를 파묻은 채 이러한 쾌락이 사람의 진을 빼놓는 끔찍한 것이라 여기며 놀람과 공포에 싸여 헐떡였다. 그는 여자의 몸을 건너뛰어 침대에서 빠져나와 촛불을 밝혔다. 고양이가 서랍장 위에 선 채 꼼짝 않고 그들 둘을 번갈아 주시했다. 그는 고양이의 검은 눈동자에서 말로 표현할 수 없는 조소를 느꼈다. 아니, 느꼈다고 생각했다. 그러자 심기가 불편해져서 고양이를 내쫓았다.

그는 벽난로에 새 장작들을 던져 넣었고, 옷을 걸쳐 입었고, 이아생트를 혼자 방 안에 남겨두었다. 그렇지만 일상의 목소리로 되돌아온 그녀가 부드럽게 그를 불렀다. 그는 침대로 다가갔다. 그녀는 목에 매달려 미친 듯이 키스를 퍼붓더니 이불 위에 팔을 떨구고 널브러졌다.

"과오는 저질러졌군요. 이제 저를 더 사랑하시나요?"

그는 감히 대답할 수 없었다. 아, 정말이지 환멸이

끝없이 밀려왔다. 사후의 물림은 사전 욕구 감퇴가 근거 없지 않았음을 보여주었다. 그는 그녀에게 불쾌감을 느꼈고, 자기 자신이 혐오스러웠다! 한 여자를 그렇게 갈망했다가 그 지경에 이른다는 게 가능한 일일까! 그녀를 격정속으로 몰아넣었고, 그 눈동자 속에서 꿈을 꾸었는데, 이제는 무얼 해야 할지 몰랐다! 그는 그녀와 더불어 감각적 흥분 이상으로 감정이 고양되기 원했고, 세상을 뛰어넘어 전인미답의 최상의 기쁨으로 나아가기 원했었다! 그런데 그 발판이 깨어졌다. 그는 진창 속에 발이 빠져 땅에 박힌 듯 있었다. 자신의 존재로부터 탈피하고, 수령에서 몸을 빼내고, 매혹된 영혼이 심연으로 빠져들게 되는 곳에 도달할 방법이 없었던가?

아! 교훈은 결정적이고 가혹했다! 단 한 번 흥분했을 뿐인데 이 얼마나 후회막심하고 그 나락이 깊은가! 분명한 건 현실은 자신을 경멸하는 일을 용납하지 않는다는 점이다. 현실은 꿈을 허물어뜨림으로써, 꿈을 짓밟고 누더기에 담아 한 무더기의 진창 속에 던져버림으로써 복수한다!

"화내지 마세요." 커튼 뒤에서 샹트루브 부인이 말했다. "저는 한참 걸리니까요!"

'나는 당신이 가주었으면 좋겠어.' 그는 아무렇게나 떠오르는 대로 생각했다. 그러고는 큰 소리로 정중하게 도와줄 것이 없는지 물어보았다.

'저 여자는 너무나 매혹적이고 신비스러웠어.' 그는

이렇게 생각했다. '죽음의 빛과 축제의 빛을 번갈아가며 혹은 동시에 반사하는 눈동자는 얼마나 광활하고 얼마나 머나먼 걸까! 그런데 한 시간 전에 그녀는 둘로 나뉘어졌었어. 나는 창녀처럼 쓰레기 같은 말들을 퍼붓고, 발정 난 모자 판매인처럼 어리석은 말들을 쏟아내는 새로운 이아생트의 모습을 보았어! 요컨대 여성들의 온갖 추잡함이 한 사람 속에 합쳐져서 나를 골치 아프게 만드는 거야!'

그리고 잠시 말없이 생각에 잠겼다가 결론을 내렸다. '내가 이렇게 흥분할 정도로 어렸던가!'

샹트루브 부인도 그와 똑같은 생각을 한 것 같았다. 휘장을 넘어오면서 신경질적으로 웃으며 중얼거렸기 때문이었다. "내 나이쯤 되면 좀 더 분별 있어야 하는데!" 그녀는 그를 쳐다보았고, 그가 억지로 웃음을 띠었지만 곧 알아차렸다.

"오늘 밤은 잘 주무실 거예요." 그녀가 슬픈 목소리로 말했다. 예전에 그녀 때문에 잠을 잃었다고 했던 뒤르탈의 불평을 암시하는 말이었다.

그는 앉아서 몸을 녹이라고 청했다. 하지만 그녀는 춥지 않다고 했다.

"그렇지만, 방이 따뜻한데도 침대 속 당신의 몸은 차가웠소."

"맞아요, 제가 그렇답니다. 여름이든 겨울이든 제 몸은 차가워요."

그는 8월이라면 그 차가운 몸이 아마 제격일 거라

298

생각했다. 하지만 지금은!

사탕을 내밀었지만 그녀는 물리쳤고, 그가 은으로 만든 작은 잔에 따라둔 알케르메스를 조금 마셨다. 겨우 한 모금. 그리고 그들은 이 알코올음료의 맛에 관해 다정하게 이야기를 나누었다. 그녀는 거기서 정향의 향내를 찾아냈는데, 그 향은 장미 증류수 속에 빠뜨린 계피 꽃에 의해 희석되어 있었다.

그러고 나서 그는 입을 다물었다.

"불쌍한 사람 같으니." 그녀가 말했다. "좀 더 사람을 믿고, 경계를 조금 늦춘다면 정말 사랑할 텐데!"

그는 설명을 부탁했다.

"그래요, 제 말은 당신이 당신 자신을 잊을 수 없고, 당신이 사랑받게끔 가만히 내버려 둘 수 없다는 뜻이에요. 아! 당신은 그사이에도 이런저런 생각을 하고 있잖아요!"

"천만의 말씀이오!"

그녀는 다정하게 키스하며 말했다. "자, 그럼에도 불구하고 나는 당신을 사랑해요."

그는 그녀의 시선이 보내는 감동에 찬 하소연에 놀라 가만히 있었다. 그는 눈길에서 일종의 감사와 당혹스러움을 보았다.

'진정으로 만족시키기 힘든 건 아니로군.' 그는 이렇게 생각했다.

"무슨 생각을 하세요?"

"당신 생각이오!"

그녀가 한숨을 쉬었다. 그러고 나서 말했다. "몇 시인가요?"

"열 시 반이오."

"가봐야겠어요. 그가 기다리거든요. 아니, 아무 말도 하지 마세요."

여자는 손으로 자신의 뺨을 쓰다듬었다. 그가 허리를 부드럽게 감싸 안고 키스했고, 그런 식으로 감싸 안은 채 문까지 이르렀다.

"조만간 또 오실 거죠, 그렇죠?"

"네… 그래요."

그는 다시 들어왔다.

'휴! 이제 끝났군.' 그는 이렇게 생각했다. 무언가 뒤죽박죽이고 혼란스럽다는 느낌이 들었다. 허영심은 채워졌고, 자존심은 더 이상 상처받지 않았다. 그는 자신의 목표를 달성했고, 그 여자를 손에 쥐었다. 한편으로 머리를 짓누르던 생각은 끝났다. 그는 완전한 정신의 자유를 되찾았다. 하지만 그 관계로 인해 남겨진 걱정거리들을 누가 알 것인가? 그래도 그는 감격에 겨웠다.

사실, 무슨 비난을 할 수 있을까? 그녀는 자신의 능력만큼 사랑했던 것이다. 요컨대 열정적이었고 애처로웠다. 옷을 입고 서 있을 때는 살롱식의 교태를 부렸지만 같은 세계에 사는 여성들보다 분명히 덜 어리석었고, 반면 침대 속에서는 여성다운 바탕이 드러났던 여인의 그 이중성은 유쾌하고 자극적인 맛이었다. 그녀의 육체적 욕망은 대단했고 특이했다. 그가 원했던 건 무엇이었던가?

결국 그는 자기 자신을 질책했다. 모든 게 엉망이 된다면 결국 자신의 잘못이었다. 그는 욕망이 일지 않았고, 실제로 다만 두뇌의 흥분으로 인해 고통스러웠을 뿐이었다. 그의 육체는 낡았으며, 정신은 지쳐 있었고, 사랑을 하기에 적절치 못했고, 애정을 받아들이기도 전에 싫증 냈고, 받아들이고 난 다음에는 너무나 혐오스러워했다! 그의 마음은 황무지였고 거기서는 아무것도 자랄 수 없었다. 도대체 무슨 병일까. 미리 생각해서 모든 쾌락을 스스로 오염시키고, 모든 이상에 도달하자마자 그것을 스스로 더럽히다니! 그의 손이 닿으면 뭐든 엉망이 되지 않을 수 없었다. 이러한 정신적 황폐 속에서는 예술을 제외한 모든 것이 짜증 나는 여흥에 불과하고 공허한 오락거리에 불과했다. '아! 그렇지만 나는 그 가련한 여인이 나처럼 끔찍한 환멸을 겪게 될까 봐 걱정이야. 더 이상 오지 않겠다고 하면 어쩌지! 아냐, 천만에, 그녀는 그런 식으로 취급받아야 할 이유가 없어.' 연민에 사로잡힌 그는 다음 번 그녀가 방문하면, 다정한 말을 속삭여주고, 자신이 서투르게 드러냈던 그 환멸감은 이젠 느끼지 않는다는 점을 납득시켜야겠다고 다짐했다!

그는 침대를 다시 정돈하고, 헝클어진 이불깃을 침대 모서리에 다시 집어넣고, 평평해진 베개를 다시 부풀려놓은 다음 잠자리에 들었다.

그는 램프 불을 껐다. 어둠 속에서 그의 고뇌가 커져

갔다. "감정이 죽은 탓이야." 그가 중얼거렸다. '그래, 내가 썼던 것이 옳아. 소유하지 못하는 여자만이 사랑할 만한 가치가 있어.'

'이삼 년 후, 정숙한 기혼녀인 그 여자에게 더 이상 가까이 갈 수 없음을, 그 여자가 파리가 아닌 다른 곳이거나 프랑스가 아닌 다른 곳에 멀리 떨어져 있음을, 어쩌면 죽었음을 알게 되겠지. 그녀가 곁에 있어도 감히 믿으려 하지 않았지만 날 사랑했음을 알게 되겠지! 그건 꿈일 뿐이야! 현실적이고 범접할 수 없는 이러한 사랑, 때늦은 우수와 후회로 이루어진 이러한 사랑 말고 가치 있는 사랑이란 없는 거야! 그리고 이러한 사랑에는 육체란 없어, 쓰레기 같은 일들의 싹도 없어!

멀리 떨어져 아무 희망도 갖지 않은 채 서로 사랑하는 것, 서로에게 절대 종속되지 않는 것, 죽은 여자들의 잊어버린 얼굴에서 창백한 매력과 불가능한 키스와 열정이 식어버린 애무를 순결하게 꿈꾸는 것, 아! 그건 달콤하고도 영원한 방황 같은 거야! 그 외는 죄다 추잡하거나 공허할 뿐이야. 게다가, 그것이 진짜 오만한 단 하나의 행복, 이승에서의 한없이 비천한 삶에 질겁한 우리 의심 많은 사람들에게 하늘이 주시는 진짜 순수한 행복이 되려면, 존재가 혐오스러워야만 해.'

그 사건을 통해 그는 육체에 대해 경계심 섞인 두려움을 품게 되었다. 육체는 정신의 지배자이고 자기 권위에 대해 어떠한 반대도 허용하지 않는다. 육체는 사람들이 자신을 배제하고 자신의 힘이 미치지 않는 곳에서 자신이 그저 침묵하고 받아들일 수밖에 없는 실현 불가능한 소망에 탐닉하고자 하지 않았다. 그 파렴치한 행위들을 떠올리며 그는 이제는 공허해진 '정숙함'이란 단어의 의미를 처음 깨달은 것 같았다. 그러고는 그 단어가 지니고 있는 오래되고 섬세한 풍요를 맛본 것 같았다.

전날 술을 너무 많이 마셨으니 다음 날 독한 술을 좀 덜 마셔야겠다고 생각하는 사람처럼, 그날 그는 침대와는 거리가 먼 정숙한 애정에 대해 생각했다.

그러한 생각을 반추하고 있을 때 데 제르미가 들어왔다.

그들은 육체적인 사랑의 재난에 대해 이야기를 나누었다. 뒤르탈이 보여준 무기력하면서도 신랄한 모습에 놀라 데 제르미가 외쳤다.

"이보게, 자네 어제 좋은 일이 있었나 보군?"

뒤르탈은 아주 단호하게 부정하며 머리를 흔들었다.

"그렇다면," 데 제르미가 말을 이었다. "자넨 거만하고 잔인한 사람일세! 머릿속에 혼란을 가져다주지 않는 한, 아무런 희망을 품지 않고 순수하게 사랑한다는 건 얼마나 좋은 일이겠나! 종교적인 이유 때문이거나 감각의 쇠퇴로 인한 게 아니라면 순결이란 아무런 존재 이유가 없는 거야. 감각이 쇠퇴한 경우라면 육체적인 문제인데 의사에게 가보는 게 좋겠지만 대부분의 돌팔이들은 제대로 치유하지 못하지. 결국 이 세상의 모든 것은 자네가 그렇게도 비난하는 행위로 끝나게 마련이야. 인간의 장기 중 가장 고귀한 부분이라는 평을 얻고 있는 심장도 소위 비천한 부분이라 할 페니스와 똑같은 형태를 갖고 있지. 그건 매우 상징적일세. 진심에서 우러나는 모든 사랑은 결국 심장을 닮은 신체 기관에 의해 끝나니까 말이야. 인공적인 존재에 생명을 불어넣을 생각을 하게 되면, 인간의 상상력은 동물들의 번식 동작을 재생하게끔 되어 있는 거야. 기계들을 보게, 실린더 속에서 움직이는 피스톤의 작동을 말이야. 그건 주철로 만든 줄리엣 속에 들어 있는 쇠로 만든 로미오야. 인간의 표현들도 기계의 왕복운동과 전혀 다르지 않아. 그건 우리가 성 불능자가 아니고 성자도 아니라면 애지중지해야 할 법칙이지. 그런데, 자네는 성 불능자도 아니고 성자도 아니지 않은가. 혹시 모르지, 이해할 수 없는 어떤 동기 때문에 자네가 성 불능인 채로 살아가기를 원한다면, 지난 16세기의 신비주의자였던 나폴리 사람 피페르노의 처방을 따르게. 그의 단언에 따르면 마편초를 먹는 사람은 어느 누구든 7일 동안 여자에게 접근할 수 없다더군. 한 단지 사서 뜯어먹어보게, 그러면 알게 되겠지."

뒤르탈이 웃기 시작했다. "아마도 절충안이 있을 거야. 사랑하는 여자와는 절대 육체적 행위를 하지 말고, 도저히 참을 수 없을 때면 평화를 얻기 위해 사랑하지 않는 여자들의 집에 드나든다든지 해서 말이야. 그렇게 되면 아마도 어느 정도는 혐오감이 생기는 것을 막을 수 있겠지."

"아니야. 그렇다고 해도 자신이 사랑하는 여자와 함께라면 다른 여자들에게서 느끼는 것과는 절대적으로 다른 육체적 환희를 경험할 수 있으리라고 상상하게 될 거야. 그리고 그 결말은 좋지 않겠지! 게다가 사람들의 관심을 끌 만한 여자들이란 그처럼 이기적인 행동의 지혜를 찬미할 만큼 충분히 자비롭고 신중한 정신을 갖고 있지 않아. 바로 그게 문제라니까! 그런데, 이보게, 신발을 신는 게 어떤가. 곧 여섯 시 종이 울릴 텐데 카렉스 부인의 소고기는 우리를 기다려주지 않거든."

그들이 도착했을 때 소고기는 이미 냄비에서 꺼내어져 야채를 밑에 깐 접시에 놓여 있었다. 카렉스는 안락의자에 몸을 파묻은 채 성무일도서를 읽고 있었다.

"뭐, 새로운 거라도 있나요?" 책을 덮으며 카렉스가 말했다.

"아무것도 없어요. 정치 얘기라면 우리는 흥미가 없고, 불랑제 장군의 아메리카 광고는 당신도 우리만큼이나 따분해하겠지요. 게다가 신문에 난 이야기들은 보통 때보다도 훨씬 더 짜증 나고 형편없답니다. 이봐, 자네 조심하게, 입 네셌네." 데 제르미가 수프를 한입 떠먹으려는 뒤

305

르탈에게 말을 붙이며 계속 이야기했다.

"정말이지, 묘하게 노릇노릇하게 끓인 이 시골 수프는 가마솥만큼이나 뜨겁군! 그런데, 뉴스 말이야, 무슨 말이지, 긴급 뉴스는 전혀 없다는 건가? 엽기적인 부드 신부 소송 건이 아베이롱 중죄 재판소에 회부될 예정이잖아! 성스러운 미사에 사용할 포도주에 독을 넣어 주임 사제를 살해하려 했고, 게다가 온갖 종류의 범죄들, 예컨대 낙태, 강간, 추행, 사기, 가중 절도죄, 강탈을 저지르고 난 다음에도, 그는 고통받는 영혼들의 헌금함을 가로채 자기 것으로 삼았고, 성체기며 성배 같은 의식용 제기들을 모두 전당포에 저당 잡혔잖아! 마치 그가 나쁜 놈이 아니라는 것 같군!"

카렉스가 허공으로 시선을 쳐들었다.

"그가 처벌받지 않는다면, 파리에는 사제가 한 사람 더 늘겠지." 데 제르미가 말했다.

"무슨 말이지?"

"무슨 말이냐고? 그거야 지방에서 물의를 일으켰거나 교구장과 심각한 다툼이 있던 모든 사제들이 이곳에 보내진다는 이야기지. 파리에서는 그들이 사람들 눈에 안 띄고 거의 군중 속에 파묻혀 있을 수 있거든. 그들은 소위 '보좌 사제'라고 불리는 신부 조합을 구성하고 있다네."

"그게 뭔데?" 뒤르탈이 물었다.

"교구 소속 사제들이지. 자네도 알다시피 교회마다 주임신부나 겸임 신부, 보좌신부들, 공인된 성직자 이외

306

에도 보조역이나 대리직 신부들이 있지 않나. 그들이 바로 보좌 사제들이지. 그들은 상당히 많은 일을 한다네. 모두들 잠자고 있을 때 새벽 미사를 드리고, 모두들 저녁 식사를 소화시키고 있을 때 늦은 미사를 드리거나 하지. 밤 중에 가난한 사람들에게 성사(聖事)를 올려주기 위해 일어나고, 부유한 신자들의 시체를 밤새워 지키고, 장례식이 있을 때 성당 입구에서 바람을 맞거나 묘지에서 일사병에 걸리거나 아니면 매장하기 위해 판 구덩이 앞에서 눈비를 흠뻑 맞거나 하는 일 또한 바로 그들의 몫이지. 그들에게는 잡일이 주어지기도 한다네. 또 더 많은 급료를 받지만 일에 싫증을 느끼는 동료들을 대신해서 평균 5프 랑 내지 10프랑을 받고 일하기도 하지. 그들은 대부분 불행한 사람들일세. 그들을 쫓아내고자, 사람들은 그들을 한 교회에 소속시키고, 그들에게서 '사제 신분증명서'를 빼앗을 때까지 혹은 그들을 정직시킬 때까지 감시한다네. 이런저런 이유로 인해 마음에 들지 않는 사제들을 지방 교구들이 도시로 배출한다고 하는 게 바로 그걸세."

"좋아. 그렇다면 주임 사제나 다른 직위를 가진 신부들은 그런 식으로 다른 사람의 등에 짐을 떠맡기고 나면 무슨 일을 한단 말인가?"

"우아하고 손쉬운 일, 아무런 자선도 필요치 않고 아무런 노력도 필요치 않은 일을 하지! 화려하게 차려입은 여자 신도들의 고백을 들어주고, 대소변을 가릴 줄 아는 조무래기들에게 교리문답 강의를 받을 준비를 시키고,

설교를 하고, 신도들의 흥미를 자극하기 위해 화려한 연극을 펼치는 의전 행사에서 각광받는 역할을 맡아서 하지. 파리에서 보좌 사제들 이외의 성직자들은 이런 식으로 나뉜다네. 먼저 부유한 사교계 신부들이 있지. 이들은 마들렌느 교회나 생로슈 교회, 혹은 부유한 신도들이 있는 교회에 배치된다네. 그들은 귀한 대접을 받고, 시내에서 식사를 하고, 살롱에서 시간을 보내고, 레이스 달린 옷을 입고 기도하는 사람들의 영혼만을 치료해주지. 그다음으로 그저 사무직원에 불과한 대부분의 사제들이 있는데, 그들은 할 일 없는 여자들의 무기력을 보살펴주는 데 필요한 정도의 충분한 교양도 재산도 없는 사제들이지. 그들은 좀 더 고립되어 살아가고, 군소 부르주아지들의 집에만 출입한다네. 그들은 자기들끼리 카드놀이를 하거나 흔해빠진 이야기와 지저분한 농담을 안주 삼아 씹으면서 자신들의 범속한 생활에 대해 위안을 얻고 있지!"

"이런, 데 제르미 씨, 과장이 너무 지나치군요." 카렉스가 말했다. "저 역시 사제들을 안다고 자부하는데, 그들은 자신의 의무를 다하는 성실한 사람들이고, 파리의 사제들도 결국 마찬가지랍니다. 그들은 불명예와 모욕으로 뒤덮여 있고, 더러운 악덕 불량배들에게 비난받고 있어요! 부드 사제나 도크르 참사원 같은 사람들은 예외적인 사람들이라고 말해야 할 거예요. 파리 이외의 곳에도, 예컨대 시골에도 진정으로 성자라고 할 수 있는 성직자들이 있어요!

악마 같은 사제들은 어쩌면 사실 상대적으로 드물지도 모릅니다. 성직자들의 사치 행위와 주교좌의 파렴치한 행동들은 분명히 추악한 언론에 의해 과장되어 있긴 해요. 하지만 내가 비난하는 건 그런 게 아닙니다. 그들이 단지 도박꾼이고 탕자에 불과하다면 그렇게 비난하지 않을 거예요. 하지만 그들은 신앙에 열의가 없고, 게으름뱅이이고, 어리석고, 무능하지 않습니까! 그들은 성령에 반하는 죄를 저지르고 있어요. 자비로운 하느님도 결코 용서할 수 없는 단 하나의 죄 말입니다!"

"그들은 시대의 풍조를 따르고 있는 걸세." 뒤르탈이 말했다. "그렇다고 해서 자네가 중탕냄비 같은 신학교들 안에서 중세의 정신을 되찾으라고 강요할 수는 없네!"

"그리고," 카렉스가 다시 말했다. "우리 친구는 흠잡을 데 없는 교단들이 있다는 것을 잊고 있군요. 예컨대 샤르트르 수도회 같은…."

"그래요, 거기에 더해 트라피스트 교단이며 프란체스코 수도회도 있지요. 하지만 그들은 더러운 시대를 피해서 살아가는 은둔 교단들이에요. 그 반대로 성 도미니크 수도회를 보세요. 그건 사교 단체예요. 몽사브레나 디동 같은 사람들을 배출하는 게 바로 그 교단이지요. 더 말할 필요도 없어요!"

"그들은 종교의 경기병, 케케묵고 방탕한 창기병, 교황 휘하의 세련되고 맵시 있는 군인들이에요. 반면 카푸친회 수도사들은 영혼의 가난한 운반병들이지요." 뒤르탈

309

이 말했다.

"다만 그들이 종을 좋아한다면 좋을 텐데!" 카렉스가 머리를 흔들며 소리쳤다. "자, 우리에게 쿨로미에산 치즈를 가져다줘요." 샐러드 그릇과 접시들을 치우고 있던 자기 아내에게 그가 말했다.

"이보게," 데 제르미에게 말을 걸며 뒤르탈이 계속했다. "자네 혹시 알고 있나? 몽마의 방문을 받는 여자는 필연적으로 몸이 차가워지는 건가? 다시 말하자면, 마치 옛날에 마녀들이 눈물을 흘릴 수 없다는 점이 종교재판소에서 그들에게 악행과 마법을 시인하게 하는 증거로 쓰였던 것처럼 그게 몽마에 관한 신뢰할 만한 추측인가 말일세."

"그렇지, 그렇다고 할 수 있네. 예전에 몽마에 사로잡힌 여자들은 8월에도 몸이 차가웠지. 전문가들의 책이 이를 입증하고 있네. 하지만 지금은 거꾸로 사랑의 악령들을 받아들이거나 불러들이는 여자들 대부분의 피부가 탈 듯이 뜨겁고 건조하지. 이러한 변화가 아직은 일반적이지 않지만 그렇게 되어가는 경향일세. 아주 뚜렷이 기억나는데, 제뱅제가 자네에게 말했던 요하네스 박사 말일세. 그는 환자를 구해야 할 때 물을 타서 희석시킨 양잿물 세척제로 환자의 몸을 정상 체온으로 돌려놓아야 했던 일이 종종 있었다더군."

"아!" 샹트루브 부인을 생각하던 뒤르탈이 짧게 소리쳤다.

"요하네스 박사가 어떻게 되었는지 아시나요?" 카

렉스가 물었다.

"그는 완전히 은퇴해서 리옹에 살고 있답니다. 나는 그가 여전히 계속해서 독물 치료를 하고 있고, 성령의 행복한 강림을 찬양하고 있다고 믿어요."

"그런데, 그 의사가 대체 누구야?" 뒤르탈이 물었다.

"그는 아주 머리가 뛰어나고 박식한 신부일세. 한때 수도원 원장이었고, 파리에서 신비주의적이라 할 만한 유일한 잡지를 펴냈었지. 사람들이 자주 찾는 신학자였고, 유명한 신법 해석의 대가였다네. 그런데 그가 로마교황청과, 그리고 파리 대주교와 유감스러운 싸움에 휘말려들었지. 그가 수녀원에서 펼치려 했던 몽마를 쫓는 엑소시즘과 투쟁이 그를 파멸시켰다네.

아! 마지막으로 보았을 때가 기억나는군. 정말 바로 어제 같은데! 그르넬 가의 주교청에서 나오는 그를 만났는데, 그날은 그가 내게 이야기해준 사건이 있은 후 그가 교회를 떠나는 날이었어. 앵발리드의 한적한 큰길을 따라 나와 함께 걷고 있는 그 신부가 눈에 보이는 듯하네. 얼굴은 창백했고, 늙었지만 단호한 목소리는 떨리고 있었네.

그는 소추되었고, 아르장퇴유에 보관된 성유골, 그리스도의 솔기 없는 옷의 힘으로 치료했다고 말하던 여자 간질 환자 사건에 대해 해명할 것을 명령받았지. 부주교 두 명의 보좌를 받으며 추기경이 선 채 그의 말을 들었네.

그가 이야기를 마쳤을 때, 그리고 마법 치료에 관해 요구받았던 자료들을 제출했을 때 기베르 추기경이 이렇게 말했다네.

'당신은 트라피스트 수도원으로 가는 게 낫겠소!'

말 한 마디 한 마디가 기억나는데, 대답은 이랬다네.

'내가 교회법을 어겼다면 잘못에 대해 고통을 감수할 준비가 되어 있습니다. 추기경께서 제게 잘못이 있다고 생각하시면, 정전에 따른 판결을 내리십시오. 그러면 그것을 실행하겠습니다. 사제로서의 명예를 걸고 말입니다. 하지만 저로서는 정식 판결을 원합니다. 법적으로, 어느 누구도 스스로 자기 자신에게 유죄판결을 내릴 의무는 없으니까요. 구 교회 법전에도 "어느 누구도 자신을 포기하지 말고 꿋꿋이 버티라."고 쓰여 있습니다.'

테이블 위에는 그가 펴낸 잡지 한 호가 있었네. 추기경이 한 페이지를 가리키며 다시 말했지.

'이것을 쓴 사람이 당신이오?'

'예, 추기경 예하.'

'추잡한 학설들이오!' 그러고는 추기경은 사무실에서 나와 인접한 그의 살롱으로 가면서 외쳤다네. '여기서 나가시오!' 그러자 요하네스는 살롱 문까지 나아가서, 그 방 문지방에 무릎을 꿇고 말했네.

'추기경 예하, 기분 상하시게 하려는 의도는 없었습니다. 만약 그랬다면 용서해주시기 바랍니다.'

추기경은 더 크게 소리쳤네. '여기서 나가시오. 안 그러면 사람을 부르겠소!' 요하네스는 일어서서 자리를 떴네. '예전의 내 모든 관계는 끊어졌다오.' 그가 내 곁을 떠나며 그렇게 말했네. 그의 얼굴이 너무나 어두워서 나는 감히 그에게 물어볼 엄두가 나지 않았지!"

침묵이 흘렀다. 카렉스는 탑으로 종을 치러 갔다. 그 아내가 디저트와 테이블보를 거뒀갔다. 데 제르미는 커피를 준비했다. 뒤르탈은 생각에 잠긴 채 담배를 말았다.

카렉스가 되돌아왔을 때, 그는 마치 몽롱한 종소리 속에 싸여 있기라도 한듯 크게 소리쳤다.

"데 제르미, 당신은 방금 프란체스코 수도사들에 대해서 말했지요. 그 교단은 너무나 가난하게 살아야 했기에 종 하나도 가질 수 없었음을 아시나요? 이제 그 규칙이 다소 누그러진 건 사실이에요. 너무나 지키기 어렵고 까다로운 규칙이니까요! 이제 그들에게도 종이 있어요. 하지만 단 하나뿐이지요!"

"대부분의 수도원들과 마찬가지지요."

"아니에요. 다른 수도원들 대부분은 종을 여럿 갖고 있어요. 대개 세 개인데, 성삼위를 기리기 위함이지요!"

"그렇지만 수도원과 교회에 대해서는 종 수가 제한되어 있잖아요?"

"사실, 예전엔 그랬지요. 소리에도 경건한 등급이 있었답니다. 교회 종들이 연타될 때는 수녀원의 종이 울려서는 안 되었지요. 종들은 가신들이었고, 계급에 따라 존경심을 표하며 가냘픈 소리를 냈고 침묵하기도 했어요. 반면 주종(主鐘)은 대중에게 울려 퍼졌죠. 1590년 툴루즈 공의회의 종규에 의해 인정되었고 제식성성(祭式聖省)에 의해 추인받았던 이러한 원칙들은 더 이상 지켜지지 않는답니다. 대성당 하나가 다섯 개에서 일곱 개까지의 종을, 성직자회 조직의 교회가 세 개, 교구의 교회가 한 개의 종을 갖기를 원했던 성 카를로 보로메오*의 계율은 철폐되었어요. 오늘날 교회들은 그들이 얼마나 부유한가에 따라서 많든 적든 종을 여러 개 갖고 있답니다!

그런데, 이야기만 할 게 아니지. 작은 잔들은 어디 있소?"

그의 아내가 작은 잔들을 가져온 다음 손님들과 악수를 하고는 가버렸다. 그러자, 카렉스가 코냑을 따르는 사이 데 제르미가 낮은 소리로 말했다.

"이러한 주제들이 카렉스 부인을 혼란스럽게 만들고 겁을 주게 될 것 같아서 그녀 앞에서 얘기하지 않았네만, 오늘 아침 이상한 방문을 받았네. 바로 제뱅제가 왔었는데, 리옹의 요하네스 박사에게로 가는 길이라더군. 현재 파리를 지나치고 있을 도크르 참사원에게 저주받았다고 주장하던데. 그들에게 무슨 일이 있었을까? 그건 모르겠네. 어쨌든 간에 제뱅제가 처량한 상황에 처해 있음은 사실이야!"

"정확히 무슨 일일까?" 뒤르탈이 물었다.

"전혀 모르겠네. 조심스럽게 그를 청진하고, 여러 각도에서 그를 살펴보았지. 그는 가슴 쪽에 바늘로 찌르는

* Carlo Borromeo(1538–84). 밀라노 대주교이자 추기경. 1610년 시성되었다.

듯한 통증을 호소하더군. 신경계 이상을 확인했는데, 그게 다일세. 보다 더 걱정스러운 것은 암 환자도 아니고 당뇨병 환자도 아닌 사람이 설명할 수 없는 건강 쇠약증 상태에 빠져 있다는 거지."

"아, 그런데요," 카렉스가 말했다. "더 이상 밀랍 인형과 핀으로, 예전 호시절에 '마니'라거나 '다지드'라고 불렸던 것으로는 사람들에게 주문을 걸지 못한다고 생각되는데요?"

"아닙니다, 그것들은 케케묵고, 거의 전체적으로 누락된 비법들이지요. 내가 고해를 들어주었던 제뱅제는 오늘 아침, 그 끔찍한 참사원이 얼마나 독특한 비법을 사용하는지 이야기했답니다. 현대의 마법에는 알려지지 않은 비밀들인 듯했어요."

"아! 흥미가 돋는군." 뒤르탈이 말했다.

"나는 물론 내가 들은 것을 반복할 뿐일세." 담배에 불을 붙이며 데 제르미가 다시 말했다.

"시작해볼까! 도크르는 흰색 생쥐들을 초롱에 담아 여행에 데려간다네. 그는 자신이 축성한 빵과 교묘하게 배합된 독을 주입한 국수를 그것들에게 먹이지. 이 불쌍한 짐승들이 배불리 먹으면 그는 그것들을 잡아서 잔 위에 올려놓고, 아주 날카로운 도구로 생쥐들의 몸 이곳저곳을 찌른다네. 잔 속에 피가 흘러내리면, 그는 자신의 적들에게 죽음을 선고하기 위해 그것들을 사용하지. 그 방식은 내가 곧 설명해줄 걸세. 어떤 때는 암탉들과 인도산

315

돼지들을 잡기도 하지만, 그런 경우 피 대신 혐오스럽고 유독한 육체가 되어버린 이 동물들의 기름을 사용하지.

또 어떤 때는 내가 자네에게 이미 말한 바 있는 '레테위르지스트 옵티마테스(Ré-Théurgistes Optimates)'라는 악마 단체가 만들어낸 처방을 사용하기도 하네. 그래서 밀가루, 고기, 성찬 빵, 수은, 동물의 정자, 인간의 피, 모르핀 아세테이트, 라벤더 기름으로 만들어진 완자를 준비하지.

마지막으로, 제뱅제에 따르자면 이 마지막 행위가 아마 가장 위험한 것이 될 텐데, 그는 물고기들에게 교묘하게 양을 늘려가며 성찬 빵과 독을 먹이고 있다더군. 이 독들은 모공을 통해 그것을 흡수한 사람의 머리를 이상하게 만들거나, 발작적 경련을 일으켜 죽게 만드는 것들 중에서 선택된다네. 이 물고기들이 신성모독으로 봉인된 이러한 물질들을 잘 흡수했을 때, 도크르는 그것들을 물에서 꺼내, 썩게 만든 다음 그것들을 증류하지. 그러고는 거기서 농축된 기름을 추출하는데, 그것 한 방울이면 사람을 미치게 만드는 데 충분하다는 거야!

외국에서는 그 기름방울이 사용되기도 하는 것 같아. 발자크의 소설 『열 셋』에서처럼, 머리카락을 만지면 정신이상을 일으키게 되거나 독살되는 거지."

"우와!" 뒤르탈이 말했다. "그 기름방울이 불쌍한 제뱅제의 머리에 떨어지는 건 아닌지 두렵군!"

"이 이야기에서 매력적인 건 그처럼 악마적인 괴상

316

한 약이라기보다는 그것들을 만들어내고 다루는 사람의 정신 상태야. 현재, 바로 우리들 곁에서 일어나고 있다고 생각해보게, 그리고 중세의 마술에도 알려지지 않았던 이러한 미약을 만들어낸 사람들이 신부들이라는 점을 생각해보게!"

"신부들이라고요! 아니지요, 단 한 사람일 뿐이랍니다. 정말 지독한 신부지요!" 카렉스가 지적했다.

"천만에요, 제뱅제는 상당히 정확합니다. 그는 다른 사람들이 그것을 사용하고 있다고 단언하고 있어요. 독이 든 생쥐 피에 의한 저주가 1879년 샬롱쉬르마른의 어느 악마 서클에서 있었는데, 그곳에 그 참사원이 끼어 있었던 게 사실이랍니다. 1883년에는 사부아에서 타락한 사제들 그룹에서 내가 말했던 그 기름을 조제했지요. 보시다시피, 도크르는 그처럼 혐오스러운 지식을 사용하는 유일한 사람이 아닙니다. 많은 수도원들이 그 지식을 알고 있어요. 몇몇 속인들까지도 그 지식을 짐작하고 있어요."

"하지만, 그러한 독이 실제로 조제되었고 현재도 조제되고 있다고 인정한다 해도, 어떻게 그 약물들로 가까이서 혹은 멀리서 한 사람을 주술에 걸리게 하는지는 설명되지 않습니다."

"그건 별개 문제이지요. 목표로 삼은 적에게 도달하는 데 두 가지 방법 중 선택할 수 있습니다. 첫 번째는 잘 이용되지 않는 방식인데, 이런 식이랍니다. 마술사는 투시력을 가진 여인, 이 세계에서는 '날아다니는 영혼'이라

317

부르는 여자를 이용합니다. 그 여인은 최면 상태에 빠지면, 정신의 상태로서 그녀가 원하는 곳으로 갈 수 있는 몽유병자이지요. 그렇게 되면 수백 리 떨어진 곳으로, 그녀에게 지시한 사람에게로 마법의 독약을 가지고 가게 할 수 있습니다. 이러한 방법에 의해 타격을 받은 사람들은 아무도 못 보고 미치게 되거나 죽게 된답니다. 마법에 의한 독살임을 의심조차 못 하고 말이에요. 하지만 이러한 투시력을 가진 여인들은 드물 뿐 아니라 위험하기도 합니다. 왜냐하면 다른 사람들 역시 그들을 경직 상태에 고정시켜놓고 그들에게서 고백을 이끌어낼 수도 있기 때문이지요. 도크르 같은 사람들이 어째서 보다 더 확실한 두 번째 방법에 호소하는지 설명되는 거죠. 그 두 번째 방법은 강신술에서처럼 죽은 사람의 영혼을 불러서, 조제된 독약을 갖고 희생자에게 타격을 가하러 보내는 것입니다. 결과는 같지만 그 매개 수단이 다르지요.

이상입니다. 오늘 아침에 친구 제뱅제가 내게 해준 이야기들을 하나도 빼놓지 않고 다시 말한 겁니다." 데 제르미가 말을 끝냈다.

"그렇다면 요하네스 박사가 그런 방식으로 약물에 중독된 사람들을 치료해주나요?" 카렉스가 물었다.

"그렇습니다. 그분은, 제가 알고 있기로는, 설명할 수 없는 치료법을 행하고 있답니다."

"그런데 무엇으로요?"

"그 점에 대해 제뱅제는 그 의사가 찬양하는 멜기세

318

텍*의 영광스러운 희생을 이야기하고 있어요. 나로서는 그 희생이 무엇인지 전혀 알지 못합니다. 하지만 제뱅제가 나아서 돌아온다면 아마 우리에게 알려주겠지요!"

"어찌 되었든, 생전에 그 도크르라는 참사원을 한번 보았으면 좋겠군." 뒤르탈이 말했다.

"나도 그렇습니다. 그 사람은 지상에 내려온 악마의 현신이니까요." 두 친구들이 저고리를 걸치도록 도와주면서 카렉스가 소리쳤다.

카렉스가 초롱에 불을 밝혔다. 계단을 내려가면서 뒤르탈이 춥다고 불평하자 데 제르미는 큰 소리로 웃기 시작했다.

"자네 가문이 식물들의 불가사의한 마법을 알았더라면 그렇게 덜덜 떨지는 않을 걸세." 데 제르미가 말했다. "사실 16세기 사람들은 어린아이가 열두 살을 다 지나기 전에 압생트 액으로 손을 마찰시켜두면 일생 동안 추위도 더위도 타지 않을 수 있음을 알고 있었지. 그건 말일세, 도크르 참사원이 남용하는 처방보다 덜 위험하고 향기로운 처방이지."

아래층으로 내려와서 카렉스가 탑 문을 닫고 나자, 그들은 걸음을 서둘렀다. 북풍이 광장을 휩쓸고 지나갔기 때문이었다.

"요컨대," 데 제르미가 말했다. "악마주의는 제쳐두

---

* 살렘(예루살렘)의 왕이자 사제로, 빵과 포도주를 봉헌해 아브라함을 축복해준 구약성경 속 인물. 혹은 이상적인 대제사장으로서의 그리스도를 일컫기도 한다.

고, 아니 안 되겠군. 악마주의 역시 종교니까. 우리처럼 종교가 없는 사람들이 이상하게 경건한 이야기를 하고 있군 그래. 천국에 기록되었으면 좋겠네."

"우리에겐 그럴 만한 자격이 별로 없네. 다른 것들에 대해 무슨 할 말이 있겠나?" 뒤르탈이 대꾸했다. "종교나 예술과 관계없는 대화들이란 너무나 저속하고 공허하잖나!"

XV

다음 날에도 그 가증스러운 묘약에 대한 생각이 그의 머릿속을 떠나지 않았다. 뒤르탈은 난롯가에서 담배를 피우며 도크르와 요하네스를, 주술과 엑소시즘을 사용해 제뱅제의 등 뒤에서 서로 다투고 있는 두 신부를 생각했다.

"기독교 상징체계에서 물고기는 그리스도를 나타낸 형상들 중 하나야." 그는 이렇게 중얼거렸다. "아마 바로 그 때문에, 그리고 자신의 신성모독 행위들을 더 무겁게 하기 위해 그 참사원은 물고기들 속을 성체 빵으로 가득 채우는 거야. 그렇다면 그건 반대로 악마에게 바쳐진 추한 동물, 예컨대 두꺼비를 선택해서 구세주의 육체를 소화시키려 했던 중세 마녀들의 체계의 변형일 거야."

"그런데 신앙 파괴적인 화학자들이 갖고 있는 소위 이러한 능력 속에는 어떤 진실이 들어 있는 걸까? 살을 썩게 하는 기름과 독이 든 피로써 명령에 따라 지명된 사람을 죽이는 원귀들을 불러내는 일에 어떻게 신뢰를 보낼 수 있는 걸까? 모두가 일어날 수 없는 일인 듯하고, 게다가 다소 미친 듯이 보이기도 하는데!

그렇지만! 다시 생각해보면, 설명되지는 않지만 다른 이름으로 살아남아 있는 신비들, 중세의 고지식함 탓이라고 여겨왔던 신비들이 오늘날 다시 발견되고 있지 않은가? 자애 병원의 뤼 박사는 최면에 걸린 한 여자에게서 다른 여자에게로 병들을 전이시킨다잖아. 어떤 점에서 그것이 악마를 부르는 고대 그리스의 마술보다, 마법사나 목동들이 내뱉는 저주보다 덜 놀라운가 말이야? 요컨대 원귀, 즉 떠돌아다니는 유령이 멀리서 다가와 아무도 모르게 감염시키는 세균보다 더 놀라울 것도 없잖아. 대기는 세균들뿐만 아니라 유령들을 운반할 수도 있겠지. 발산물, 유출물들, 예컨대 전기라든지, 혹은 멀리 떨어진 사람에게 자신을 만나러 파리를 통과해 오라는 명령을 보내는 최면술사의 정기 같은 것들을 대기가 변화시키지 않고 전달하는 게 분명해. 과학은 이러한 현상들에 반론을 제기할 정도의 단계에까지 이르지는 못했어. 또 한편으로 브라운세카르 박사는 토끼와 모르모트의 생식기를 정제시켜 주사해서 장애 노인들을 젊게 만들고 성 불능자들을 회춘시키잖아. 기력이 쇠진한 사람들이나 결찰(結紮)에 걸린 사람들에게 마녀들이 팔았던 이러한 불로장생약들, 이러한 사랑의 묘약들이 똑같은 물질이거나 유사한 물질들로 구성되어 있지나 않았는지 누가 알겠어? 중세에는 이러한 혼합물을 제조하는 데 거의 언제나 인간의 정자를 넣었음을 모르는 사람은 없어. 그런데 브라운세카르 박사는 반복되는 실험을 통해, 한 남자에게서 추출해서 다른 남자에게 투여된 이러한 물질의 장점들을 최근에 입증하지 않았던가?

결국, 유령들, 도플갱어, 영매들 식으로 타인의 육체를 빌리는 방식은, 그것들에 두려움을 느꼈던 고대부터 끊임없이 존재해왔어. 요컨대, 3년 동안 증인들을 앞에 두고 크룩 박사가 행했던 실험들이 가짜였다고 인정하기는 쉽지 않아. 그리고, 그가 눈으로 볼 수 있고 손으로 만질 수 있는 유령들의 사진을 찍을 수 있었다면, 우리는 중세 마법사들의 진실성을 인정해야만 해. 모두 다 믿을 수 없는 건 아니야. 10년 전만 해도 한 존재의 영혼을 다른 존재가 차지하고 그를 범죄로 이끄는 최면술을 믿을 수 없었잖아!

우리는 암흑 속을 더듬고 있는 거야, 그 점은 분명해. 데 제르미가 정확하게 지적했듯이, 악마주의 서클들에서 이루어지는 약물을 통한 신성모독 행위들이 강력한 효력을 갖고 있는지 아닌지를 아는 일보다 더 중요한 건, 우리 시대에도 악마주의의 대행 기관들이 존재하고 있고, 그것들을 준비하는 타락한 사제들이 존재한다는 부인할 수 없는 절대적인 사실을 확인하는 거야.

아! 도크르 참사원을 만나서 그의 신념 속으로 비집고 들어갈 수 있는 방법이 있다면, 어쩌면 이러한 문제들을 좀 더 명확히 알게 될지도 모르는데! 그런데, 성인들, 범죄자들, 미친 사람들 말고는 알고 싶은 흥미가 도는 사람들이 없어. 그들이야말로 가치 있는 대화를 할 수 있는 유일한 사람들이야. 상식적인 사람들은 지독히 재미없어. 따분한 삶에 관해 늘 같은 말만 되풀이하거든. 그들은 다수이고, 다소 똑똑한 사람들이지. 하지만 다수라는 점이 나를 짜증 나게 해! 그래, 그런데 이 괴물 같은 사제에게 어떻게 접근한다지?"

불을 뒤적거리면서 뒤르탈은 생각했다. '샹트루브만 괜찮다면 그를 통하겠는데, 하지만 그는 원치 않을 거야. 그의 아내는 틀림없이 참사원의 집에 자주 드나들겠지. 그녀에게 물어봐야겠군. 아직도 그와 편지를 교환하고 있는지, 아직도 그를 만나는지 알아야 해.'

샹트루브 부인을 머릿속에 떠올리자 그는 우울해졌다. 그는 시계를 꺼내들고 중얼거렸다. "정말 지긋지긋하군! 그녀가 오게 되면 또다시 해야 할 일은… 몸을 뒤틀며 앙탈을 부려도 쓸데없음을 납득시킬 수 있다면 좋을 텐데! 어쨌든 그녀는 만족하지는 않았을 거야. 만나달라고 간청하는 열띤 편지에, 사흘이 지나서야 단지 건조한 말로, 오늘 저녁 이곳으로 오라는 편지를 보냈으니까. 서정적인 표현이 너무 부족했겠지!"

그는 일어서서, 불이 잘 타고 있는지 알아보기 위해 침실로 들어갔다가, 다른 때와 마찬가지로 자신의 방을 정돈하지도 않은 채 돌아와서 자리에 앉았다. 이제 더 이상 그 여자에게 애착을 갖지 않자 잘 보이려는 마음이, 모든 답답함이 사라졌다. 실내화를 신은 채 그는 느긋하게 그녀를 기다렸다.

'요컨대,' 그는 생각했다. '그녀의 집에서, 그녀의 남편 곁에서 나눈 키스 이외에는 이아생트와 좋은 일이 없었어. 분명 타오르는 향기로운 입술을 이젠 더 이상 맛볼 수 없겠지! 이곳에서는 그녀와의 키스가 별 감흥 없으니까.'

샹트루브 부인이 평소보다 더 일찍 초인종을 눌렀다.

"저런," 여자가 자리에 앉으면서 말했다. "제게 아주 상냥한 편지를 쓰셨더군요!"

"무슨 소리요?"

"자, 솔직하게 털어놓으세요, 제게 싫증이 난 거죠!"

그가 그렇지 않다고 소리쳤지만 그녀는 머리를 흔들었다.

"이런," 그가 다시 말했다. "내가 무슨 잘못을 했다고 비난하는 건가요? 짧은 편지를 보냈기 때문인가요? 하지만 이곳에 누군가가 있었고, 급하게 썼기 때문에 문장을 다듬을 여유가 내겐 없었소! 좀 더 가까운 약속 장소를 정하지 않아서인가요? 하지만 그럴 수 없었답니다! 말씀드렸듯이, 우리의 만남은 신중함을 요하고 있고, 아마 잦아서도 안 될 것이오. 분명히 당신에게 그 이유들을 알려드렸고, 내 생각엔…."

"제가 너무 멍청해서 아마 그것들을 이해하지 못했나 보지요, 그 이유들을요. 당신은 제게 가정적인 이유들에 대해 말했던 것 같은데요…."

"맞아요."

"다소 모호하잖아요!"

"자세히 말할 수 없는 상황이었소, 그러니까…."

그는 말을 멈추고, 더 이상 늦추지 말고 관계를 끊을 기회가 온 게 아닌지 생각해보았다. 그렇지만 그녀가 도크르 참사원에 대해 갖고 있을 것이 분명한 정보에 생각이 미쳤다.

"뭔데요? 자, 말해보세요."

그는 머리를 흔들며, 거짓말을 해야 할지 모욕적이고 비열한 말을 해야 할지 망설였다.

"좋아요." 그가 다시 말했다. "당신이 강요하니까, 고백하지요. 비록 고통스럽긴 하지만요. 내겐 여러 해 전부터 사랑해온 사람이 하나 있소. 덧붙여 말하자면 현재의 관계는 순수하게 친구 관계이지요…."

"좋아요." 그녀가 그의 말을 막으며 말했다. "가정적인 이유가 설명이 되는군요."

"그리고, 또." 보다 더 나지막한 소리로 그가 계속 말을 이었다. "다 털어놓자면, 그러니까, 내겐 그녀와의 사이에 아이가 하나 있답니다!"

"아이가 하나 있다고요…! 오 불쌍한 사람."

그녀가 몸을 일으켰다. "내가 물러날 수밖에 없군요. 안녕, 다시는 저를 만나지 못할 거예요."

하지만 그는 그녀의 손을 잡았다. 그리고 자신의 거짓말에 만족함과 동시에 자신의 잔인성에 부끄러움을 느끼며 좀 더 머물러달라고 간청했다.

여자는 거부했다. 그러자 그는 그녀를 자기 쪽으로 끌어당기고 머리칼에 입을 맞추며 애무했다. 그녀는 혼란스러운 눈길로 그의 눈을 뚫어지게 쳐다보았다.

"아! 그렇다면 좋아요." 그녀가 말했다. "아니, 옷은 제가 벗을게요!"

"그럴 수가 있나요!"

326

"괜찮아요!"

"좋아, 지난 저녁과 똑같은 장면이 다시 시작되는 군." 고통스럽게 의자에 털썩 주저앉으며 그가 중얼거렸다. 그는 말로 다할 수 없는 어떤 슬픔에 땅이 꺼지는 듯한 느낌이 들었고, 권태에 짓눌린 듯한 느낌이 들었다.

그는 불 곁에서 옷을 벗고, 몸을 따뜻하게 하며 그녀가 잠자리에 들기를 기다렸다. 침대에 들어서자 그녀가 부드럽고 차가운 팔다리로 그를 감싸 안았다.

"정말 더 이상 오지 말까요?"

그는 아무 대답도 하지 않았다. 그녀가 전혀 가고 싶어 하지 않음을 알았기 때문이었고, 정말 성가신 여자를 만났다는 데 두려움을 느꼈기 때문이었다.

"말해봐요?"

그는 대답을 피하기 위해 껴안고 있던 그녀의 가슴 속에 얼굴을 파묻었다.

"그 말을 내 입술에 해주세요!"

입을 다물게 하기 위해 그는 그녀를 맹렬히 자극했다. 그러고는 지치고, 끝을 보았다는 데 행복해하며 미망에서 깨어났다. 다시 자리에 눕자 그녀가 팔로 그의 목을 감싸 안았고, 그의 입안에 혀를 밀어 넣었다. 그렇지만 그는 애무에 그다지 몰두하지 못하고, 처연하고 무기력한 모습으로 있었다. 그러자 그녀가 몸을 활처럼 구부리고 달려들었다. 그는 신음 소리를 냈다.

"아!" 갑자기 몸을 다시 일으켜 세우며 그녀가 탄성

327

을 발했다. "드디어 당신의 신음 소리를 듣게 되는군요!"

그는 녹초가 되어 기진맥진한 채 누워 있었다. 머릿속에서 맴도는 두 가지 생각을 연결시킬 수가 없었다. 두 개골 아래에서 뇌가 분리되어 덜거덕거리는 것 같았다.

하지만 그는 다시 정신을 가다듬고 일어섰다. 그리고 그녀가 옷을 입을 수 있도록 서재로 들어갔고 그곳에서 그도 옷을 걸쳐 입었다.

그는 그 두 개의 방을 분리시키고 있는 젖혀진 휘장 너머로, 커튼 뒤쪽 정면 벽난로 장식 위에 놓인 촛불에 의해 뚫린 구멍으로 불빛이 새어 들어옴을 보았다.

이아생트가 왔다 갔다 하면서 그 초의 불꽃을 보이게 했다가 안 보이게 했다가 하곤 했다.

"아! 불쌍한 사람, 아이가 있다니!" 그녀가 말했다.

'저런, 그게 효력이 있었군.' 그는 이렇게 생각하며 말했다. "그렇소, 딸이라오."

"몇 살인가요?"

"곧 여섯 살이 될 거요." 그러면서 그는 금발 머리에 아주 영리하고 쾌활하지만 건강이 좋지 않다고 아이의 모습을 묘사했다. 그 아이는 여러 가지 예방책과 끊임없는 보살핌이 필요하다고도 했다.

"당신은 고통스러운 밤을 보내시겠군요." 그녀가 커튼 뒤에서 감동한 목소리로 말했다.

"오, 그래요! 생각해보세요. 내가 내일이라도 죽게 된다면 그 불행한 여자들이 어떻게 되겠습니까?"

328

그는 흥분에 휩싸였고, 그 아이의 존재를 마침내 믿게 되었고, 엄마와 아이를 측은하게 여겼다. 목소리가 떨렸다. 눈에서는 거의 눈물이 나올 뻔했다.

"당신은 행복하지 않군요." 그녀가 휘장을 젖히고 옷을 입은 채 방 안으로 들어오면서 말했다. "그래서 웃을 때도 그처럼 슬퍼 보이는군요!"

그는 그녀를 바라보았다. 분명히 이 순간 그녀의 사랑은 거짓이 아니었다. 그녀는 그에게 진심으로 애착을 느꼈다. 그녀가 왜 그처럼 지독한 음란증을 겪어야 했을까. 그렇지 않았다면 그들은 아마 친구로 남아 있을 수 있었을 테고, 그다지 큰 죄를 함께 저지르지 않았을 것이고, 쓰레기 같은 육체적인 사랑보다도 더 훌륭하게 서로 사랑할 수도 있었을 텐데. "천만의 말씀이야, 그건 불가능해." 그는 그녀의 유황불로 이글거리는 눈과 약탈자 같은 무시무시한 입을 보며 이렇게 결론을 내렸다.

그녀는 책상 옆에 앉아서 펜대로 장난하고 있었다.

"제가 왔을 때 작업 중이셨나요? 질 드 레 이야기는 어디까지 진척되었나요?"

"잘되어가고 있어요, 하지만 내가 늦추고 있지요. 중세의 악마주의를 멋지게 그려내기 위해서는 그러한 환경에 놓여야 할 필요가 있거든요. 그리고 주변에서 악마 숭배에 가입한 사람들을 알아내서, 최소한 그런 환경 하나를 꾸며내야 할 필요가 있어요. 요컨대, 정신 상태란 동일한 것이고, 비록 활동이 다를지라도 목표는 같으니까요."

그는 그녀를 정면으로 응시하다가, 아이 이야기 때문에 그녀가 부드러워졌다고 생각하고 온갖 수단을 다해 접근했다.

"아! 당신 남편이 도크르 참사원에 대해 갖고 있는 정보들을 풀어놓으면 좋으련만!"

그녀는 미동도 하지 않았지만 눈은 뿌옇게 흐려졌다. 대답하지 않았다.

"그래요, 우리 관계를 의심하고 있는 샹트루브로서는…."

여자가 그의 말을 가로막았다. "내 남편은 당신과 나 사이에 있을 수도 있는 관계와 전혀 상관없어요. 내가 외출할 때, 예컨대 오늘 저녁처럼 외출할 때 그는 분명히 고통스러울 거예요. 그 사람은 내가 어디에 가는지 알고 있거든요. 그렇지만 나는 간섭할 권리를 전혀 인정하지 않아요. 그의 것도 나의 것도 말이에요. 그도 나처럼 자신이 가고 싶은 곳이면 어디든지 자유롭게 갈 수 있어요. 나는 그의 집을 관리하고, 그의 수익에 신경 쓰고, 그를 돌보고, 충실한 동료로서 그를 사랑해야 해요. 나는 그렇게 하고 있고, 그것도 정성을 다해 하고 있어요. 내 행동에 대해서는 그가 관여할 일이 아니에요. 다른 사람이 관여할 일이 아니듯 그가 관여할 일이 아니라는 말이지요…."

여자는 단호한 어조에 분명한 목소리로 그렇게 말했다.

"맙소사!" 뒤르탈이 말했다. "당신은 결혼 생활을 하면서 이상하게도 남편의 역할을 제한하고 있군요."

"그러한 생각이 제가 몸담고 있는 이 세계의 생각이 아니라는 건 알고 있어요. 그리고 당신 생각과도 다른 것 같군요. 게다가 그러한 생각들은 제 첫 번째 결혼에서 불행과 번민의 원인이기도 했어요. 하지만 전 굳은 의지를 갖고 있고, 절 사랑하는 사람들을 복종시킨답니다. 아울러 전 거짓말을 싫어해요. 가정을 꾸린 지 몇 년 후 다른 어떤 사람과 사랑에 빠졌는데 그때 저는 솔직하게 남편에게 그 사실을 얘기했고, 제 실수를 고백했어요."

"그러한 속내 이야기를 그가 어떻게 받아들였는지 물어봐도 될까요?"

"그는 너무나 슬픈 나머지 하룻밤 사이에 머리가 다세어버렸지요. 제가 보기엔 잘못되었지만, 그는 자신이 배신이라고 부르는 것을 받아들일 수가 없었나 봐요. 그래서 그는 자살하고 말았지요."

"아!" 샹트루브 부인의 평온하고도 단호한 태도에 당황해서 뒤르탈이 소리쳤다. "그렇지만 그가 먼저 당신의 목을 졸랐다면 어떻게 할 뻔했소?"

그녀는 어깨를 으쓱했고, 자기 옷에 묻어 있던 고양이 털 한 오라기를 떼냈다.

"그래서," 잠시 침묵하던 그가 다시 말했다. "이제 당신은 거의 구속을 받지 않는군요, 두 번째 남편이 너그러이 봐주니까…"

"제 두 번째 남편 얘기는 그만 좀 하세요. 그 사람은 더 좋은 여자를 가져도 될 만한 훌륭한 사람이에요. 저는 전적으로 샹트루브에 만족하기만 하면 돼요. 그리고 전 제게 허용된 만큼 그를 사랑해요. 이제 다른 이야기를 하도록 하죠. 그 문제로 나는 내 고해신부와 상당히 곤란한 지경에 처해 있거든요. 신부님은 내가 성단(聖壇)에 접근하지 못하게 하고 있어요.”

그는 여자를 주시했다. 전혀 새로운 이아생트, 그가 몰랐던 고집스럽고 냉혹한 여자를 보는 듯했다. 자신의 첫 번째 남편에 대해 이야기를 하는 동안 말투에는 흔들림이 없었다. 전혀 없었다. 자신의 죄를 자책해야 한다는 생각이 전혀 없는 듯했다. 비정한 모습으로 일관했다. 하지만 방금, 그녀가 뒤르탈 자신을 동정했을 때, 그는 꾸며낸 부성 때문에 그녀가 떨고 있다는 느낌을 받았었다. 결론적으로 여자는 연극을 했던 것인지도 모른다. 좀 전의 그처럼 말이다!

그는 대화의 방향이 바뀐 데 혼란을 느꼈다. 그는 이아생트가 그의 관심을 다른 곳으로 돌렸던 지점, 즉 도크르 참사원의 악마주의 이야기로 되돌아가기 위한 연결점을 찾고자 했다.

“자, 이제 더 이상 그 문제는 생각하지 말아요.” 그녀가 가까이 다가서면서 말했다. 미소를 띠고 있었고, 그가 알고 있었던 그 여자로 다시 돌아왔다.

“하지만 당신이 나 때문에 더 이상 영성체에 참여할 수 없다면….”

332

여자가 그의 말을 가로막았다. "당신은 사랑받지 못했다고 불평하실 건가요?" 그러면서 그의 눈에 키스했다.

그는 부드럽게 팔로 안았다. 하지만 그녀가 몸을 떨고 있음을 알고, 조심스럽게 몸을 빼냈다.

"당신의 고해신부는 상당히 엄격하군요?"

"그분은 청렴한 사람이에요, 옛날 사람이지요. 그 때문에 일부러 그를 선택한 거예요."

"내가 여자라면, 반대로 다정하고 부드러운 사람, 내가 범한 작은 죄를 굵은 손가락으로 발기발기 찢어버리지 않을 사람을 고를 것 같군요. 나라면 고해신부가 너그럽고, 고백의 충동에 부드럽게 기름을 쳐주고, 말하기 주저하는 악행들을 아주 부드러운 몸짓으로 이끌어내는 사람이기를 바라겠어요. 아니, 그렇게 된다면 혹시 그처럼 방어 수단이 없는 고해신부와 사랑에 빠질 위험이 있겠군요, 그리고…."

"그건 근친상간이에요. 사제는 영적인 아버지니까요. 그리고 또 신성모독이기도 해요. 사제는 신에게 자신을 바친 사람이니까요. 오! 전 정말이지 미쳤었나 봐요!" 그녀가 갑자기 흥분해서 소리쳤다.

그는 여자를 지켜보았다. 근시인 그녀의 기이한 눈길 속에 불꽃이 길게 일어났다. 예상치 않게 약점 한가운데를 찌른 게 분명했다.

"자, 당신은 나를 두고 여전히 가짜 나와 바람을 피우나요?" 그가 웃으며 말했다.

"무슨 말인지 모르겠군요."

"그래요, 당신은 밤마다 나를 닮은 몽마의 방문을 받나요?"

"아니에요, 나는 당신의 육체를 있는 그대로 소유하고 있으니까요. 당신의 이미지를 상기시킬 필요가 전혀 없지요."

"당신은 귀여운 악마 숭배자임을 아시나요?"

"그럴 수도 있겠군요, 나는 수많은 사제들의 집을 드나들었으니까요!"

"대단하군요!" 그가 허리를 숙이며 답했다. "자, 내 말 좀 들어보세요. 친애하는 이아생트, 내게 대답해주면 좋겠는데요. 당신은 도크르 참사원을 알고 있지요?"

"네, 맞아요!"

"그러면, 그는 어떤 사람입니까, 그 사람 이야기가 항상 내 귀에 들려오는데?"

"누구를 통해서요?"

"제뱅제와 데 제르미요."

"아! 당신은 점성가 집에 드나드시는군요. 그래요, 제뱅제라는 사람은 일전에 내 살롱에서 도크르와 마주쳤던 적이 있었지요. 하지만 당시 내 집에 오지 않던 데 제르미와 참사원이 관계가 있는지는 몰랐어요."

"아무런 관계도 없어요. 데 제르미는 그를 본 적이 전혀 없답니다. 그 역시 제뱅제가 하는 시시한 이야기들만 들었을 따름이지요. 요컨대, 사람들에게 비난받고 있는 그 사제의 신성모독 행위들 속에는 어떤 진실이 담겨 있습니까?"

"그건 모르겠어요. 도크르는 박식하고 아주 예의 바른 신사예요. 그는 국왕 전하의 고해신부까지 지냈고, 만일 사제직을 떠나지 않았다면 틀림없이 지금은 주교가 되어 있을 거예요. 그에 관해서는 험담하는 말들이 많지만 특히 성직자 세계에서 그런 말들이 많지요."

"하지만 당신은 그를 개인적으로 알고 있잖소!"

"그래요, 그를 고해신부로 삼았던 적도 있었지요."

"그렇다면 당신이 그에 관해 아무것도 알지 못한다는 건 어불성설이지 않은가요?"

"사실, 추정은 할 수 있지요. 그런데, 당신은 아까부터 넌지시 돌려서 말씀하고 계시네요. 정확히 뭘 알고 싶으신 거죠?"

"당신이 내게 털어놓고자 하는 건 뭐든지요. 그는 젊습니까, 미남인가요 추남인가요, 부자인가요 가난한가요?"

"그는 마흔 살이고, 풍채가 좋고, 돈을 잘 써요."

"그가 저주에 몰두하고 있고, 마법 의식을 주재하고 있다고 생각하나요?"

"그럴 가능성이 매우 높지요."

"이런 식으로 심하게 추궁함을, 그리고 집게로 집어 내듯 대답을 끌어냄을 용서하세요. 내가 너무나 신중하지 못할 수도 있겠죠…? 몽마를 부르는 그 능력 말인데요…."

"맞았어요. 바로 그에게서 그 능력을 받았어요. 이

335

제 만족하시겠지요."

"그렇기도 하고 아니기도 해요. 친절하게 대답해줘서 고맙소. 내가 지나치다는 느낌이지만 그래도 마지막으로 하나 질문하지요. 직접 도크르 참사원을 만날 수 있는 방법이 없을까요?"

"그는 님에 있어요."

"미안하지만, 지금은 파리에 있어요."

"아! 알고 계셨군요! 그래요, 제가 그 방법을 알고 있다 해도 당신에게 알려드리지는 않을 거예요, 절대로. 당신이 그 신부의 집에 드나들면 좋지 않을 테니까요!"

"그가 위험하다는 점을 인정하시는 건가요?"

"인정하는 것도 아니고 부정하는 것도 아니에요. 다만 당신이 그 사제와는 아무런 관계가 없다는 말이에요."

"관계가 있어요. 악마주의에 관한 내 책 때문에 그에게 물어볼 것들이 있거든요."

"당신은 다른 방법을 통해 정보들을 얻을 수 있을 거예요." 그녀가 거울 앞에서 모자를 쓰면서 다시 말을 이었다. "게다가, 제 남편은 자신에게 두려움을 안겨주는 그 남자와 관계를 일절 끊었어요. 그래서 그는 예전처럼 우리 집에 오지 않아요."

"그게 이유가 될 수는 없을 거요…."

"무엇에 대한 이유 말인가요?" 그녀가 몸을 돌리며 말했다.

"글쎄요… 아무것도 아니오." 그러면서 그는 머릿속

으로 이렇게 생각했다. "당신이 그의 집에 드나들지 않는 이유 말이오."

여자는 그 문제를 물고 늘어지지 않았다. 다만 모자에 드리워진 베일 아래 머리카락을 다독거렸다. "맙소사, 내 꼴이 이게 뭐지!"

그는 두 손을 잡고 키스했다. "언제 만날까요?"

"저는 더 이상 오지 않을 생각이었는데요."

"자자, 내가 다정한 친구처럼 당신을 사랑함을 잘 알고 있잖소. 자, 언제 오실 건가요?"

"내일모레요, 당신에게 방해가 되지 않는다면요."

"방해라니, 당치도 않소!"

"그럼, 안녕히 계세요." 그들은 서로 입을 맞추었다.

"절대로 도크르 참사원 생각을 하시면 안 돼요." 막 떠나려는 순간 그녀가 책망하듯 손가락을 좌우로 흔들어 보이며 말했다.

"알면서도 말하지 않다니, 제기랄!" 문을 다시 닫으며 그가 중얼거렸다.

XVI

다음 날 뒤르탈은 생각했다. '침대에서, 아무리 의지가 굳은 사람이라도 무너질 만한 순간조차 꼿꼿하게 버텨냈고, 이곳에 근거지를 마련하고 싶어 하는 이아생트의 간청에도 굴복하지 않았는데, 기력이 빠져 위축되었던 남성이 다시 기운을 회복하는 바로 그 순간 계속 방문해달라고 간청하다니, 도대체 나 자신을 이해할 수 없군! 하여간 관계를 끊어야겠다는 결심은 확고했었다. 하지만 매춘부처럼 돌려보낼 수는 없었어.' 그는 일관성 없는 입장 변화를 스스로에게 변호하기 위해 계속 생각했다. '나는 또 참사원에 관한 정보들을 얻으려 한 거야. 오, 그녀를 내버려두지 않겠어. 그런데 그 문제에 관한 한 어제처럼 그렇다 아니다 같은 단음절의 말이나 경계하는 듯한 말로 대답하지 않겠다고 그녀가 결심해야 할 텐데!

그런데, 그녀의 고해신부였고, 그녀 자신의 말에 따르자면 그녀를 몽마의 세계 속으로 던져 넣었던 그 사제와는 무슨 관계였을까? 사제의 정부였던 게 분명해. 그녀가 자주 찾아갔던 성직자들 가운데 또 몇 명이나 애인이었을까? 자신이 사랑하는 건 그 사람들이라고 고백했으니 말이야! 아! 성직자들의 세계에 드나들면 그녀의 남편과 그녀에 관해 흥미로운 특징들을 알게 될 텐데. 정말 이상한 일이야. 이들 부부 관계에서 특이한 역할을 맡고 있는 샤트루브는 평민이 고약한데, 그 여자는 그렇지 않으니. 그녀의 경박한 행동에 대해 왈가왈부하는 건 들어본 적 없잖아. 이런, 나도 참 어리석군! 이상한 일이 아냐. 남편은 종교계와 사교계에 갇혀 있지 않잖아. 그는 문인들과도 접촉하고 있고, 따라서 온갖 험담에 노출되어 있어. 반면 그녀는 애인을 갖게 되더라도 분명히 종교계에서 고르겠지. 내가 아는 사람들은 어느 누구도 그 세계에 받아들여지지 않을 거야. 게다가 신부들은 신중한 사람들이잖아. 그런데 그렇다면 그녀가 이곳에 오는 건 어떻게 설명할 수 있을까? 아마 성직자들에게 싫증이 났고, 긴 검은색 양말을 신는 성직자들 대신 나를 필요로 했다는 아주 단순한 사실로 설명이 되겠지. 나는 세속의 정거장으로 쓰인 거야!

상관없어. 어찌 되었든 상당히 특이한 존재야. 바라보면 볼수록 점점 더 이해가 안 돼. 그녀 몸속에는 세 개의 서로 다른 존재가 있어.

우선, 살롱에서 본 대로 앉아 있거나 서 있는 여인이야. 신중하고, 거의 오만하기까지 하고, 친한 사람들 간에서는 좋은 여자이고, 사랑스럽고 다정하기까지 하지.

다음으로는 함께 잔 여인인데, 거동과 목소리가 완전히 바뀌지. 요컨대 상스러운 말을 뱉어내는, 부끄러움을 모두 잃은 매춘부야.

마지막으로, 어제 알아낸 세 번째 모습은 냉혹한 여자, 진짜 악마주의적이고, 진짜 고약한 여자야.

어떻게 그 모든 것들이 섞여 있고 결합될 수 있는

걸까? 모르겠군. 아마 위선을 통해서겠지. 아니야, 그녀는 사람을 당황하게 만드는 솔직함을 자주 보여주잖아. 그래, 그건 아마 긴장이 풀어진 순간이거나 망각의 순간들일 거야. 그 음탕한 독신자(篤信者)의 성격을 이해하려고 시도하는 게 과연 무슨 소용이 있을까! 요컨대 내가 두려워했던 건 전혀 실현되지 않고 있잖아. 그녀는 내게 함께 외출하자고 요구하지도 않고, 자기 집에서 저녁 식사를 하자고 강요하지도 않고, 내게 어떠한 고정 수입도 요구하지 않고, 내 명성을 더럽히거나 내게 협박을 하려고 하지도 않잖아. 이보다 더 좋은 상대는 결코 찾을 수 없을 거야. 그래, 하지만 지금으로서는 다른 상대를 찾고 싶지도 않아. 필요하면 돈으로 살 수 있는 여자들 손에 맡기면 되지 뭐. 그러면 20프랑으로 보다 더 뜨거운 흥분을 사게 될 테니까! 말할 필요도 없지만, 매춘부들만이 육체적 쾌락의 성찬을 만들 줄 아는 법이지!'

말없이 생각에 잠겨 있다가 갑자기 그가 중얼거렸다. "이상하게도, 정도 차이는 있지만 질 드 레도 그녀와 마찬가지로 세 개의 다른 존재들로 나뉘어 있어."

"우선 그는 용감하고 신앙심 깊은 군인이야.

다음으로 세련된 범죄의 예술가야.

마지막으로 자신의 잘못을 뉘우치는 죄인이자 신비주의자야.

변덕이 죽 끓듯 하는 인물이야, 그는! 그의 삶을 전반적으로 살펴보면, 악행들 하나하나에 대해 그에 대응하

341

는 미덕이 발견되고 있어. 하지만 뚜렷한 어떤 행동 노선에 따라 연결되어 있지는 않아.

그는 몹시 오만하고 콧대가 높았지만, 그러다가 후회의 감정에 사로잡힐 때면 민중 앞에 무릎을 꿇고 눈물을 흘렸어. 성자의 겸손이었지.

그의 잔인성은 인간의 한계를 넘어섰어. 하지만 자비심이 있어서 친구들을 무척 사랑했고, 그들이 악마에게 상처를 입으면 마치 형제처럼 돌봐주었지.

원하는 것들에 대해서는 성급하면서도 참을성이 있었어. 전투에서는 용감하고, 죽음 앞에서는 비겁했던 그는 전제적이고 폭력적이었어. 그러면서도 그에게 빌붙어 사는 자들이 아첨할 때면 약해지기도 했지. 때로는 영혼의 정상에 있고 때로는 심연에 있으면서 절대로 사람들이 다니는 평원에, 초원에는 있지 않았어. 이처럼 한결같은 정반대의 경향들은 그의 고백들조차도 밝혀주지 못하고 있어. 누가 그러한 범죄들을 저지를 생각을 하게 했는지 질문을 받으면 그는 이렇게 답하지. '아무도 없소. 오직 내 상상력만으로 그렇게 한 것이오. 그런 생각은 오로지 나 자신에게서, 내 몽상들, 일상의 쾌락들, 방탕한 취향에서 나온 것이오.'

그리고 그는 자신의 나태함을 자책하며, 미식과 독한 술들이 자기 마음속의 야수를 우리에서 끌어내는 데 도움이 되었다고 단언하곤 했지.

보잘것없는 흥분에서 멀어진 그는 악과 선에 교대

로 열광하다가, 상반되는 정신의 심연 속으로 곤두박질치며 뛰어들어. 그는 서른여섯의 나이로 죽지만, 혼란스런 쾌락의 밀물과 그 무엇으로도 진정시키지 못하던 고통의 썰물을 고갈시켜버렸던 거야. 그는 죽음을 숭배했고, 흡혈귀로서 사랑했고, 흉내 낼 수 없는 고통과 공포의 표현들에 입 맞추었어. 그리고 그는 또한 준엄한 회한에, 만족할 줄 모르는 두려움에 짓눌렸어. 그는 이곳 이승에서는 더 이상 시도할 만한 그 무엇도, 배워야 할 그 무엇도 갖고 있지 않았던 거야."

"자, 그의 속죄가 시작되는 순간까지 썼었지." 노트를 뒤적이던 뒤르탈이 말했다. "이전의 어떤 장(章)에서 썼던 것처럼 질 원수의 성에서 내려다보이는 지역의 주민들은 이제 어린아이들을 유괴해서 목 졸라 죽이는, 있을 수 없는 괴물이 누구인지를 알고 있어. 하지만 어느 누구도 감히 말은 못 하고 있어. 살인자의 키 큰 모습이 길모퉁이에 나타나는 것을 보는 즉시 모두가 도망치고, 울타리 뒤로 웅크려 숨고, 짚더미 속으로 몸을 감추지.

그러면 질은 도도하고 우울한 모습으로, 간간이 오열하는 듯한, 폐쇄된 사막 같은 마을들 속을 지나가지. 어떠한 처벌도 받지 않으리라고 그는 확신하는 것 같아. 어느 농부가 말 한마디로 자신을 교수대로 보낼 수 있는 주인을 공격할 만큼 정신이 나갈 수 있겠어?

게다가, 하층민들이 그에게 타격을 가하기를 포기한다면, 같온 귀족 계층 동료들은 자신들이 경멸하는 평민

343

들을 위해 그와 대적해 싸울 의사가 없어. 그리고 그의 상관인 브르타뉴 공, 요한 5세는 싼 가격에 그의 영토들을 갈취하기 위해 그를 구슬리고 애지중지하지.

오직 하나의 힘만이 중세의 공모 관계와 인간의 이해관계를 초월해서 박해받는 사람들과 약자들의 원수를 갚아줄 수 있었는데, 그건 바로 교회였어. 그리고 실제로 장 드 말스트루아의 모습을 빌어 괴물에 맞서 일어서고 괴물을 물리친 건 바로 교회였어.

낭트의 주교인 장 드 말스트루아는 유명한 가문 출신이었지. 그는 요한 5세의 가까운 친척이었는데, 비할 데 없는 신앙심, 샘솟는 듯한 지혜, 왕성한 자비심, 오류를 모르는 지식으로 공작 자신까지도 그를 숭배하지 않을 수 없었지. 질에 의해 학살당한 농촌 사람들이 울부짖는 소리가 그의 귀에까지 들어갔어. 그는 조용히 조사를 시작했고, 힘을 갖추게 되면 바로 싸움을 시작하기로 결심하고 질 원수의 거동을 감시했지.

그런데 질이 갑자기 설명할 수 없는 행동을 함으로써 주교가 적대적 태도를 취하고 공격할 빌미를 제공한 거야. 재산 손실을 보충하기 위해 질은 사해의 생테티엔 영지를 요한 5세의 신하인 기욤 르 페롱에게 팔았고, 기욤은 그 영지를 차지하기 위해 자신의 동생 장을 파견했어.

며칠 후 질 원수는 자신의 병영 안에 있는 200명을 집결시켜, 그들을 거느리고 생테티엔으로 향했어. 성신강림 축일 날을 맞아 그곳 집회에 모인 사람들이 미사 강독을 듣고 있을 때, 질은 손에 칼을 들고 교회 속으로 돌진해서, 단숨에 소란스러운 신자들의 열을 쓸어버리고, 어안이 벙벙한 사제 앞에서, 기도하고 있는 장 르 페롱의 목을 졸랐지. 예배가 중단되고 사제보들은 삼십육계 줄행랑을 놓았어. 질은 자비를 구하는 르 페롱을 성으로 끌고 가서 도개교를 내리라고 명령하고, 무력으로 그곳을 차지했지. 반면에 그의 포로가 된 르 페롱은 티포주로 끌려가서 지하 감옥 구석방에 투옥되었어.

그는 공작의 동의 없이는 어떤 남작도 군사를 일으키지 못하게 한 브르타뉴 관례집의 명을 어긴 셈이었고, 동시에 교회를 모독하고 삭발 성직자 장 드 페롱을 납치함으로써 이중의 신성모독 행위를 저지른 셈이었어.

주교가 이러한 음모를 알아차리고, 여전히 망설이고 있는 요한 5세에게 반군에 맞서 싸우도록 결심하게 만들었어. 그런데, 질이 자신의 소규모 군대를 이끌고 마슈쿨의 성채로 피신하기 위해 버려두었던 생테티엔으로 군대가 진군하고 있는 동안, 다른 군대 또 하나가 티포주를 포위 공략했어.

그사이에 주교는 자료를 수집하고 조사를 서둘렀지. 활동 범위가 확대되자 그는 어린아이들이 실종된 모든 도시에 요원들과 검찰관들을 파견했어. 그 자신도 낭트의 주교궁을 떠나 시골을 돌며 희생자들의 증언들을 수집했어. 마침내 민중이 말문을 열었고, 그에게 무릎을 꿇으며 자신들을 보호해달라고 요청했어. 사람들이 폭로하는 잔

345

인한 악행들에 분노한 주교는 자신이 정의를 펼치겠노라
고 맹세했지.

모든 보고서 작성을 끝마치는 데는 한 달이면 충분
했어. 공개장을 통해 장 드 말스트루아는 공식적으로 질
의 '명예훼손'을 확증하고 나서, 정전에 규정된 절차상의
양식들을 다 마치고 체포 영장을 발부했어.

교서 형태로 작성되어 서기 1440년 9월 13일 낭트
에서 발표된 이 공개장에서 그는 질 원수의 범죄들을 상
기시키고 나서, 힘이 넘치는 문체로 살인자에 맞서 진군
하고, 그를 몰아내라고 자신의 교구에 명했어.

'그리하여 우리는 이 편지들을 통해 여러분들 모두
에게, 그리고 특히 여러분 각자에게 즉각적으로, 단호하
게, 서로서로를 고려하지 말고, 이러한 책임을 다른 사람
에게 떠넘기지 말고, 우리 앞에 혹은 우리 교회 종교재판
소 판사 앞에, 월요일인 9월 19일 십자현양축일 축제 때
에, 우리의 권세에 복종하고 있고 우리의 재판관할권에
속해 있는 레의 남작 질을 소환할 것을 명합니다. 그리고
우리 자신도 이 공개장을 통해 그가 자신을 억누르고 있
는 범죄에 대해 답하도록 우리의 법정에 출두할 것을 명
합니다. 이러한 명령들을 시행하시고, 그리고 각자 그 명
령들이 시행되게 하시기 바랍니다.'

그리고 그다음 날, 공작 휘하의 부대장 장 라베와 주
교 측 공증인 로뱅 기요메가 일단의 군인들 호위를 받으
며 마슈쿨 성채 앞으로 출두했어.

질 원수의 마음속에 어떤 일이 일어났던 걸까? 탁 트인 평원에서 저항하기에는 너무 약했지만 몸을 감춰주는 성벽 뒤에 숨어 자신을 보호할 수는 있었는데, 그는 항복했어!

평상시 그의 참모들이었던 로제 드 브리크빌, 질 드 시예는 도주했어. 역시 도망치려고 했지만 실패한 프렐라티와 함께 질은 남아 있었지.

그렇게 해서 질은 사슬에 묶이게 되었어. 로뱅 기요메는 지하실에서 탑 꼭대기까지 성채를 둘러보았어. 그곳에서 그는 프렐라티가 시간이 없어서 변소와 외호에 내던져버리지 못한 피 묻은 셔츠들, 제대로 태우지 못한 뼈와 재들을 발견했어.

질과 그의 하수인들은 그들 주변에서 터져 나오는 저주와 공포의 외침 속에 낭트로 보내졌고, 투르 뇌브 성에 수감되었지."

"그런데, 이 부분이 그다지 석연치가 않군." 뒤르탈이 중얼거렸다. "예전에 그렇게도 저돌적이었던 질 원수가 어떻게 그리 쉽사리 자신의 목을 내어놓을 수 있었을까?"

"수많은 방탕한 밤 때문에 마음이 약해져 동요를 일으키고, 비열하고 신성모독적인 쾌락 때문에 몸이 망가지고, 후회 때문에 망연자실해 기력이 다한 걸까? 그런 식으로 살아가는 데 지쳐서 처벌의 유혹을 받는 다른 많은 살인자들처럼 스스로를 포기한 걸까? 모를 일이야. 자신이 너무나 고귀한 지위에 있다고 여겼기에 스스로 참을 수 없다고 판단했을까? 공작을 돈으로 매수할 수 있을지도 모른다는 기대를 걸고, 작은 성들과 목초지를 몸값으로 제공해서 공작을 무장해제시키려 했던 걸까?

다 그럴듯하군. 그는 또한 요한 5세가 자기 공국 귀족들의 불만을 살까 두려워서 주교의 비난에 따르기를 얼마나 주저했는지, 그를 몰아세워 체포하기 위한 군대의 징집을 얼마나 망설였는지 알 수 있었어.

확실한 건 이러한 질문에 답이 될 만한 어떠한 기록도 없다는 거야. 이러한 것들을 모두 책 속에 쓸 수는 있겠지만, 범죄 관할권의 관점에서 볼 때 따분하고 불분명한 건, 소송 자체라는 것이지." 뒤르탈은 이렇게 중얼거렸다.

"질과 그의 공범들이 투옥되자마자 두 개의 법정이 구성되었어. 하나는 교회 법정으로 교회와 관련된 범죄를 판결하기 위해서였고, 다른 하나는 민사 법정으로 국가가 알아야 할 범죄들을 판결하기 위해서였지.

사실, 종교적인 논쟁에 참여했던 민사 법정은 이 소송에서 완전히 잊혔어. 그것은 형식상으로 단지 사소한 재검증만 했지만, 교회가 '교회는 피를 싫어한다.'라는 오래된 속담 때문에 스스로 발설하기를 금하고 있는 사형선고를 언도했어.

교회의 소송은 한 달 하고도 일주일 동안 지속되었어. 민사소송은 48시간이었지. 주교 뒤로 몸을 피하기 위해, 브르타뉴 공은 민사 법정의 역할을 의도적으로 축소시킨 것 같아. 민사 법정은 대개 종교재판소 판사의 침해

348

에 더 잘 대항했거든.

장 드 말스트루아가 공판을 이끌었지. 그는 르망, 생
브리외, 생로의 주교들을 배석판사들로 선택했어. 그리고
이들 고위 성직자들 외에도 끝없는 소송 절차 속에서 교
대로 활동하는 일단의 법률가들로 둘러싸여 있었지. 그들
대부분의 이름이 소송 서류에 나와 있어. 세속 재판소의
변호사인 기욤 드 몽티네, 법학 박사 학위 수료자 로베르
드 라 리비에르, 법학사 기욤 그루아이게와 로베르 드 라
리비에르, 그리고 에르베 레비, 세네칼 드 캥페르가 그들
이야. 아마도 교회 규정에 따른 판결이 난 후 시민의 논쟁
을 주도했음에 틀림없는 브르타뉴의 대법관 피에르 드 로
스피탈은 장 드 말스트루아를 보좌했던 것 같아.

당시 검찰 역할을 맡았던 주교구 재판소의 검사는
생니콜라 성당 주임 사제로 언변이 유창하고 교활한 기욤
샤페롱이었지. 문서 검토의 피로를 덜어주기 위해 생트마
리 성당 수석 사제 조프루아 피프레르와 낭트 교회 종교
재판소 판사 자크 드 팡코에디크가 보좌역으로 그에게 주
어졌어.

마지막으로 교회 법정 측은 당시 서약 위반, 저주,
신성모독, 마법에 의한 모든 악행들을 포함하는 이단의
죄를 억압하기 위해 특별 종교재판정을 구성했어.

장 드 말스트루아 쪽에는, 생도미니크 교단에 속한
프랑스 최고 종교재판관 기욤 메리시에 의해 낭트 시와
낭트 교구 부종교재판관의 임무를 부여받은 가공할 만큼

박식한 인물 장 블루앵이 자리를 잡고 있었지.

법정이 구성되자 아침부터 소송이 시작되었어. 당시의 시대적 관습에 따라 재판관들과 증인들이 아무것도 먹지 않아야 하기 때문이었어. 법정에서 사람들은 희생된 아이들의 부모들로부터 이야기를 들었고, 마슈쿨에서 직접 질 원수를 붙잡았던 로뱅 기욤은 질 드 레에게 내려진 출두 소환장을 집행관 대신 낭독했어. 질이 구인되어 왔고, 그 법정의 권한을 받아들이지 않는다고 경멸적인 태도로 선언했지. 하지만 규정에 따른 절차대로, 검사는 '이러한 방법에 의해서는 마법의 교정이 막아지지 않으므로' 관할권 위반 이의 신청을 법률적으로 이유 없으며 '경박한' 것으로 즉시 기각했고, 법정으로부터 소송을 강행한다는 약속을 얻어냈어. 검사는 피의자에게 고소의 주요 내용들을 읽어주기 시작했어. 질이 검사는 거짓말쟁이에 악당이라고 소리쳤어. 그러자 기욤 샤페롱은 그리스도를 향해 팔을 벌리고 자신은 진실을 말하고 있다고 맹세했고 질 원수에게도 똑같이 맹세할 것을 요구했어. 그러나 어떠한 신성모독 앞에서도 물러나지 않았던 질은 당황해하며 신 앞에 맹세하기를 거부했고, 모욕적인 말들을 검사에게 퍼부었고, 그 와중에 공판이 폐정되었어.

이러한 서막이 끝나고 나서 며칠 후 공개 토론이 시작되었어. 논고 형식으로 쓰인 기소장이 피고인과 두려움에 몸을 떠는 대중 앞에서 큰 소리로 읽혀졌고, 샤페롱은 참을성 있게 범죄들을 하나하나 나열하면서 질 원수가 어린아이들을 강간하고 죽였으며, 요술과 마법을 실행했고, 사해의 생테티엔에서 성스러운 교회의 금지 사항들을 위반했다고 비난했어.

그러고 나서 잠시 침묵하던 그가 다시 말을 시작했어. 살인 건들은 제쳐두고, 교회 정전에 처벌이 규정되어 교회가 선고할 수 있는 범죄들만을 고려하면서 그는 두 가지 이유를 들어 질을 파문에 처해야 한다고 논고했어. 우선, 질이 악마들을 불러들이는 자이자 이단자이고 배교자이며 또다시 이단에 빠진 자라는 것, 이어서 그가 남색가이자 신성모독자라는 것이었지.

그 파란만장하고도 간결한, 신랄하면서 압축된 논고를 들은 질은 화를 냈지. 그는 재판관들에게 욕설을 퍼붓고, 그들을 성적매매자들이자 방탕한 사람들로 간주하며 자신에게 가해지는 질문에 대답하기를 거부했어. 검사와 배석판사들은 악착같았지. 그들은 질에게 스스로를 변론하라고 했어. 또다시 질은 그들을 기피했고, 그들을 모욕했고, 그들에게 반박해야 할 때에 가서는 입을 다물어버렸어.

그러자 주교와 부종교재판관은 그를 궐석자로 선고하고 그에게 파문 선고를 내렸으며, 그 선고는 즉각 발표되었어. 그리고 또 그들은 다음 날 심리(審理)를 계속하기로 결정했지."

뒤르탈이 자신의 노트들을 낭독하고 있을 때 벨 소리가 그를 방해했다. 데 제르미가 들어왔다.

"방금 카렉스를 만났는데, 몸이 편치 않더군." 데 제르미가 말했다.

"저런, 무슨 일인데?"

"심각한 건 아니야, 감기 기운이 조금 있을 뿐이지. 잠자코 안정하는 데 그가 동의한다면 이삼일 후면 일어날 거야."

"내일, 그를 보러 가야겠군." 뒤르탈이 말했다.

"그런데, 자넨 뭐하고 있나, 일하나?" 데 제르미가 다시 말했다.

"맞아, 고귀한 레 남작의 소송을 뒤적이고 있다네. 읽기도 쓰기만큼이나 따분한 일이더군!"

"자네도 자네 책이 언제 끝나게 될지 아직 모르고 있는 건가?"

"그렇다네." 기지개를 켜면서 뒤르탈이 대답했다. "게다가 나는 그 책이 끝나기를 바라지 않고 있어. 그다음엔 내가 어떻게 되겠나? 다른 주제를 찾아야 할 것이고, 너무나 따분한 도입부를 쓰는 일에 다시 착수해야만 할 거야. 지긋지긋한 무위도식의 시간들을 보내게 되겠지. 정말이지, 그 일을 생각하면 문학이란 단 한 가지 존재 이유밖에 없어. 문학 하는 사람을 삶의 혐오감으로부터 구해주는 게 그것이지!"

"그리고 자비롭게도, 아직도 예술을 사랑하는 몇몇 사람들의 고뇌를 덜어주지."

"그런 사람들은 거의 없다네!"

"또 그들의 수는 점점 줄어들고 있지. 새로운 세대는 도박과 경마에만 흥미를 느낄 뿐이야!"

"맞아, 바로 그래. 이제 남자들은 도박을 하고 책은 더 이상 읽지 않아. 책을 구입하는 사람들은 소위 사교계 여성들이고, 그들이 성공이냐 실패냐를 결정하고 있지. 또한, 사람들이 찬양하는 미적지근하고 끈적끈적한 몇 안 되는 소설들조차도 쇼펜하우어가 말한 '귀부인'이라든가, 아니면 내가 즐겨 말하는 '어리석은 여자들'에게 빚지고 있다네!

앞으로는 보잘것없는 문학이 유망해질 거야. 당연한 말이지만, 여성들을 즐겁게 하기 위해서는 이미 정리된, 언제나 밋밋한 생각들을 감상적인 문체로 말해야만 할 테니까."

"오! 그리고 또." 잠시 침묵하던 뒤르탈이 다시 말했다. "아마 그렇게 되는 게 더 나을지도 몰라. 현재 남아 있는 몇 안 되는 예술가들은 더 이상 대중을 염두에 두지 않아도 될 거야. 그들은 살롱에서 멀리 떨어져서, 문학을 재단하는 무리에서 멀리 떨어져서 살며 작업할 테니까. 그들이 느낄 수 있는 단 한 가지 원통한 점은, 작품이 출판되면 대중의 더러운 호기심에 노출된다는 사실이지!"

"사실, 그건 진짜 매춘이야." 데 제르미가 말했다. "팔기 위해 내놓는다는 건 그 누구의 것이든 수치스러운 허물없는 언행들을 수용한다는 거지. 그건 오염이고, 허가받은 강간이고, 아무런 가치도 없는 사소한 거야!"

"맞아, 더러운 놈들을 피해서 자신의 원고를 간직할 수 없게 만드는 건 바로 우리의 완고한 오만이고 또한 보잘것없는 돈에 대한 욕구야. 예술은 손길이 닿지 않는 곳에 있는 사랑하는 여성처럼, 멀리 우주 공간 속에 있어야 할 거야. 그건 기도와 더불어 유일하게 깨끗한 정신의 분출이니까 말이야! 그래서 내 책들 중 하나가 나올 때면 나는 두려움을 느끼며 그것을 내버려두지. 나는 손님을 끌기 위해 북을 치는 장소로부터 가능한 한 멀리 떨어진다네. 몇 년의 세월이 지난 후 모든 진열창에서 책이 사라졌을 때, 즉 그것이 거의 죽었을 때가 되어서야 비로소 약간 신경을 쓰지. 이 말은 내가 질 이야기의 마무리를 서두르지 않고 있다는 뜻인데, 불행하게도 그게 끝나가고 있네. 그 이야기에 지워진 운명에 대해서는 관심 밖이고, 책으로 나오게 될 때도 아마 전적으로 무관심해질 걸세."

"이보게, 자네, 오늘 저녁 무슨 할 일 있나?"

"아니, 왜 그런가?"

"함께 저녁 식사 하지 않으려나?"

"좋지!"

뒤르탈이 장화를 신는 사이에 데 제르미가 다시 말했다.

"소위 이 시대의 문단에서 내게 가장 놀라운 건 그곳에 만연한 고도의 위선과 비열함일세. 예를 들어 딜레탕트라는 말이 파렴치한 행위들을 감추는 데 얼마나 많이 사용되고 있나!"

"맞아, 딜레탕트라는 말이 가장 유리한 알리바이가 되기 때문이라네. 하지만 보다 당혹스러운 건 현재 마치 칭찬이기라도 하듯 스스로 딜레탕트임을 내세우는 모든 비평가가 사실은 스스로를 모욕하고 있다는 것을 생각하지 못한다는 점일세. 결국, 그 모든 것이 하나의 난센스로 귀착된다네. 딜레탕트는 싫어하는 게 아무것도 없고, 모든 걸 좋아하기 때문에 개성이 없어. 그런데, 개성이 없는 사람이라면 그 사람은 재능이 없는 거야."

"그러니까," 모자를 눌러쓰며 데 제르미가 다시 말을 이었다. "딜레탕트임을 스스로 내세우는 모든 작가는 그로써 스스로가 별 볼 일 없는 작가임을 고백하는 셈이로군!"

"바로 그걸세!"

XVII

오후 느지막이 뒤르탈은 작업을 중단하고 생쉴피스의 탑으로 올라갔다.

그는 보통 때 그들이 저녁 식사를 하곤 하던 방과 인접한 침실에 누워 있는 카렉스를 발견했다. 그 두 방은 돌로 되어 있고 벽지를 바르지 않은 벽이며, 궁륭으로 이루어진 천장 등이 비슷비슷했다. 다만 침실 쪽이 좀 더 어두웠다. 교차부에 있는 반원형 창은 생쉴피스 광장 쪽이 아니라 교회 뒤쪽으로 나 있었고, 그 교회 지붕이 드리우는 그림자 속에 잠겨 있었다. 그 방에는 듣기 좋은 소리가 나는 밑판과 매트리스가 딸린 철제 침대 하나, 등나무 의자 두 개, 낡은 테이블보가 덮여 있는 테이블 하나가 있었다. 아무것도 걸려 있지 않은 벽에는 마른 회양목으로 치장된 싸구려 십자가가 하나 있었는데, 그게 전부였다.

카렉스는 침대에 앉아서 서류와 책들을 훑어보고 있었다. 그의 눈은 평상시보다 더욱 물기에 젖어 있었고, 얼굴은 더욱 창백했다. 움푹 팬 볼에는 며칠 동안 깎지 않은 수염이 희끗희끗하게 잡목처럼 자라나 있었다. 하지만 선량한 미소가 그의 초라한 얼굴을 우호적이고 거의 호의적으로 보이게 해주고 있었다.

뒤르탈이 던진 질문에 그가 대답했다. "아무것도 아니에요. 데 제르미가 내게 내일 일어나도 좋다고 했어요. 하지만 약은 끔찍해요!" 그러면서 그는 한 시간에 한 숟가락씩 먹는 약을 보여주었다.

"무슨 약을 드시는 건가요?" 뒤르탈이 물었다.

하지만 종지기는 무슨 약인지 알지 못했다. 아마도 그의 지출을 줄이기 위해서 데 제르미 자신이 약병을 그에게 가져다준 것 같았다.

"침대에 있으니 답답한가요?"

"당연하지요. 아무짝에도 쓸모없는 조수에게 내 종들을 맡겨야 하잖아요. 아! 그가 치는 종소리를 들어보셔야 하는데! 몸서리쳐지고, 신경 거슬려요…."

"그러니까 그렇게 초조해하지 말아요." 그 아내가 말했다. "이틀 후면 직접 종을 칠 수 있을 테니까요!"

하지만 그는 불평을 계속했다. "당신들은 몰라요. 내 종들은 정성스럽게 보살펴왔던 것들이에요. 집에서 기르는 동물들과도 같아요. 오직 자기 주인에게만 복종하지요. 지금 종들은 당치 않은 소리를 내고, 덜컹거리고, 요란스럽게 울리고 있어요. 여기서는 그 소리들을 거의 분간할 수가 없잖아요!"

"뭘 읽고 있나요?" 고통스러운 대화 주제에서 벗어나고 싶은 뒤르탈이 말했다.

"물론 종에 관해 쓴 책들이지요! 아! 보세요, 뒤르탈 씨. 제게는 정말 보기 드물게 아름다운 비문들이 있답니다. 들어보세요." 책갈피들이 끼워져 있는 책 한 권을 펼쳐 보이면서 그가 다시 말했다. "거대한 샤프하우젠*의 종에 돋을새김으로 쓰인 이 문구를 들어보세요. '나는 산 자들을 부르고, 죽은 자들을 위해 눈물을 흘리고, 벼락 소리를 끊어놓는다.' 또 겐트**의 종루에 있는 낡은 종에 쓰여 있는 다른 문구를 들어보세요. '내 이름은 롤랑드이다. 내가 천천히 땡그랑거리며 울리면 불이 난 것이다. 내가 빠르게 울리면 플랑드르 지방에 폭풍우가 온다는 것이다.'"

"그렇군요, 앞의 것은 어느 정도 기품이 없지 않군요." 뒤르탈이 인정했다.

"물론이지요! 정말 어이없는 일이에요! 요즘 벼락부자들은 교회에 보조금을 주어 종을 만들게 하고 거기에 자신들의 이름과 지위들을 새겨 넣게 한답니다. 그런데 그들은 너무나 지위가 많고 직함이 많아서 명문을 새겨 넣을 자리가 더 이상 남아 있지 않다는 거예요. 요즘은 정말이지 수치심이 없다니까요!"

"단지 수치심만 없다면 좋으련만!" 뒤르탈이 한숨을 쉬며 말했다.

"오!" 자신의 종에 온통 마음이 쏠려 있는 카렉스가 다시 말했다. "그것뿐이라면 좋을 텐데! 그렇지만 더 이상 아무것도 할 수 없을 정도로 종들은 녹슬어 있고, 쇠는 냉간압연되지 않아 울림이 좋지 않아요. 예전에는 이들 놀라운 예배 보조자들이 끊임없이 노래하곤 했어요. 사람들

* 라인강 유역의 스위스 도시.
** 벨기에의 도시.

359

은 성무일도의 종을 울리곤 했지요. 해가 뜨기 전 드리는 새벽 기도 마투티네와 라우데스, 새벽이 되어 올리는 일시경 프리마, 9시에 올리는 삼시경 테르시아, 정오에 올리는 육시경 섹스타, 오후 3시에 올리는 구시경 노나, 그리고 저녁기도 베스페레와 끝기도 콤플레토리움 말이에요. 오늘날엔 주임신부의 미사, 아침, 정오, 저녁 세 번의 삼종기도 안젤루스, 때때로 있는 성체강복식, 그리고 어떤 날에는 규정된 의식을 위한 몇 번의 타종, 그게 전부예요. 종들이 잠자지 않는 곳은 수도원들뿐이에요. 왜냐하면, 적어도 그곳에선 야간 미사들이 지속되고 있으니까요!"

"그 얘기는 그만하세요." 그의 등 뒤로 베개를 다져 넣어주면서 그의 아내가 말했다. "이렇게 움직이면 당신에게 이로울 게 없고 해만 될 거예요."

"맞는 말이야." 한발 물러서며 그가 말했다. "하지만 이봐요, 나는 그 어떤 것으로도 위안을 얻지 못하는 반항인으로, 늙은 죄인으로 남아 있을 거요." 그러면서 그는 한 숟가락 분량의 먹을 약을 가져다준 아내에게 미소를 지었다.

벨 소리가 울렸다. 카렉스 부인이 문을 열러 가서 쾌활하고 얼굴이 붉은 사제 한 사람을 데리고 왔다. 그 사제는 커다란 목소리로 외쳤다. "이 계단은 정말 험난하군요! 얼마나 숨이 차던지!" 그러면서 그는 안락의자에 털썩 주저앉아 부채질을 했다.

"자, 어떤가요." 침실로 들어오면서 마침내 그가 말

360

했다. "교회지기를 통해 당신이 아프다는 소식을 듣고 왔답니다."

뒤르탈은 그를 살펴보았다. 면도 때문에 뺨이 푸르스름해진 혈색 좋은 붉은 얼굴에서 이해할 수 없는 쾌활함이 묻어나고 있었다. 카렉스는 그들을 서로 소개시켜주었다. 그들은, 사제는 경계하는 듯한 인사를, 뒤르탈은 무관심한 인사를 서로 주고받았다.

신부가 올라와줘서 고마워하는 종지기와 그의 아내가 손을 모은 채 보여준 기쁨에서 뒤르탈은 대단히 서먹서먹한 느낌이 들었다. 성직자 계층의 신성모독이나 추잡한 탐욕을 모르지 않는 이 부부에게, 그 신부는 선택된 인간, 너무나 고귀한 인간이라서 그가 그곳에 오자 다른 사람들은 더 이상 중요치 않음이 분명했다.

뒤르탈은 작별 인사를 했다. 그리고 계단을 내려오면서 생각했다. "저 기쁨에 넘쳐 있는 사제가 무서워지는군. 사제나 의사나 문인이 쾌활하다면 그들은 의심의 여지없이 추잡한 영혼을 갖고 있는 거야. 인간의 비참함을 가까이서 보며, 덜어주고 보살펴주거나 묘사하는 게 바로 그들이거든. 그런데 웃음을 터뜨리며 깔깔댄다면 그건 너무한 일이잖아! 그럼에도 불구하고 관찰과 경험에 의해 쓰인 진실한 소설이, 그것이 나타내고 있는 삶과 마찬가지로 슬프다는 점을 매우 유감스럽게 생각하는 분별없는 사람들이 있어. 그들은 소설이 쾌활하고 자유분방하고 허식적이기를, 그래서 이기심에 빠진 채 그들 곁을 스쳐 지나가는 처참한 존재들을 잊게 만들게끔 도와주기를 바라고 있어!

어찌 되었든, 카렉스와 그의 아내도 특이한 사람들이야! 그들은 사제들의 가부장적인 전제에 복종하고 사제들을 존경하며 숭배하고 있어! 그런 점이 이상하지 않을 때도 분명히 있어. 그렇지만, 그건 그들이 순결한 사람들이고, 믿음이 있으며 겸손한 사람들이기 때문이야! 그 방에 있던 사제를 알지는 못하지만, 그는 군말이 많고 얼굴색이 붉은데다가 통통하게 살이 쪘고 기쁨이 넘쳐흐르고 있어. 쾌활한 성격이어서 내가 별로 좋아하지 않았던 아시시의 성 프란체스코*의 예가 있긴 하지만, 나는 그 성직자가 성 프란체스코보다 더 고상한 존재라고는 생각할 수가 없어. 사실 평범한 사람이라는 편이 그로서는 더 낫겠지. 그가 특별한 사람이라면 신도들에게 어떻게 자신을 이해시킬 수 있겠어? 그리고, 그가 우월한 존재라면 동료들에게 미움을 받겠고, 주교에게 박해를 받을 텐데!"

그런 식으로 두서없이 혼잣말하면서 뒤르탈은 탑 아래쪽에 도착했다. 그는 현관 앞에서 멈춰 섰다. '저 위에서 더 오래 머물러 있을 생각이었는데.' 하고 그는 생각했다. '겨우 다섯 시 반이군. 식사를 하려면 적어도 30분은 보내야겠어.'

날씨는 상당히 따스했고, 눈은 치워져 있었다. 그는

---

* 프란체스코 수도회의 창설자(1181 혹은 1182–226).

담배에 불을 붙이고 광장을 어슬렁거렸다.

그는 얼굴을 들고 종지기의 창문을 찾으려 했고, 그 창문을 알아보았다. 현관 계단 위로 열려 있는 아치형의 다른 창문들 가운데 오직 그의 창문에만 커튼이 달려 있었기 때문이다. "정말 끔찍한 건물이로군!" 교회를 쳐다보면서 그가 중얼거렸다. "측면에 두 개의 탑이 서 있는 저 네모난 공간은 감히 노트르담의 파사드 모양을 상기시키고 있잖아! 정말 뒤죽박죽이야!" 그는 디테일들을 살펴보며 계속해서 중얼거렸다. "앞뜰에서 2층까지는 도리스식 기둥들이고, 2층에서 3층까지는 소용돌이꼴 장식이 달린 이오니아식 기둥이군. 마지막으로 토대에서 탑 꼭대기까지는 아칸더스잎 장식이 달린 코린트식 기둥으로 되어 있네. 교회 건물 하나에 이렇게 이교도의 기둥 양식들이 마구잡이로 뒤섞여 있는 건 무엇을 뜻하는 걸까? 그런데, 그건 종들이 있는 탑만 그렇군. 다른 쪽 탑은 끝나지도 않았을 뿐만 아니라 거친 파이프 같은 상태로 있지만, 추하기는 덜하구만!

저 보잘것없는 돌덩어리들을 세우기 위해 대여섯 명의 건축가들을 동원했다니! 그렇지만 사실 세르반도니 일가와 오페노르 일가*는 그 건물의 에제키엘**들, 즉 진정한 예언자들이었어. 그들의 작업은 18세기를 넘어선 선각자들의 작업이었어. 철도가 존재하지 않았던 시대에 석재로

---

* 세르반도니와 오페노르는 모두 18세기 초의 프랑스 건축가들이다.
** 구약성경의 「에제키엘」서 주인공, 유대 민족의 예언자.

미래의 철도역을 상징화시키고자 했던 통찰력 있는 노력 때문이지. 사실, 생쉴피스는 교회가 아니라 기차역이었어.

건물 내부는 바깥보다 더 종교적이지도 않고 더 예술적이지도 않아. 정말이지 저 건물 전체에서 내 마음에 드는 건 정직한 카렉스의 공중 포도주 저장고뿐이야!" 그는 주위를 둘러보았다. "이 광장은 정말 형편없군." 그가 다시 중얼거렸다. "하지만 촌스러우면서도 친근감이 있어! 아마 시료원의 역하고 냉한 냄새를 풍기는 저 형편없는 신학교에 필적할 수 있을 만한 건 아무것도 없을 거야. 다각형 수반들, 포토푀* 단지 모양의 장식들, 장식 받침 머리용 사자상들, 벽감 속에 고위 성직자 상들이 들어 있는 분수는 전혀 걸작이라 할 수 없고, 행정적인 스타일이 눈에 거슬리는 시청 건물 역시 마찬가지야. 하지만 이 광장에서는 인접한 세르반도니 길, 가랑시에르 길, 페루 길에서처럼 부드러운 정적과 온화한 습기로 이루어진 공기를 마실 수 있어. 오랫동안 열어보지 않은 벽장 냄새, 그리고 약간의 향냄새가 나는군. 이 광장은 이곳을 둘러싸고 있는 길가의 낡은 가옥들, 종교용품점들, 성상과 성합 제작소들, 그리고 사과 씨앗색, 마카담식 포장도로색, 육두구색, 리넨 표백제색 표지로 장정된 책들을 판매하고 있는 종교 서점들과 완벽하게 조화를 이루고 있어!"

"그래, 여긴 낡고 소박한 곳이야." 그는 이렇게 결론

---

* 고기와 야채를 삶은 스튜.

을 내렸다. 광장에는 거의 인적이 끊어졌다. 컵 속에 동전을 넣고 흔들며 주기도문을 중얼거리는 거지들 앞을 지나 여자 몇 명이 교회 현관 계단을 오르고 있었다. 성직자 하나가 검은색 천으로 싼 책 한 권을 겨드랑이에 낀 채 흰색 안경을 쓴 부인들에게 인사하고 있었다. 개들 몇 마리가 뛰놀고 있었다. 아이들 몇몇이 서로를 뒤쫓기도 하고 줄넘기를 하기도 했다. 빌레트의 초콜릿색 대형 버스들과 오퇴유 노선의 황갈색 소형 버스가 거의 텅 빈 채 출발하는 중이었고, 한편으로 공중변소 근처 인도에는 마부들이 자신들의 마차 앞에 모여 서서 한담을 나누고 있었다. 아무런 소음도 무리 지은 사람들도 없었고, 교외의 한적한 산책로처럼 나무들만 서 있었다.

"어디 보자." 다시 교회를 생각하던 뒤르탈이 중얼거렸다. "날씨가 풀리고 날이 더 맑아지면 탑 꼭대기에 올라가봐야겠군." 그리고 그는 머리를 흔들었다. "무슨 소용이 있을까? 높은 곳에서 파리를 굽어보는 건 중세에는 흥미로운 일이었겠지. 하지만 지금! 다른 건물 꼭대기에서와 마찬가지로 겹겹이 쌓인 회색의 길들과 좀 더 밝은 색깔의 간선도로들, 초록색 반점으로 보이는 공원과 광장들, 그리고 도미노처럼 줄지어 서 있고 창문이 검은 점으로 나타나는 일련의 가옥들을 보게 되겠지.

그리고 이 요동치는 지붕들의 늪에서 솟아난 건물들, 즉 노트르담, 생트샤펠, 생세브랭, 생테티엔뒤몽 성당들과 생자크 탑이 그보다 더 나중에 지어진 고약한 건물들 무리 속에 빠져 허우적거리고 있는 모습을 보게 되겠지. 나는 화장품 판매상들의 예술 같은 오페라 건물도, 다리의 아치 같은 개선문도, 그리고 속이 텅 빈 샹들리에 같은 에펠탑도 전혀 보고 싶지 않아! 아래쪽에서, 도로에서 길모퉁이를 돌 때마다 따로따로 보는 것도 이제 지긋지긋한데.

저녁 식사나 하러 가야겠군. 이아생트와 약속이 있어서 여덟 시 전에는 돌아가야 하니까 말이야."

그는 인근 포도주 상점으로 갔다. 그곳의 홀은 여섯 시면 사람이 없기 때문에, 신선하게 보관된 고기를 먹고 그다지 나쁘지 않은 포도주를 마시면서 자기 자신과 조용히 이야기를 나눌 수 있었다. 그는 샹트루브 부인을, 특히 도크르 참사원을 생각했다. 그 사제의 불가사의한 면이 그의 머릿속을 온통 사로잡았다. '그리스도를 짓밟기 위해 자기 발바닥에 그리스도를 그려넣은 남자의 머릿속에서는 도대체 어떤 일이 일어날 수 있었던 걸까?'

'얼마나 무시무시한 증오를 드러낸 것인가! 그는 그리스도가 자기에게 성자의 행복한 기쁨을 주지 않아서, 좀 더 소박하게 말하자면 자신을 가장 높은 권위의 성직에까지 올라가게 해주지 않아서 원한을 품었을까? 분명한 것은, 그 사제의 원한이 도를 넘어섰고, 오만이 하늘 높은 줄 몰랐다는 거야. 심지어 그는 자신이 공포와 혐오의 대상이라는 점에도 화를 내지 않았음에 틀림없어. 왜냐하면 그는 그처럼 괴상한 인물이었으니까. 그의 영혼처

366

럼 근본적으로 사악한 영혼에게는, 저주로 자신의 적들을 고통 속에 시들어가게 할 수 있으면서도 처벌받지 않는다는 게 얼마나 큰 기쁨이었겠어! 마침내 신성모독은 격렬한 환희, 그 어떤 것과도 비교할 수 없는 터무니없는 쾌락에 열광하지. 중세 이후로 그건 비열한 자들의 범죄가 되었어. 인간의 법정에서는 더 이상 죄를 묻지 않고, 그러한 짓을 저지르고도 벌을 받지 않으니까. 하지만 신자에게는 가장 극단적인 범죄야. 도크르는 그리스도를 증오하는 것으로 보아 그리스도의 존재를 믿고 있는 거야!

정말이지 끔찍한 사제야! 그는 샹트루브의 아내와 얼마나 추잡한 관계를 가졌을까! 그래, 하지만 어떻게 그녀가 털어놓게끔 할 수 있을까? 요컨대, 지난번에 그녀는 그 문제에 관해 자신의 입장을 말하기를 거부한다는 뜻을 분명하게 내게 비쳤었지. 어쨌든, 오늘 저녁엔 그녀가 저지른 방탕의 죄를 감내하고 싶은 생각이 없으니, 난 몸이 편치 않아서 절대적인 휴식이 필요하다고 말해야겠어.'

집에 돌아온 지 한 시간 후 그녀가 왔을 때, 그는 그렇게 말했다.

그녀는 그에게 차 한 잔을 권했고, 그가 거절하자 포옹하며 어린아이 달래듯 몸을 어루만졌다. 그러다가 약간 몸을 떼어놓으며 말했다.

"당신은 일을 너무 많이 하세요. 기분 전환이 필요해요. 자, 시간을 보내기 위해, 제 마음을 사로잡을 말을 좀 하면 어떨까요. 전 이런 놀이를 하면 전혀 지루하지가 않거든요! 싫어요? 이런 생각을 하면 즐거워지지 않나요? 다른 걸 찾아보죠. 고양이랑 술래잡기 놀이를 할까요? 싫으신가 보군요. 그러면, 어떠한 것으로도 당신의 부루퉁한 표정을 밝게 만들 수 없으니 당신 친구 데 제르미에 대해 이야기해보죠. 그 사람은 어떻게 지내나요?"

"별로 특별한 게 없소."

"마테이 치료법 실험들은요?"

"계속하고 있는지 모르겠소."

"자, 보아하니 이 주제도 이미 끝난 것 같군요. 당신 대답은 전혀 성의가 없다는 거 아세요?"

"그렇지만, 질문에 길게 대답하지 못하는 건 누구에게든 일어날 수 있는 일이지요. 어떤 문제에 관해 질문을 받으면 때때로 그처럼 간결한 표현을 남용하는 어떤 사람을 나는 알고 있지요."

"예컨대, 참사원에 관한 질문이겠군요."

"바로 그렇소."

그녀는 조용히 다리를 꼬았다.

"아마도 침묵할 만한 이유가 있었겠지요. 하지만 그 사람이 질문자에게 정말 호의를 베풀고 싶어도, 아마 마지막 만남 이후로 그 질문자를 만족시키기가 몹시 힘들었을 거예요."

"자, 친애하는 이아생트, 설명해보시오." 그는 얼굴을 밝게 빛내며 손을 잡고 말했다.

"오로지 눈앞에서 더 이상 부루퉁한 얼굴을 보지 않

368

으려는 목적으로 당신의 구미를 돋게 한 거라면, 전 성공한 셈이네요."

그는 그녀가 자신에게 화를 내는 건지, 아니면 실제로 그녀가 이야기하는 데 동의하고 있는 건지 의아해하며 침묵을 지켰다.

"들어보세요." 그녀가 다시 말했다. "나는 지난번 저녁때의 제 결정을 견지할 거예요. 저는 당신이 도크르 참사원과 연결되게 하지 않을 거예요. 그렇지만, 참사원과 관계를 맺지 않더라도, 때가 되면 당신이 가장 알고 싶어하는 의식에 당신을 참여시킬 수 있을 거예요."

"마법 의식 말인가요?"

"그래요. 일주일 이내에 도크르는 파리를 떠날 거예요. 저와 함께 당신이 그를 한번 본다고 해도 그 이후로는 결코 그를 다시 보지 못할 거예요. 그러니 일주일 동안 저녁 시간을 비워두세요. 때가 되면 기별할게요. 제게 감사해야 할 거예요. 왜냐하면 저는 당신을 도우려고 고해신부의 명령들을 어겨 더 이상 그를 보지 못하게 될 테고, 벌을 받게 될 테니까요!"

그는 부드럽게 키스하고, 애무하며 말했다.

"진정이로군요. 그 남자는 정말 잔인한 사람인가요?"

"정말 무서워요. 어쨌든, 전 어느 누구든 그를 적으로 삼게 되기를 바라지 않아요!"

"그렇군요! 그가 제뱅제 같은 사람들에게 저주를 내리는 걸 보면!"

"물론이지요. 전 그 점성술사와 같은 입장에 처하고 싶지 않아요."

"그렇다면 당신은 그걸 믿는군요! 자, 그가 생쥐의 피와 잘게 다진 고기 또는 기름으로 어떻게 하나요?"

"저런, 당신도 알고 있군요. 그는 사실 그런 것들을 사용하지요. 그는 그것들을 다룰 수 있는 몇 안 되는 사람들 중 하나이기도 해요. 다루다 보면 쉽게 중독되거든요. 폭발물과 마찬가지여서 준비하는 사람에게도 몹시 위험하답니다. 하지만 무방비 상태의 존재들을 공격할 때면, 그는 종종 보다 더 간단한 처방들을 이용한답니다. 그는 독약 추출물들을 증류시키고, 상처에서 거품을 내며 부글거리게 하기 위해 황산을 첨가합니다. 그런 다음 이 화합물에 작은 침 끝을 담갔다가, 날아다니는 유령이나 원귀를 시켜 그것으로 희생자를 찌르게 해요. 잘 알려진 일반적인 방자인데, 장미 십자회*와 여타 악마주의에 갓 입문한 자들이 사용하는 방식이지요."

뒤르탈은 웃기 시작했다. "하지만, 이봐요, 당신 말대로라면, 마치 편지처럼 멀리서도 죽음을 발송할 수 있겠군요."

"콜레라 같은 어떤 병들은 편지를 통해 보내지지 않나요? 위생국에 물어보세요, 거기선 전염병이 도는 동안 우편 발송물들을 소독하잖아요!"

---

* 17세기 초 독일에서 생긴 신비주의적 경향의 비밀결사.

"그런 뜻으로 말한 건 아니었소, 하지만 그 경우는 같지 않군요."

"그렇지 않아요, 왜냐하면 당신을 놀라게 하는 건 전송의 문제, 불가시성의 문제, 거리의 문제니까요!"

"그보다 나를 더 놀라게 한 건 그 문제에 장미 십자회가 연관되어 있다는 거요. 고백하건대, 나는 그들이 유순한 성격의 순진한 사람들이거나 혹은 슬픈 어릿광대들이라고만 생각했거든요."

"하지만 모든 집단들은 순진한 사람들로 구성되어 있어요. 그리고 선두에 서서 그들을 이용하는 어릿광대들이 항상 있게 마련이지요. 장미 십자회의 경우가 그래요. 그 우두머리들은 은밀하게 범죄를 기도하지요. 마법 의식을 실행하는 데 박식하거나 머리가 좋을 필요는 없어요. 어쨌든 단언컨대, 그런 사람들 중 제가 아는 예전 문인이 있어요. 어떤 유부녀와 함께 살고 있는데, 그들 두 사람은 저주로 남편 죽이기를 시도하면서 시간을 보내지요."

"저런, 그렇지만 그런 방식이 이혼보다는 훨씬 낫군요!"

그녀가 그를 쳐다보며 샐쭉한 표정을 지었다.

"더 이상 말하지 않겠어요." 그녀가 말했다. "절 놀리고 있다는 걸 알아요. 당신은 아무것도 믿고 있지 않아요…."

"천만에요. 놀리는 게 아니에요. 그 점에 관해 내가 확고한 생각을 갖고 있지 않기 때문이에요. 고백하자면,

우선 그 모든 게 내겐 적어도 가능하지 않은 것으로 보여요. 그렇지만 현대 과학의 온갖 노력들이 오직 과거에 마법이 발견한 것들을 확인할 뿐이라고 생각하면 어이가 없어 말이 안 나와요." 잠시 침묵하던 그가 다시 말을 이었다. "사실, 그래요. 한 가지 사실만 인용할게요. 중세에 고양이로 변한 여자들 이야기가 몹시 비웃음을 샀던 적이 있지요? 사람들이 최근 샤르코 씨 집에 한 어린 여자아이를 데려왔어요. 그런데 그 아이가 갑자기 네발로 걷고, 뛰며, 야옹 소리를 내고, 문을 긁고, 마치 고양이처럼 행동했어요. 이러한 변신이 가능하다는 말이지요! 아니에요, 아무리 반복해서 말해도 지나치지 않은 건, 진실은 우리가 아무것도 모른다는 것, 우리가 어떠한 것도 부정할 권리가 없다는 것이에요. 당신이 말한 장미 십자회로 다시 돌아가서, 그들이 그처럼 순전히 화학적인 공식들을 썼다고 해서 신성모독에서 벗어나 있는 건가요?"

"말하자면, 의심스럽긴 하지만, 그들이 잘 준비해서 성공을 거둔다고 가정하더라도 그들의 마법에 의한 독살은 쉽게 물리칠 수 있다는 거죠. 그렇지만 그렇다고 해서 진짜 서품 사제가 있는 그 단체가 필요한 경우 오염된 성찬식을 이용하지 않는다는 뜻은 아니에요."

"그렇다면 그 사람은 진정으로 훌륭한 사제겠군요! 그런데, 당신이 잘 알고 있으니 말인데, 어떻게 마법을 피하는지도 알고 있나요?"

"그렇기도 하고 아니기도 해요. 제가 아는 바로는,

독약들이 신성모독자에 의해 봉인되었을 때, 도크르이거나 로마의 일류 마법사 같은 대가에 의해 작업이 이루어졌을 때, 그들에게 대항해 해독제를 만들어내기는 아주 어려워요. 그렇지만 리옹에 있는 어떤 사제 이야기를 들었는데, 그 사람은 현재 거의 혼자서 그 어려운 치료법을 만들어낸다고 하더군요."

"요하네스 박사로군요!"

"그를 아세요?"

"몰라요. 하지만 치료받기 위해 그에게 갔던 제뱅제가 그 사람 이야기를 내게 했지요."

"그런데 전 그가 어떻게 하는지는 모르겠군요. 제가 아는 건 신성모독과 관련되지 않은 마법들은 대개 반격의 법칙에 의해 피할 수 있다는 거예요. 타격을 가한 사람에게 그 타격을 다시 되돌려준다는 거죠. 그곳의 성모마리아상 앞에 가서 기도하면 자신에게 피해를 입혔던 저주가 튀어 올라 적을 치게 된다는 교회 두 곳이 아직도 존재한답니다. 하나는 벨기에에 있고, 다른 하나는 프랑스에 있지요."

"그럴 리가!"

"그래요. 하나는 투그르에 있어요. 리에주*에서 18킬로미터 떨어진 곳이지요. 그 교회는 '반격의 노트르담'이라는 이름까지 갖고 있지요. 다른 하나는 샬롱** 근처의

* 벨기에 동부의 도시. 브뤼셀과 앙베르 다음으로 크다
** 프랑스 상빠뉴아르덴 지방의 도시. 현재는 샬롱앙상파뉴라 한다.

작은 마을인 에핀*에 있는 교회예요. 그 교회는 예전에 가시나무에 의해 행해지던 저주의 마법을 몰아내기 위해 지어졌지요. 그 지방에서 자라는 가시나무는 심장 모양으로 잘린 이미지들을 꿰뚫는 데 이용되었던 것이랍니다."

"샬롱 근처라." 기억을 더듬으며 뒤르탈이 말했다. "듣고 보니 흰 생쥐 피에 의한 저주에 대해, 그리고 그 마을에 정착한 악마주의자 서클들에 대해 데 제르미가 내게 말한 것 같군요."

"맞아요, 그 지역은 예전부터 악마주의가 가장 성행했던 중심지들 중 하나였어요."

"그 문제에 대해 상당히 잘 알고 있군요. 그런 지식을 당신에게 전해준 사람이 도크르인가요?"

"사실 제가 당신에게 이야기하고 있는 내용 중 그에게 빚지고 있는 건 얼마 안 돼요. 그는 저를 호의적으로 받아주었고, 자신의 제자로 만들고 싶어 하기까지 했지요. 전 거절했고, 지금은 그렇게 하기를 잘했다고 생각하고 있어요. 왜냐하면 제가 용서받지 못할 대죄의 상황에 빠져 있다는 점이 그 어느 때보다도 더 걱정스럽기 때문이에요."

"그 마법 의식이라는 데에 참석했나요?"

"그래요. 미리 경고해두는데, 당신은 그처럼 끔찍한 장면을 보았음을 후회할 거예요. 그 기억이 남아서 몸서

---

* '가시나무'라는 뜻.

리를 치게 하죠… 심지어… 특히… 직접 그 의식에 참석하지 않을 때에도 말이에요."

그는 그녀를 쳐다보았다. 안색은 창백했고, 안개가 낀 듯한 눈은 떨리고 있었다.

"당신이 원한 거니까," 그녀가 다시 말했다. "만일 그 광경이 당신을 놀라게 하거나 불쾌하게 만들어도 불평하지 마세요."

은밀하고 슬픈 음조의 목소리에 그는 다소 어안이 벙벙했다.

"그런데, 그 도크르라는 사람은 어디 출신인가요, 그는 예전에 무엇을 했고, 어떻게 악마주의의 대가가 되었나요?"

"저도 몰라요. 그가 파리에 거주하는 사제였고, 망명 중인 여왕의 고해신부였다는 사실은 알고 있어요. 제정 시대에 그는 후원자들 덕분에 사람들이 쉬쉬하며 말하지 못했던 끔찍한 말썽들을 일으켰어요. 그는 라 트라프*에 유폐되었고, 그러고 나서 사제직에서 추방되었고, 로마로부터는 파문을 당했어요. 또 제가 알아낸 바에 의하면 그 사람은 여러 차례 독살 죄로 기소당했지만 풀려나곤 했는데, 왜냐하면 법정에서 증거를 입증하지 못했기 때문이에요. 어떻게 해서 그런지 모르지만 현재 그는 여유 있게 살아가고 있고, 그의 점쟁이 역할을 하고 있는 여자와 함께

* 프랑스 노르망디 지방의 도시.

여행을 많이 하고 있어요. 누가 봐도 그는 악당이에요. 그렇지만 박식하고 사악하면서도 너무나 매력적이에요!"

"오!" 그가 외쳤다. "당신의 목소리, 당신의 눈빛이 변하는군요! 그를 사랑하고 있다고 시인하세요!"

"아니요, 저는 더 이상 그를 사랑하지 않아요. 당신에게 이야기하지 못할 것도 없지요. 한때 그와 전 서로에게 미친 듯이 빠져 있었지요!"

"그럼 지금은요?"

"지금은 끝났어요, 정말이에요. 우리는 친구로 남았고, 그게 전부예요."

"그렇지만 그때 그의 집에 자주 갔었겠지요. 어쨌든 집은 흥미로웠을 거예요. 내부는 이교도적으로 꾸며졌나요?"

"아니에요, 편안하고 정갈했어요. 화학 실험실 하나와 널찍한 서재가 하나 있었어요. 그 사람이 제게 보여주었던 것 중 단 하나 호기심을 끈 책은 양피지로 만든 마법 의식에 관한 책이었어요. 멋진 채색 그림들이 있었는데, 세례받지 못한 채 죽은 아이의 가죽을 무두질해 만든 장정본, 마법 의식에 바쳐진 커다란 희생 제물이 마치 꽃 모양 장식처럼 그 표지에 찍혀 있는 장정본이었어요."

"그 수사본의 내용은 무엇이었나요?"

"읽어보지는 못했어요."

그들은 침묵했다. 그녀가 그의 손을 잡았다.

"기력을 찾으셨군요." 그녀가 말했다. "당신의 우울

한 표정을 펴드릴 수 있으리라는 걸 알고 있었어요. 하지
만, 제가 착해서 화를 내지 않는다는 걸 인정하셔야 해요."

"화를 낸다고요? 왜요?"

"다른 사람 이야기를 꺼내야 비로소 남자를 즐겁게
해줄 수 있다면 여자로서 그다지 기분 좋은 일은 아니죠!"

"천만에요, 그렇지 않아요." 부드럽게 눈에 키스하
면서 그가 말했다.

"그만두세요." 그녀가 낮은 소리로 말했다. "힘이 빠
지는군요. 가야겠어요. 시간이 늦었어요."

여자는 한숨을 쉬었다. 그리고 어안이 벙벙해 있는
그를 내버려둔 채 가버렸다. 그는 그 여자의 삶이 어떤 수
렁에 빠져 있었는지 다시 한 번 더 생각해보았다.

XVIII

법정에 대해 분노에 찬 저주를 토해놓았던 그다음 날, 질 드 레는 다시 재판관들 앞에 출두했다.

그는 고개를 떨구고 손을 모은 채 나타났다. 그는 다시 또 이리저리 날뛰었다. 마귀에 들린 그를 진정시키는 데는 몇 시간으로 충분했고, 그는 사법부의 권위를 인정한다고 선언하며 자신의 법정 모독 행위에 대해 용서를 구했다.

재판관들은 우리 주 하느님에 대한 사랑으로 그의 법정 모독 죄를 용서해준다고 했고, 주교와 종교재판관은 그의 간청에 따라 전날 내렸던 파문 결정을 철회했다. 법정의 다른 사람들은 프렐라티와 그의 공범들의 출두에 정신이 팔려 있었다. 그리고, 주교구 재판소 검사는 고해가 "의심스럽고, 이랬다저랬다 하며, 개괄적이고, 추론적이고, 우스꽝스럽다."면 그 고해에 만족할 수 없다는 전도서의 말에 의거해서 고백의 성실성을 증명하기 위해 질이 교회 정전에 따른 질문에, 다시 말해서 고문에 처해져야 한다고 단언했다.

질 원수는 다음 날까지 기다려달라고 주교에게 청원했고, 대중과 재판부 앞에서 다시 고백하겠다고 약속하면서 우선은 법정이 지명하려 하는 재판관들 앞에서 고해할 권리를 요청했다.

장 드 말스트루아는 그 청원을 받아들였고, 생브리

외 주교와 브르타뉴의 대법관인 피에르 드 로스피탈이 질의 감방에서 그의 고해를 듣는 임무를 부여받았다. 질이 자신의 방탕 행위들과 살인 행위들에 관한 이야기를 마치자 그들은 프렐라티를 데려올 것을 명했다.

프렐라티를 보자 질은 울음을 터뜨렸다. 그리고 심문이 끝난 후 그 이탈리아인을 자신의 감옥으로 다시 데려갈 준비를 하는 동안 질은 그를 껴안으며 말했다. "잘가게, 프랑수아, 내 친구, 우리는 이 세상에서는 결코 다시 만나지 못할 걸세. 하느님이 자네에게 인내와 식별력을 가져다주시길 기원하겠네. 그리고 자네가 인내심과 하느님에 대한 희망을 갖고 있다면 커다란 기쁨 속에 낙원에서 다시 만나게 되리라는 확신을 갖게. 나를 위해 기도해주게. 나도 자네를 위해 기도하겠네."

그런 다음 홀로 남겨진 그는 다음 날 법정에서 공개적으로 고백해야 할 자신의 과오에 대해 생각했다.

그날, 공식 소송일이 되었다. 법정이 자리 잡고 있는 홀은 가득 메워졌고, 계단에 밀려든 군중은 마당에까지 구불구불하게 이어져 인접한 골목길들을 가득 채우고 길을 가로막았다. 체포되기 전에는 그 이름만으로도 문을 닫게 만들었고 아낙네들로 하여금 낮은 소리로 흐느끼며 밤을 보내게 했던, 결코 잊을 수 없는 짐승 같은 그를 보기 위해 사방 수십 리에서 농부들이 몰려왔다.

전원이 모인 가운데 법정이 열리려 하고 있었다. 기나긴 재판 중에 대개는 대리인들로 자리를 채우게 하던

380

배석판사들도 빠짐없이 참석했다.

　　로마네스크 양식의 무거운 기둥들로 지탱되고 있는 넓고 어두운 홀은 허리선까지는 새로 칠해져 있었고, 탄두 모양으로 끝이 뾰족해졌으며, 궁륭의 둥근 부분들은 성당 천장 쪽으로 치솟아서 수도원 굴뚝 갓의 늑골 장식처럼 하나의 점으로 모이고 있었다. 그 홀은 납으로 된 작은 격자무늬 창살을 통해 걸러져 들어온 희미한 빛으로 밝혀지고 있었다. 천장의 쪽빛은 점점 진해졌으며, 그 높은 곳에 그려진 별들은 어두운 궁륭 속에서 마치 압정 머리들처럼 반짝거리고 있었고, 검은 점들이 덕지덕지 붙은 커다란 흰색 주사위 모양의 방패꼴 가문(家紋) 속에서는 공작 문장(紋章)의 흰 담비가 희미하게 모습을 드러내고 있었다.

　　갑자기 트럼펫 소리가 울렸고, 홀이 환해졌으며, 주교들이 입장했다. 황금색 나사(螺絲) 주교관을 쓴 그들은 번쩍번쩍 빛났으며, 반짝이는 것으로 치장된 옷깃에 불꽃 모양 목걸이를 매고 있었다. 그들은 쪼개진 황금 종처럼 앞쪽이 어깨 위에서 나팔 모양으로 벌어지고 늘어진 뻣뻣한 법의 때문에 무거운 모습으로 조용히 열을 맞추어서 앞으로 나아갔는데, 손에는 지팡이가 쥐어져 있었고 거기에는 일종의 초록색 베일인 성대(聖帶)가 늘어져 있었다.

　　그들은 걸음을 옮길 때마다 바람을 받아 일어나는 숯불처럼 빛을 뿜었고, 10월 우기의 창백한 태양 빛을 반사하면서 홀을 밝혀주고 있었다. 그 창백한 태양 빛은 그들의 패물들 속에서 되살아나 새로운 빛을 끌어 올려 분산시키며 홀의 다른 쪽, 말 없는 대중이 있는 곳까지 보내지고 있었다. 그들의 번쩍이는 금은 장식과 패물들에 압도되어 다른 판사들의 복장은 더욱 부자연스럽고 어둡게 보였다. 배석판사들과 종교재판소 판사의 검은색 옷들, 장 브루앵의 흰색과 검은색 옷, 비단으로 만든 법의들, 붉은색 양모로 된 망토들, 재속 판사들이 걸치고 있는, 가장자리를 모피로 두른 진홍색 현수포들은 퇴색되고 조잡하게 보였다.

주교들은 제일 앞자리에 앉았고, 좀 더 높은 곳에 위치한 자리에서 홀을 굽어보고 있는 장 드 말스트루아를 둘러싸고 움직이지 않았다.

무장 군인들의 호위를 받으며 질이 입장했다.

그는 하룻밤 사이에 초췌해지고 해쓱해졌으며 20년은 늙어 보였다. 햇빛에 타버린 눈꺼풀 아래서 눈이 빛나고 있었고, 뺨이 떨리고 있었다.

법정 명령에 따라 그가 자기 범죄에 대한 이야기를 시작했다.

상심한 나머지 불분명해진 둔탁한 목소리로 그는 자신이 저질렀던 어린아이들의 유괴, 추악한 술책들, 끔찍한 고문들, 충동적인 살인들, 무자비한 강간들에 대해 이야기했다. 그는 희생자들의 환영이 눈에 보이는지 그들의 억눌렸거나 다급한 신음 소리, 비명, 헐떡거림 따위를 묘사했다. 그는 내장의 나긋나긋한 따스함에 빠졌었노라

382

고 고백했다. 마치 잘 익은 과일을 따듯이 상처를 넓히고 열어서 심장들을 꺼냈노라고 고백했다.

그는 몽유병자처럼 몽롱한 눈으로 자신의 손가락을 내려다보며 마치 그곳에 묻은 핏방울들을 털어내려는 듯 손가락을 흔들었다.

공포에 사로잡힌 홀에는 무거운 정적이 흐르고 있었다. 갑자기 몇 사람의 짤막한 비명이 그 침묵을 깨뜨렸다. 그러자 사람들이 달려가서 공포감으로 정신을 잃고 실신한 여인들을 데려갔다.

질에게는 아무것도 들리지 않고 아무것도 보이지 않는 듯했다. 그는 끔찍한 연도(蓮禱)처럼 자신의 범죄들을 계속해서 읊어나갔다.

그러다가 목소리가 더욱 거칠어졌다. 죽음을 연상시키는 감정들을 토로했고, 목을 자르기 위해 키스하며 달래던 어린아이들의 고통을 이야기하는 데 이르렀다.

그는 세세한 내용들을 모두 폭로하고 열거했다. 그 내용이 너무나 끔찍하고, 너무나 무시무시해서 황금색 주교관 아래 드러난 주교들의 얼굴도 창백해졌다. 고백의 열기에 흠뻑 젖은 사제들, 빙의 망상과 살인이 횡행하던 시절에 가장 끔찍한 고백을 들어봤던 재판관들, 어떠한 악행이나 어떠한 비열한 관능적인 짓 또는 정신적으로 더러운 그 어떠한 짓에도 더 이상 놀라지 않던 고위 성직자들은 성호를 그었고, 장 드 말스트루아는 일어서서, 부끄러운 마음으로 그리스도의 얼굴을 베일로 가렸다.

그러자 모두가 얼굴을 숙였다. 그들은 한 마디도 나누지 않고 질 원수의 말에 귀를 기울였다. 질은 땀으로 흠뻑 젖은 얼굴을 젖히고 베일에 가려 가시면류관을 쓴 얼굴이 보이지 않게 된 십자가를 바라보았다.

질이 이야기를 마쳤다. 그러자 긴장이 풀렸다. 그때까지 그는 도취된 듯, 지울 수 없는 범죄의 기억들을 큰 소리로 자기 자신에게 이야기하며 서 있었던 것이다.

이야기를 끝마치자 그에게는 힘이 하나도 남지 않았다. 그는 털썩 무릎을 꿇고서, 고통스런 흐느낌으로 몸을 떨며 소리쳤다. "오, 하느님, 구세주시여, 제게 자비와 용서를 내리소서!" 그러고서 잔인하고 오만한 남작은 겸손해졌는데, 아마도 그와 같은 특권계층 중에서는 최초였을 것이다. 그는 대중을 향해 돌아서서 눈물을 흘리며 말했다. "내가 잔인하게 죽여버린 아이들의 부모 여러분, 제발, 아, 당신들의 진실한 기도로 나를 도와주시오!"

그러자 그 홀 안에는 중세의 정수가 백색 광휘를 발하며 빛났다.

장 드 말스트루아가 자리에서 일어나 이마로 바닥을 내리찧고 있는 피고를 일으켜 세웠다. 그에게서 재판관의 모습은 사라지고 사제의 모습만이 남았다. 그는 자신의 잘못을 회개하고 한탄하고 있는 죄인을 껴안았다.

법정 안에는 전율이 흘렀다. 장 드 말스트루아가 머리를 자신의 가슴에 파묻고 서 있는 질에게 "하느님의 정당하고 가공할 분노가 잠잠해지도록 기도하라. 네 눈물이 시체 안치소들을 깨끗이 정화하도록 진심으로 눈물을 흘려라!"라고 말했다.

그러자 홀 안의 사람들 모두가 무릎을 꿇고 살인자를 위해 기도를 올렸다.

기도 소리가 잠잠해지자 불안과 동요의 순간이 찾아왔다. 두려움에 지치고, 자비심에 넘친 군중이 술렁거렸다. 말없이 짜증이 나 있던 재판관들이 정신을 추슬렀다.

주교구 재판소 검사는 손짓으로 소란을 멈추게 하고 눈물 바람을 잠재웠다. 그는 범죄가 "분명하고 명백하다."고, 증거들이 뚜렷하다고, 이제 법정은 그의 영혼과 양심에 따라 죄인을 벌할 수 있다고 말했고, 판결 날짜를 정할 것을 요구했다. 재판관들은 다음다음 날을 지정했다.

그날, 낭트 교회 종교재판소 판사인 자크 드 팡코딕은 연속해서 판결문 두 편을 낭독했다. 첫 번째는 그들의 공동 관할권에 속하는 사실에 대해 주교와 종교재판관에 의해 작성된 것으로서 다음과 같이 시작되었다.

"그리스도의 신성한 이름으로 우리는, 즉 낭트 주교인 장과 성서학 박사 연구자이자 낭트 도미니크회 수도원 소속으로 낭트 시와 낭트 교구를 위한 이단 종교재판관 대리인 장 블루앵은, 법관 회의에서 오직 하느님만을 모시고….'

그런 다음 범죄를 열거하고 나서 판결문은 다음과 같이 결론을 내렸다.

"우리는 다음과 같이 판결을 내리고 언도한다. 이곳

우리 법정에 소환된 질 드 레, 너는 치욕스럽게도 이단과 배교와 악마 환기의 죄를 범했다. 이러한 범죄들 때문에 너는 파문 선고와 더불어 법률에 따라 정해진 모든 다른 형벌을 받게 되었다."

두 번째 판결문은 주교 단독으로 작성되었는데, 특별히 그의 소관인 남색과 신성모독, 그리고 교회의 면책 특권 위반 행위에 관한 것이었고, 똑같은 결론에 도달하고 있었으며, 거의 동일한 형식으로 똑같은 형벌을 언도하고 있었다.

질은 머리를 숙인 채 판결문 낭독을 듣고 있었다. 낭독이 끝나자 주교와 종교재판관은 그에게 말했다.

"당신이 당신의 잘못들, 악마 환기와 여타 범죄들을 혐오하고 있으니 이제 당신은 우리의 어머니인 교회에 다시 편입되기를 원하는가?"

그리고 질 원수의 열렬한 간청에 따라 그들은 모든 파문에서 그를 풀어주었고, 그가 성사에 참여하도록 허락해주었다. 하느님의 재판은 끝나고, 범죄는 식별되어 처벌을 받았지만 회개와 고해에 의해 말소되었다. 인간의 재판만이 남게 되었다.

주교와 종교재판관은 죄인을 세속 법정으로 다시 넘겼고, 세속 법정은 아동 체포와 살인을 고려해 사형과 재산 몰수를 선언했다. 프렐라티와 다른 공범들도 동시에 교수형과 화형 선고를 받았다.

"하느님께 자비를 구하라!" 민사 법정을 주재하는

피에르 드 로스피탈이 말했다. "그러한 범죄들을 저지른 것을 크게 회개하고 당당하게 죽을 각오를 하라!"

그러한 권고는 쓸데없는 일이었다.

이제 질은 아무런 두려움 없이 처형받을 생각을 하고 있었다. 그는 겸손하게, 그리고 열렬히 구세주의 자비에 기대를 걸고 있었다. 그는 죽고 난 후 영원한 지옥 불에서 빠져나오기 위해 지상에서의 속죄를, 즉 화형을 진심으로 기원했다.

그는 자신의 성들에서 멀리 떨어진 감옥 안에서 홀로 자신의 마음을 열고, 티포주와 마슈쿨의 도살장에서 흘러나오는 폐수가 오랫동안 흘렀던 하수구들을 찾아보았다. 그는 그 끔찍한 오욕 더미를 결코 닦아낼 수 없다는 절망감에 싸여 자기 소유의 강변을 방황하며 눈물을 쏟았다. 그러다 공포와 환희의 외침 속에서 불현듯 은총을 입은 그는 갑자기 정신이 돌아버렸다. 그는 자신의 영혼을 눈물로 씻어냈고, 억수같이 쏟아지는 기도의 불길로, 미친 듯한 흥분의 불길로 그것을 말렸다. 소돔의 인간 백정은 자기 자신을 부인했고, 어물거리는 찬미의 말과 눈물의 홍수 속에서 잔 다르크 동료의 모습이, 그 영혼이 신에게까지 날아올랐던 신비주의자의 모습이 다시 나타났다!

그런 다음 그는 자신의 친구들을 생각했고, 그들 역시 은총을 받은 상태에서 죽게 되기를 바랐다. 그는 낭트의 주교에게 그들을 자신보다 먼저 혹은 나중에 처형하지 말고 사신과 농시에 처형해줄 것을 부탁했다. 그는 자신

387

이 가장 큰 죄인이며, 그들의 구원을 그들에게 알려야 하고, 그들이 화형대에 올라가는 순간에 그들을 도와주어야 한다고 주장했다.

장 드 말스트루아는 그 청원을 받아들였다.

"이상한 것은," 뒤르탈이 담배에 불을 붙이기 위해 글쓰기를 중단하며 중얼거렸다. "그것은…."

누군가가 조용히 문을 두드렸다. 샹트루브 부인이 들어왔다.

그녀는 잠시밖에 머물 수 없다고, 밖에서 마차가 기다리고 있다고 말했다. "바로 오늘 저녁이에요." 그녀가 말했다. "아홉 시에 당신을 데리러 올 거예요. 우선 이런 식으로 제게 편지를 한 장 써주세요." 그러면서 종이 한 장을 그에게 내밀었고, 그는 펼쳐보았다.

거기에는 단지 이러한 증언만이 담겨 있었다. "나는 마법 의식에 관해, 마법 의식을 거행하는 사제에 관해, 내가 참석했다고 주장하는 장소에 관해, 내가 그곳에서 보았던 사람들에 관해 내가 말하고 쓴 모두가 완전히 꾸며낸 것임을 고백한다. 이 모든 이야기들은 내가 만들어냈고, 따라서 내가 말한 모든 것은 거짓임을 확인한다."

"도크르가 시킨 건가요?" 뾰족하고 구불구불한, 거의 공격적인 작은 글씨체를 쳐다보며 그가 말했다.

"그래요. 그리고 또 날짜를 적어넣지 않은 그 진술서가 그 문제에 관해 당신에게 자문을 구한 누군가에게 보내는 편지 형식으로 쓰여지길 그는 원하고 있어요."

"그러니까, 당신의 참사원은 나를 믿지 못하는 거군요!"

"맞아요, 당신은 책을 쓰시잖아요!"

"거기 서명하는 건 내키지 않는데." 뒤르탈이 중얼거렸다. "내가 거절한다면요?"

"마법 의식에 참석하지 못할 거예요."

내키지 않는 마음보다는 호기심이 훨씬 더 강렬했다. 그는 편지를 작성해 서명했고, 샹트루브 부인은 그것을 지갑 속에 넣었다.

"어디서 그 마법 의식이 거행되나요?"

"올리비에 드 세르 가예요."

"거기가 어디죠?"

"보지라르 가 근처예요. 더 위쪽이죠."

"도크르가 사는 곳이 그곳인가요?"

"아니에요. 우리가 가는 곳은 그의 친구 한 사람이 소유하고 있는 사저예요. 그 문제에 관해서는, 원하시면 나중에 다시 질문하세요. 지금은 제가 급하거든요. 먼저 갑니다. 아홉 시예요, 준비하고 계세요."

키스할 시간도 주지 않고 그녀는 떠나가버렸다.

"마침내." 혼자 남게 되자 그가 중얼거렸다. "내겐 이미 몽마와 저주에 의한 독살에 관한 정보들이 있었어. 악마주의가 오늘날 어떻게 실행되는지 완전히 알기 위해서는 오직 마법 의식을 아는 일만 남아 있었는데, 마침내 보게 되는군! 파리에 그러한 이면이 감춰져 있다니 정말

389

이지 꿈에도 생각하지 못했어! 상황들이란 얼마나 서로 끌어당기고 서로 연결되어 있는지! 현대의 악마 숭배가 내게 모습을 드러내도록 내가 질 드 레와 중세의 악마 숭배에 관심을 가져야 했던 거야!"

그리고 그는 다시 도크르 생각을 하며 중얼거렸다. "이 사제는 정말이지 교활한 악당이군! 사실 말이지만, 오늘날, 시대정신이 해체되는 와중에 득실거리는 신비주의자들 가운데서 유일하게 내 관심을 끄는 이는 이 사람밖에 없어.

마법사들, 접신론자들, 유태교 신비학자들, 강신술사들, 연금술사들, 장미 십자회 회원들 같은 사람들은 내가 보기에 단순한 도둑들 아니면 지하실 속에서 뛰어놀며 서로 말다툼을 벌이는 어린아이들이나 마찬가지야. 무녀들, 점술가들, 그리고 마법사들의 본거지 속으로 더 깊이 들어가면 매음 중개소나 공갈단 외에 무엇을 발견하게 될까? 자칭 미래를 파는 이러한 상인들은 모두가 몹시 더러운 인간들이야. 이야말로 신비스러운 것 속에서 우리가 확신할 수 있는 유일한 것이지!"

데 제르미의 벨 소리가 이러한 생각들을 중단시켰다. 그는 제뱅제가 돌아왔고, 다음다음 날 카렉스의 집에서 함께 저녁 식사를 하게 되었다고 뒤르탈에게 알리러 온 것이었다.

"그렇다면 그의 천식이 다 나은 건가?"

"그렇다네, 완전히."

마법 의식에 대한 생각에 정신이 팔린 뒤르탈은 잠자코 있을 수가 없었다. 그는 바로 그날 저녁에 마법 의식에 참가한다고 고백했다. 그리고 데 제르미의 놀란 얼굴에 대고 자신이 비밀을 지키겠다고 약속했기 때문에 현재로서는 그 이상 이야기할 수 없다는 말을 덧붙였다.

"저런, 자넨 운이 좋군." 데 제르미가 말했다. "그 의식을 주재하는 사제의 이름을 물어봐도 실례가 안 될까?"

"괜찮네. 도크르 참사원일세."

"아!" 그러면서 데 제르미는 입을 다물었다. 그는 어떤 수상한 짓거리를 벌여서 자기 친구가 그 사제와 연결될 수 있었는지 짐작해보려고 애쓰고 있음이 분명했다.

"전에 자네가 내게 말했지." 뒤르탈이 다시 말을 이었다. "중세에는 마법 의식이 여성의 벌거벗은 엉덩이 위에서 거행되었고, 17세기에는 배 위에서 거행되었다고 말이야. 그렇다면 지금은 어떤가?"

"교회에서와 마찬가지로 제단 앞에서 이루어진다고 생각하네. 게다가, 15세기 말에 비스카야*인들 사이에서도 가끔 그런 식으로 거행되었지. 사실, 당시에는 악마가 직접 행동했다네. 찢어지거나 더러워진 주교의 옷을 걸치고 그는 '이것은 나의 육체이니라!'라고 외치면서 둥글게 썬 신발 조각들로 영성체를 하곤 했다네. 그러고는 앞서 자신의 왼손과 환부, 엉덩이에 입 맞추었던 신자들에게

---

* 스페인 비스그 지방의 수.

이 혐오스러운 종류의 씹을 것을 주었지. 자네가 그 참사원에게 그처럼 저속한 존경의 표시를 바치지 않게 되기를 바라겠네."

뒤르탈이 웃기 시작했다.

"아니야, 나는 그가 그런 예식을 강요하리라고는 생각하지 않네. 그렇지만, 이보게, 자네는 독실하고 끔찍하게 그러한 예식을 따르는 사람들의 정신이 조금 이상하다고 생각하지 않나?"

"정신이 이상하다니! 왜 그렇지? 악마 숭배는 하느님 숭배와 마찬가지로 미친 짓이 아닐세. 전자는 쇠락하고 있고, 후자는 찬란히 빛나고 있을 뿐이지. 자네처럼 그런 식으로 생각한다면 어떤 신이든 그 신에게 기원하는 사람들은 모두가 미친 사람들이 될 걸세! 그렇지 않네. 악마주의 회원들은 불순한 교단의 신비주의자들이지만, 그들은 신비주의자들일세. 이젠, 그들의 악의 피안을 향한 충동은 지독한 감각의 시련일 가능성이 대단히 크네. 왜냐하면 음욕이란 악마 숭배의 유모이기 때문이지. 의학에서는 이처럼 더러운 것에 대한 갈증을 알려지지 않은 신경증의 영역들 속에 그냥저냥 분류해놓고 있네. 의학에서는 그럴 수 있는데, 왜냐하면 모든 사람들이 고통스러워하는 그 병이 무엇인지 정확히 아는 사람은 아무도 없기 때문이네. 사실, 그 이전의 어느 세기보다도 우리 세기에 와서 신경이 더욱 쉽게, 최소한의 충격에도 흔들리게 되었음은 확실하다네. 자, 사형수들의 처형에 관해 신

392

문에 보도되었던 상세한 내용들을 상기해보게. 그에 따르면 사형집행인은 겁을 먹고 일하고 있고, 한 사람의 목을 칠 때는 거의 실신 일보 직전인데다 신경증을 갖고 있다고 하지. 얼마나 비참한가! 그 옛날의 불굴의 망나니들과 비교해볼 때 말일세! 그들 망나니들은 젖은 양가죽 양말 속에 다리를 넣게 하고 사형수를 불 앞에 세우는데, 그러면 가죽이 불 앞에서 오그라들어 서서히 살을 망가뜨리곤 했지. 그들은 또 사형수의 엉덩이 속에 쐐기를 박아 넣고 뼈를 부러뜨리곤 했네. 그들은 바이스에 양손 엄지손가락을 넣어 부러뜨렸고, 가는 가죽끈으로 허리를 절단했고, 마치 앞치마를 걷듯이 뱃가죽을 벗겨내곤 했다. 그들은 냉정한 얼굴로 몸을 갈기갈기 찢고, 높은 곳에 매달았다가 떨어뜨리고, 불로 지지고, 불붙은 브랜디를 들이붓곤 했지. 비명 소리도 하소연도 그들의 잔신경조차 건드리지 못했어. 이러한 행위들이 다소 피곤하긴 했지만, 그들은 작업이 끝난 후 단지 몹시 목이 마르거나 배가 고플 뿐이었어. 살생을 즐기는 사람들이었지만 아주 차분했다네. 하지만 지금은 어떤가! 다시 신성모독적인 자네 동료들 이야기로 돌아가세. 오늘 저녁, 그들이 미친 사람들은 아니라 해도 아주 혐오스러운 호색한들임은 의심의 여지가 없네. 그들을 관찰해보게. 벨제뷔트*를 불러대면서 성적 시식을 생각할 거라고 나는 확신하네. 겁먹지 말고 가

* 벨제불, 벨제붑 등으로 불리며 신약성경에서는 바알세불이라고 한다. 사탄과 동일시되는 악마이며, 흔히 파리 대왕이라고도 한다.

보게. 그 집단 내에 자크 드 보라진이 은둔자 성 바울의 이야기 속에서 언급하던 그런 순교자를 흉내 낼 사람들은 없다네. 자네 그 전설은 알고 있나?"

"아니."

"그렇다면, 자네의 영혼을 맑게 해주기 위해 그 이야기를 해주지. 그 순교자, 아주 젊었던 그 순교자는 손과 발이 묶인 채 침대 위에 눕혀졌고, 사람들은 그를 욕보이고 싶어 하는 미모의 여성을 그에게 보냈다네. 그에게 욕정이 일어나고, 죄를 범하게 될 것 같자 그는 이빨로 자신의 혀를 끊어버렸고, 그것을 그 여자의 얼굴에 뱉어버렸다네. '그렇게 해서 고통이 유혹을 물리쳤다.'고 보라진은 말했지."

"고백건대, 나는 그렇게까지 용기를 내지는 못할 걸세, 하지만… 자네 벌써 가려나?"

"그래, 기다리는 사람이 있어서."

"정말 이상한 시대야!" 그를 배웅하면서 뒤르탈이 다시 말했다. "실증주의가 정점에 도달한 시기에 신비주의가 잠에서 깨어나고 불가사의한 것에 대한 열기가 시작되니 말이야."

"항상 그래왔지. 세기말들은 서로 닮아 있다네. 모든 것이 흔들리고 동요하지. 유물론이 맹위를 떨치는 가운데 마법이 흥한다네. 100년마다 이러한 현상이 다시 나타나고 있어. 더 이상 멀리 갈 것도 없이 지난 세기말을 보게. 합리주의자들과 무신론자들이 있는가 하

면 생 제르맹,* 칼리오스트로,** 성 마르티노,*** 가발리,****
카조트,***** 장미 십자회, 그리고 지금처럼 마법 서클들이 있
지 않은가! 그러니, 잘 있게, 좋은 저녁 시간 보내고 행운
을 비네."

"알았네." 하지만 뒤르탈은 문을 다시 닫으며 생각
했다. '칼리오스트로 같은 사람들은 적어도 어느 정도 기
품이 있었고, 또한 어느 정도 지식도 갖고 있었던 것 같아.
반면에 오늘날 마법사들은 정말이지 얼마나 얼간이들이
고 얼마나 뜨내기 장사치들 같은지!'

---

* 제르맹이라는 이름의 성인은 여럿 존재한다. 그중 가장 유명한 사람은 옥세르의 생
제르맹(378~448)으로 옥세르의 6대 주교였다.
** 본명은 Giuseppe Balsamo(1743~95). 이탈리아의 모험가, 프리메이슨 단원, 장미
십자회원, 연금술사.
*** 성 마르티노 혹은 성 마틴(316~97)은 투르의 주교를 지냈다. 그가 힐라리오와 함께
세운 수도원은 베네딕도회의 리귀제 수도원으로 발전하게 된다. 리귀제는 위스망스가
제3회인 생활을 한 곳이다.
**** 1670년 익명으로 나왔지만 니콜라피에르앙리 드 몽포콩(Nicolas-Pierre-Henri de
Montfaucon)이 저자로 밝혀진 소설 『가발리 백작 혹은 신비학에 관한 대담(Le Comte
de Gabalis ou Entretiens sur les sciences secrètes)』의 주인공. 이 소설은 장미
십자회원과 19세기 말 신비주의자들에게 큰 영향을 미쳤다.
***** Jacques Cazotte(1719~92). 초사연적 환상 문학을 쓴 프랑스 작가.

XIX

그들은 마차 안에서 이리저리 흔들리며 보지라르 거리를
올라가고 있었다. 샹트루브 부인은 구석에 처박혀서 아무
말도 하지 않았다. 뒤르탈이 그녀를 바라보고 있을 때, 가
로등 앞을 지나면서 베일 위로 한줄기 짧은 빛이 흐르다
사라졌다. 그가 보기에 겉으로는 말이 없지만 흥분되고
신경이 쓰이는 것 같았다. 그가 손을 잡았지만 그녀는 손
을 빼내지 않았다. 하지만 장갑 낀 손에서 그는 냉기를 느
꼈다. 금발 머리는 그날 저녁따라 뻣뻣해 보이고, 평상시
보다도 덜 곱고 푸석푸석하게 보였다.

"좀 가까이 앉을까요?"

그러나 그녀는 불안해하는 낮은 목소리로 대답했다.

"아니에요, 말하지 마세요."

그처럼 말없이, 거의 적대적인 모습으로 머리를 맞
대고 있다는 데 짜증이 난 그는 마차 창문을 통해 길을 살
피기 시작했다.

길은 끝없이 펼쳐져 있었고, 이미 인적이 드물었는
데, 포장 상태가 좋지 않아서 앞으로 나아갈 때마다 마차
의 차축들이 삐걱거렸다. 길은 가스 가로등에 의해 희미
하게 밝혀져 있었고, 그 가로등들은 성벽을 향해 감에 따
라 점점 더 거리가 벌어져갔다. "참 독특한 나들이로군!"
샹트루브 부인의 차갑고 억제된 모습을 걱정하며 그가 중
얼거렸다.

마침내 마차가 어두운 거리에서 갑자기 방향을 틀었고 구비를 돌더니 멈춰 섰다.

이아생트가 내렸다. 마부가 돌려주는 거스름돈을 기다리며 뒤르탈은 주변을 힐끗 둘러보았다. 일종의 막다른 길이었다. 소란스럽고 인도가 없는 도로 가장자리를 따라 납작하고 우중충한 집들이 늘어서 있었다. 마부가 떠난 후 몸을 돌리니 길고 높은 담장이 있는 곳이었다. 담장 위로는 나뭇잎들이 어둠 속에서 살랑거리고 있었다. 금 간 곳을 채우고 구멍 난 곳을 막고 있는 회반죽에 의해 난 세 개의 흰색 선이 섞여 있는 거무튀튀한 그 두꺼운 벽에는 창구가 뚫려 있는 작은 문 하나가 파묻히듯 나 있었다. 갑자기 멀리서, 가게 진열창에서 빛 하나가 솟아났는데, 아마도 마차 굴러가는 소리에 이끌려 나온 듯한 한 남자가 포도주 상인들이 입는 앞치마를 두른 채 가게 밖으로 고개를 내밀고 문지방에 침을 뱉었다.

"여기예요." 샹트루브 부인이 말했다.

초인종을 누르자 창구가 열렸다. 그녀가 베일을 걷어 올리자, 전깃불 빛이 얼굴을 비추었다. 문이 소리 없이 열렸다. 그들은 정원 안으로 들어섰다.

"안녕하세요, 부인."

"안녕, 마리."

"예배당 안에서 하나요?"

"그래요, 안내해드릴까요?"

"고맙지만 괜찮아요."

초롱을 든 여자가 뒤르탈을 훑어보았다. 그는 머리 쓰개 아래에서 어수선하고 늙어 보이는 얼굴 위로 흘러내린 꼬부라진 회색 머리 타래를 보았다. 하지만 그녀는 그에게 찬찬히 살펴볼 여유를 주지 않았다. 그녀는 숙소로 쓰이는 담장 근처의 작은 건물 안으로 도로 들어갔다.

그는 이아생트의 뒤를 따라 어둡고 회양목 냄새가 풍기는 길들을 건너 어떤 건물의 현관 계단에까지 갔다. 그녀는 마치 자기 집이나 되는 듯 문들을 밀어 열었고 타일을 밟으며 발소리를 냈다.

"조심하세요." 현관을 건넌 뒤 그녀가 말했다. "계단이 셋 있어요."

그들은 안마당으로 나와 낡은 집 앞에서 멈춰 섰고, 그녀가 초인종을 눌렀다. 키 작은 남자가 나타났고, 몸을 돌려 피하면서 꾸민 듯한 억양의 목소리로 근황을 물었다. 그녀는 인사하며 그를 지나쳤고, 뒤르탈은 퇴폐적인 얼굴, 투명하고 끈적끈적한 눈, 짙게 분칠한 뺨, 루주를 바른 입술의 그 남자 곁을 스쳐 지나가며 자신이 남색가들의 소굴에 빠졌다는 생각이 들었다.

"당신은 내가 저런 사람들에게 접근하게 되리라고 미리 말해주지 않았잖소." 램프 불이 밝혀진 복도를 돌아서며 이아생트를 따라잡은 그가 말했다.

"그럼 당신은 이곳에서 성인들을 만나리라 생각했나요?" 그러면서 그녀는 어깨를 으쓱했고, 문을 잡아당겼다. 그들은 예배당 안에 들어와 있었다. 천장은 서투른

399

솜씨로 되는대로 타르를 칠한 들보들이 가로지르고 있었고, 창문들은 커다란 커튼 아래 감춰져 있었으며, 벽은 균열이 가 있고 칠이 벗겨져 있었다. 뒤르탈은 걸음을 떼어 놓기가 무섭게 뒤로 물러섰다. 난방 기구들에서 소용돌이 같은 세찬 기운이 흘러나오고 있었다. 알칼리와 수지, 그리고 타오르는 풀 냄새로 악화된 습기와 이끼, 새 난로의 역한 냄새가 목을 짓눌렀고 관자놀이를 지끈거리게 했다.

그는 어둠 속을 더듬어 나아가며 금도금된 청동과 장밋빛 유리들로 만들어진 샹들리에 속 내진 전등에 의해 희미하게 불이 밝혀져 있는 그 예배당을 살펴보았다. 이아생트가 그에게 앉으라는 손짓을 하며 어둠 속 구석진 곳의 긴 의자들에 자리 잡고 있는 일단의 사람들 쪽으로 나아갔다. 그런 식으로 따돌림당해 다소 당황한 뒤르탈은 이들 참석자들 가운데 남자들은 거의 없고 여자들이 많다는 사실을 알아차렸다. 그렇지만 그들의 모습을 구분하려고 애쓰는 건 쓸데없는 짓이었다. 여기저기서 작은 전등들이 흔들릴 때면 그는 주노* 스타일의 비대한 갈색 머리 여자, 그리고 면도를 한 우울한 남자 얼굴을 보았다. 그는 그들을 눈여겨보았고, 그 여자들이 자기들끼리 수다스럽게 말을 주고받지 않는다는 점을 확인할 수 있었다. 그들의 대화는 소심하고 신중해 보였는데, 웃음소리나 높은 언성이 전혀 들리지 않았고 아무런 몸동작 없이 우물거리

* 주피터의 아내, 빛의 여신.

400

는 은밀한 속삭임만 들렸기 때문이었다.

"제기랄! 사탄도 자기 신도들을 행복하게 만들어주는 것 같지는 않군!" 그는 이렇게 중얼거렸다.

붉은색 옷을 입은 성가대 아이 하나가 예배당 안쪽으로 나아가 늘어서 있는 초에 불을 밝혔다. 그러자 제단이 나타났다. 교회에서 흔히 볼 수 있는 제단이었는데, 그 위에는 조소적이고 추악한 그리스도상이 걸려 있는 감실이 놓여 있었다. 그리스도상의 머리는 쳐들려 있었고, 깃은 펼쳐져 있었으며, 뺨에 그려진 주름은 고통에 찬 그의 얼굴을 역겨운 미소 때문에 뒤틀린 얼굴로 변화시키고 있었다. 그는 벌거벗고 있었고, 허리를 두르고 있던 천이 있던 자리에서는 털이 듬성듬성 난 성기에서 흥분한 남성의 배출물이 솟아나고 있었다. 감실 앞에는 성작개(聖爵蓋)*를 씌운 성배가 놓여 있었다. 성가대 아이는 손으로 제단보를 닦아내고, 엉덩이를 흔들면서, 그 방의 숨 막히는 악취에 타르와 송진 냄새를 더하고 있는 검은색 양초들에 손을 대려는 것을 핑계 삼아 마치 날아오르려는 듯 한 발로 발돋움한 채 게루빔** 천사를 흉내 내고 있었다.

뒤르탈은 방에 들어올 때 문을 지키고 있던 붉은색 옷을 입은 '아기 예수'를 보았고, 그 남자의 역할을 납득했다. 그의 신성모독적인 오물은 교회가 원하는 어린 시절의 순수를 대신하고 있었던 것이다.

* 신부가 미사 드릴 때 성반(파테나)과 성배를 덮는 천
** 하느님의 지혜를 상상하는 지천사(智天使).

401

그런 다음, 보다 더 추악하게 생긴 다른 성가대 아이 하나가 모습을 나타냈다. 배가 쑥 들어가고, 기침 때문에 볼이 움푹 패고, 입술연지와 두꺼운 백색 물감을 발라 얼굴을 고친 그 아이는 콧노래를 흥얼거리며 다리를 약간 절고 있었다. 아이는 제단 옆에 나란히 세워진 삼각대에 접근해서 잿더미 속 숯불을 뒤적이고, 그곳에 송진 조각과 나뭇잎들을 던져 넣었다.

뒤르탈이 슬슬 지겨워지기 시작할 무렵 이아생트가 다가왔다. 그녀는 너무 오래 혼자 내버려두어 미안하다고 했고 자리를 옮기자고 하며 그를 아주 멀리 떨어진 곳으로, 의자들이 줄지어 늘어서 있는 곳 뒤로 안내했다.

"우리가 그러니까, 진짜 예배당 안에 들어와 있는 건가요?" 그가 물었다.

"그래요, 우리가 지나쳐온 이 집, 이 교회, 이 정원들은 지금은 없어진 옛 우르술린 수도원의 부속 건물들이에요. 이 예배당에 오랫동안 사료들을 쟁여놓았었지요. 이 집은 마차 임대인의 것이었는데 그가 저 여자에게 팔았어요, 보세요." 그러면서 뒤르탈이 힐끗 쳐다보았던 비대한 몸집의 갈색 머리 여자를 가리켰다.

"저 여자는 기혼자인가요?"

"아니에요. 과거에 수녀였는데 도크르 참사원에 의해 발탁되었어요."

"아! 그러면 어둠 속에 머물러 있고 싶어 하는 듯한 이 남자들은요?"

"그들은 악마주의 신자들이에요… 의과대학 교수였던 이도 한 사람 있어요. 그는 자기 집에 기도실이 있어서 그곳에서 제단 위에 서 있는 미의 여신 아스타르테* 상에게 기도를 한답니다.

"그럴 리가!"

"사실이에요. 그는 나이가 들어 늙었지만 그 악마의 기도로 인해 힘이 현저하게 증대되었고, 저런 아이들과 더불어 그 힘을 사용하고 있대요." 그러면서 그녀는 손짓으로 성가대 아이들을 가리켰다.

"그 이야기가 사실임을 보증할 수 있어요?"

"제가 꾸며낸 건 거의 없어요. 당신도 종교 신문 『신성 연대기』에 그 이야기가 자세히 나와 있음을 알게 될 거예요. 그리고 기사에서 분명히 이름이 거명되었지만 그 남자는 감히 그 신문을 고소하지 못했어요! 아, 그런데, 무슨 일이죠?" 그를 쳐다보며 그녀가 다시 말했다.

"음… 숨이 막혀서요. 이 향로들에서 나는 냄새는 참을 수 없군요!"

"잠시 후면 익숙해질 거예요."

"그런데 뭘 태우기에 그렇게 악취가 나는 건가요?"

"운향 약간과 사리풀잎, 독말풀잎, 말린 가지과 식물과 몰약들이죠. 우리 주 사탄에게는 향기로운 냄새예요!"

그녀는 침대에서 어느 순간에 냈던, 목구멍에서 나

---

* 바빌론의 이슈다르테에 해당하는 페니키아의 풍요의 여신.

오는 변화된 목소리로 그렇게 말했다.

그는 뚫어지게 쳐다보았다. 그녀 얼굴은 창백했다. 입은 꼭 다물었고 눈물을 머금은 눈은 깜빡거리고 있었다.

"그가 오네요." 갑자기 그녀가 중얼거렸다. 여자들이 그들 앞을 지나 달려가서 의자 위에 무릎을 꿇고 앉았다.

빨간색 천으로 만든, 들소 뿔 같은 것이 나 있는 진홍색 모자를 쓴 참사원이 성가대 소년 둘을 앞세우고 입장했다.

그가 제단으로 걸어가는 동안 뒤르탈은 그의 모습을 자세히 살펴보았다. 그는 키가 컸지만 체격은 빈약했다. 특히 가슴 부위가 빈약했다. 벗겨진 이마는 굴곡 하나 없이 날카로운 코로 이어져 있었다. 오랫동안 면도해온 퇴역 신부들처럼 입술과 뺨에는 억세고 무성한 털들이 솟아나 있었다. 얼굴 윤곽은 삐뚤어지고 거대했다. 코 근처에 몰려 있는, 감자 씨눈처럼 작고 검은 눈은 안광을 내뿜고 있었다. 요컨대, 모습은 볼품없고 엉성하지만 정력적이었고, 엄격하고 마음을 꿰뚫듯 바라보는 눈은 뒤르탈이 상상했던 아득하고 음험한 눈동자와는 전혀 닮지 않았다.

그는 제단 앞에서 엄숙하게 고개를 숙이고 계단을 올라가서 미사를 시작했다.

그때 뒤르탈은 그가 제복 속에 아무것도 입고 있지 않았음을 알았다. 검은색 양말 위로, 높이 매어놓은 고무 밴드에 억눌려 있는 살갗이 드러나 있었다. 제의(祭衣)는 일상적인 제의와 같은 모양이었지만 말라붙은 피처럼 검

붉은 색이었고, 주변에 콜키쿰 나무, 노간주나무, 덩굴풀, 그리고 버들옷 나무들이 자라고 있는 한가운데의 삼각형 그림 속에는 검은색 염소 한 마리가 서서 뿔을 내밀고 있었다.

도크르는 무릎을 꿇었고, 전례에 명시된 대로 적당히 혹은 깊이 머리를 숙이곤 했다. 성가대 아이들은 무릎을 꿇은 채 말이 끝날 때마다 노래하는 듯한 맑고 투명한 목소리로 라틴어 답창을 했다.

"아, 그런데 저건 노래가 따르지 않는 독송(讀誦) 미사로군요." 뒤르탈이 샹트루브 부인에게 말했다.

그녀는 그렇지 않다는 표시를 했다. 과연 그 순간 성가대 아이들이 제단 뒤로 가서, 한 아이는 구리로 된 향로들을, 다른 한 아이는 향을 들고 나왔고, 그것들을 참석자들에게 나누어주었다. 모든 여성들이 연기에 둘러싸였다. 어떤 여자들은 향로 위로 머리를 들이밀고 코로 깊숙이 냄새를 들이마셨고, 그런 다음 탈진해서 목쉰 듯한 한숨 소리를 내면서 스스로 옷을 벗었다.

그러자 희생 제의는 중단되었다. 신부는 뒤로 물러서서 계단을 내려왔고, 마지막 계단 위에서 무릎을 꿇으며 격렬하고 날카로운 목소리로 외쳤다.

"추문의 지배자이고, 범죄의 자선가이며, 찬란한 죄악과 위대한 악행의 관리자이신 사탄이여, 우리는 당신을 논리적인 신, 정의로운 신으로 숭배합니다!

의사 황홀경의 경이로운 특사이신 당신은 눈물로

청하는 우리의 구원 요청을 받아주십니다. 당신은 황홀한 오르가슴을 망각하고 임신한 여자들을 낙태시켜 가족들의 명예를 구해줍니다. 당신은 엄마들에게 혼외정사의 욕망을 암시하고, 당신의 산과학은 태어나기도 전에 죽어가는 아이들에게 성숙의 불안, 실패의 고통을 덜어줍니다!

분노에 싸인 가난한 자들의 옹호자이자 패배자들의 친구인 당신은 그들에게 위선과 배은망덕, 자만심을 주시어, 그들이 신의 아이들, 즉 부자들의 공격에 대항하여 스스로를 보호할 수 있게 합니다!

경멸의 군주이시고, 굴욕의 회계원이시며 오래된 증오의 소작인인 당신만이 부당함에 짓눌린 인간의 머리를 풍요롭게 하십니다. 당신은 준비된 복수, 확실한 악행의 생각을 인간에게 불어넣어주십니다. 당신은 인간을 살인으로 인도하시고, 복수를 달성한 뒤의 넘치는 기쁨을, 그 원인이 인간에게 있는 완벽한 형벌과 눈물의 상큼한 도취감을 선사하십니다!

성적 활력의 희망이시고 공허한 자궁의 불안이신 사탄이여, 당신은 정숙한 음부(陰部)의 쓸데없는 고난을 요구하지 않으시고, 고행과 휴식의 광란을 찬양하지 않으십니다. 당신만이 가난하고 탐욕스러운 가정의 육체적 탄원과 추신들을 받아주십니다. 당신은 어머니로 하여금 자신의 딸을 팔고 아들을 양도하도록 결심하게 만들고, 비생산적이고 비난받는 애정 행각들을 도와주십니다. 날카로운 신경증의 후원자이시고, 무거운 히스테리의 탑이며,

피로 물든 강간의 화병이시여!

주인님이시여, 당신의 충실한 하인들이 무릎을 꿇고 당신에게 간청합니다. 그들은 정의에게 무시당하고 있는 그 즐거운 악행의 쾌락을 달라고 당신에게 청하고 있습니다. 그들은 인간 이성의 한계를 넘어서 인간으로서는 알 수 없는 마법들을 할 수 있도록 도와달라고 당신에게 청원합니다. 그 마법들을 완전하게 실현해달라고 당신에게 청원하는 한편 마법을 사랑하고 마법을 섬기는 모든 사람들의 고통을 기원합니다. 마지막으로 그들은 당신에게 영광과 부와 권세를 요구합니다, 불구자들의 왕이시고 냉혹한 아버지를 몰아낸 아들이신 당신에게 말입니다!"

그리고 나서 도크르는 다시 몸을 일으켜 세웠고, 선 채 분명하고 증오에 찬 목소리로 팔을 벌리며 포효하듯 말했다.

"사제로서, 나는 네가 원하든 원치 않든 이 희생 제물의 몸 안으로 내려오기를, 이 빵 속에 현신(現身)하기를 요구한다. 예수여, 사기의 달인, 명예를 훔치는 도둑, 애정을 훔치는 자여 들어라! 네가 마리아라는 여자의 몸에서 나왔던 날부터 너는 계약을 어겼고, 약속을 지키지 않았다. 수 세기를 너를 기다리며 눈물을 뿌렸다. 도망치는 신이여, 말 없는 신이여! 너는 인간들을 구원해야 했는데, 아무것도 대속하지 못했다. 영광 속에 몸을 나타내야 했는데 잠들어 있다! 가라, 속여라, 너를 부르는 가련한 자에게 이렇게 말하라. '희망을 사셔라, 인내하라, 고통을 감수하라, 영혼의 병원이 너를 받아주리라, 천사들이 너를 도와주리라, 천국이 열리리라.' 사기꾼! 너는 네 무기력함에 혐오를 느낀 천사들이 떠나가고 있음을 잘 알고 있지 않은가! 너는 우리 한탄의 중개인이 되어야 했고, 우리 눈물의 시종이 되어야 했고, 그들을 아버지 하느님 곁으로 인도해야 했는데, 전혀 그렇게 하지 않았다. 왜냐하면, 아마도 이러한 중재를 하게 되면 너의 행복하고 만족스런 영원한 잠을 망치게 되기 때문이리라!

너는 네가 장려하던 그 빈곤을 망각했다, 과대 선전에 빠져버린 신하여! 너는 투기매매의 압착기 아래 가난한 사람들이 짓눌리는 광경을 보았고, 기근에 의해 꼼짝 못하는 수줍은 사람들과 빵 조각을 얻기 위해 배를 가른 여자들이 헐떡거리는 소리를 들었고, 성직매매 죄를 지은 자들을 통해, 교역 대표자들을 통해, 교황들을 통해 능장변명들과 헛된 약속들로 답하게 했다, 교권 옹호 세력의 변호사여, 장사치 신이여!

괴물이여, 상상할 수 없는 냉혹함으로 생명을 낳고, 무구한 사람들에게 삶의 고통을 치르게 해놓고, 뭔지도 모를 원죄라는 이름으로, 알지도 못할 어떤 조항에 근거해서 그들을 감히 처단하는 너에게 우리는 너의 터무니없는 거짓말, 너의 씻을 수 없는 죄들을 마침내 고백하게 만들고 싶다! 우리는 네 몸에 박힌 못을 두드리고 싶고, 네 머리의 가시들을 누르고 싶고, 너의 말라붙은 상처 가장자리에서 고통의 피를 흘리게 하고 싶다!

네 육체의 평온을 깨뜨림으로써 우리는 바로 그렇게 할 수 있고, 그렇게 할 것이다. 무수한 악덕을 지닌 신성모독자여, 어리석을 정도로 순수성을 꿈꾸는 공상가여, 저주받은 나사렛인이여, 게으른 왕이여, 비열한 신이여!"

"아멘." 성가대 아이들이 맑고 고운 목소리로 외쳤다.

뒤르탈은 그처럼 쉴 새 없이 퍼붓는 저주와 모욕의 말들을 듣고 있었다. 그 사제의 불순한 말들에 그는 당황했다. 울부짖음에 이어 정적이 뒤따랐다. 예배당 안은 향 안개로 자욱했다. 그때까지 말없이 있던 여자들이 동요했다. 그러자 참사원은 제단에 다시 올라가 그들을 향해 돌아서서 왼손으로 크게 몸짓하며 축복했다.

갑자기 성가대 아이들이 방울을 울렸다.

신호인 듯했다. 양탄자에 주저앉았던 여자들이 뒹굴었다. 한 여자는 본능적인 힘에 자극받은 듯했고 배를 깔고 엎드려 발로 허공을 저었다. 다른 한 여자는 갑자기 추악한 사팔뜨기가 되어 킬킬거리더니, 턱을 벌리고 혀를 말아 올려 혀끝을 입천장에 높이 대고는 말없이 앉아 있었다. 얼굴이 붓고 피부가 창백하며 동공이 확장된 또 다른 여자 하나는 머리를 어깨 뒤로 젖혔다가 갑자기 바로 세우고, 손톱으로 자신의 목을 긁어 상처를 냈다. 다른 여자 하나는 허리를 받치고 누워 치마끈을 풀고, 팽팽하게 부푼 거대하고 뚱뚱한 벗은 배를 드러내놓았으며, 심하게 얼굴을 찡그리며 몸을 뒤틀었고, 피로 물든 입에서 가장자리가 찢어지고 붉은 이빨들로 골라진 허연 혀를 꺼내어

409

다시 거두어들일 줄 몰랐다.

　뒤르탈은 좀 더 잘 보기 위해 몸을 일으켰는데, 그러자 도크르 참사원의 말이 분명하게 들렸고 그 모습이 똑똑하게 보였다.

　참사원은 감실 위에 걸려 있는 그리스도를 쳐다보고 있었다. 팔을 벌린 채 끔찍하게 모욕적인 말들을 내뱉고 있었고, 술 취한 마부처럼 있는 힘을 다해 욕설을 외쳐대고 있었다. 성가대 아이들 중 한 명이 그 앞에 무릎을 꿇고 제단에 등을 돌리고 있었다. 사제의 등줄기를 타고 전율이 흘러내렸다. 엄숙하지만 끊어졌다 이어졌다 하는 목소리로 그가 말했다. "이것이 진정 나의 육체니라." 축성하고 난 후 소중한 육체 앞에 무릎을 꿇는 대신 청중을 향해 얼굴을 돌렸는데, 땀에 온통 젖은 그는 부은 듯, 얼이 빠진 듯 보였다.

　그는 두 명의 성가대 아이들 사이에서 비틀거렸다. 아이들이 제의를 걷어 올려 그의 벗은 배를 드러내며 그를 부축했다. 한편 그가 제단 앞에 가져왔던 희생 제물은 불안에 싸여 지저분한 모습으로 계단 위에서 날뛰고 있었다.

　그때 뒤르탈은 몸이 떨림을 느꼈다. 한줄기 광풍이 홀을 흔들고 지나갔기 때문이었다. 신성모독 행위에 이어 독특한 분위기의 거대한 히스테리가 여자들을 사로잡았다. 성가대 아이들이 주교의 벌거벗은 몸에 향을 뿌리는 동안, 여자들은 성찬의 빵을 향해 몰려갔고, 제단 기슭에 배를 깔고 엎드린 채 그것을 긁어내 축축한 조각들을 잡아 뜯고는, 그 신성한 오물을 마시고 먹었다.

어떤 여자 하나는 십자가 위에 몸을 웅크리고 입이 찢어질 듯한 웃음을 터뜨리며 "신부님, 신부님!" 하고 외쳤다. 늙은 여자 하나는 자신의 머리를 쥐어뜯으며 펄쩍펄쩍 뛰고, 제자리를 맴돌다 몸을 숙이고, 거의 한 발로만 몸을 지탱하다가 한 여자아이 곁에 주저앉았다. 벽에 웅크린 채 있던 여자아이는 발작을 일으키며 무너지듯 주저앉았고, 부글거리는 거품을 내뿜었고, 눈물을 흘리며 끔찍스런 저주의 말들을 내뱉었다. 뒤르탈은 놀란 채 마치 안개 속을 통해서 보듯 연기 속에서 도크르의 붉은색 뿔들을 보았다. 도크르는 이제 앉아 있었는데, 분노로 게거품을 물고, 누룩을 쓰지 않은 성체용 빵을 씹다가 다시 뱉어내고, 그걸로 자신의 밑을 닦아서 여자들에게 나누어 주었다. 그러면 여자들은 울부짖으며 그것들을 숨기거나, 빼앗기 위해 서로를 밀치거나 했다.

그곳은 분노에 빠진 구제원 감금실이었고, 매춘부들과 미친 여자들로 가득 찬 거대한 한증막이었다. 성가대 아이들이 남자들과 교합하는 동안, 그리고 그 집 안주인이 소매를 걷어붙인 채 제단 위로 올라가 한 손으로 그리스도의 성기를 움켜쥐고 다른 한 손으로는 벌거벗은 자신의 다리 아래로 성배를 옮겨놓을 때, 예배당 가운데 어둠 속에서 아직까지 움직이지 않던 여자아이 하나가 갑자기 앞으로 고개를 숙이더니 마치 강아지 새끼처럼 죽을힘을 다해 고함쳤다!

극도의 혐오감에 사로잡혀 반쯤은 질식해 있던 뒤르탈은 도망치고 싶었다. 그는 이아생트를 찾았지만 그녀는 더 이상 그곳에 없었다. 그는 마침내 참사원 곁에 있는 그녀를 발견했다. 그는 양탄자 위에 얽혀 있는 육체들을 건너뛰어 접근해갔다. 콧구멍을 벌름거리며 그녀는 향수 냄새와 남녀 쌍들이 내는 냄새를 들이마시고 있었다.

"마녀 집회의 냄새예요!" 그녀가 이를 꼭 문 채 낮은 소리로 그에게 말했다.

"어휴, 이제 나갈까요?"

그녀는 깨어나는 듯했고, 잠시 주저하더니 아무 대답 없이 뒤를 따랐다.

그는 길을 헤치고 나아갔고, 이제는 이빨을 드러내고 물어뜯으려 하는 여자들에게서 빠져나왔다. 그는 샹트루브 부인을 문 쪽으로 밀고 가서 안마당과 현관을 지났다. 수위실이 비어 있어서 문을 여는 줄을 잡아당겼고, 그리고 거리로 나왔다.

그제야 그는 멈춰 서서 깊숙이 숨을 들이마셨다. 이아생트는 움직이지 않고 멍하니 생각에 골몰해 벽에 몸을 기댔다.

그는 그녀를 쳐다보았다. "다시 들어가고 싶다고 말하시지요?" 그가 경멸이 밴 목소리로 말했다.

"아니에요." 그녀가 애를 쓰며 대답했다. "그 장면들 때문에 나는 기진맥진해 있어요. 넋이 나갈 지경이에요. 다시 정신이 들게 물이나 한잔 마셔야겠어요."

그러면서 그녀는 길을 다시 걸어 올라가서, 그에게 몸을 기댄 채 아직 문이 열려 있는 포도주 상점으로 바로 들어갔다.

지저분한 집이었다. 작은 홀에는 테이블과 나무 의자들, 함석으로 만든 계산대, 주사위 놀이대, 보라색 병들이 있었다. 천장에는 유(U) 자 모양 가스 밸브가 있었다. 토목 인부 둘이 카드놀이를 하고 있었다. 그들은 뒤를 돌아보고 웃었다. 주인은 주머니에서 짧은 담배 파이프를 꺼내고 모래 속에 침을 흘렸다. 그는 자신의 누추한 가게에 이처럼 우아한 여자가 들어온 모습을 보고도 전혀 놀란 것 같지 않았다. 그를 관찰하던 뒤르탈은 샹트루브 부인과 그 남자 사이에서 교환되는 윙크를 언뜻 봤다고 믿을 정도였다.

그는 초에 불을 붙이고는 작은 소리로 소곤거렸다.

"선생님, 이 사람들과 함께 술을 마시면 눈길을 끌지 않을 수 없을 거예요. 두 분이서만 있을 수 있는 방으로 안내하지요."

"저런." 이미 나선형 계단에 발을 들여놓은 이아생트에게 뒤르탈이 말했다. "물 한잔 마시겠다고 정말 많이도 왔다 갔다 하는군요!"

하지만 그녀는 이미 방 안에 들어섰다. 방 안 벽지는 잡아 뜯겨졌고, 축축하게 습기가 차 있었고, 머리핀으로 꽂아놓은 신문 화보들로 덮여 있었다. 방바닥은 포석들이 깨져 있었고, 웅덩이가 패여 있었으며, 가리개 없는 화실

413

모양 침대 하나, 주둥이가 깨진 실내 주전자 하나, 테이블 하나, 세면대 하나와 두 개의 의자가 있었다.

남자는 작은 브랜디병과 설탕, 물병, 잔들을 가져온 다음 내려갔다. 그러자 광기를 띤 음침한 눈빛을 보이며 그녀가 뒤르탈을 얼싸안았다.

"아! 안 돼요!" 이러한 덫에 빠지게 되어 화내며 그가 소리쳤다. "이런 일들은 이제 신물이 나요! 게다가 시간이 늦었고, 당신 남편이 기다리고 있어요. 그에게로 되돌아가야 할 시간이잖아요!"

마이동풍이었다.

"나는 당신을 원해요." 그녀는 이렇게 말하며 그를 공략했고, 강제로 자신을 원하게 만들었다.

그리고 드레스와 치마를 벗어 바닥에 팽개치고, 그 끔찍스런 침대 시트를 활짝 열어젖혔다. 등 쪽으로 속옷을 걷어 올리다가 딱딱하고 울퉁불퉁한 시트 결에 등줄기를 긁혔지만 눈이 몽롱해진 채 기쁨에 넘쳐 웃고 있었다!

그녀는 그를 붙잡고, 그가 생각지도 못했던 사랑에 사로잡힌 포로 같은 품행과 파렴치한 언행을 드러냈다. 그녀는 흡혈귀 같은 격렬함으로 흥취를 돋우었는데, 몸을 빼낼 수 있게 되자 그는 갑자기 진저리를 쳤다. 침대에서 성체 빵 조각들을 발견했기 때문이었다.

"오! 이러는 건 봐줄 수가 없군요." 그가 말했다. "자, 옷을 입고 떠납시다!"

그녀가 멍한 표정으로 말없이 옷을 입는 동안 그는

의자에 앉았다. 방에서 나는 악취 때문에 구역질이 났다. 그는 전적으로 화체(化體)를 확신할 수 없었다. 더러워진 그 빵 속에 구세주가 들어 있음을 확고하게 믿지 못했지만, 어쨌든 그가 원치 않는데도 참여했던 그 신성모독 의식으로 인해 슬퍼졌다. "그래, 그게 사실이라면, 이아생트와 그 불쌍한 사제가 증언하는 것처럼, 그리스도의 현존이 사실이라면!" 그는 이렇게 중얼거렸다. "아니야, 내가 쓰레기 같은 일들에 지나치게 빠져든 게 틀림없어. 이젠 끝났어. 요컨대, 처음 봤던 순간부터 간신히 참고 견뎌왔을 뿐인 이 여자와의 관계를 끊기에 좋은 기회야, 그렇게 해야겠어!"

아래층 선술집에서 그는 다 알고 있다는 듯한 토목 인부들의 미소를 감수해야 했다. 그는 계산하고는 거스름돈을 기다리지도 않고 도망치듯 서둘러 빠져나왔다. 보지라르 거리에 당도하자 그는 마차를 소리쳐 불렀다. 그들은 각자 생각에 몰두해 서로의 얼굴을 쳐다보지도 않고 달렸다.

"조만간 또 만나요." 문 앞에 내려주었을 때 샹트루브 부인이 거의 머뭇거리는 듯한 목소리로 말했다.

"아니오." 그가 대답했다. "정말이지 우리가 합의에 이를 방도는 전혀 없소. 당신은 모든 것을 원하고, 나는 아무것도 원하지 않소. 헤어지는 게 낫겠소. 우리 관계는 질질 끌게 될 거고, 고통과 불필요하게 반복되는 말로 끝나게 될 거요. 오! 그리고 오늘 저녁 일들을 겪고 났더니,

안 되겠소, 정말이지, 안 되겠단 말이오!" 그러고서 그는
마부에게 자신의 주소를 건네주고 마차에 몸을 실었다.

XX

"그 참사원은 범상치 않은 생활을 하고 있군." 뒤르탈이 마법 의식의 내용들을 자세히 이야기해주자 데 제르미가 말했다. "히스테리성 간질 환자들과 색정광들로 이루어진 진짜 후궁을 만들어냈군 그래. 하지만 규모는 좀 작군. 모욕과 저주, 신성모독 행위들과 관능적 자극이라는 관점에서 볼 때, 확실히 그 사제는 엄청나 보이고, 거의 유일무이한 듯하네. 하지만 옛 마녀 집회의 유형적이고 근친상간적인 면은 부족하군. 요컨대 도크르는 질 드 레에 비해 한참 아래야. 감히 말하자면 그의 작업들은 불완전하고, 무미건조하고, 무기력하네."

"정말이지, 목 졸라 죽이고도 처벌받지 않을 수 있고, 그 부모들이 울지 않고, 경찰이 개입하지 않을 수 있는, 그런 어린아이들을 얻는다는 건 쉬운 일이 아니라네!"

"아마 그렇겠지. 그리고 그러한 미사를 평화롭게 집전하는 편이 바람직한 이유는 바로 그러한 종류의 어려움들 때문이야. 하지만, 자네가 내게 묘사했던 그 여자들, 수지(樹脂)와 식물의 연기를 맡기 위해 향로 위로 얼굴을 내미는 여자들을 지금 다시 생각해보건대, 그들은 아이사우아*의 방식들을 이용하고 있군. 그들도 마찬가지로 화로 위로 머리를 집어넣는다네. 그러면 그들의 수련에 필

* 북아프리카에 널리 퍼진 회교도 신비주의 단체 회원들.

417

요한 경직 상태가 늦춰지지. 자네가 내게 말한 다른 현상들에 대해서 보자면, 구제원들에서는 알려져 있는 내용들이야. 악마 유출 현상을 제외하곤 아무것도 새로 알려주진 않더군. 이제 다른 이야긴데, 카렉스 앞에서는 그 모든 것에 대해 한마디도 하지 말게. 자네가 악마를 추모하는 의식에 참석했음을 알게 되면 아마 자네 면전에서 문을 닫아버릴 테니까!"

그들은 뒤르탈의 숙소에서 내려와 생쉴피스의 탑 쪽으로 나아갔다.

"나는 먹을 것에는 신경 쓰지 않았었네, 자네가 책임져왔으니까." 뒤르탈이 말했다. "하지만 오늘 아침에는 카렉스 부인에게 디저트와 포도주 외에도 진짜 네덜란드산 생강 빵들과 다소 값비싼 술 두 병, 우리가 아페리티프로 마시게 될 브랜디와 셀러리 향 술을 보냈다네. 믿을 만한 주류 판매점에서 찾아냈지."

"오!"

"그렇다네, 친구, 믿을 만한 상인이지. 자네도 보게 되겠지만 이 브랜디는 약전에 적힌 오래된 처방에 따라 소코트라 섬*에서 난 알로에와 소두구 열매, 사프란, 미르라, 그리고 수많은 다른 향료들로 제조되었다네. 형언할 수 없을 정도로 쓰지만 감미로운 맛이지!"

"훌륭하군! 그렇다면 최소한 제뱅제의 구원을 축하

---

* 인도양 남동부에 있는 예멘의 섬.

해주게 되겠군."

"그를 다시 봤나?"

"그래. 놀랍게도 건강하더군. 어떻게 치료했는지 이
야기해달라고 할 걸세."

"이제 무얼 해서 먹고살까, 그 사람은?"

"점성술로 벌어들인 재산으로 살아가겠지."

"점술로 돈을 모은 부자들이 있던가?"

"물론, 그렇게 생각해야지. 사실 난 제뱅제가 그다지
부유하다고 생각하지 않네. 제정 시대에 그는 황후의 점
성술사였지. 황후는 유난히 미신에 빠져 있었고, 게다가
나폴레옹만큼이나 예언이라든가 운명을 믿었거든. 그렇
지만 제정이 몰락하자 상황은 아주 나빠졌지. 그래도 프
랑스에서는 코르넬리우스 아그리파*와 크레모나,** 루게
리,*** 가우리코,**** 자객 시니발디, 그리고 트리테미우스*****의
비밀들을 간직하고 있는 유일한 존재로 통하고 있다네."

그들은 줄곧 이야기하면서 종지기의 문 앞 계단에
도착했다.

---

* Heinrich Cornelius Agrippa(1486–535). 쾰른 태생의 법률가, 의사, 점성술사,
신학자. 신비주의의 아버지로 간주된다.
** Gherardo da Cremona(1114경–87경). 이탈리아 번역가. 아랍의 과학 저작들을
라틴어로 번역했다.
*** Cosimo Ruggeri(?–1615). 피렌체 출신의 점성술사.
**** Luca Gaurico(1476–558). 로마의 주교. 나폴리왕국 태생으로 점성술에 관심이
많았다.
***** Johannes Trithemius(1462–516). 암호 코드표 창시자 중 한 사람으로 간주되는 독일
출신 베네딕토회 사제.

점성술사 제뱅제는 벌써 자리 잡고 앉아 있었고, 테이블이 이미 차려져 있었다. 뒤르탈이 따라준 검은색의 독한 증류주를 맛보고서 모두가 조금씩 얼굴을 찡그렸다.

예전에 같이 식사하던 사람들을 다시 만나 기뻐하며 카렉스 부인이 기름기 잘잘 흐르는 수프를 가져왔다.

부인이 접시들을 채웠다. 야채 접시가 돌려질 때 뒤르탈이 부추를 선택하자 데 제르미가 웃으며 말했다.

"조심하게, 16세기 말 마술사 포르타가 가르쳐준 바에 따르면 오랫동안 남성성의 상징으로 간주되어왔던 이 야채는 가장 정숙한 사람들의 평정심까지 교란시킨다네!"

"그 사람 말 듣지 마세요." 종지기의 아내가 말했다. "당신은요? 제뱅제 씨, 당근 드릴까요?"

뒤르탈은 점성술사를 쳐다보았다. 여전히 설탕 덩어리처럼 푸석푸석한 머리 모양이었고, 머리카락은 하이드로퀴논*이나 이페카**처럼 변질된 더러운 갈색이었으며, 커다란 손에는 반지들이 끼워져 있었고, 태도는 지나치게 공손하고 엄숙했고, 목소리는 사제와도 같았다. 하지만 그 모습은 거의 신선하기까지 했다. 리옹에서 돌아온 이후 피부 주름은 펴져 있었고, 눈은 보다 더 투명해 보였으며 더 반짝거렸다.

뒤르탈은 다행스러운 치료 결과를 축하해주었다.

"나로서는 요하네스 박사님의 훌륭한 치료에 도움

---

* 사진 현상제나 산화방지제, 염료 합성원료로 사용되는 약품.
** 남미산 꼭두서닛과 관목. 뿌리는 토제(吐劑)나 하제(下劑)로 이용된다.

을 청해야 했어요. 상태가 몹시 안 좋았거든요. 더 이상 투시 능력도 갖고 있지 못했고, 도크르 참사원의 은밀한 준비 상황에 관해 내게 알려줄 수 있는 비상한 투시력의 강경증 환자도 알지 못했기 때문에 나는 연서(連署)와 반격의 법칙을 이용해서 나 자신을 보호할 수 없었거든요."

"하지만," 데 제르미가 말했다. "당신이 악령을 통해 그 사제가 무슨 일을 하는지 알 수 있었다 하더라도, 어떻게 그것들을 물리칠 수 있었겠습니까?"

"이렇게 하면 되지요. 연서 법칙이란 공격 날짜와 시간을 알 때 자신의 집에서 도피해 공격을 앞지르는 것인데, 그렇게 해서 마법에 의한 독살 계획을 무력하게 만들고 수포로 돌아가게 한답니다. 혹은 30분 먼저 '해봐, 나 여기 있으니까!'라고 말하는 것이기도 합니다. 후자의 방법은 신비한 힘의 김을 빼놓고 공격자의 능력을 마비시키려는 목적이 있지요. 마법에서는 이미 알려져 있고 발표된 행위는 죄다 힘을 잃거든요. 반격의 경우에도, 먼저 타격을 받지 않고서 저주를 보내는 사람에게 저주를 되돌려주고 싶다면 역시 신중해야 합니다.

나는 분명히 죽을 거라 생각했지요. 저주에 걸린 지 이미 하루가 지났었거든요. 이틀만 더 지났다면 나는 파리에 내 뼈를 묻었을 겁니다."

"왜 그런가요?"

"마법에 의해 공격을 받은 사람은 오직 사흘 동안만 자신을 보호힐 수 있기 때문이지요. 그 유예기간이 지나가면 병은 대개 치유 불가능해진답니다. 그래서 도크르가 자신의 권위로써 나를 죽음의 고통에 처하게 한다고 말했을 때, 그리고 두 시간 후 내가 집으로 돌아오면서 몹시 아프다고 느꼈을 때, 나는 주저하지 않고 짐을 싸서 리옹에 갔던 거지요."

"그곳에서는 어땠나요?" 뒤르탈이 물었다.

"거기서 요하네스 박사를 만났지요. 그에게 도크르의 협박 내용과 내가 겪고 있는 아픔을 이야기했답니다. 그가 간단히 이렇게 말하더군요. '그 사제는 가장 해로운 독을 가장 끔찍스런 신성모독 행위들 속에 감춰 넣을 수 있어요. 지독한 싸움이 될 거예요. 하지만 내가 그를 이길 겁니다.' 그러고서 그는 즉시 자기 집에 거주하는 여자 점쟁이 하나를 불렀답니다.

그가 그녀를 최면술로 잠들게 하자, 그녀는 그의 명령에 따라 내가 겪고 있는 마법의 성격을 설명했지요. 그녀는 장면을 재구성해서, 단도에 찔린 희생 제물을 먹고 교묘하게 조제되어 음식물과 음료수에 섞어 넣은 약들을 먹은 한 여자의 월경 혈에 내가 중독되는 모습을 고스란히 보여주었지요. 그러한 종류의 저주는 너무나 무시무시해서 요하네스 박스를 제외하고는 프랑스 내의 어떤 마법사도 감히 치료를 시도해볼 엄두도 내지 못한답니다!

그런 다음 요하네스 박사가 마침내 내게 말했지요. '당신은 그 어떤 것에도 꺾이지 않는 강력한 힘에 의해서만 치료될 수 있습니다. 시간을 지체해서는 안 됩니다. 즉시

멜기세덱의 영광스러운 희생 제의에 도움을 청해야겠소.'

　그러고서 그는 테이블 하나와 작은 집 모양의 목재 감실로 이루어진 제단을 세우게 했는데, 위에는 십자가를 걸어놓고, 합각 아래로는 시계 문자판처럼 테트라그램* 으로 둥그렇게 테를 둘러놓은 제단이었지요. 그는 은으로 된 술잔과 효모를 넣지 않은 성체용 빵, 그리고 포도주를 가져오게 했습니다. 그 자신도 사제의 옷을 다시 입었고, 손가락에는 최고의 은총을 입은 반지를 끼었습니다. 그러고는 특별 미사 경본에 따라 희생의 기도를 읽기 시작했습니다.

　거의 동시에 점쟁이 여자가 외쳤지요. '여기 악령들이 왔어요! 강령술의 대가 도크르 참사원이 불러서 저주를 내리게 하고 독을 전하게 명했던 것들이에요.'

　나는 제단 근처에 앉아 있었지요. 요하네스 박사는 왼손을 내 머리에 얹어놓았고, 다른 한 손을 하늘로 펼치면서 대천사 성 미카엘에게 도와달라고 기도를 드렸고, 양날 검을 든 군사들과 난공불락 영광의 군단에게 그 악령들을 누르고 사슬로 묶으라고 명했습니다.

　나는 고통이 가라앉는 듯한 느낌이 들었습니다. 파리에서 나를 괴롭히던, 무언가가 깨무는 듯한 숨 막히는 느낌이 줄어들었거든요.

　요하네스 박사는 계속해서 기도를 읊었습니다. 탄원

---

* 네 글자로 된 낱말을 뜻하는데, 유태교에서는 이스라엘 민족의 신 야훼를 지칭한다(Y. H. W. II.).

기도를 할 시간이 되자 그는 내 손을 잡아 제단 위에 놓았습니다. 그리고 세 번 소리쳤지요.

'당신에게 저주를 내렸던 부정한 원흉의 계획과 의도가 실패로 돌아가기를. 사악한 방법으로 얻어진 모든 힘이 무효가 되게 해주시옵소서. 당신을 향한 모든 공격이 허사가 되고 아무 효과도 거두지 못하게 해주시옵소서. 당신 적의 모든 저주들이 천국의 축복으로 바뀌게 해주시옵소서. 당신 적이 만든 죽음의 액체들이 생명의 효모로 변환되게 해주시옵소서… 마지막으로 어둠과 악의 작업에 신뢰를 바친 저 불쌍한 사제의 운명을 심판과 응징의 대천사들이 결정해주시옵소서!'

'당신은,' 그가 다시 말했습니다. '당신은 구원받았소! 하느님이 당신을 치유해주셨소. 영광스러운 마리아를 통해서, 살아 계신 하느님과 예수그리스도에게 가장 열렬한 은총의 행동들을 마음으로부터 보이도록 하시오!'

그러고서 그는 내게 누룩을 쓰지 않은 성체 빵 약간과 포도주를 주었습니다. 정말 나는 구원을 받았어요. 데 제르미 씨, 의사인 당신은 인간의 지식이 나를 치유하는 데 무기력했음을 입증할 수 있을 겁니다. 그런데, 자, 날 보세요!"

"맞습니다." 당황한 데 제르미가 말했다. "방법 여부는 차치하고 그 치유 결과들은 인정합니다. 그리고 고백하자면, 내가 알기로는 그러한 결과가 나타난 게 이번이 처음은 아니랍니다! 아닙니다, 고맙지만, 괜찮습니다." 고추냉이 바른 소시지를 얹어서 완두콩 퓌레 한 접시를 더 들라고 권하는 카렉스 부인에게 그가 대답했다.

"그런데, 당신에게 몇 가지 물어보겠습니다." 뒤르탈이 말했다. "몇 가지 내용이 흥미롭군요. 요하네스 박사의 사제복은 어땠습니까?"

"흰색과 붉은색 매듭 달린 끈으로 허리를 조이는 주홍색 캐시미어 롱 드레스였습니다. 그 위에 같은 천으로 만든 흰색 망토를 걸쳤는데, 가슴 부위가 거꾸로 십자가 모양으로 잘려 있었습니다."

"거꾸로 된 십자가라고요!" 카렉스가 소리쳤다.

"그렇습니다. 타로 카드에서 '거꾸로 매달린 자'의 모습처럼 뒤집혀진 이 십자가는, 멜기세덱 사제가 우리를 위해 육신을 갖고 태어나서 죽은 '그리스도'의 힘을 갖추고 강해지려면 늙은이의 몸에서는 죽고 그리스도 안에서 살아야 함을 의미합니다."

카렉스는 심기가 불편해 보였다. 그의 완강하고 경계심 많은 가톨릭 정신은 규정되지 않은 의식들을 인정하려 하지 않았던 것이다. 그는 입을 다물고 더 이상 대화에 끼어들지 않았고, 술잔들을 채우고 샐러드에 맛을 내고 접시에 담긴 음식을 돌리는 일만 했다.

"그런데, 당신이 말한 그 반지는 어떻게 생겼습니까?" 데 제르미가 물었다.

"순금으로 된 상징적인 반지입니다. 뱀 형상인데, 돋을새김에 루비로 장식한 심장이 가느다란 끈에 의해 그 동물의 턱을 막고 있는 작은 고리에 연결되어 있더군요."

"내가 정말 알고 싶은 건, 그 희생 제의의 기원과 목적입니다." 뒤르탈이 말했다. "멜기세덱이 그와 무슨 관계가 있나요?"

"아!" 점성술사가 말했다. "멜기세덱은 성서에 드러난 가장 신비스런 인물들 중 하나입니다. 그는 살렘의 왕이었고, 전능한 신의 제사장이었지요. 그는 아브라함을 축복했고, 아브라함은 패배한 소돔과 고모라의 왕들에게서 빼앗은 전리품의 10분의 1을 그에게 주었습니다. 창세기의 이야기는 그렇게 되어 있습니다. 하지만 성 바울 역시 그 이야기를 하고 있습니다. 그는 멜기세덱이 아버지도 어머니도 조상도 없고 생일도 없으며 죽음도 없고 그럼으로써 '하느님의 아들'이자 '영원한 제사장'과 비슷하게 만들어졌다고 선언하고 있습니다.

다른 한편으로 성서에서 예수는 '영원한 사제'라고 불릴 뿐만 아니라, 또한 멜기세덱처럼 그리고 멜기세덱의 명령에 따라 이른바 '다윗 왕'이라고 불리기도 합니다.

아시다시피 모든 것이 상당히 모호합니다. 성서 해석학자들 중 일부는 그에게서 구세주의 예언자적인 모습을 보고 있고, 다른 사람들은 성 요셉의 모습을 보는데, 주 예수에게 봉헌했던 빵과 포도주를 아브라함에게 주는 멜기세덱의 공여(供與)가, 다미에타의 성 이시도르*의 표현에 따르면, 신성한 종교의식, 다시 말해서 미사성제의

---

* 4세기 후반 알렉산드리아 태생으로 펠루지움 산 수도원에서 수련 생활을 하여 '펠루지움의 성 이시도르'라고도 한다.

모범을 예고하고 있음을 모두가 인정하고 있습니다."

"좋습니다." 데 제르미가 말했다. "하지만 그런 것으로 요하네스 박사가 그 희생물에 투여한 해독제, 치료제의 효능들이 우리에게 설명되지는 않습니다."

"제게 너무 많이 요구하시는군요!" 제뱅제가 외쳤다. "요하네스 박사 자신이 당신들에게 답해야 할 것 같군요. 그렇지만 당신들도 이건 인정할 수 있을 겁니다.

오늘날 거행되는 대로의 미사는 골고다 희생의 재연이라고 신학에서는 가르치고 있습니다. 하지만 '영광의 희생'은 그런 게 아닙니다. 그건 말하자면 미래의 미사, 신성한 성령의 지배가 지상에서 경험하게 될 영광의 미사입니다. 이 희생은 성령의 주입, 즉 사랑의 주입으로 다시 태어나고 구원받은 인간에 의해 신에게 바쳐집니다. 그런데 심장이 그런 식으로 정화되고 신성화된 존재는 어느 누구도 무찌를 수 없는 무적이 되며, 그가 악령들을 소탕하기 위해 이러한 희생을 사용한다면 지옥의 마법들은 그를 이길 수 없을 겁니다. 요하네스 박사의 힘은 이렇게 설명되지요. 그의 심장은 이러한 의식을 통해 예수의 신성한 심장과 통합되는 겁니다."

"그다지 명확하지 않은 논증이로군요." 종지기가 조용히 반박했다.

"그렇다면 요하네스가 시대를 앞선 개량된 존재, 성령에 의해 영원한 생명을 얻은 사도라는 점을 인정해야겠군요." 데 제르미가 다시 말했다.

427

"그렇습니다." 점성술사는 확고한 어조로 단언했다.

"자, 생강 빵 좀 제게 건네주시겠어요?" 카렉스가 부탁했다.

"이렇게 해서 잡수세요." 뒤르탈이 말했다. "그걸 얇게 한 조각 잘라내세요, 레이스 모양으로요. 그런 다음에 역시 얇은 보통 빵 한 조각을 준비하세요. 그 조각들에 버터를 바르고, 서로 포개어 드세요. 샌드위치에서 신선한 헤이즐넛처럼 묘한 맛이 나지 않나요!"

"자, 그 문제는 제쳐두고, 그 사람을 못 본 지 꽤 오래되었는데, 요하네스 박사는 어떻게 지내나요?" 데 제르미가 물었다.

"편안하면서도 동시에 힘든 삶을 살아가고 있어요. 그는 자신을 존경하고 숭배하는 친구들 집에서 살고 있습니다. 자신이 겪은 온갖 종류의 고난에 지쳐 그들 곁에서 휴식을 취하고 있지요. 로마의 삭발 마법사들이 그에게 가하는 공격들을 거의 매일 물리쳐야 하는 일만 아니라면 아주 좋을 텐데 말이에요."

"왜 그들이 그를 공격하지요?"

"설명드리기에는 너무 깁니다. 요하네스는 악마주의에 물든 술책들을 깨뜨리도록, 그리고 영광의 그리스도와 신성한 성령의 도래를 설파하도록 하늘로부터 임무를 부여받았답니다. 그런데, 바티칸을 장악하고 있는 악마의 교황청은 기도로 자신들의 주술을 방해하고 자신들의 저주를 무효화시키는 사람을 제거하는 데 온 관심을 쏟고 있어요."

"아!" 뒤르탈이 탄성을 질렀다. "그렇다면 그 옛 사제가 어떻게 그 놀라운 범죄행위들을 예견하고 어떻게 그것들을 억제하는지 물어보는 건 신중하지 못한 일이겠군요."

"전혀 그렇지 않습니다. 요하네스 박사가 그러한 충격적인 일들을 아는 방법은 어떤 새들의 비상과 울음에 의해서입니다. 난추니들, 즉 수컷 매들이 그의 파수병들이지요. 그 새들이 자신에게로 날아오는지 멀어져가는지에 따라서, 그 새들이 동쪽으로 향하는지 서쪽으로 향하는지에 따라, 그것들이 울음소리를 한 번만 내는지 여러 번 내는지에 따라 그는 싸움이 시작되는 시간을 미리 알고 방어 자세를 취합니다. 언젠가 그가 내게 말한 대로 매들은 쉽게 악령들의 영향을 받습니다. 그래서 그는 최면술사가 몽유병자를 이용하고 강신술사들이 청석돌과 테이블들을 이용하듯이 그 새들을 이용합니다."

"마법 통신문을 전하는 전선(電線)들이군요." 데 제르미가 말했다.

"그렇습니다. 그런데 새로운 방법들은 전혀 아니랍니다. 세월의 어둠 속에 묻혀왔거든요. 새점은 매우 오래된 것입니다. 성경에서도 그 흔적이 발견되고, 조하르*에서는 새들의 비상과 울음소리를 관찰할 줄 알면 경고를

---

* 유대교 신비주의의 일종인 카발라의 고전으로, 하느님의 내적 생명의 내용을 계시하는 신지학에 관한 책이다. 신의 성품에 대한 신비주의적인 내용, 우주의 기원과 구조, 영혼, 죄, 선악의 성격 등과 이에 관련된 주제가 담겨 있는 여러 권의 책을 모은 것이다.

많이 받을 수 있다고 증언하고 있습니다."

"그렇지만 왜 다른 새들보다도 매가 선택되었을까요?" 뒤르탈이 말했다.

"매는 아주 오랜 옛날부터 항상 마법의 전달자였기 때문이지요. 이집트에서는 매의 머리를 한 신이 상형문자 지식을 보유한 신이었습니다. 예전에는 그 나라에서 신전 서기들이 마법 의식을 준비하기 위해 그 새의 심장과 피를 삼키곤 했답니다. 오늘날에도 아프리카 왕들의 주술사들은 매의 깃털을 머리에 꽂고 있지요. 또, 그 새는 인도에서는 신성한 새랍니다."

"당신의 친구분은 어떻게 하나요, 요컨대 맹금류에 속하는 짐승들을 키우고 재우기 위해서 말이죠?" 카렉스의 아내가 물었다.

"그 사람은 매를 키우지도 않고 재우지도 않습니다. 매들은 리옹 근처, 손 강을 끼고 있는 높은 절벽에 둥지를 틀고 있답니다. 필요할 때면 그를 보러 오는 거지요."

'여기도 마찬가지야.' 뒤르탈은 너무나 포근하고 외로운 그 식당을 바라보면서, 그리고 이 탑 안에서 주고받은 괴상한 대화들을 상기하면서, 다시 한 번 더 그렇게 생각했다. '이곳은 현대 파리의 사상들과 언어에서 얼마나 멀리 떨어져 있는가!'

"그 모두가 중세와 관련이 있군요." 자신의 생각을 정리하면서 큰 소리로 뒤르탈이 말했다.

"다행스럽게도 말이죠!" 종을 치러 가기 위해 일어

430

서며 카렉스가 외쳤다.

"그래요." 데 제르미가 말했다. "그리고 실증적이고 폭력적인 이 시대의 현실에서 보기에도 몹시 이상한 건 리옹의 사제와 로마의 고위 성직자들 사이에서, 인간의 능력을 벗어나고 도시를 뛰어넘어 상대방이 없는 상태에서 벌어지고 있는 싸움들이에요."

"그리고 프랑스에서는 그 사제와 장미 십자회, 그리고 도크르 참사원 사이의 싸움이지요."

뒤르탈은 샹트루브 부인이 장미 십자회 지도부가 악마와 계약을 맺으려 하고 병장기들을 준비하려고 애쓴다고 자신에게 분명히 확언했던 사실을 상기했다.

"그들 개개인이 악마주의에 빠져들고 있다고 생각하세요?" 그가 제뱅제에게 물었다.

"그러고 싶어 하지만 그들은 아무것도 모릅니다. 그들은 몇 년 전 파리에 왔던 세 명의 브라만들이 그들에게 보여준 몇 가지 초능력 작업 및 독살 작업들을 기계적으로 흉내 내는 데 그치고 있답니다."

"나는요, 그렇게 무시무시한 일들에 끼어들지 않게 되어서, 그리고 평화롭게 기도하며 살 수 있어서 아주 기쁘게 생각해요." 카렉스의 아내가 이렇게 말을 던지고는 손님들에게 인사를 하고 잠자러 갔다.

그러고 나서, 평상시처럼 데 제르미가 커피를 준비하고 뒤르탈이 작은 잔들을 가져오는 동안, 제뱅제는 자신의 파이프에 담배를 채워 넣었다. 그때 마치 벽의 미세한 구멍들을 통해 빨려 들어가는 것처럼 종소리가 잦아들고 흩어졌다. 제뱅제는 담배 한 모금을 길게 빨고는 말했다.

"나는 리옹의 요하네스 박사 집에서 즐거운 나날을 보냈습니다. 충격을 받고 난 이후 그처럼 사랑스럽고 편안한 분위기에서 완전히 회복될 수 있어 나로서는 대단한 행운이었지요. 그리고 내가 아는 한 요하네스 박사는 신학과 신비술에 가장 박식한 사람들 중 하나입니다. 그의 적수인 가증스런 도크르를 제외하고는, 어느 누구도 그렇게 악마주의의 오의(娛義)를 꿰뚫고 들어가지 못했답니다. 초자연적 관점에서 볼 때, 그들 둘은 현재 프랑스에서 지상의 문턱을 넘어서서 각자 자신의 영역에서 확실한 성과를 거둔 유일한 사람들이라고까지 말할 수 있을 겁니다. 그렇지만 내가 잘 알고 있는 점성술을 말할 때조차 너무나 박식하고 풍요로운 대화로 흥미를 주어 놀라게 했던 것 말고도 요하네스 박사는 사람들의 미래의 변모에 관한 멋진 통찰로 나를 매혹시켰답니다.

단언컨대, 그는 하느님에 의해 이곳 지상에서의 고통과 영광의 임무를 허가받은 진짜 예언자입니다."

"나도 그렇게 말하고 싶습니다만." 뒤르탈이 웃으며 말했다. "내가 잘못 알고 있는 게 아니라면, 그 성령의 이론이라는 건 교회에서 공식적으로 유죄판결을 받았던 아주 오래된 몬타누스* 이단인데요."

---

* 157년경 프리기아의 예언자 몬타누스가 시작한 종교운동에서 비롯된 그리스도교의 이단 종파.

"그렇습니다. 하지만 그 모든 건 성령의 도래를 인식하는 방식에 달려 있습니다." 다시 되돌아온 종지기가 말했다. "이는 또 성 이레네,* 성 쥐스탱,** 스콧 에리젠,*** 아모리 드 샤르트르,**** 성녀 두슬린,***** 그리고 경이로운 신비학자 조아키노 다 피오레******의 정통 교리이기도 합니다. 중세 전체의 믿음이었지요. 나 역시 그에 사로잡혀 있고, 매혹되어 있는데, 그 교리는 가장 강렬한 내 소망들에 응답하고 있다고 단언합니다." 그가 자리에 앉아 팔짱을 끼면서 다시 말했다. "하느님의 세 번째 왕국이 환상이라면, 세상의 전반적인 혼란에 직면한 기독교인들에게어떤 위안이 남아 있을 수 있겠습니까? 연민이 우리로 하여금 그 세상을 미워하지 않도록 강요하는데요."

"골고다에서 흘린 피에도 불구하고 나는 개인적으로는 그다지 대속받지 못했다는 느낌이 든다고 고백하지 않을 수 없군요." 데 제르미가 말했다.

"세 개의 왕국이 있습니다." 점성술사가 손가락으로 파이프의 재를 다독거리며 다시 말했다. "구약의 하느

---

* 리옹의 주교였으며 순교한 그리스도교 성인.
** 이교도에서 그리스도교로 개종해 순교한 성자.
*** 9세기경의 스코틀랜드 혹은 아일랜드 철학자, 신학자.
**** Amaury de Chartres(1150년경–206 혹은 9). 프랑스 신학자, 철학자. 범신론을 주장했다.
***** 위스망스는 'Sainte Doucine'이라고 했지만, 가톨릭 성인 사전에는 'Sainte Douceline(1214–74)'으로 표기되어 있다. 프랑스 남부에서 장애자와 가난한 자를 돕는 베긴회 활동을 했다.
****** 12세기의 이탈리아 신비주의자. 시토 수도회의 사제.

433

님 왕국, 그건 두려움의 왕국이었습니다. 신약의 왕국, 하느님 아들 예수의 왕국은 속죄의 왕국입니다. 요한복음의 왕국, 성령의 왕국은 대속과 사랑의 왕국이 될 것입니다. 이는 과거, 현재, 미래입니다. 이는 겨울, 봄, 그리고 여름입니다. 조아키노 다 피오레가 말하길, 첫 번째는 풀잎을 주었고, 두 번째는 이삭을 주었고, 세 번째는 밀을 줄 것이라고 합니다. 성삼위 중 두 분이 모습을 드러내셨으니, 논리적으로 생각해볼 때 세 번째가 나타나야 합니다."

"그렇습니다. 그리고 성서에는 간절하고, 명료하고, 반론의 여지가 없는 텍스트들이 많습니다." 카렉스가 말했다. "이사야, 에제키엘, 다니엘, 스가랴, 말라기 같은 모든 예언자들이 그에 대해 말했지요. 그 점에 관해서는 사도행전들이 아주 분명합니다. 펼쳐보세요, 첫 번째 장에 이렇게 쓰여 있을 겁니다. '너희 곁을 떠나 승천하신 저 예수께서는 너희가 보는 앞에서 하늘로 올라가시던 그 모양으로 다시 오시리라.' 성 요한은 그리스도 재림의 복음인 묵시록에서 이러한 사실을 고하고 있기도 합니다. 그는 이렇게 말합니다. '그리스도께서 오셔서 천년을 지배하리라.' 성 바울도 이런 성격의 계시를 그칠 줄 모르고 이야기합니다. 디모테오*에게 보낸 편지에서 바울은 '영광스럽게 다시 돌아오시는 날, 그리고 군림하는 날, 산 자와 죽은 자들을 심판하실' 하느님을 상기시키고 있습니다. 데

---

* 성서에 나오는 성인, 순교자. 성 바울이 신임한 제자로 디모데라고도 한다.

살로니가인들에게 보낸 두 번째 편지에서 바울은 이렇게 쓰고 있습니다. 메시아가 도래한 이후 '예수께서는 재림의 광채로써 적그리스도를 물리치시리라'. 그런데, 그는 이 적그리스도가 아직 오지 않았다고 선언합니다. 따라서 그가 예언하는 그리스도의 강림은 베들레헴에서의 구원자 예수의 탄생에 의해 실현된 강림이 아닙니다. 성 마태오 복음서에서는 그가 그리스도인지, 즉 하느님의 아들인지를 묻는 대사제 가야파*에게 예수께서 이렇게 대답하십니다. '그것은 너의 말이다. 잘 들어두어라. 너희는 이제부터 사람의 아들이 전능하신 분의 오른편에 앉아 있는 것과 또 하늘의 구름을 타고 오는 것을 볼 것이다.' 그리고 다른 절에서 그 사도는 이렇게 덧붙이고 있습니다. '사람의 아들도 너희가 생각지도 않은 때에 올 것이다. 그러니 너희는 늘 준비하고 있어라.'**

그 밖에 다른 텍스트들도 많아서 성서를 펼치면 찾을 수 있을 겁니다. 아니, 의심의 여지가 없습니다. 영광스러운 왕국의 신봉자들은 분명히 계시를 받은 구절들에 근거를 두고 있습니다. 그들은 어떤 조건 아래서는 이단에 대한 두려움 없이 그 교리, 성 제롬***이 증명하듯 4세기에는 누구나 인정하는 신앙 도그마였던 그 교리를 지지할 수 있습니다. 그런데, 자, 뒤르탈 씨가 자랑하는 이 병 속

---

* 성서에 나오는 예루살렘의 대사제. 예수를 심문하고 빌라도 총독에게 넘겼다.
** 「마태오복음」 74장 44절.
*** 라틴 교부 성서학자이자 성인. 라틴어 이름은 히에로니무스이다.

의 셀러리 향 술을 좀 맛보는 게 어떨까요?"

아니스 술만큼이나 달콤한 걸쭉한 럼주였다. 다만 더 여성적이고 부드러웠다. 그 진한 용액을 삼키자마자 혀끝에 가벼운 셀러리 향이 흘렀다.

"괜찮군요." 점성술사가 외쳤다. "그렇지만 그다지 신선하지는 않군요." 그러면서 그는 자기 잔에 한 잔 가득 럼주를 따랐다.

"생각해보면, 세 번째 왕국도 역시 주기도문에 나오는 '나라가 임하옵시며!'라는 말로 예고되어 있습니다."

"물론이지요." 종지기가 말했다.

"그래요, 만일 몇몇 성령주의자들이 그러하듯 진정한 체현을 인정한다면, 무엇보다도 이단이 존재하게 될 테고, 그러면 그건 무분별하면서도 동시에 터무니없는 일일 겁니다." 제뱅제가 말했다. "자, 생메다르 묘지가 폐쇄된 뒤 파리에서 쫓겨난 장세니즘*이 도피처를 구했던 두**의 파렝이라는 마을에서 18세기 이후 크게 유행했던 파레니즘을 기억해보세요. 그곳에서 프랑수아 봉주르라는 신부가 기적으로 치유된 여자들의 십자가형을 다시 시작합니다. 파리스*** 부사제 무덤의 신성을 더럽혔던 광적인 장

---

* 얀세니즘, 혹은 얀센주의라고도 한다. 네덜란드 신학자 코르넬리스 얀세니우스가 주창한 교의를 계승한 아르노와 케넬에 의해 프랑스 파리 교외의 포르루아얄 수도원을 중심으로 활동을 전개했다. 17세기와 18세기에 프랑스 교회 내에 격렬한 논쟁을 일으켜 교회 분열의 위기를 부르고 정치 문제화시켜 루이14세가 적대시하게 되었다.
** 프랑스 동부, 프랑슈콩테 지역의 도.
*** 열렬한 장세니스트였던 프랑스의 종교인(1690-727).

면이지요. 그 후 이 신부는 선지자 엘리야, 즉 묵시록에서 그리스도의 마지막 도래 직전에 온다고 하는 선지자의 아이를 가졌다고 주장하는 한 여인에게 반하게 됩니다. 그 아이가 태어나고, 다음으로 오직 성령일 뿐인 두 번째 아이가 태어납니다. 첫아이는 파리에서 양모 중개인이라는 직업을 가졌고, 루이 필리프 치하에서 국가 경비대 대령이었다가 1866년 편안하게 죽었습니다. 그는 상점의 성령이며, 견장과 술 장식을 단 구세주였던 거죠!

그 사람 다음으로, 1866년에는 부브레*의 브로샤르라는 여인이 자신의 말을 들어주는 사람들에게 예수께서 자신의 몸속에 환생하셨다고 주장합니다. 1889년, 다비드라는 이름을 가진 한 미치광이가 앙제**에서 '하느님의 목소리'라는 제목의 책자를 발행했는데, 거기서 그는 스스로에게 '창조주 성령의 유일한 메시아'라는 겸허한 칭호를 부여하고, 자신이 공공 토목공사 청부업자이며 길이가 1.1미터 되는 푸른색 수염을 기르고 있다고 알려주고 있습니다. 오늘날에도 그의 뒤를 잇는 사람은 없어지지 않았습니다. 피에르 장이라는 이름의 엔지니어는 최근 말을 타고 남부 지방을 두루 돌아다니며 자신이 성령이라고 했습니다. 파리에서는 팡테옹과 쿠르셀 간 노선 승합마차 차장 베라르가 역시 자신이 성령을 구현하고 있다고 공

* 프랑스 중부 투르 근처의 도시.
** 프랑스 남서부 멘에루아르 현의 주도.

437

언하고 있습니다. 한편 어떤 잡지 기사는 시인 주네* 개인 속에 구원의 희망이 번쩍이고 있음을 사실로 인증하고 있습니다. 마지막으로 미국에서는 자신들이 메시아라고 주장하며, 부흥회 광신도들 중에서 신봉자들을 모집하는 여자들이 이따금 등장합니다."

"그건 하느님과 피조물을 혼동하는 사람들의 이론과 마찬가지지요." 카렉스가 말했다. "하느님은 그의 피조물들 속에 내재하고 계십니다. 하느님은 그들 피조물들의 영생의 원리이며, 행동의 원천이고, 존재의 기반이라고 성 바울은 말하지요. 하지만 하느님은 피조물들의 삶과 행동과 영혼과는 별개입니다. 모세의 말처럼 하느님은 독특한 자아이고, '존재하시는 그분'입니다.

성령도 역시 영광의 그리스도를 통해 모든 존재들 속에 내재하게 될 것입니다. 성령은 그 존재들을 변형시키고 재생시키는 원리가 될 것입니다. 하지만 그렇다고 해서 반드시 성령이 현현한다는 말은 아닙니다. 성령은 그리스도를 통해 성부로부터 발현합니다. 성령은 행동하도록 보내어지지만 체현될 수는 없습니다. 그 반대라고 주장하는 건 터무니없는 미친 짓이지요! 그건 그노시스설 신봉자들과 청빈 형제회**의 분열에, 노바라의 프라 돌치노***와 그 아내 마르그리트의 잘못에, 베카렐리 사제의 쓰

* Albert Jhouney(1860–926). 프랑스 시인. 본명은 Albert Jounet.
** 14세기 프란체스코회의 엄격파.
*** Fra Dolcino(1250-307). 프란치스코 교단의 이론에 빠져 이단으로 간주된 이탈리아의

레기 더미 속에, 파르마의 세가렐리*의 혐오스러운 행위 속에 떨어지는 겁니다! 이러한 구렁텅이에 빠져들기 전 세가렐리는 성령의 단순하고 소박한 사랑을 더 잘 상징화 하기 위해 어린아이가 된다는 핑계를 내세워 포대기에 싸인 채 유모의 품 안에서 잠들며 젖을 빨곤 했지요."

"그런데 말이죠." 뒤르탈이 말했다. "당신의 설명이 내게는 그다지 명확해 보이지 않는군요. 당신의 말을 제대로 이해했다면, 성령은 우리들 속에 주입됨으로써 작용하게 되겠군요. 신학적인 용어로 말하자면 일종의 수동적인 정화 작용을 통해서 성령은 우리를 변화시키고, 우리의 정신을 개혁하겠네요."

"그렇습니다. 성령은 우리의 영혼과 육체를 정화시키게 됩니다."

"육체를 어떻게 정화하지요?"

"성령의 힘은 생식의 원리에까지 펼쳐지게 되어 있습니다." 점성술사가 다시 말했다. "성령은 생식기들을 성화시키는데, 그때부터 그것들은 원죄에서 자유로운 선택된 존재들만을, 성경에 나와 있는 대로 굴종의 가마 속에서 시련을 겪을 필요가 없게 될 존재들만을 낳을 수 있게됩니다. 예언자 뱅트라,** 즉 그렇게 엄숙하고 그렇게 열정적인 글을 썼던 비범한 문맹자의 교리는 그런 것이었습니

설교가. 북이탈리아에서 천년왕국설을 따르는 민중운동을 이끌었고 화형을 당했다.
* Gherardo Segarelli(1240-300). 이단으로 화형당한 이탈리아의 선교기.
** 선지기 엘리아의 현현이라 일컬어지기도 했던 19세기의 예언자.

439

다. 그가 죽은 후, 그의 계승자, 요하네스 박사에 의해서 지속되고 강화되었지요."

"그렇다면 지상낙원이군요!" 데 제르미가 외쳤다.

"그렇습니다. 자유와 선과 사랑의 왕국이지요!"

"자, 자, 난 갈피를 잡을 수가 없군요." 뒤르탈이 말했다. "당신은 성령의 도래를 예고하면서, 다른 한편 그리스도의 영광스런 강림을 예고하고 있습니다. 이 두 개의 왕국은 같은 것입니까 아니면 하나가 다른 하나에 이어서 오는 겁니까?"

"성령의 도래와 그리스도의 영광스런 재림은 구분할 필요가 있습니다." 제뱅제가 대답했다. "전자가 후자보다 앞섭니다. 자신이 약속한 대로 예수가 구름을 타고 내려와 자신의 모습을 본떠 만들어진 인간들 위에 군림하기 위해서는 우선 사회가 세 번째 위격, 즉 사랑에 의해 불태워지고 재창조되어야 합니다."

"그렇다면 그 모든 과정 가운데 교황은 무슨 역할을 합니까?"

"아! 그거야말로 요한의 교리 중에서 가장 흥미로운 점들 중 하나입니다. 당신도 아시다시피 메시아의 첫 출현 이후, 시대는 둘로 나뉩니다. 하나는 희생되어 속죄하는 구세주의 시대, 즉 우리가 살고 있는 시대이고, 다른 하나는 우리가 기다리는 시대, 자신에게 가해진 모욕을 벗고, 성스러운 광휘의 위격 속에 빛나는 그리스도의 시대입니다. 자! 이들 각자의 시대에는 서로 다른 교황이 존재합니다. 게다가 성전(聖典)들은 내 별점과 마찬가지로 이들 두 최고 교황들을 예고하고 있습니다.

베드로의 영령이 그의 계승자들 속에 살아 있음은 신학의 공리입니다. 그는 그 속에서 다소간 잊힌 채, 소망하는 성령의 확장 때까지 살아 있을 겁니다. 그러면 유보해 놓았던 요한이 사랑의 임무를 시작하게 되고, 새로운 교황들의 영혼 속에서 살게 되리라고 복음서는 말합니다."

"예수를 볼 수 있게 되면 교황이 무슨 소용이 있는지 나로서는 이해가 안 되는군요." 데 제르미가 말했다.

"사실 교황으로서는 존재 이유가 없지요. 그러니 교황은 성령의 발현을 위한 준비 기간에만 존재할 수 있을 뿐입니다. 찬란한 유성들의 소용돌이 속에서 예수가 나타나는 날 로마의 교황은 사라집니다."

"여러 해를 두고 토론해도 끝없을 그러한 문제들에 대해서는 이제 그만 파고들고요, 나로서는 인간이 완벽해질 수 있다고 상상하는 그 유토피아의 단순성이 존경스럽군요!" 뒤르탈이 소리쳤다. "하지만 천만에요, 결국 인간이라는 피조물은 태생적으로 이기주의자이고 기만적이며 비열합니다. 당신들 주변을 둘러보세요, 자! 끝없는 투쟁, 파렴치하고 인정머리 없는 사회, 부유한 부르주아들에 의해, 고기깨나 먹고 지내는 사람들에 의해 이리 쫓기고 저리 쫓기는 가난한 사람들, 비천한 사람들을요! 어디에서나 승리는 악당들이나 보잘것없는 사람들이 거둬가고, 영예는 정치판이나 은행을 거머쥔 불한당들이 차지하잖아

441

요! 당신들은 그러한 흐름을 거스를 수 있다고 생각하세요? 아닙니다, 인간은 결코 변한 적이 없습니다. 인간의 영혼은 창세기 때에도 곪아 있었고, 현재도 그때 못지않게 부어 있고 악취를 풍기고 있습니다. 인간이 범하는 죄악들의 형태만이 변했을 뿐이에요. 진보한 바가 있다면, 악덕들을 세련되게 만드는 위선이 그렇지요!"

"그러니까요." 카렉스가 대꾸했다. "만일 사회가 당신이 묘사한 대로라면 붕괴되어야 마땅해요! 그래요, 나 역시 사회가 부패했다고 생각합니다. 그 뼈는 썩어들어가고 있고 살은 문드러지고 있어요. 더 이상 간호할 수도 없고 치유할 수도 없습니다. 그러니 그 사회는 매장되고 새로운 사회가 태어나야 할 필요가 있습니다. 오직 하느님께서만 그러한 기적을 이루실 수 있는 거지요!"

"분명히 그렇습니다." 데 제르미가 말했다. "이 시대의 추악함이 일시적이라고 해도 이를 없애기 위해서는 오로지 하느님의 개입을 생각할 수밖에 없습니다. 사회주의나 기타 무식하고 증오에 찬 노동자들의 부질없는 생각들로는 인간의 본성을 변화시키고 민중을 개혁하지 못하기 때문입니다. 그런 일들은 인간의 능력을 벗어나 있어요!"

"그런데 요하네스 박사가 기다리던 시대가 가까이 왔어요." 제뱅제가 외쳤다. "그에 대한 분명한 증거들이 여기 있습니다. 레이몽 륄*은 구세계의 종말이 적그리스

* Raymond Lulle(1232–315). 아랍, 유태교, 기독교 문화가 교차하는 마요르카 섬 태생의 철학자, 신학자.

도의 교리 확산에 의해 예고되리라 단언했는데, 그는 그 교리들을 유물론과 끔찍한 마법의 부활이라고 정의합니다. 그러한 예고는 우리 시대에도 적용된다고 생각합니다. 다른 한편, 성 마태오는 '성스러운 장소에서 가장 혐오스러운 것이 확인될' 때 좋은 소식이 실현되리라 말했습니다. 맞습니다! 보세요, 겁 많고 회의적이며 평범하고 교활한 이 교황을, 성직매매 죄를 범한 비겁한 이 주교들을, 유쾌하고 무기력한 성직자들을. 그들이 악마주의에 얼마나 물들어 있는지, 그리고 교회가 이 이상 더 낮은 곳으로 곤두박질칠 수 있는지 말해보세요, 말해보시라고요!"

"약속들은 분명합니다. 교회는 멸망할 수 없어요." 그러면서 테이블 위에 팔꿈치를 괴고, 눈을 들어 하늘을 쳐다보며 기원하는 목소리로 종지기가 중얼거렸다. "하느님 아버지, 당신의 나라가 임하옵기를!"

"밤이 깊어가는군요, 갑시다." 데 제르미가 말했다. 그때, 그들이 재킷을 걸치고 있는 사이에 카렉스가 뒤르탈에게 물었다.

"그리스도의 강림을 믿지 않는다면 당신은 무슨 희망을 갖고 있습니까?"

"내겐, 아무런 희망도 없습니다."

"그렇다면 안된 일이군요. 정말이지 당신은 미래가 나아지리라라는 기대가 전혀 없으신가요?"

"아아! 나는 노망한 하느님이 메마른 땅에 대고 횡설수설하고 있다고 생각합니다, 그리고 같은 소리를 되풀

443

이하고 있지요!"

종지기는 팔을 쳐들고 슬픈 표정으로 머리를 저었다.

제뱅제와 헤어지고 탑 밑에 왔을 때 묵묵히 얼마간 걷고 나서 데 제르미가 말했다. "오늘 저녁 이야기한 사건들이 전부 리옹에서 일어났다는 점에 자네는 놀라지 않는군." 뒤르탈이 쳐다보자 데 제르미는 계속해서 말했다.

"그렇지, 내가 리옹을 알고 있기 때문일세. 그곳에서는 아침에 론강에서 피어난 안개가 거리를 뒤덮듯 머릿속이 뿌예진다네. 기나긴 길들, 잔디가 심어진 초원들, 넓은 대로들, 현대적인 도시의 감옥처럼 지어진 건물들을 사랑하는 여행자들에게는 그 도시가 멋져 보이지. 하지만 리옹은 또한 신비주의의 도피처이자 초자연주의적 사상들과 의심스러운 교의들의 항구이기도 하다네. 선지자 엘리야의 영혼이 현현했던 것으로 보이는 뱅트라가 죽은 곳이 바로 거기야. 나운도르프 일가가 그들 최후의 지지자를 가졌던 곳도 거기라네. 거기서는 저주가 성행했는데, 기요티에르 가에서는 금화 한 닢만으로도 사람들에게 저주를 내리게 할 수 있었기 때문이지. 덧붙이자면 그곳은 또한 급진주의자들과 무정부주의자들이 들끓는데도 불구하고, 저항적이고 완고한 가톨리시즘의 풍요로운 보고이고, 장세니스트의 공장이며, 완고하고 살찐 부르주아지의 도시이기도 하지.

리옹은 돼지고기 가공업과 밤[栗], 그리고 비단으로 유명하다네. 또한 교회로도 유명하지! 길마다 꼭대기에는 예배당과 수도원들이 있는데, 노트르담 드 푸르비에르 성당이 그 모두를 굽어보고 있지. 이 웅장한 성당은 멀리서 보면 뒤집힌 채 발을 거꾸로 하고 있는 18세기 서랍장처럼 보인다네. 하지만 아직도 마무리 공사 중인 내부는 사람을 당황하게 만들지. 자네도 언젠가는 가봐야 할 걸세. 거기서 아시리아 양식과 로마네스크 양식, 고딕 양식의 가장 놀라운 혼합물을, 요컨대 100년에 한 명 나올까 말까 한 성당 내부 건축가 보상*이 고안하고, 칠하고, 정비하고, 이어 붙인, 알 수 없는 그 모든 것을 보게 될 걸세! 그 성당의 중앙 홀은 칠보와 대리석, 청동과 금으로 번쩍거리지. 천사 조각상들은 우아하고 화려한 모습으로 세워지다 만 기둥들과 어울리지 않는 인상을 주면서, 잘 알려진 열주들의 조화를 깨뜨리고 있다네. 아시아풍이고 세련되지 못했지. 귀스타브 모로가 자기 작품 속에서 헤로디아 상들 주변에 세워놓은 건물들을 상기시킨다네.

그리고 순례자들의 행렬이 쉬지 않고 이어지지. 그들은 사업 확장을 위해 성모마리아에게 기도한다네. 소시지와 비단의 새 시장을 개척하게 해달라고 성모마리아에게 기도하지. 그들은 성모마리아에게 상품을 선전한다네. 그들은 신선함을 잃은 식품들을 팔아치우고 직물들을 유통시킬 방법에 관해 성모마리아의 조언을 듣지. 도심에 있는 생보니파스 교회에서까지도, 신성한 장소에 대해 경

---

* Pierre Bossan(1814~88), 프랑스 리옹 출신 건축가.

건한 마음을 간직하고, 가난한 사람들에게 시주를 나누어 주지 말라고 신자들에게 권하는 벽보를 본 적이 있었다네. 사실, 상업적 성공을 바라는 기도가 거지들의 무분별한 구걸 행위로 방해받기를 원하지 않았던 거지!"

"그렇군." 뒤르탈이 말했다. "그런데 또 이상한 건 민주주의가 가난한 사람들의 철천지원수라는 거야. 가난한 사람들을 보호해야만 할 것 같았던 프랑스대혁명이 그들에게 가장 잔인한 체제였음이 드러났잖아, 안 그런가? 언제 자네에게 공화력 2년의 법령집을 훑어볼 수 있게 해주겠네. 그 법령은 구걸하려 손을 내미는 사람들뿐만 아니라 적선하는 사람들에게도 형벌을 선고하고 있다네!"

"하지만 민주주의는 뭐든 낫게 할 만병통치약이지." 데 제르미가 웃으며 말했다. 그러면서 손가락으로 벽에 붙은 커다란 벽보를 가리켰는데, 거기에는 불랑제 장군이 이번 선거에서 자신에게 표를 달라고 파리 사람들에게 호소하고 있었다.

뒤르탈은 어깨를 으쓱해 보였다. 그리고 말했다. "그렇지만 그 대중은 깊이 병들어 있어. 카렉스와 제뱅제는 어떠한 처방도 대중을 구원할 만큼 충분한 효력을 갖고 있지 않다고 말하는데, 어쩌면 그들 말이 맞을지도 몰라!"

XXI

뒤르탈은 샹트루브의 아내가 보내온 편지들에 답장을 보내지 않기로 결심했었다. 결별 이후 매일같이 그녀는 그에게 뜨거운 편지를 보내왔다. 그렇지만 금세 확인할 수 있었듯이 이 광적인 여자의 외침은 점점 잦아들었고, 한탄과 달콤한 속삭임, 비난, 눈물이 뒤따랐다. 이제 그녀는 그의 배은망덕을 비난하고 있었고, 그의 말을 들었던 일, 천국에서나 해명해야 했을 신성모독 의식에 그를 참여시켰던 일을 후회하고 있었다. 그녀는 그를 다시 한 번 더 만나고 싶어 했다. 그러더니 한 주 동안 침묵을 지키며 잠잠했다. 결국 뒤르탈의 침묵에 지쳤는지 마지막 편지에서 이별을 선언했다.

사실 그가 옳았음을, 그들 사이에는 기질도 영혼도 일치하는 바가 없음을 고백하고 난 뒤 여자는 빈정거리는 투로 말했다.

'잠시 동안 따스한 사랑, 오선지처럼 정돈된 사랑을 보여주셔서 감사합니다. 하지만 저와는 맞지 않는군요. 제 가슴은 보다 더 큰 크기의 덮을 것을 원한답니다…'

"가슴이라!" 그는 웃기 시작했다. 그리고 계속해서 편지를 읽었다.

'당신에겐 제 가슴을 채워줄 의무도 목적도 없음을 잘 알고 있습니다. 하지만 최소한 솔직한 동료애를 보여줄 수는 있었을 텐데요. 그랬다면 제가 여자라는 사실도

447

잊고 저녁때면 가끔 이런저런 이야기를 나누러 갈 수 있었을 거예요. 아주 간단해 보이는 이런 일을 당신은 불가능하게 만들어놓았어요. 안녕, 영원히. 피하려고 애썼건만, 제겐 고독과 새로운 계약을 맺는 일만 남아 있군요….'

"고독이라! 그렇다면 오쟁이를 지게 된 인자하고도 교활한 그 남편이라는 작자는 어쩌고!" 뒤르탈은 중얼거렸다. "사실, 지금 가장 동정받아야 할 사람은 바로 그 작자야! 내 덕에 그 작자는 조용한 저녁 시간들을 누렸잖아. 나는 그 작자의 아내를 나긋나긋하게 만들고 욕구를 충족시켜서 돌려주었어. 내 수고 덕을 봤던 거야, 그 우매한 작자는! 아! 생각해보니, 나를 쳐다보던 때의 그 위선적이고 음험했던 눈은 의미심장했던 거야!

마침내 이 보잘것없는 연애는 끝장났군. 마음을 느긋하게 먹는다는 건 좋은 일이지! 사랑의 결핍으로도, 결별로도 괴로워하지 않을 테니까! 이제는 이따금 정열이 불타오르다가 고루한 공식주의에 의해 순식간에 그 불이 꺼져버리는, 평판 좋지 않은 여자에 대한 기억만 남아 있을 뿐이야.

예전에, 내가 어리고 열정에 타올랐을 적에는 여자들이 나를 차버리곤 했지. 이제 차분해지니까 내가 여자들을 무시하잖아. 얘야, 이게 바로 내 참모습이란다." 그는 귀를 쫑긋 세우고 그 독백을 듣고 있는 자기 고양이에게 말했다. "정말이지 샹트루브 부인보다는 질 드 레가 훨씬 더 흥미로운 인물이야. 불행하게도 그와 나와의 관계도 역시 끝나가고 있지만 말이야. 이제 몇 페이지만 더 쓰면 책이 완성될 거야. 자, 이런, 끔찍한 라토가 내 살림살이를 박살내러 오는군!"

아니나 다를까, 관리인은 들어와서 늦게 온 데 대해 변명을 늘어놓았고, 웃옷을 벗어던지고는 가구들 쪽으로 도전적인 눈빛을 던졌다.

그는 침대로 돌진해, 씨름꾼처럼 매트리스에 달려들어 그중 하나를 붙잡고 바닥에서 들어 올렸으며, 몸의 균형을 잡으면서 허리를 써서 단숨에 침대 밑판에 펼쳐놓고는 숨을 헐떡거렸다.

뒤르탈은 고양이를 따라 다른 방으로 피했다. 그런데 갑자기 라토가 자신과의 싸움을 중단하고 그들을 보러왔다.

"선생님, 제게 무슨 일이 일어났는지 아세요?" 그가 우울한 목소리로 더듬거리며 말했다.

"모르겠는데요."

"아내가 저를 버리고 떠났답니다."

"부인이 당신 곁을 떠났다고요! 하지만 적어도 예순 살은 되셨을 텐데!"

라토가 눈을 들어 하늘을 쳐다보았다.

"그러면, 다른 남자와 함께 떠났나요?"

라토는 비탄에 잠긴 채 손에 쥐고 있던 먼지떨이를 내려뜨렸다.

"맙소사! 당신 부인은 그러니까, 그 나이에도 불구

하고, 당신이 만족시켜줄 수 없는 요구들을 했던 거군요?"

관리인은 고개를 젓고는 오히려 그 반대였다고 말했다.

"오!" 다락방의 탁한 공기와 독한 증류주로 인해 피부에 구릿빛이 도는 그 늙은 거한을 쳐다보면서 뒤르탈이 소리쳤다. "하지만 더 이상 당신이 다가오기를 원치 않는다면 왜 남자와 함께 달아났을까요?"

라토는 경멸과 연민으로 얼굴을 찡그렸다.

"아내가 선택한 자는 임포텐츠예요, 아무짝에도 쓸모없는 자이고, 사기꾼이지요!"

"아!"

"난처한 건 관리실 문제예요. 주인이 말이죠, 아내가 없는 관리인은 원하지 않거든요!"

'맙소사! 이런 횡재가 있다니!' 뒤르탈은 이렇게 생각했다.

"저런, 내가 자네 집에 가려고 했는데." 라토가 문위에 놓아둔 열쇠를 찾아 들어온 데 제르미에게 뒤르탈이 말했다.

"좋아! 자네 집 안 청소가 끝나지 않았으니, 이 먼지구덩이에서 빨리 벗어나서 우리 집으로 가세."

길을 가면서 뒤르탈은 관리인의 결혼 생활에 닥친 재난을 친구에게 이야기했다.

"오! 그처럼 성미가 불같은 늙은이의 뒤통수를 치면 행복해할 여자들이 얼마나 많을까!" 데 제르미가 소리쳤

450

다. "그런데 정말 구역질 나는군!" 게시물로 가득한 주변 담벼락들을 가리키면서 그가 말을 이었다.

정말 벽보의 홍수였다. 어디에나 색색의 종이 위에 굵은 글씨체로 불랑제와 자크의 이름이 널려 있었다.

"다행히도 일요일이면 끝날 거야!"

"이러한 주변적 삶의 공포를 피하려면 방법이 한 가 지 있는데, 더 이상 눈을 쳐들고 높은 곳을 보지 않는 것, 다시 말해서 영원히 소심한 겸손의 태도를 간직하는 거 야." 데 제르미가 다시 말했다. "거리에서 보도만 응시하 다 보면, 포프 회사의 전광판들이 눈에 뜨인다네. 둥근 판 에 새겨진 연금술사의 문장, 톱니바퀴, 부적 글씨, 태양이 들어 있는 기이한 오각형 별, 망치와 닻, 이런 것들이 그 려진 전광판이지. 그걸 보면 우리가 중세에 살고 있는 게 아닌가 하는 생각이 든다네!"

"그래, 하지만 추악한 군중에게 정신 집중을 방해받 지 않으려면, 말처럼 눈가리개를 해야 할 테고, 머리 앞쪽 으로는 현재 중학생들과 장교들이 자랑스럽게 쓰고 다니 는 아프리카 정복 당시의 군모 챙이 있어야 할 거야."

데 제르미는 한숨을 쉬었다. "들어가게." 그가 문을 열며 말했다. 그들은 안락의자에 자리를 잡고 앉아서 담 배에 불을 붙였다.

"나는 지난 저녁 카렉스의 집에서 제뱅제와 나누었 던 대화에서 아직까지 헤어나지 못하고 있다네." 뒤르탈 이 오으며 말했다. "그 요하네스 박사라는 사람은 참 이상해! 그 사람 생각을 안 할 수가 없네. 이보게, 자네는 진짜 그의 기적 같은 치료를 믿나?"

"믿지 않을 수가 없지. 나는 자네에게 모든 걸 다 털어놓지는 않았다네. 왜냐하면 의사가 그런 이야기들을 한다면, 어찌 되었든 그 의사는 미친 것처럼 보일 테니까 말이야. 그렇지만, 이건 알아두게, 그 사제는 불가능한 치유를 시행하고 있다네.

내가 그를 안 건 그가 아직 파리의 성직자였을 때, 아직도 내게 이해되지 않는 바로 그런 종류의 치료 활동을 하고 있던 때였다네.

내 어머니의 하녀에게는 다 큰 딸이 하나 있었는데, 그 딸은 팔과 다리가 마비되고, 가슴에 지독한 통증이 있어서 거길 건드리면 고래고래 소리를 지르곤 했다. 나도 잘 모르는 어떤 일 때문에 어느 날 밤에 그렇게 되었다더군. 거의 2년 전부터 그런 상태에 처해 있었다는 거야. 리옹의 병원들에서 치료 불가 판정을 받고 돌려보내진 그 딸은 파리에 와서 살페트리에르 병원에서 치료를 받다가 갔지만, 어느 누구도 딸이 앓고 있는 병이 무슨 병인지 알지 못했고 어떤 치료로도 그 고통을 덜어줄 수 없었다네. 어느 날, 하녀가 자기 딸과 같은 병을 앓는 환자들을 낫게 했다는 요하네스 신부에 대해 내게 이야기했지. 난 그 말을 하나도 믿지 않았지만, 그 사제가 돈을 전혀 받지 않았기 때문에 그를 방문하려는 그녀의 생각을 돌이키게 하지 못했고, 호기심에 그녀를 따라갔다네.

452

딸을 의자에 앉히고 나서 그 생기 있고 민첩한 키 작은 성직자는 딸의 손을 잡았네. 그녀 손바닥에 한 번에 하나씩 차례로 세 개의 보석을 놓아보고 나서 그가 천천히 말했지. '아가씨, 당신은 근친 관계 저주의 희생자라오.'

나는 거의 웃음을 참을 수 없었지.

그가 말했네. '2년 전 일을 기억해봐요. 그때부터 아가씨 몸이 마비되었으니 말이에요. 아가씨는 당시 어떤 친척 남자나 친척 여자와 틀림없이 말다툼했을 거예요.'

사실이었네. 불쌍한 마리는 상속되어오던 시계를 훔쳤다는 이유로 아주머니 한 분에 의해 부당하게 고발당했었고, 그 아주머니는 복수를 맹세했다네.

'당신 아주머니는 리옹에 살았지요?'

그녀는 그렇다고 고개를 끄덕였지.

'놀라울 것 없어요.' 신부가 계속 말했네. '리옹 사람들 중에는 시골에서 시행되는 마법을 알고 있는 접골사들이 많답니다. 하지만 안심하세요. 그 사람들은 힘이 강력하지 않으니까요. 그들의 마법은 초보 단계예요. 그런데, 아가씨, 낫고 싶으신가요?'

그녀가 그렇다고 대답하자 신부는 천천히 말을 이었다네. '자, 됐어요, 가도 좋아요.'

그는 그녀에게 손도 대지 않았고, 아무런 약도 처방하지 않았네. 나는 그 돌팔이가 장난을 좋아하는 사람이거나 미친 사람이라 생각하고 그 집을 나왔지. 하지만 3일이 지난 후 팔이 올라가고, 그 딸이 더 이상 고통을 느끼지 않게 되었을 때, 그리고 일주일 후 걸을 수 있게 되었을 때, 나는 그 명백한 사실에 굴복할 수밖에 없었네. 나는 그를 다시 보러 갔고, 혹시라도 유용하게 쓰일 수 있을까 해서 마리화나를 가져다주었다네. 그렇게 해서 우리 관계가 시작됐지."

"그런데, 그가 사용한 치료법은 어떤 걸까?"

"그는 치료 사제처럼 기도로 시작한다네. 그러고는 하느님의 군대를 부르고, 마법의 고리를 깨뜨리고 악령들을 쫓아내는데, 그는 이를 악령들을 '정리한다'고 표현하고 있지. 이런 이야기가 혼란스럽다는 건 나도 잘 알고 있네. 내가 동료 의사들에게 그 사람의 능력에 대해 말하면, 그들은 우월감에 찬 태도로 미소를 짓거나, 그리스도나 성모마리아가 실행한 치유들을 설명하기 위해 꾸며낸 귀중한 의견들을 내게 제시하곤 한다네. 환자의 상상력을 일깨우고, 그에게 치유되고자 하는 의욕을 불어넣고, 그가 건강하다고 설득시키고, 말하자면 깨어 있는 상태에서 그에게 최면을 건다는 것이지. 그렇게 함으로써 꼬였던 다리들이 풀리고, 상처가 사라지고, 폐결핵 환자들의 구멍 뚫린 폐가 막히고, 암이 하찮은 부스럼으로 변하고, 장님들이 똑똑히 보게 된다는 거야! 초자연적인 어떤 치료책을 부정하기 위해 의사들이 찾아낸 게 그런 것들이라네! 그렇게 간단하다면 왜 그들은 그러한 방법을 직접 사용하지 않는지 정말 모르겠어!"

"그러면 의사들은 그 방법을 시도한 적이 없었나?"

"해봤지, 몇 가지 병에 대해서는. 나는 뤼 박사가 시도한 실험에 직접 참여하기까지 했다네. 물론 나쁜 짓이었지만 말이야! 자애 병원에는 두 다리가 마비된 불행한 여자아이가 하나 있었지. 그 아이를 잠들게 하고서, 뤼 박사는 아이에게 일어나라고 명령했다네. 아이는 몸을 움직이려 했지만 움직일 수 없었지. 그러자 인턴 둘이 팔을 부축해서 일으켜 세웠지만, 고통스러워하던 아이의 죽어버린 다리는 꺾어지고 말았네. 그 아이가 걷지 못했고, 아이를 끌고 몇 발 걷게 한 후 아무런 성과도 얻지 못한 채 다시 눕혔음을 자네에게 말할 필요가 있을까?"

"그런데 말이야, 요하네스 박사는 고통을 겪는 모든 사람들을 차별 없이 치료하지 않나?"

"아니야, 그는 단지 저주에 의해 생긴 병들만을 다룬다네. 그는 의사들이 다루어야 할 다른 병들은 고칠 수 없다고 스스로 말하고 있지. 그는 악마주의와 관련된 병의 전문가일세. 그는 특히 정신병자들을 치료하는데, 그의 말에 따르면 그들은 대개는 마법에 의한 독에 중독된 사람들, 악령에 사로잡힌 사람들, 그리하여 수면을 취하려 하지 않고 샤워를 하려 하지 않는 사람들이라네!"

"그러면, 자네가 말하던 그 보석들 말이야, 그걸로 무엇을 하는 건가?"

"그 문제에 대답하기 전에 먼저 그 보석들의 의미와 능력을 자네에게 설명해야겠군. 자네에게 알려줄 만한 새로운 점은 아무것도 없네. 다만 아리스토텔레스, 플리니우스 등 모든 이교 지식인들이 그 보석들이 의학적이고 신비한 효력들을 갖고 있는 것으로 여겼다는 사실만 이야기해 주지. 그들의 말에 따르면 마노와 홍옥수는 흥을 돋우어 준다네. 황옥은 위안을 주지. 벽옥은 무기력에 의한 병들을 치료해준다네. 홍정(紅晶)*은 불면증을 쫓고, 터키옥은 탈모를 막거나 감소시키고, 자수정은 취기를 억제한다네.

이어서 가톨릭의 상징체계가 그 보석들을 차지하고, 그 속에서 기독교 미덕의 상징들을 보게 된다네. 이제 사파이어는 영혼의 드높은 갈망을 나타낸다네. 옥수는 자비를, 사도닉스**와 오닉스***는 천진함을 상징하고, 녹주석은 신학에 우의적 의미를 부여하지. 홍정은 수치를 상징하는 반면 루비는 분노를 약화시키고, 에메랄드는 신앙을 변질되지 않도록 단단하게 만든다네.

그리고 마법은⋯." 그러면서 데 제르미는 몸을 일으켜 자신의 서가에서 기도서처럼 장정된 아주 작은 책 한 권을 뽑아 그 제목을 뒤르탈에게 보여주었다.

"이 책의 첫 페이지에는 이렇게 적혀 있네. '자연의 비밀이며 기적인 자연 마법, 나폴리 사람 장바티스트 포르타에 의해 네 권으로 편집됨.' 그리고 아래쪽에는 '파리, 니콜라 봉푸 발행, 신 노트르담 가, 생 니콜라 사, 1584년' 이라고 쓰여 있지."

---

* 붉은색 수정.
** 백색과 홍색 줄무늬가 있는 마노.
*** 줄무늬가 있는 마노. 줄마노라고도 한다.

그러고 나서 데 제르미는 그 책을 한 장 한 장 넘기면서 다시 말을 이었다.

"단지 이 시대의 치료법에 불과했던 자연 마법은 보석들에 새로운 의미를 부여하고 있네. 자, 들어보게. 거세한 지 4년 된 수탉의 배에서 꺼내거나 혹은 암탉의 심실에서 뜯어냈을 경우 그것을 지니고 있는 사람을 무적으로 만들어주는, 미지의 보석 '알렉토리우스'를 먼저 찬양하고 나서 포르타는 옥수가 소송에서 이기게 해준다는 것, 홍옥수가 피의 흐름을 안정시켜주고 꽃으로 인해 병든 여성들에게 아주 유용하다는 것, 홍정이 분노로부터 보호해주고 악취와 독을 물리친다는 것, 황옥이 주기적인 광기의 발작을 다스린다는 것, 터키석이 우울증과 사일열, 그리고 심장 쇠약에 좋다는 것을 우리에게 알려주고 있지. 마지막으로 그는 사파이어가 두려움으로부터 보호해주고 사지의 활력을 간직하게 해주는 반면 목에 건 에메랄드는 간질로부터 보호해주지만 그것을 걸고 있는 사람이 정숙하지 않으면 바로 깨져버린다고 증언하고 있네.

자네도 보다시피, 각각의 보석이 갖는 특별한 효능들에 대해서 고대와 기독교, 16세기의 과학은 그다지 의견이 일치하지 않네. 거의 모든 경우에서 다소 우스꽝스러워 보이는 의미들 사이에 서로 차이가 있지.

요하네스 박사는 이러한 믿음들에 수정을 가했고, 그중 많은 것을 취사선택했지. 마침내 그는 새로운 의미들을 그 나름대로 수용했네. 그가 보기에 자수정은 취기를 잘 치료해주지만 특히 정신적인 도취, 즉 자만심을 치료해주지. 루비는 성적 충동을 저지하고, 녹주석은 의지를 강화시키며, 사파이어는 신을 향한 생각을 고취시킨다네.

요컨대 그는 각각의 보석이 한 가지 종류의 병과, 또 한 가지 종류의 죄에 대응된다고 믿고 있네. 그리고 그는 보석들의 활동 원리를 화학적으로 지배할 수 있게 되면 수많은 질병의 치료제뿐만 아니라 예방책까지도 갖게 된다고 단언하고 있지. 약간 우스꽝스러워 보일 수도 있는 이러한 꿈이 실현되어 연금술사들이 우리 의학을 거꾸러 뜨리기를 기대하면서 그는 보석들을 이용하여 저주에 의해 생긴 병의 치료법을 체계화하고 있네."

"도대체 어떻게?"

"그는 이러저러한 보석을 저주받은 자의 손이나 환부에 대면 그가 쥐고 있는 보석에서 액체가 흘러나와 그에게 병에 관한 정보를 준다고 주장하지. 그와 관련해서 그가 내게 이런 이야기를 해주었네. 어느 날 그가 전혀 모르는, 어렸을 때부터 불치병으로 고통을 겪고 있는 여인 하나가 그의 집을 찾아왔다네. 그녀에게서는 명확한 대답을 얻을 수가 없었지. 아무리 봐도 독극물의 흔적은 전혀 찾을 수 없었다네. 그가 가진 거의 모든 종류의 보석들을 시험한 끝에 그는 근친상간 죄에 해당하는 청금석을 집어 들었다고 하네. 그는 그것을 그녀 손에 놓고 만져보았네.

'당신의 병은 근친상간의 결과요.' 그가 말했네. 그러자 여자는 '하지만 나는 당신에게 고해성사를 하러 온

458

게 아니에요.'라고 대답했지. 그렇지만 결국 자신이 채 사춘기에 도달하기도 전에 아버지가 자신을 범했다고 고백했다네. 이 모두가 혼란스럽고, 기존의 모든 생각들과 상반되고, 거의 미친 소리처럼 들리겠지만, 그럼에도 한 가지는 확실하다네. 이 사제가 우리 의사들이 가망 없다고 판정한 환자들을 치료한다는 사실이지!"

"그러니까 파리에 남아 있는 유일한 점성술사 제뱅제는 그 사람 도움이 없었으면 죽었을지도 모른다는 거로군. 어쨌든 그 사람은 멀쩡하잖아. 도대체 어떻게 해서 외제니 황후가 그에게 별점을 쳐달라고 할 수 있었을까?"

"자네에게 이야기했지 않은가. 제정 시대에 튈르리 궁은 마법에 흠뻑 빠져 있었다네. 그곳에서 홈이라는 미국인은 신처럼 숭배되었지. 궁정에서 강신술 모임을 여는 일 말고도 그는 지옥의 악령들을 불러내곤 했다네. 어느 날은 일이 잘못되기도 했지. 어떤 후작 하나가 그에게 자신의 죽은 아내를 다시 보게 해달라고 간청했다네. 홈은 그를 방 안 침대 쪽으로 데리고 가서 혼자 놓아두었지. 어떤 일이 일어났겠나? 어떤 무서운 유령들, 어떤 리게이아*들이 무덤에서 솟아났던 걸까? 어쨌든 그 불행한 사람은 침대 발치에서 죽어 넘어져 있었다네. 확실한 정보에 따르면, 이 이야기가 최근 『르 피가로』지에 소개되었다고 하더군.

---

* 그리스 신화에서 아름다운 목소리로 선원들을 유혹한다는 세이렌 자매 중 한 사람.

459

오! 무덤 너머의 것들을 갖고 놀아서는 안 되고 악령들을 너무 부인해서도 안 되는 걸까? 예전에 신비학에 광적으로 몰두해 있는 부유한 청년 하나를 알았었네. 그는 파리의 접신론 학회 회장이었고, '이시스' 총서에 포함된 비교 교리에 관한 작은 책을 쓰기까지 했지. 그런데, 그는 펠라당과 파퓌 일파*처럼 아무것도 모르면서도 만족하고 있을 수 없었네. 그래서 악마주의가 성행하고 있는 스코틀랜드로 갔다네. 거기서 돈을 받고 사람들을 악마주의 비교에 입문시켜주는 한 남자의 집에 자주 드나들었고, 입회식을 시도해보았지. 그는 불워 리튼**이 『자노니』에서 '신비의 파수꾼'이라 부른 사람을 보았던 걸까? 그건 모르겠지만, 확실한 건 그가 두려움으로 인해 기절했다가 기진맥진해서 반쯤 죽은 채 프랑스로 되돌아왔다는 걸세."

"저런!" 뒤르탈이 외쳤다. "그런 직업에서도 만사가 유쾌한 건 아니로군. 그런데, 이보게, 그 길로 들어서게 되면 그러니까 오직 악령들만을 부를 수 있는 건가?"

"자네는 이승에서 오직 성인들에게만 복종하는 천사들이 어중이떠중이의 명령을 받아들이리라 생각하나?"

"그렇지만, 빛의 영혼들과 어둠의 영혼들 사이에는 중간 항이 있는 게 틀림없어. 천국의 영혼도 아니고 지옥의 영혼도 아닌 중간의 영혼들, 예컨대 강신술사들의 모임에서 역겨운 바보짓들을 하는 것들이지!"

---

* 19세기 프랑스 상징주의 및 데카당파 시인들이며 마법주의자들이다.
** Edward George Bulwer Lytton(1803~73). 영국의 소설가, 극작가, 정치가.

"어느 날 저녁 어떤 신부가 내게 말했네. 자연계의 눈에 보이지 않는 어떤 곳에, 선한 영혼과 악령이 사방을 둘러싸고 있는 작은 섬과 같은 어떤 곳에 대단치 않은 중립적인 영들이 거주하고 있다고 말이야. 그것들은 이리저리 쫓겨 다니다가 마침내 선한 영혼이나 악령 쪽 진영으로 합쳐지게 된다네. 강신술사들은 이러한 중립적인 영들을 불러내는데, 그들이 천사들을 끌어들일 수는 없기 때문에, 원하건 원치 않건 간에 자신도 모르게 마침내 악령들을 끌어들이게 되고, 악마 숭배의 세계 속에서 살아가게 된다네. 요컨대, 어느 순간 강신술은 악마 숭배에 도달한다는 말일세!"

"그래, 그리고 어리석은 무당이 죽은 사람을 불러낼 수 있다는 그 혐오스런 생각을 받아들인다면, 당연히, 그러한 행위 속에 들어 있는 사탄의 흔적을 인정해야지."

"틀림없이 그럴 거야. 아무리 생각해봐도 강신술은 쓰레기일 뿐이야!"

"그럼, 자네는 결국 주술을, 악마의 힘을 빌리지 않는 선의의 백색 마법을 믿지 않는군?"

"그렇다네, 그건 허풍일 뿐이야! 장미 십자회 같은 놈들이 가장 혐오스러운 흑색 마법을 시도했음을 감추는 데나 쓰이는 미사여구지. 어느 누구도 자신이 악마주의에 빠져들고 있다고 감히 고백하지는 못하네. 백색 마법이라… 위선자나 멍청이들이 멋진 말로 꾸며대고 있긴 하지만, 자네는 그 백색 마법이 무엇으로 이루어져 있기를 바라나? 그것이 어디에 이르기를 바라나? 게다가 교회는 백색 마법이니 흑색 마법이니 하는 말에 현혹되지 않고 이들을 똑같이 단죄하고 있다네."

"아!" 잠시 침묵하다가 담배에 불을 붙이면서 뒤르탈이 말했다. "정치나 경마에 대해 이야기하는 것보다는 낫지만, 정말 알 수 없는 집단이로군! 무엇을 믿어야 하지? 교리의 반은 터무니없고, 나머지 반은 마음이 끌릴 정도로 신비스러우니 말이야. 악마주의를 받아들여야 하나? 제기랄, 조잡하긴 하지만 거의 확실한 것처럼 보일 수도 있으니. 하지만 이성적 사유에 부합하려면 가톨릭을 믿어야 하는데, 그렇게 되면 기도하는 일밖에 남는 게 없겠지. 악마주의가 불교나 그만 한 규모의 다른 종교들처럼 그리스도의 종교에 맞설 수는 없을 테니까!"

"그렇다면, 믿어보게!"

"그럴 수 없네. 가톨릭에는 날 의기소침하게 만들고 분노케 하는 교리들이 많거든!"

"나 역시 상당히 많은 일에 대해 확신이 서질 않는다네." 데 제르미가 다시 말했다. "하지만 잘되어간다는 느낌이 들 때가, 거의 믿고 있다는 느낌이 들 때가 있다네. 요컨대, 내가 보기에 확실한 건 기독교적이든 아니든 간에 초자연적인 무언가가 존재한다는 사실이야. 이를 부정한다는 건 자명한 것을 부정하는 짓이고, 유물론의 진창 속에서, 자유사상가들의 터무니없는 굴레 속에서 허우적거리는 짓이야!"

"어쨌든 그런 식으로 흔들리는 건 골치 아픈 일이지! 아! 정말이지 카렉스의 굳건한 신앙이 부럽다네."

"자넨 까다로운 사람은 아니야." 데 제르미가 대답했다. "신앙이란 삶을 지켜주는 방파제이고, 돛대가 부러진 인간이 안심하고 몸을 맡길 수 있는 유일한 항구지!"

XXII

"괜찮은가요?" 카렉스 부인이 말했다. "어제는, 평상시처럼 포토푀로 테이블을 차렸고, 소고기는 남겨놓았답니다. 그래서 오늘 저녁 베르미첼리 수프, 훈제 청어를 넣은 차가운 고기와 셀러리 샐러드, 치즈를 넣은 맛있는 감자 퓌레, 그리고 디저트를 드시게 된 거예요. 그리고 또 우리가 수확한 새 시드르를 맛보게 해드릴게요."

"오, 오!" 식사를 기다리며 브랜디 한 잔을 맛보던데 제르미와 뒤르탈이 외쳤다. "카렉스 부인, 당신 요리가 우리를 식탐의 죄로 인도한다는 사실을 알고 계시나요? 계속 이런다면 우리는 배불뚝이가 되고 가마슈*가 되고 말 거예요!"

"놀리지 마세요! 그런데 정말 짜증 나네요, 루이가 돌아오질 않으니."

"누군가가 올라오는군요." 탑의 돌계단을 딛는 신발 소리를 듣고 뒤르탈이 말했다.

"아니에요, 그이가 아니에요." 문을 열어보며 그녀가 다시 말했다. "저건 제뱅제 씨 발소리예요."

과연, 파란색 외투를 입고 펠트 모자를 쓴 점성술사가 들어와서, 연극배우처럼 인사를 하고, 자신의 두툼한 손에 낀 보석 반지로 다른 사람들의 손가락을 아프게 하

---

* 『돈 키호테』에 나오는 멍청한 부자 귀족.

면서 악수한 후, 종지기의 소식을 물었다.

"그 사람은 목공소에 있어요. 커다란 종들을 받치고 있는 떡갈나무 굴대들에 금이 갔거든요. 그래서 루이는 그것들이 무너지지 않을까 걱정하고 있답니다."

"저런!"

"선거 소식은 들었나요?" 제뱅제가 말했다. 그러고는 파이프를 꺼내서 속을 훅훅 불었다.

"아니요, 이 지역은 오늘 저녁 열 시경이 되어야 투표 결과를 알 수 있어요. 그렇지만 표결은 의심의 여지가 없어요. 파리가 난리 법석이니까요. 불랑제 장군이 낙승할 게 틀림없어요."

"중세 격언에는 잠두콩 꽃이 피면 미치광이들이 나타난다는 말이 있지요. 그렇지만 지금은 그런 시대가 아니에요!"

카렉스가 들어와 늦어서 미안하다고 했고, 아내가 수프를 가져오는 동안 오버슈즈를 벗으며 자신에게 질문하는 친구들에게 대답했다.

"그래요, 습기 때문에 보강용 철제 테두리가 삭았고 나무가 썩었어요. 들보들은 불룩 튀어나왔고요. 목수가 와야겠어요. 틀림없이 내일 인부들을 데리고 이곳으로 오겠다고 그가 약속했답니다. 하여튼 다시 돌아와서 좋군요. 거리는 온통 현기증이 날 지경이에요. 나는 어안이 벙벙하고, 불안하고, 정신이 없어요. 난 오로지 종루나 이 방 안에서만 진정 편안함을 느낀답니다. 자, 여보, 그건

466

내가 할게." 그러면서 그는 셀러리, 청어, 소고기를 넣은 샐러드를 휘저었다.

"냄새 정말 좋군요!" 청어에서 풍기는 강렬한 냄새를 맡으며 뒤르탈이 소리쳤다. "이 냄새를 맡으면 무슨 생각이 나는지 아세요? 큰 항구 쪽으로 문이 열려 있는 1층 집의 연통 달린 벽난로에서 노간주나무 덩굴이 탁탁 튀는 소리를 내며 타고 있는 장면이 떠올라요! 훈제된 이 값비싼 고기와 물을 넣지 않은 이 소스 주변에 타르와 짠 해초 무리 같은 게 있는 것 같군요. 맛이 훌륭하네요." 그가 샐러드를 맛보면서 다시 말했다.

"나중에 또 만들어드릴게요, 뒤르탈 씨. 당신은 음식 접대하기가 까다롭지 않군요." 카렉스의 아내가 말했다.

"아아!" 카렉스가 웃으며 말했다. "저분의 육체는 쉽게 만족시킬 수 있지만 영혼은 그렇지 않소! 지난번 저녁 때의 절망적인 경구들을 생각해보면 말이오! 하지만 우리는 하느님께서 그의 길을 밝혀주시도록 기도하고 있답니다." 그가 아내에게 갑자기 말했다. "자, 우리는 항상 종을 들고 있는 모습으로 표현되는 성 놀라스코*와 성 테오둘로**의 가호를 빕시다. 그들이 어느 정도 관여되어 있으니, 분명 자신들을 숭배하고 자신들의 상징을 숭배하는 사람들의 변호인이 되어줄 거요!"

---

* 프랑스 태생으로 스페인에서 크리스천 노예해방을 위한 '속량의 성모회'를 창설했다. 1628년 시성되었다.
** 서기 303년 순교한 싱인.

"뒤르탈을 설득하려면 대단한 기적이 있어야 할 거예요." 데 제르미가 말했다.

"종들이 그런 일을 일으켰지요." 점성술사가 말했다. "어디서 읽었는지는 모르겠지만, 성 이지도르가 임종할 때 천사들이 종을 울렸다는 이야기를 읽은 기억이 나요."

"다른 예들도 많이 있답니다!" 종지기가 소리쳤다. "성 시지스베르가 순교자 플라시드의 시체를 두고「신비가」를 노래했을 때 종들이 저절로 울렸답니다. 그리고 리옹의 주교였던 성 엔느몽의 시신이 살인자들에 의해 노도 돛도 없는 배 안으로 던져졌는데, 손 강을 내려오던 그 배가 지나갈 때도 마찬가지로 아무도 치지 않았는데 종들이 울렸답니다."

"내가 무슨 생각을 하고 있는지 아세요?" 카렉스를 쳐다보던 데 제르미가 말했다. "내 생각에 당신은 간추린 성인전을 쓰거나 문장(紋章)에 관한 박식한 책을 준비해야 할 것 같아요."

"왜 그런 생각을 하지요?"

"불행인지 다행인지, 당신은 당신이 살고 있는 시대에서 너무나 멀리 떨어져 있고, 이 시대가 무시하거나 혐오하고 있는 것들에 너무나 열중해 있기 때문이지요. 그러한 것이 당신을 얼마나 승화시키는지요! 당신은 앞으로 오게 될 세대들에게는 영원히 이해할 수 없는 인물일 거예요. 종을 숭배하기에 그 종들을 치면서, 봉건시대 미술에 관한 통용되지 않을 작업이나 성인들의 일생에 관한

468

수도승 같은 연구 작업에 몰두하는 일은 파리 바깥에서라면, 이 세상 밖에서라면, 아주 먼 옛날이라면, 훌륭한 일일 텐데요!"

"아아!" 카렉스가 말했다. "난 불쌍한 사람일 따름이고 아무것도 모릅니다. 하지만 당신이 꿈꾸는 그러한 사람이 존재한답니다. 스위스라고 생각되는데, 어떤 종지기가 몇 년 전부터 문장에 관한 회상록을 쓰려고 자료를 수집하고 있거든요." 그가 웃으면서 다시 말했다. "아직은 모르는 일이지요. 예컨대 이러한 활동들 중 어느 한 가지가 다른 일에 해가 될지 안 될지 말이에요."

"점성술사라는 직업은 어떻고요. 그 직업이 훨씬 가치가 덜 하락하고 덜 폐기되었다고 생각하세요?" 제뱅제가 씁쓸하게 말했다.

"자, 우리 시드르 맛이 어떤가요?" 종지기의 아내가 물었다. "약간 신맛이 남아 있지요, 안 그런가요?"

"아니에요, 묘한 맛이 나긴 하지만 한 모금 마시니 신선하군요." 뒤르탈이 대답했다.

"여보, 날 기다리지 말고 퓌레를 대접하구려. 달음박질쳤건만 여러분들을 기다리게 만들었군요. 게다가 삼종기도 시간이 다가오네요. 신경 쓰지 마시고 드세요, 내려와서 다시 합류하겠습니다."

남편이 랜턴에 불을 켜고 방을 떠나는 사이 아내는 캐러멜이 군데군데 묻어 있고 금빛으로 빛나는 껍질이 덮여 있는, 과자처럼 생긴 음식을 접시에 담아 가져왔다.

469

"오, 오! 그런데 감자 퓌레가 아니잖아요!" 제뱅제가 말했다.

"감자 퓌레 맞아요, 다만 시골 화덕 속에서 윗부분에 노랗게 껍질이 생겼을 뿐이에요. 맛 좀 보세요. 필요한 건 그 안에 모두 넣었으니 아마 맛이 괜찮을 거예요."

정말 맛있었고, 그래서 그들은 환호성을 질렀다. 그러고 나서 입을 다물었다. 차분히 생각할 수 없었기 때문이었다. 그날 저녁은 종소리가 보다 더 힘차고 명료하게 울려 퍼졌다. 뒤르탈은 방을 흔드는 듯한 그 소리를 분석하려 했다. 소리가 밀려왔다 밀려가는 것 같았다. 처음엔 종의 추가 청동 종에 부딪치는 어마어마한 충격음이 났고, 다음에는 깨지는 듯한 소리 같은 것이 섬세하게 분쇄되어 빙글빙글 돌며 퍼져나갔다. 마지막으로 추가 되돌아와 청동 종에 다시 부딪치며 다른 소리의 파문들을 더했고, 그것들을 찢어서 탑 속으로 던져 흩어놓았다.

이윽고 그 요란한 종소리들의 간격이 뜸해졌다. 이제 다만 커다란 물레가 웅웅거리며 돌아가는 소리에 불과할 뿐이었다. 종소리 여운이 서서히 가실 때쯤 카렉스가 돌아왔다.

"참 기이한 시대야!" 생각에 잠겨 있던 제뱅제가 말했다. "더 이상 아무것도 믿지 않으면서 덮어놓고 모든 것을 믿으니 말이에요. 매일 아침 하나의 새로운 과학이 만들어지지요. 오늘날 상석을 차지하고 있는 건 교육학이라 불리는 자명한 이치랍니다! 모든 것을 되찾아내고 모든

470

것을 창조했던 그 경이로운 파라셀수스*는 더 이상 아무도 읽지 않아요! 그러니 오늘날 당신들 학자들의 회의에서 이렇게 말해보세요. 그 위대한 대가의 말에 따르면 삶이란 별들의 정수에서 흘러나온 물 한 방울이며, 우리 몸 각각의 기관들은 하나의 행성에 상응하고 그에 의존한다고, 그 결과로서 우리들은 신의 영역의 축소판이라고 말이에요. 그리고 경험에 의해 입증된 바인데, 토성의 별자리를 갖고 태어난 사람은 모두가 우울하고 점액질이며, 말이 없고 고독하고, 가난하고 헛되다고 말해보세요. 그 육중한 별은 영향력은 느리지만, 미신과 부정행위의 성향을 갖게 만든다고, 간질과 정맥류, 빈혈과 나병을 일으킨다고. 그리고 아! 그 별이 시료원과 감옥에 수많은 사람들을 공급하는 조달자라고 말해보세요. 그러면 성직자 기본법에 찬성한 그 멍청이들, 유식한 체하는 그 거만한 인간들은 어깨를 으쓱할 거예요!"

"맞아요." 데 제르미가 말했다. "파라셀수스는 신비 의학의 가장 특이한 실천자들 중 한 사람이었지요. 그는, 지금은 잊힌 혈액의 신비들을, 아직도 알려지지 않은 빛의 의학적 효과들을 알고 있었어요. 게다가, 그는 유태교 신비학자들과 마찬가지로 인간은 물질적인 육체와 영혼, 그리고 천체라고 불리기도 하는 영체(靈體)**의 세 부분으로 이루어져 있다고 공언하면서, 특히 이 마지막 요소에

---

* Philippus Aureolus Paracelsus(1493–541). 스위스 태생의 의사, 연금술사.

** 신령술에서, 육체와 정신을 매개하는 존재.

471

마음을 썼고, 외면적이고 육체적인 껍질에 대해서는 이해할 수 없거나 더 이상 쓰이지 않게 된 치료법으로 대응했답니다. 그는 상처조직이 아니라 거기서 흘러나오는 피를 치료함으로써 상처를 낫게 했지요. 나는 그가 몇 가지 병들을 치료했다고 확신한답니다!"

"그가 가진 점성술에 관한 깊은 지식 덕분이지요." 제뱅제가 말했다.

"그런데, 천체의 영향력이 그처럼 연구할 필요가 있다면, 당신은 왜 제자들을 받아들이지 않는 거죠?" 뒤르탈이 물었다.

"제자들이라고요! 하지만 아무런 이득도 명예도 얻지 못하면서 20년간 일하겠다고 나서는 사람들을 어디서 찾아내겠어요? 별자리로 점을 칠 수 있게 되려면, 먼저 일급 천문학자여야 하고, 수학을 깊이 알아야 하고, 옛 대가들의 알쏭달쏭한 라틴어 공부에 오랫동안 열중해야 하는데요! 그리고 또한 소명 의식과 신념도 필요하답니다. 그러니 이제 끝장이지요!"

"종지기들과 마찬가지로군요." 카렉스가 말했다.

"아니에요, 보세요, 여러분." 제뱅제가 다시 말했다. "중세의 위대한 학문들이 불경스런 민중의 철저하고 적대적인 무관심 속에 빠져버린 날, 프랑스에서는 그날이 정신의 종말이었어요! 이제 우리에게는 수수방관하는 일만, 그리고 조롱하다가 비난하다가 하는 사회의 무미건조한 말들을 듣는 일만 남아 있습니다!"

"자, 그런 식으로 절망해서는 안 돼요. 더 나아질 거예요." 카렉스 부인이 달래는 듯한 어조로 말했다. 그러고는 초대 손님들 모두와 가볍게 악수를 나누고 물러갔다.

"민중은 말이죠," 주전자에 물을 따르면서 데 제르미가 말했다. "그들은 나아지기는커녕 수 세기의 세월이 흐르면서 상처를 입고, 낙담하고, 바보가 되었어요! 기억해보세요, 계엄령, 코뮌, 무분별한 열광 행위들, 소란스럽고 아무 이유 없는 증오들, 요컨대 제대로 먹지 못하면서도 너무나 만족스러워하며 총칼을 든 하층민들의 모든 미친 짓들을요! 그들을 중세 때의 순진하고 자비로운 평민들에 비교할 수는 없어요! 자, 뒤르탈, 질 드 레가 화형대로 끌려갔을 때 민중이 어떻게 했는지 이야기해보게."

"그래요, 얘기 좀 해주세요." 파이프에서 나는 연기 때문에 커다란 눈에 눈물을 글썽이며 카렉스가 부탁했다.

"그러지요! 아시다시피, 전대미문의 행각들 탓에 레 원수는 줄에 묶여 산 채 화형에 처해지도록 판결을 받았지요. 판결을 받은 후 감옥으로 되돌아온 그는 장 드 말스트루아 주교에게 마지막으로 청원했습니다. 자신이 잔인하게 강간하고 죽음에 빠뜨린 아이들의 부모와 자신 사이를 중재해달라고 그에게 부탁했지요. 그들 부모들이 자신이 처형받는 걸 잘 볼 수 있도록 해달라고 말이에요.

그런데 그 때문에 심장이 갈기갈기 찢긴 그 민중은 그가 불쌍해서 눈물을 터뜨렸답니다. 민중은 악마 같으이 영주에게서 이제 자신의 죄를 뉘우치고 눈물을 흘리며 그리스도의 무서운 분노에 맞닥뜨리게 될 불쌍한 남자의 모습밖에 보지 않았던 것이지요. 그리고 처형 당일 아침 아홉 시부터 민중은 기다란 행렬을 이루어 도시를 돌아다녔습니다. 그들은 거리에서 찬송가를 불렀고, 교회 안에서 3일 동안 금식할 것을 서약했습니다. 그렇게 함으로써 원수의 영혼이 휴식을 취할 수 있게 하기 위한 시도였지요."

"사형(私刑)을 인정하는 미국식 법률하고는 거리가 있지요, 보시다시피." 데 제르미가 말했다.

"그러고 나서," 뒤르탈이 다시 말했다. "열한 시가 되자 그들은 감옥으로 질 드레를 보러 갔고, 교수대가 세워지고 장작이 높이 쌓여 있는 비에스 들판까지 그를 따라나섰답니다.

질 원수는 공범들을 부축하며 그들을 껴안았고, '자신들의 악행에 대한 불쾌감과 회오'를 가질 것을 간청했으며, 가슴을 두드리면서 그들의 죄를 용서해달라고 성모마리아에게 빌었습니다. 그러는 사이에 성직자들과 농부들, 즉 민중은 「사자(死者)의 프로자」*에 나오는 침울하고 애원하는 듯한 구절들을 읊조렸지요."

우리는 심판의 날을 두려워합니다
우리 의식 속에서 저지른 악행 때문입니다
하지만 저 높은 곳에 계신 어머니 당신은

* 가톨릭의 창(唱).

우리의 피난처를 준비하고 계십니다

오 마리아여!

그러니 격노한 하느님께서도 우리를 용서하실 것입
니다….

"불랑제 만세!"

　　생쉴피스 광장에서 탑까지 들려오는 웅성거리는 소
음들 속에서 "불랑주! 랑주!"라고 외치며 길게 이어지는
함성이 솟아올랐다. 그리고 커다랗고 쉰 목소리, 여자 해
산물 장수의 혹은 수레 행상인의 목소리가 다른 사람들의
소리를 누르고 들려왔고, 웅성거리는 소리를 모두 제압했
다. 다시 고함치는 소리가 들렸다. "불랑제 만세!"

　　"저 사람들은 시청 앞에서 선거 결과를 고래고래 외
치고 있군요." 경멸하는 투로 카렉스가 말했다.

　　모두가 서로를 쳐다보았다.

　　"오늘날의 민중이란!" 데 제르미가 말했다.

　　"아! 그들은 학자나 예술가에게, 심지어 성인과 같
은 초자연적인 존재에게도 저런 식으로 환호하지는 않을
거예요." 불평하듯 제뱅제가 말했다.

　　"그렇지만 중세 때는 그랬었지요!"

　　"맞아요, 하지만 그들은 보다 더 순박하고 덜 어리
석었어요." 데 제르미가 다시 말했다. "그런데, 그들을 구
원해준 성인들은 어디에 있나요? 이제는 성의를 걸친 자
들이 더러운 마음, 병든 영혼, 단정치 못한 머리를 갖고

있다고 아무리 반복해서 말해도 지나치지 않을 거예요! 아니, 더욱더 나쁜 상황이지요. 그들은 타락한 인간들로서 지적인 노동을 하며, 자신들이 돌보고 있는 군중을 서서히 썩게 만드니까요! 그들은 도크르 참사원 같은 사람들이에요, 악마를 숭배하고 있어요!

이 실증주의자들과 무신론자들의 세기는 악마주의만 빼고 전부 뒤집어놓은 거예요, 단 한 걸음도 물러서게 만들 수 없었던 악마주의만 빼고 말이에요!"

"그 이유는 분명해요." 카렉스가 소리쳤다. "악마주의가 누락되거나 무시되었던 거죠. 악마의 가장 커다란 힘은 스스로를 부정하게 만드는 데 있음을 라비냥 신부가 입증했지요!"

"맙소사! 어마어마한 쓰레기의 소용돌이가 지평선에 몰아치는군!" 뒤르탈이 슬픈 소리로 중얼거렸다.

"아니에요, 그렇게 말하지 마세요!" 카렉스가 외쳤다. "이곳 지상에서는 모두 썩었고, 모두 죽었어요, 하지만 천국에서는! 아! 맞아요, 성령의 출현, 신성한 성령의 도래는 지연되고 있어요! 하지만 성령의 도래를 알려주는 텍스트들은 계시를 받고 쓴 것들이에요. 그러니까 미래는 확실하고, 새벽은 밝아올 거예요!"

그러고 나서 카렉스는 눈을 감고 두 손을 모은 채 열심히 기도를 올렸다.

데 제르미는 일어서서 방 안을 몇 걸음 걸었다. "다 좋다 이거야." 그가 투덜댔다. "하지만 이 시대는 영광의 그리스도를 완전히 무시하고 있어. 은총을 더럽히고 내세를 혐오하지. 그렇다면 앞으로 이 비열한 시대의 악취 나는 부르주아들에게서 태어난 아이들이 깨끗하기를 어떻게 바라고 생각할 수 있을까? 그런 식으로 키워진다면 그들이 살아가며 무슨 일을 할까 걱정되지 않나?"

"자기 아버지, 어머니들처럼 하겠지." 뒤르탈이 대답했다. "그들은 먹을 것으로 창자를 가득 채울 테고, 배꼽 아래를 놀리며 영혼은 텅 비울 걸세!"

위스망스의 서문

위스망스의 서문*

몇 세기 동안 귀신 연구가들은 어떤 강력한 히스테리 증상들을 악마주의 현상과 혼동해왔다. 오늘날 의사들은 전적으로 구마사들의 영역에 속하는 현상들의 원인을 히스테리에서 찾고 있다.

예전에는 사탄과 전혀 상관없던 수많은 이들이 화형을 당해 죽었다. 이제는 사탄에 사로잡힌 사람들을 샤워실로 보낸다. 우리는 중세와는 반대로 진단을 내린다. 중세에는 무엇이든 사탄의 탓이었는데 이제는 뭐든 자연스럽다고 진단하는 것이다.

진실은 이러한 양극단 사이에 있을 것 같다. 하지만 이를 명확하게 입증할 필요가 있다. 여러 가지 신경증 발작 증세들과 악마주의의 상이한 상태들 사이에 경계선을 긋기보다 더 곤란한 일은 없다. 사실, 의학이나 교회는 이러한 문제에 대해 무지하기 때문에 해결책을 찾는 데 분명 아무런 도움이 되지 못한다. 예컨대 살페트리에르나

---

* 이 글은 『저 아래』가 출간된 지 5년 후인 1896년 저널리스트 쥘 부아(Jules Bois)의 연구서 『악마주의와 마법(Le Satanisme et la magie)』의 서문으로 발표되었다. 자기 책의 서문을 써준 위스망스의 예를 따라 쥘 부아 역시 몇 년 뒤 교회의 품으로 돌아가게 되었다. ―프랑스어판 편집자
[이 글은 현재 『저 아래』 갈리마르 폴리오 문고판에 「부록」으로 수록되어 있다. 악마주의, 악마 숭배에 대한 위스망스의 식견을 엿볼 수 있는 글로 믿진되어 한국어판에도 「부록」으로 싣는다. ― 한국어판 편집자]

생트안느 정신병원의 잡다한 환자들 속에서 히스테리성 간질 환자들이나 정신병자들과 흥분해서 날뛰는 사람들이나 마귀 들린 사람들을 어떻게 분류하고 분별할 것인가? 히스테리성 간질 환자들이나 정신병자들의 경우 미친 사람으로 취급된다. 그들에게는 종교의식적 치료법 대신, 다시 말해 주문과 기도 치료 대신 얼음처럼 차가운 물에 담그는 벌이 내려진다. 그들은 가지 추출물이나 아편 섞인 포도주와 함께 준비된 물약을 삼켜야 한다. 모든 신경성 지향 성향들이 사그라지고 나면 더 이상 보살핌을 받지 못하게 되고, 치료 불가능한 사람들이 있는 고립된 방에 처박히게 된다.

이러한 규정에 단 한 번 예외가 있었는데 벌써 2년 전 일이다. 아 지프(A Gif)라는 소녀는 악령에게 정신을 빼앗겨 정신병 전문의들의 조사를 받았고 즉각 수용소에 수용되어야 한다는 결정이 났다. 가족들은 불복했다. 베르사유 주교의 위임을 받은 신부들이 다시 환자를 주의 깊게 조사했다. 그들은 악마에게서 영향을 받은 징후를 발견하고 구마 의식을 거행해 소녀를 치료했다.

이 경우는 우리 시대의 고위 성직자와 몇몇 성직자들이 통찰력을 보여준 아주 드문 사례의 하나로 인용될 수 있다.

하지만 이는 악마주의라는 까다로운 문제의 여러 측면 중 하나에 불과하다. 한 가지가 더 있다.

감금되어 있지도 않고 미치지도 않은 사람들, 우리

가 길에서 마주치는, 요컨대 보통 사람들과 똑같은 아주 건강한 사람들이 은밀하게 마법 활동에 몰두하고, 악마들과 연계되어 있거나 적어도 관계를 맺으려 애쓴다. 자신들의 야심, 증오, 사랑이라는 욕망을 충족시키려는 사람들, 한마디로 '악'을 행하려는 사람들이다.

근심에 싸인 수많은 이들은 바로 이런 사람들에 대해 당신에게 묻고자 한다. 당신은 이러한 행위들이 가능하다고 확신하는가? 당신은 악마 숭배 단체가 결성되어 있다고 믿는가? 당신은 악마주의가 환상이 아니라는 증거가 있는가?

솔직히 말해서, 무엇보다도 악마의 문제가 현재 가장 혼란스럽고 난해한 문제들 중 하나라는 점은 쉽게 이해가 된다.

악마주의는 우리가 이를 대중에게 명확하게 제시하려는 데서 겪는 아주 현실적인 어려움에서 득을 보고 있다. 사실, 악마에게로의 접근과 수상한 마법들이 몇 세기 동안 범죄로 간주되어, 추적당하고, 기소되고, 끈질기고 소란스런 소송의 심리를 통해 명확하게 정체가 드러났다고는 해도 더 이상 범죄가 아니다.

마법은 이제 범죄를 구성하지 않으며 신성모독은 법전에서 말소되었다. 법관들이 다루지 않기에 그 결과 그에 관한 재판이 알려지고 언론에 공개되는 경우는 거의 없다.

하지만 현대의 몇몇 소송사건을 지켜보면, 예컨대

빌몽블 살인 사건으로 알려진 엘로디 므네트레 소송을 자세히 들여다보거나, 1891년 에그벨의 트라피스트 수도사를 암살한 마티아스 아델트라는 자의 심문조서들을 참조해보면, 공술서의 행간을 읽는 수고를 통해 이 사건들에서 악마의 영향과 개입을 파악하게 된다.

덧붙여 말하자면 악마의 흔적은 나타나는 즉시 지워지고 만다. 법관들과 성직자들은 지식들을 가로채기로 공모하고 악마가 거론될 때면 입을 닫는 게 아닌가 싶다. 이러한 상황에서 악마주의를 입증할 수 있는 증거 확보는 거의 불가능해진다.

그럼에도 불구하고 사실들은 존재하고—그 사실들까지 감출 수는 없었다—, 거기서 추론해 악마주의의 실재는 부정할 수 없다는 결론에 도달하게 된다.

나는 바로 이러한 사실들에 대해 얘기하고 싶다.

모두에게 가장 잘 알려진 사실을 예로 들겠다. 지난해 부활절 화요일 파리 노트르담 성당에서 있었던 일이다. 어떤 노파가 생 조르주를 수호성인으로 모시는, 합창대석 오른쪽 후진에 자리한 예배실에 웅크리고 있다가, 문지기들이 흩어져 성당 안이 거의 텅 빈 순간을 이용해 감실로 달려갔고, 각각 50개의 축성된 성체가 담겨 있는 두 개의 성합(聖盒)과 더불어 휴대용 성합을 가져갔다.

이 노파에게는 분명 공범들이 있었다. 외투 속에 감춘 성합을 양손에 하나씩 들고 있었을 텐데, 그중 하나를 바닥에 내려놓지 않고서는 직접 출입문을 열고 다른 사람

눈에 띄지 않게 교회를 나갈 수 없었을 것이기 때문이다.

한편, 노파의 절도는 성체를 목적으로 했음이 분명하다. 왜냐하면 대부분의 대도시에서 성합은 사람들을 유혹할 만큼 충분한 가치를 갖고 있지 않기 때문이다. 사실 성합이 청동이나 구리, 알루미늄에 금을 입혔고, 잔 내부는 그저 은도금되어 있음을 모르는 사람은 없다.

훔친 성합을 구입하는 장물아비는 발각되지 않고 팔기 위해 성합을 우그러뜨리거나 녹여서 무게로 판매할 수밖에 없음도 말해두자. 망가진 물건을 처분하려면 장물아비의 중개에 의존하지 않을 수 없는데, 결과적으로 자신에게 이용당할 수밖에 없는 강도들에게 장물아비가 과연 얼마나 많은 금액을 지불하려 할까?

한편, 간혹 세공된 은쟁반이나 금쟁반을 수장고에 보관한 시골 교회에서 일어난 절도의 경우, 절도범은 언제나 쟁반들은 남기고 성체는 없애버렸다. 성체가 부담스럽고, 도주하는 도중에 성체를 분배하다가 자신의 정체가 드러날 수도 있기 때문이었다.

나는 이러한 좀도둑들 이야기를 대단히 많이 조사해봤는데, 값비싼 물건들에만 달려드는 도둑은 성합의 내용물을 제단보나 땅바닥에 쏟아버린다는 점에 항상 주목해왔다. 여러 해 동안 단 한 차례, 1894년 12월 루아르 지방의 라 파코디에르에서 일어난 사건에서만 도둑이 성체들을 변소에 버릴 생각을 했다.

그런데, 노트르담 성당에서는 제단 위에도 변소에도

타일 바닥에도 성체의 흔적이 전혀 남아 있지 않았다. 그 자체로는 아무런 가치가 없지만 축성되었기 때문에 신성 모독의 죄가 추가될 수도 있는 그릇들과 더불어 성체들이 몽땅 탈취된 것이었다.

이 노트르담 성당 사건은 예외적이지 않다. 나는 프랑스 내 교회에서 일어났던 성체 관련 절도들의 예를 『종교 주간(Les Semaines Religieuses)』지를 통해 이미 오래 전부터 확인해왔다.

성체와 관련된 절도의 수는 몇 년 전부터 믿을 수 없을 만큼 늘어났다. 더 이상 거슬러 올라갈 필요도 없이 지난해만 해도 국내의 가장 외딴 지역에서까지 그 수가 증가했다. 니에브르, 루아레, 욘 지방에서 감실이 부서지고 성체가 탈취당했다. 오를레앙 교구 내에서 13개 교회가 약탈당했고, 리옹 교구에서는 대주교가 공식 성명을 통해 본당 사제들에게 감실을 금고로 개조하라고 권유할 정도로 약탈이 도를 넘었다.

전국적으로 범죄가 증가하고 있다. 나는 몇 달 간격으로 오드, 이제르, 타른, 가르, 오트 가론, 니에브르, 솜므, 노르 지방에서 발생한 사례들을 수집하고 있다.

몇 년 전에는 도피네 지방이 이러한 신성모독자들의 각축장으로 특별히 선택된 곳으로 보였다. 그로 인해 이 오래된 지방이 성모에게 바쳐진 성당들이 가장 많은 곳으로 여겨지는 게 아닌가 하는 생각이 들게 된다. 노트르담 드 라 살레트 성당 말고도 거기서 볼 수 있는 성당들이 샬레, 에스파롱, 카잘리뷔, 크루아드릴, 그로트 뒤 몽, 앙브룅, 로, 보부아르, 봉스쿠르, 그라스, 뤼미에르, 앙주, 피티에, 퐁텐생트 드 부아롱 노트르담 성당 등등… 이 정도만 하고 넘어가겠다.

그러니까 성모마리아의 세력 기반 내에 악마의 침입이, 즉 성모마리아의 영역에 대해 공세를 감행하는 악마의 도전이 있었던 듯하다.

이처럼 혐오스러운 불경 행위들이 특별히 프랑스에서만 일어났던 말을 덧붙이자. 바로 그해에 방방곡곡에서 악마 숭배자들이 극도의 악행을 저지르려고 노려왔던 성 주간이 가까워지자 로마에서는 노트르담 데 세트 둘뢰르 수도원의 성체들이 모두 사라졌다. 리구리아의 바레세 교구 교회와 살레르노의 산타마리아 델레 그라치에 수녀원도 마찬가지였다.

그렇다면 감실을 털어간 자들을 수배하고 찾아냈던가? 나로서는 어디에서도 판결, 체포, 기소의 흔적을 찾아내지 못했다.

사실상, 이러한 절도에 대해 법원과 성직자들은 거의 손 놓은 상태다. 교회 설교단은 잘못을 공개적으로 인정하고 용서를 빌어야 한다는 말만 읊을 뿐이고, 노트르담의 신성모독에 대해 리샤르 경이 처방했던 의식들처럼, 한 가지 또는 몇 가지 사죄 의식을 행할 뿐이다. 그러고 나면 사건은 묻히고 끝나게 된다. 더 이상 그에 대해 왈가왈부하는 사람이 없다.

교회와 사법부, 언론이 뜻을 같이해 들고 일어나려면 그들이 아래와 같은 극악무도한 범죄와 맞닥뜨릴 필요가 있다.

몇 년 전 포르루이 마을에서 피코라는 사람이 악마와 계약관계를 맺고, 자신이 살해한 어린아이의 팔딱거리는 심장을 먹었다.

지난해 1월에는 같은 마을에서 디안이라는 마법사가 악마의 호의를 얻으려고 일곱 살 먹은 남자아이의 목을 잘라 그 상처를 통해 피를 빨아먹었다.*

하지만 다시 말하건대, 이처럼 광폭한 빙의망상 때문인 경우를 제외하고는 우리의 풍습을 파고든 악마주의의 점점 더 길어지는 오솔길에 관해, 점점 더 깊어지는 갱도에 관해 대중에게 전해진 증거는 아무것도 없다.

이제는 어째서 사람들이 성체를 훔치는지 그 이유를 알아봐야 할 차례다.

신에 대한 파렴치한 행위들, 즉 마법에 사용하기 위해 성체를 탈취한다는 사실을 인정하지 않는다면 어떤 대답도 가능하지 않다.

정말이지 종교를 믿지 않는 사람이 그 성체들로 무얼 하겠는가? 그에게 그것들은 아무런 가치 없는 성체용

* 현재는 모리스 섬이 마귀 들린 사람들의 진짜 본거지가 된 것처럼 보인다. 1895년 3월 29일 자 소인이 찍힌 포르루이에서 마르세유로 발송된 한 편지는 하룻밤 사이에 교회 아홉 곳이 약탈당했음을 우리에게 알려주고 있다. 포르루이에서도 감실들이 부서지고 성체들이 탈취되거나 배설물로 더럽혀졌으며, 성합들은 제단에서 목 졸려 죽은 고양이 피로 가득 채워져 있었다. —원주

빵일 뿐이다. 종교를 믿지 않는 사람이라면 노트르담에서 훔친 그 빵을 25상팀*을 내고 구입하지 않으리라. 그러므로 성체를 사는 사람들은 그것이 더 이상 둥글게 썬 빵 조각이 아니라 예수그리스도의 몸이라고 믿고 있다고 보아야 한다.

그런데 그러한 상황에서 이 예수그리스도의 몸은 오로지 주술 행위를 위해서만, 주문과 미약의 준비를 위해서만, 마법 의식을 위해서만 이용될 수 있기 때문에, 우리로서는 성체를 훔치는 그 행위만으로도 악마주의가 확실히 존재한다고 결론짓지 않을 수 없다.

한 가지 문제가 더 있다. 이렇게 중대한 범죄를 지시하거나 이용해먹는 사람들은 고립된 개인들인가 아니면 악마 숭배 단체들인가?

우리는 루시퍼 숭배자들이나 악마 숭배자들에 직면해 있는 것인가?

이 이단 종파들 중 전자에 대한 추측이 될 터인데, 이를 명확히 밝히겠다.

지상에서 악마의 영역이 두 개 진영으로 구분되어 있음은 모두들 알고 있다.

그 하나는 팔라디즘,** 고위층 프리메이슨, 루시퍼 숭배자들의 진영인데, 이는 신구 세계를 포괄하고 있고, 대립 교황과 교황청, 추기경단을 갖고 있어서, 말하자면 바

---

* 프랑스의 화폐단위. 1상팀은 1프랑의 100분의 1이다
** 사탄 숭배. 프리메이슨 본부 핵심층의 신앙.

489

티칸 교황청의 패러디이다.

파이크 장군은 몇 년 동안 악마의 보좌신부, 즉 악마의 로마라 할 사우스캐롤라이나주 찰스톤에서 즉위한 대립 교황이었다. 그는 사망했다. 현재는 프랑스에서 절도 행위로 유죄가 선고된 사기꾼 아드리아노 레미가 대립 교황이다. 그는 자신의 전임자와 달리 아메리카가 아니라 로마에 거주하고 있다.

팔라디즘에 관해서는 많은 정보들이 제공되어왔다. 석연치 않은 헛소리나 황당무계한 이야기에 빠지지나 않을까 두려워하지 않고 참조할 수 있을 만한 가장 확실한 것은 포르루이의 대주교 뫼랭 신부가 쓰고 교황 레오13세가 승인한 '프리메이슨, 악마의 회당'이라는 제목의 책을 통해 우리에게 제시된 정보들이다.

그 정보들은 게다가 최근 루시퍼 숭배자 자신들의 증언에 의해 확인되기도 했다. 몹시 의심스러운 혼외 남녀 관계에 반대하는 그룹이 미스 다이아나 보강*을 책임자로 내세워 잡지 『팔라디움』을 간행한 것이다.

그 잡지에서 우리는 완전히 발가벗겨진 팔라디스트들의 신앙고백과 '교의(敎義)'를 발견하게 된다. 또한 성모 마리아에게 모욕이 되고 저주가 될 가장 역한 냄새를 맡을 수 있을 것이다. 이러한 장르에서 진보를 이룬 사람은 『타도 성직자(A bas la Calotte)』,『익살 광대 예수(Bouffe

* 레오 탁실이 사용했던 여러 필명 중 하나.

490

Jésus)』를 쓴 레오 탁실*이 유일하다.

또 하나의 진영은 어수선한 단체들이나 고립된 개인들로 구성되어 있다. 그들은 혼자이거나 몇몇 통찰력을 가진 사람들의 도움을 얻어 작업하고, 개인적인 목표를 추구하며, 루시퍼 숭배자 무리들처럼 가톨릭이 쇠락한 곳이면 어디든지 가서 가톨릭을 무너뜨리고 가(假)그리스도가 바라는 왕국을 준비하는 데 특별히 전념하지도 않는다. 그들에 대해서는 몇몇 무정부주의자들과 마찬가지로 은둔자들이라고 말할 수 있을 것이다. 여하간 루시퍼 숭배자들 무리와 개인적으로 신앙을 버린 자들이나 악마주의 소모임들 사이에는 아무런 관계가 없는 듯하다.

또 한편으로 그들은 서로 사상이 다르다. 팔라디스트들에게 루시퍼는 아도나이**와 대등한 존재다. 루시퍼는 빛의 신, 선의 원리인 반면 아도나이는 어둠의 신, 악의 원리다. 아도나이는 한마디로 사탄 자체다. 그러므로 루시퍼를 사탄이라 부름은 팔라디스트들에게는 모욕이다.

그러니까 그것은 뒤집힌 기독교, 거꾸로 된 기독교이다. 거기에는 나름의 열성 신자들과 숭배자들이 있다. 그들에 관해서는 다음과 같은 기도를 통해 판단할 수 있다. 앞에서 언급했던 불순한 잡지에서 발췌한 내용이다.

---

* 레오 탁실(1854~907)의 본명은 마리 조제프 가브리엘 앙투안 조강 파제스. 프랑스의 반교권주의 작가이자 반프리메이슨 작가로서 레오 탁실 말고도 여러 개의 필명을 사용했다.
** 신, 하느님을 부르는 다른 말.

"오 선한 신이여, 아버지들 중에 가장 다정한 아버지여, 지고하고 최고이며, 위대하고 더 위대하며, 전능하고 더 강력한 루시퍼여, 우리는 당신의 신성한 위엄 앞에 엎드립니다. 내 영혼 깊숙한 곳으로부터 나는 당신께 외칩니다. 구세주시여, 나는 전적으로 당신에게 속합니다. 아도나이는 야유를 받기를! 우리는 아도나이를 거부하고, 그를 증오합니다. 물로써 세례받은 자들이 그를 부인하기를! 빛을 밝혀주소서, 빛을 밝혀주소서, 성자 중의 성자, 빛을 운반하는 선구자, 세계의 삶의 중심, 축복받은 지성이여, 빛을 밝혀주소서, 빛을 밝혀주소서, 오 선한 신 루시퍼여!"*

요컨대 그들의 교의(敎義)는 이렇게 정의할 수 있다. 각 시대를 통해 바닥을 기어오다가 우리 시대의 지저분한 분위기 속에서 자신의 흉측한 줄기를 다시 뻗치는 낡은 마니교의 싹이라고.

악마 숭배자들은 오히려 우리와 같은 믿음을 갖고 있다. 그들은 루시퍼, 즉 사탄이 추방된 대천사, 위대한 악의 지배인임을 아주 잘 알고 있다. 그들이 사탄과 계약을 맺고 그를 숭배함은 사정을 잘 알고 하는 일이다.

그런데 악마 숭배자들은 루시퍼 숭배자들과 마찬가지로 어떤 수단을 써서든 성체를 탈취해야 할 처지에 놓이지는 않았다는 점에 주목해야 한다. 왜냐하면 소그룹마

* 루시퍼 숭배자들의 공식 기도 모음집이 최근 출간되었다. 악마를 부르는 강령 방식들, 극히 외설적인 일련의 악마 예찬들이 담겨 있다. ─원주

다 한 명의 신부가 가입되어 있어서 필요에 따라 그 신부가 봉헌식을 올릴 수 있기 때문이다. 반면 팔라디즘의 수많은 군단에는 부속 사제들이 많아 보이지 않는다. 하기야 유럽과 아메리카에서 악의 교구 전체 제무(祭務)를 담당할 충분한 수의 환속 사제들을 어디서 어떻게 충원할 수 있겠는가?

그러니까 그러한 절도는 특히 구멍 뚫린 성체와 엎질러진 성배라는 상징을 채택하기까지 한 루시퍼 숭배자들을 위해 일어나는 듯하다. 그렇지만 이것이 그저 가정에 불과하다는 점은 분명히 밝혀야 한다. 왜냐하면 부유한 악마 숭배자 한 사람, 은둔자 혼자서도 노트르담의 경우와 같은 절도를 명령할 수 있기 때문이다. 마찬가지로 어떤 골동품 상인이 성체용 빵 상점을 열고 그것들을 구입하는 악당들을 단골로 삼고 있을 수도 있다. 뭐든 판매되는 파리 내에는 훔쳐온 성체들의 가격표, 시장가격이 있을지도 모른다. 이러한 길로 들어선다면 아주 이상한 것들을 발견하게 될지도 모른다.

어쨌든 그들이 교회의 그리스도의 몸 절도범들임은 더 이상 추측이 아니라 확실한 사실이다. 진정한 신성모독을, 진짜 악마 신봉자들을 발견하고 싶다면, 그들이 행하는 가증스런 행위들을 조사하고, 그들이 사용하는 다소 불가사의한 힘에 관해 어떻게 해야 할지 결정적으로 알고자 한다면 반드시 그들의 발자취를 따라가봐야 한다.

다시 한 번 말하는데, 그 발자취를 따라가봐야 할 사

람들은 이를 무시하고 있다. 그래서 여기저기, 이러한 사건들에 연루된 사람들을 통해 우리에게 몇 가지 정확한 정보들이 주어지지 않으면, 그리고 되풀이되는 지속적이고 확실한 검증 작업을 통해, 정말로 마법 의식을 거행하는 모임들을 만든 몇몇 사제들이 존재함을 알지 못한다면, 우리는 그저 가설들을 검토하는 데 그치게 될 것이다.

세브르 가와 크루아루주 광장 모퉁이에서 작업하는 한 사진작가의 전시품에서 가끔 모습을 보이는 도크르 참사원이 바로 그러한 인물이다. 도크르는 벨기에에서 젊은이들로 이루어진 악마 숭배 모임을 조직했다. 그는 '자연의 알려지지 않은 힘'을 찾으려는 실험에 대한 호기심을 미끼로 젊은이들을 끌어모은다. 자연의 미지의 힘은 악마주의 현행범으로 체포되어 궁지에 몰린 사람들이 늘 내세우는 대응책이다. 그는 자신의 최면술에 걸린 여성들의 유혹과 푸짐한 식사의 매력으로 젊은이들을 붙잡는다. 그러고는 그들을 서서히 타락시키고, 그들이 후식 때 먹는 설탕에 절인 호두 같은 최음제로 혼란에 빠뜨린다. 마침내 새 신도가 상호 간 학대 행위를 통해 연결되고 타락해 성숙한 단계에 이르면 도크르 참사원은 그를 마법 집회 한복판에 던져 넣고 자신의 추악한 신도들 무리로 끌어들인다.

하지만 이 역겨운 사도가 마법 의식을 행하는 사람들을 행복하게 만들어주지는 못한다는 생각이 든다. 왜냐하면 도크르 참사원이 며칠 저녁 불안에 떨며 실성한 듯한 모습으로 "두려워, 두렵단 말이야!"라고 외치며, 주변을 불빛으로 밝히고, 악마의 주술을 읊고, 성체로 신성모독을 행하면서야 비로소 두려움에서 벗어나 안정을 찾게 되었다고 도크르 참사원에게 희생된 사람들 중 하나가 내게 말해주었기 때문이다.

내가 든 것은 한 가지 예지만, 의도적으로 의미를 왜곡하는 사제들과 성물을 배신하는 숭배자들이 얼마나 많은가! 하지만 그 문제는 그만 이야기하자. 악마주의의 문제로 돌아가기 위해서는 총체적인 연구, 즉 그 기원, 혈통, 과거의 활동, 농촌 지역으로의 침투, 우리 시대에 진행되고 있는 도시지역으로의 확장에 관한 증거자료들로 보완된 진지한 연구가 필요해졌다.

이제껏 악의 저편에 관해 쓰였던 가장 성실하고, 가장 완전하고, 가장 정통한 이 책에서 쥘 부아가 시도한 것이 바로 그러한 연구다.

정통 가톨릭 사상을 공언하지는 않지만 적어도 열렬한 유심론자이고 확신에 넘치는 작가인 쥘 부아는 루시퍼 숭배자들 지역을 조사하고, 노출된 팔라디스트들의 지역으로 가는 길을 개척하는 수고는 가톨릭교회 탐사자들에게 넘기고, 그 자신은 다른 쪽으로 방향을 정하고 이제 막 알려지기 시작한 악마주의의 관할구역을 향해 결연히 나아갔다.

그는 사방으로 악마주의의 관할구역을 섭렵했다. 그 구역의 유적을 방문하고, 시대를 거슬러 그 구역의 역사를 추적해 이를 우리 시대와 연결시켰다. 그가 '악마주의와 마법'이라는 제목을 붙인 이 책에서 고운체로 걸러내어 우리에게 가져다주고 있는 것은 바로 그 부지런한 여행들의 결과이자 막대한 독서량의 산물이다.

신비주의에 빠졌던 작가들이 수없이 다루었던 낡은 분야 전부가 이 책 속에 거의 새롭게 정비되어 있다. 다른 사람들에 의해 이미 면밀히 검토된 작품들에서 머뭇거리며 시간을 끌지 않고 그는 특히 누락된 원고 뭉치들, 미간행 원고들의 도움을 받았고, 바스티유 고문서 기록실에서 희귀한 메모들을, 국립도서관에서는 수사본들을, 특히 주술서가 많고, 연금술과 귀신 연구, 그리고 주술과 마법 실행 방법에 관한 기록들이 널려 있는 병기창에서 수사본들을 뽑아냈다.

마지막으로 그는 오랫동안 끈기 있게 코르넬리우스 아그리파(Cornélius Agrippa)를 연구했다. 아그리파는 요컨대 악마 의식의 진짜 전례를, 즉 신이 묵인할 때 인간이 사탄들과 관계를 맺을 수 있게 하는 위선적이고 음험한 방법들을 문서로 기록한 유일한 작가였다.

그는 입문자들이 악마주의의 모든 기법을 발견할 수 있는 『신비 철학(Philosophie occulte)』 제4권을 최초로 라틴어에서 번역했으며, 이를 증거 서류이자 부록으로 자신의 작품에 첨부했다.

그러한 일을 하면서, 내가 보기에 그는 기독교도답게 행동했다. 왜냐하면 마법의 오래된 격언인 "누설된 모든 비밀은 비밀이 아니다."라는 말이 딱 들어맞게 되었기 때문이다. 혐오스런 마법은 하수관 속에서 퍼져 나가며, 도로의 포석 아래에서, 주철관의 그늘 아래 싹이 나 자라나는 식물군과 마찬가지다. 이는 일종의 진균식물, 버섯, 어디에선지 모를 부식토에서 액을 빨아들이며 습기 속에서 증식하고 악취 나는 진흙 속에서 성숙하다가 대낮에 진짜 흙에 옮겨지게 되면 시들고 말라서 죽고 마는 좀벌레다. 진창 속과 영혼의 어둠 속에서만 살아가고, 빛을 받으면 마비되고 효력을 상실하는 사탄이 그러하다. 요컨대 공시(公示)와 신선한 공기는 악마주의의 가장 강력한 해독제들 중 하나다.

그러므로 이 밉살스러운 소책자를 퍼뜨림으로써 쥘부아가 주술을 행하고 저주를 시도하는 방책과 비법이 담긴 아그리파의 제4서에 대해 말하기를 꺼리는 마법 신봉자들을 몹시 곤혹스럽게 만들게 되기를 우리는 바란다.

최신 분야에서 쥘 부아는 어마어마한 양의 작품들을 수집하고 분류하지 않을 수 없었다. 그에게 가장 도움이 된 것들은 세 가지 원천에서 비롯되었다.

첫 번째는 현대의 민속 연구, 즉 오륙 년 전『라 멜뤼진(La Mélusine)』지*에 발표되었던 튀슈만(Tuchmann)의 '마력'에 관한 오랜 기간에 걸친 끈기 있는 연구, 다음으로는 악마주의에 관한 자료를 풍부하게 갖추고 있는 뱅

* 멜뤼진은 유럽인득이 생각했던 물이 요정이며 흔히 여성의 상반신에 뱀이나 불고기의 하반신을 가진 모습으로 표현되었다.

497

트라 고문서 보관소, 마지막으로 마법, 마법에 의한 독살, 마법 의식에 관한 가장 진귀한 정보들을 모아놓았던 아버지 크리스티앙의 연구다. 게다가 쥘 부아는 영국식 방법론에 따라, 이러한 문제들에 관한 정보 소유자들의 열정에도 도움을 청했다. 마지막으로 그는 파리에 남은 최후의 마법사들 중 한 사람, 어린 시절부터 집시들의 마법 지식에 입문했던 마법사의 원조를 활용했고, 브르타뉴의 마법사, 즉 오줌이 담긴 유리병으로 미래를 예측하는 점쟁이 헐고트(Hulgoath)와의 면담을 위한 여행에서 도움을 받았다.

그렇게 해서 그는 모든 사람들이 요술쟁이와 몽유병자, 그리고 도시 최하층에 넘쳐나는 무지한 사기꾼 무리와 너무나도 쉽게 혼동하는 남녀 주술사들의 모습을 사생하듯 그릴 수 있었다.

산더미 같은 보고서, 관계 서류, 편지, 증명서들, 이 분야에 관해 시도되었던 가장 진지하고 가장 완전한 '협약'들에 관해 간행된 독일 저작들로 쥘 부아는 독자가 악마주의의 전경을 한눈에 볼 수 있는 요약된 책, 그러면서도 총괄적인 책을 쓸 수 있었다.

그는 악의 저편을 향해 벌어진 틈새를 넓혔고, 악마를 부르는 마법의 연속 단계를 드러내기 위해, 그리고 사랑과 증오의 주문들을 밝히고 설명하기 위해 설득력 있고 정열적인 대목들을 썼다.

어떤 대목들은 이단적이면서 동시에 너그러운 견해

로 놀라움을 안겨주게 될 터인데, 예를 들면 장차 여성에게 메시아 역할을 맡기고 싶을 정도로『사탄의 결혼식』*에서 여성을 예찬하는 대목이 그렇다. 또한 그가 '영원히 회개하지 않는 자'를 비통한 모습으로 그리면서 그에게 관대한 연민을 보여주는 대목도 그러하다. 마지막으로 그가 "악을 만족시킴으로써 뒤에 남게 되는 신의 사랑"에 대한 죄를 지어 '그리스도에 의한 대속'을 이야기할 때 고대 그노시스의 죄가 다시 등장하는 대목도 그러하다.

이 책은 가톨릭 작가가 쓴 것은 아니지만 어쨌든 대담하게 마법과 악마주의에 맞서 싸우고 있다. 이 책에서 내 마음을 사로잡은 것은 바로 그러한 점, 그리고 또 작가가 자신의 난해한 주석을 완곡하게 표현할 수 있었던 기법이었다.

타로 게임을 다룬 제1부에서 내가 언급할 대목은 세상을 유랑하는 집시들에 관한 대목이다. 그다음으로 여자 마법사에 관한, 악마를 매개로 여성을 차지하는 행위에 관한 정열적이고 열광적인 대목. 그다음엔 주술서 서고와 더불어 악마의 놀라운 강령 모습인데, 그 서고에는 "인간의 피가 담긴 항아리"가 하나 있고, 그 속에서는 "작은 백색 점토 인형들이 머릿속에 든 양귀비씨를 고정시킬 수 없어서 마치 취한 듯이" 너울대고 있다. 마지막으로 언급할 부분은 '경배받지 못하는' 성인, 즉 성 유다에 관한

---

* 쥘 부아가 1092년 빌표한 비의적 연극.

아주 독창적이고 아주 흥미로운 대목이다. 고백건대 나는 성 유다에 대한 생각에 온통 사로잡혀 있는데, 왜냐하면 그 성인의 모든 것이 불가사의로 남아 있기 때문이다.

사실 성경 안에서 다대오와 레베오라는 이름으로 지칭되기도 하며 아버지는 클레오파스였고 어머니는 성모마리아의 자매인 마리아였던 성 유다가 언제 어떻게 예수의 사도가 되는지 아는 사람은 아무도 없다. 그를 가롯 유다와 혼동하지 말 것을 요구하면서—실제로 그런 경우가 일어났었다—복음서들은 대수롭지 않게 그를 언급하는 데 그치고 있고, 성 유다 자신은 침묵을 지키다가, 성 요한이 묘사하는 것처럼 최후의 만찬 모임에서 그리스도에게 그저 한 가지 질문을 하기 위해 침묵을 깨뜨린다. 그런데 예수는 딴청을 부리며 그의 질문을 교묘히 회피하고 결국 자신의 입장을 설명하기를 거부한다. 유다는 또한 성 베드로의 두 번째 편지와 특이하게 유사성을 보이는 편지를 쓴 사람이기도 하다. 마지막으로 성 아우구스티누스는 사도신경에 예수의 육신의 부활이라는 교리를 집어넣은 이가 바로 유다라고 이야기하고 있다.

한편 로마 가톨릭의 성무일도서를 참조해보면, 성 유다 축일인 10월 28일의 제2만과(晚課)*에서 그가 메소포타미아에서 포교했고 성 시몬과 함께 페르시아에서 순

* 성무일도의 저녁기도와는 별개로 매일 저녁 교우들이 바치던 기도. 만과에는 제1양식과 제2양식이 있는데, 제2양식은 제1양식에서 몇 가지가 빠진 것으로 제1양식보다 조금 간략하게 되어 있다.

교했음을 발견하게 된다. 볼란디스트 파*의 『성인열전』에서, 도로테아와 니세포르는 그가 아라비아에서도 선교를 했고, 이두매 사람들**을 개종시켰다고 말하고 있으며, 중세 때는 그를 섬기던 성 베르나르가 항상 그의 유골을 몸에 지니고 다녔고 함께 묻히기를 원했다고 이야기한다.

다른 기록들의 도움을 얻어 그의 삶을 자세히 밝힐 필요가 있을까? 전설이 끼어들고 성인전 연구자들은 횡설수설하며 자크 드 보라진***처럼 그를 다른 성인과 혼동하기도 한다. 성상학이 그를 다룰 때도 예외가 아니다. 옛날 그림들, 판화들은 그에게 아주 다양한 속성을 부여하고 있다. 그것들은 때로는 종려나무, 책, 큰 십자가를 손에 들고 있는 모습으로, 또 때로는 직각자, 막대기, 도끼, 톱, 미늘창을 들고 있는 모습으로 그를 나타낸다. 그러니 대중의 기억 속에서 그는 더욱더 불가사의한 모습으로 떠오르게 된다.

성 시몬과 함께했고 거의 항상 그의 이름과 나란히 붙어 다니는 이 '선민', 중세 직조공들과 피혁업자들의 수호성인인 그를 모든 마법사들은 유다로 간주하고 있고, 이길 가망이 없는 소송에서 고통을 겪는 사람들은 그에게

* 벨기에 예수회 소속 수사들로 구성되어 성인들의 사적을 연구하며 성인들의 전기를 발간하는 단체.
** 구약성경에 나오는 이삭의 아들 야곱의 형 에서를 시조로 한, 사해와 요르단 지방에 살던 고대 민족 에돔을 가리킨다.
*** 중세 이탈리아의 연대기 작가(1228 98). 제노바의 내주교로서 수많은 성인, 성녀, 순교자들의 삶을 그린 『황금 전설(La Légende dorée)』의 저자다.

탄원하고 있지 않은가!

그러므로 쥘 부아는 마법의 관점에서 그에게 관심을 보이지 않을 수 없었고, 왜곡된 그리스도의 사도인 그에게 마법사들이 바치는 진심 어린 기도를 우리에게 전달해주고 있는 것이다.

책의 2부 전체는 세세한 부분까지 격찬받아 마땅하다. 무시무시한 수수께끼를 능란하게 분석하고 있는 '마녀 집회'. 불가해하게 지속되는 마법 의식들의 존재를 입증하는 장(章). 알비 지방에서 유래한 1인 야간 미사, 무의미한 준수의 의무를 서술하고 설명하는 장. 그리고 그가 마법서들에서 역겨운 정수를 짜내는 대목들, 몽정마녀와 몽마, 저주, 악령에 관한 대목들. 그리하여 이 책은 그가 묘사하고 있는 악행들에 대비한 치료로, 악마 추방 의식으로 끝을 맺는다.

짧게 나열한 내용을 통해 우리는 이 작품이 앞서 이미 얘기했듯이 악마주의의 완전한 여정임을 알 수 있다. 더불어 이 작품이 예컨대 밀실에서 이단들을 만들어냈던 뱅트라라는 이름의 영매 묘사처럼 사실 그대로의 묘사들로 보강되어 있음을 덧붙여 말해둔다.

이처럼 이 흥미로운 책은 자신의 존재를 입증하고 있다. 설령 마법에 사로잡힌 사람들이 직면하는 위험을 알기 위해서일 뿐이라도 악마주의 연구는 유용한 일이다. 마법에 빠진 사람들은 상상할 수 있는 가장 고약한 삶을 준비하고 있다고 아무리 반복해서 말해도 지나치지 않을 것이다. 요컨대 그들은 '악'으로 향하는 묘지 문을 열고 있다. 그들은 인격과 의지를 순식간에 상실한다. 그들의 영혼은 악령들의 진짜 보고(寶庫)가 된다. 모든 것을 시도했고, 마법 의식을 실행했으며, 신성모독 행위를 범했던 사람들을 나는 알고 있다. 아마도 그들은 하느님의 너그러운 자비심을 지치게 만들었으리라. 그리스도의 속죄가 지체 없이 이행되었으니 말이다. 그들은 자신들이 더 이상 자유롭지 못하다고, 오로지 실총(失寵)을 확인하고 고통을 겪기 위해서만 존재한다고 느끼고는 어찌할 바 모르며 정신이 반쯤 나간 채 방황하는 삶을 산다. 이제 그들은 자신들이 원하지 않더라도 복종할 수밖에 없는 악의 힘에 조종되는 진짜 마귀 들린 사람들인 것이다.

아! 우리의 저항과 기도에도 불구하고 우리 모두의 영혼 속에 슬그머니 침투하는 이 가증스런 악마에 대항해 우리 스스로를 보호하기 위해서는 해야 할 일이 너무도 많다. 악마는 호시탐탐 우리를 노리고 기회만 있으면 우리 안으로 들어온다. 악마는 우리에게 나쁜 생각들을 심어주고, 무분별한 소신을 갖게 한다. 악마는 우리의 과오를 수확해 저장하고, 우리의 죄와 악행에서 자양분을 섭취한다. 에라드 수녀원장*이 자신의 언어로 단호하게 말했듯이 악마는 우리의 죄악을 빨아먹는다. 그러면 악마와

---

* 알자스 지방의 귀족 출신 수녀원장, 시인(1125년에서 1130년 사이–95). 여성에 의해 만들어진 최초의 백과사전이라 할 『쾌락의 정원(Hortus deliciarum)』을 쓰고 삽화를 그려서 유명해졌다.

계약을 맺고 친분을 맺으려 하지 않더라도, 언제나 자신의 목소리에 귀를 기울이고, 끊임없이 경계하는 정도로는 악마의 공세를 물리치는 데 충분하지 못한 것인가?

쥘 부아가 이 책에서 보여준 대로 이승에서 마법사에게 예정되어 있는 비참한 운명은 저승에서의 운명을 미리 지급받은 것이다. 나는 악의 저편으로 뚫고 들어가기를 꿈꾸고 있을 망나니들이나 사기꾼들이 이 책을 읽어 보호되기를 바란다.

J.-K. 위스망스.

세기말 프랑스 사회에 대한 풍자와 비판

1. 위스망스는 누구인가?

조리스카를 위스망스라는 이름은 프랑스인치고 다소 특이하게 들린다. 그는 네덜란드인으로 데생화가이자 삽화가였던 빅토르고드프리드 위스망스와 프랑스인이며 전직 교사였던 엘리자베트말비나 바댕 사이에서 태어났다. 프랑스에서 또 한 차례 혁명이 일어나 두 번째 공화정이 수립된 1848년이었다. 부친은 그가 태어난 직후 프랑스로 귀화했다. 위스망스의 이름은 샤를마리조르주였지만 프랑스어를 모르는 부계 친척들은 그를 네덜란드식으로 조리스카를이라고 불렀는데, 위스망스는 선조들에게 경의를 표하고자 이를 자신의 필명으로 삼았다.

어린 시절은 그다지 평탄했다고 할 수 없었다. 1856년, 여덟 살이 되었을 때 아버지가 사망하고 어머니는 백화점에 점원으로 취업해 외롭고 따분한 어린 시절을 보내야 했다. 어머니는 곧 한 사업가와 재혼하고 그 사이에서 동생들이 태어났다. 청소년기에 접어든 위스망스는 어머니와 계부에 의해 기숙학교에 맡겨졌다. 어머니와 떨어져 생활하게 된 그는 버림받았다는 생각 때문에 동급생들과 자신을 비교하며 부러움과 절망감을 느끼고 다소 비관적인 성격을 갖게 되었는데, 훗날 쇼펜하우어의 염세주의에 열광하며 삶에 대한 공포, 냉혹한 숙명에 관한 생각에 동조하게 되는 것도 청소년기에 형성된 이러한 성격의 탓이 적지 않다.

생루이 고등학교를 다니다 자퇴한 뒤 홀로 바칼로레아를 준비해 합격한 위스망스는 법과대학에 진학한다. 그러나 법학보다는 문학에 더 관심을 두고 또래 문학청년들과 어울린다. 경제적 독립을 위해 내무부 6급 공무원이 되긴 했지만 직장 생활 가운데서도 소설에 매진했을 뿐만 아니라 평론, 산문시 등을 쓰기도 했는데, 이러한 직장 생활과 글쓰기 병행은 정년을 맞이할 때까지 계속된다.

보불전쟁이 발발하자 20대 초반의 위스망스는 센 강 국민 방위군에 소집되어 전선에 배치된다. 그렇지만 제대로 된 전투에 참여해보지도 못하고 이질에 걸려 야전병원을 전전하다가 종전을 맞고 파리코뮌 시기 베르사유에서 근무한 후 소집에서 해제된다. 파리로 복귀한 그는 이때의 체험을 바탕으로 단편소설 「배낭을 메고」를 쓰게 된다. 대학 생활의 자유분방함에 젖어 등록금을 거리의 여자에게 바치기도 하고, 카르티에라탱을 쏘다니며 술과 정치, 문학에 빠져 살던 법학도가 징집되어 프로이센과의 전쟁에 참전하게 되면서 겪는 전쟁의 필연성에 대한 의혹, 전선에서의 두려움과 고통, 군 생활의 비리와 부조리 등이 묘사된 이 자전적 단편소설은 1877년 브뤼셀에서 『라르티스트』라는 잡지에 실렸다가 몇 년 후 수정을 거쳐 졸라와 다섯 제자의 공동 작품집인 『메당의 야회』에 재수

506

록된다. 이 공동 작품집에서 모파상의 「비곗덩어리」와 더불어 가장 주목받은 작품이 그의 글이었다.

사실, 위스망스의 문단 데뷔는 1874년 자비로 펴낸 산문집 『당과 항아리』를 통해서였다. 이후 그는 귀스타브 플로베르, 공쿠르형제, 에밀 졸라에 심취하고 특히 졸라의 이론에 열광해 그와 친분을 맺고, 적극적인 자연주의 옹호자가 되어 「에밀 졸라와 목로주점」이라는 평론을 쓰기도 했다. 당시 발표된 『마르트, 어느 창녀의 이야기』, 『바타르 자매』, 『결혼 생활』은 모두 자연주의적 성격이 두드러진 소설들이었다. 「배낭을 메고」를 『메당의 야회』에 재수록한 것도 이때의 일이다.

거창한 이론과 함께 출발한 자연주의였지만 한정된 소재와 비극적 전망 등의 한계가 드러나기 시작하고, 이를 인식한 젊은 세대 작가들은 자연주의를 뛰어넘는 새로운 소설을 꿈꾸게 된다. 위스망스도 그중 하나다. 1884년 출간된 대표작 『거꾸로』에서 위스망스는 그가 꿈꾸는 새로운 소설을 시험하는 동시에 자연주의로부터의 이탈을 가시화한다. 『거꾸로』의 출간은 졸라에게도 큰 충격을 안긴 듯하다. 『거꾸로』의 「출간 20년 후에 붙인 서문」을 통해 위스망스는 메당에서 졸라와 단둘이 산책하던 중 험악한 표정의 졸라로부터 "자연주의에 엄청난 충격"을 가했다는 비난을 들었음을 고백한다. 이에 대해 위스망스는 당시 자신의 입장을 이렇게 설명한다.

졸라가 선뜻 이해할 수 없었던 부분들이 많았다. 먼저 내가 의식하고 있던 창을 열고픈 욕구, 나를 숨막히게 하던 곳에서 도망치고 싶은 욕구가 있었던 것이다. 다음으로 나를 사로잡고 있던 욕망, 즉 편견을 떨쳐내고 소설의 한계들을 부수며 그 안에 예술, 과학, 역사를 집어넣고픈 욕망, 한마디로 이 문학 형식을 그 안에 보다 더 진지한 작업을 집어넣기 위한 틀로써만 사용하고픈 욕망이 있었다. 전통적인 줄거리, 나아가 열정, 여자를 제거한다는 것, 그리고 촉광(燭光)을 한 인물에게만 집중한다는 것, 그리고 무슨 수단을 써서라도 새것을 만들어낸다는 것 등이 이 시기에 나를 사로잡고 있었던 것이다.*

각각의 장이 보석, 향수, 화초, 회화, 문학, 음악에 대한 주인공의 취향과 박식함, 회상, 사색, 몽상으로 전개되고 있는 소설, 그래서 주인공이 파리를 떠나 퐁트네오로즈에 인공 낙원을 꾸미고 칩거하는 것 외에는 아무런 사건도 일어나지 않고 줄거리라고 할 만한 것이 없으며 여자도 제거되어 있는 소설, 그것이 『거꾸로』였다. 위스망스의 분신인 듯한 주인공 데 제생트의 취향은 여러모로 탐미적이고 퇴폐적이어서 19세기 후반 데카당 정신을 그대로 옮겨놓은 듯 보인다. 이 소설로 자연주의가 처한 막다른 길

---

* 「출간 20년 후에 붙인 서문」, 유진현 옮김, 『거꾸로』, 문학과지성사, 2010년, 26쪽.

을 벗어나 새로운 길을 열고자 했던 위스망스의 의도는 『저 아래』를 통해 더욱 두드러진다.

『저 아래』는 『거꾸로』에서 보여준 자연주의에 대한 회의를 넘어 결정적으로 자연주의를 비난하고 결별을 선언한다. 위스망스는 자연주의적 기법을 동원하면서도 자연주의를 넘어서서 인간의 내면을 탐구하는 초자연주의, 정신적 자연주의를 지향하게 된다. 이 작품 이후 위스망스는 가톨릭으로 개종하고 그 과정을 담은 일련의 소설들인 『출행』(1895), 『대성당』(1898), 『제3회인』(1903)을 차례로 출간하게 된다. 개종 3부작이라 할 이 소설들을 출간하는 사이 그는 『스히담의 리드빈 성녀』와 『돈 보스코의 생애 초고』 같은 가톨릭 성인에 관한 전기적 작품들을 발표하기도 하면서 가톨릭 작가로서의 입지를 강화한다.

위스망스는 한편 문학비평가로서도 뛰어난 안목을 지니고 있었다. 문단 활동 초기 브뤼셀에서 간행되는 『악뤼알리테』지에 「졸라와 목로주점」이라는 평론을 써서 발표하기도 했던 그는 당시 독자들에게 그다지 알려지지 않았던 상징주의 선구자인 베를렌, 말라르메를 부각시켜 유명하게 만들기도 했다. 1884년 『거꾸로』에서 위스망스는 베를렌과 말라르메를 찬미하는 한편 보들레르와 포에게도 무한한 애정과 신뢰를 보이고 있다.

그는 미술 평론에서도 탁월한 관찰력과 식견으로 상당한 업적을 남긴다. 부친이 화가였을 뿐만 아니라 부계 친척 중에도 화가가 많았다고 하는데, 그러한 부계의 예술적 재능을 위스망스도 갖고 태어났음이 틀림없다. 그가 『거꾸로』와 『저 아래』에서 귀스타브 모로나 그뤼네발트의 그림에 관한 깊이 있는 논평을 통해 미술 평론가로서의 자질을 보여주고, 『현대미술(L'Art moderne)』과 『어떤 이들(Certains)』이라는 미술 관련 비평 서적들을 펴낸 것은 그와 같은 집안 환경에서 물려받은 재능과 미술에 대한 관심 덕분이라 설명할 수 있다. (사후 그의 유언집행자 뤼시앵 데카브가 펴낸 『교회 세 곳과 원초주의 그림 세 점』도 있다.) 위스망스는 당시 미술계의 지배 세력인 아카데미에 의해 배척당하던 인상주의 화가들을 호의적으로 평가하고 적극적으로 옹호해 인상주의가 널리 알려지고 미술계의 중심이 되는 데 결정적으로 기여했을 뿐 아니라 귀스타브 모로나 마티아스 그뤼네발트처럼 특정 유파에 속하지 않는 독특한 화가들을 발굴해 독창성을 부각시키는 데에도 일조했다.

1898년, 공직을 떠난 그는 가톨릭 공동체에 대한 꿈을 간직하고 리귀제의 수도원 가까이에 집을 짓고 정착해 1900년 리귀제의 생마르탱 수도원에서 제3회인 수습 생활을 시작한다. 결국 1901년 제3회인 서원을 하고 수사 장이라는 이름을 받지만 얼마 못 가 파리로 다시 돌아온다. 강력한 반교권주의를 내세우는 에밀 콩브의 법안에 충격을 받은 수도사들이 수도원을 떠났기 때문이었다. 파리에 온 위스망스는 파리 베네딕트파 수도원 분회당에 정착한다. 이같은 제3회인으로서의 생활은 1903년, 소설 『제3회인』을 탄생시켰다.

　가톨릭 순례지인 루르드를 여행한 뒤 졸라의 소설 『루르드』에 맞서 성모의 기적과 신비를 옹호하는 작품 『루르드의 군중』을 출간한 1906년부터 위스망스는 구강암 초기 징후를 보인다. 종양 제거 수술까지 받았지만 급속도로 건강이 악화된 그는 결국 1907년 4월 병자성사를 받고 자신의 부고를 작성하게 된다. 그러고는 그해 5월 11일 59세로 세상을 떠난다. 유해는 파리 남쪽 몽파르나스 묘지에 묻혀 있다.

　2.『저 아래』는 어떤 소설인가?

먼저 '저 아래'라는 제목의 번역에 대해 짚고 넘어가자. 『저 아래』의 원제목은 'Là-bas'이다. 현대 프랑스어에서 'là-bas'는 '거기', '저기' 등 약간 떨어져 있는 곳을 가리키는 데 사용되는 부사이다. 'là'와 'bas'라는 두 단어가 합성되어 'là'의 의미가 강해지고 'bas'의 의미는 약화되어 사용되고 있는 것이다. 하지만 『프랑스어 보고(Trésor de la langue française)』 사전에 따르면 이 말이 예전에는 '좀 더 낮은 곳에(en un lieu situé plus bas)'라는 의미로 사용되었고, '이승(ici-bas)'이라는 의미에 대립되는 단어로서 '저승'이나 '지옥'을 뜻하기도 했다. 아카데미 사전(9판)은 'là-bas'가 '좀 더 낮은 곳에'의 뜻으로 과거에 사용되었다고 설명하며, 그에 대립하는 말로 '저 위(là-haut)'를 제시하고 있다. 'là-haut'는 디드로의 소설 『운명론자 자크와 그의 주인』을 상기시킨다. 주인공 자크가 입버릇처럼 달고 사는 운명론적 결정론을 나타내는 단어가 바로 그것이다. 자크는 "우리에게 일어나는 모든 좋고 나쁜 일은 저 위에 쓰여 있다."고 항상 말한다. 자크의 '저 위'는 세상 만물을 관장하는 절대자가 존재한다고 여겨지는 추상적인 장소다.

『저 아래』에서 주요 인물들이 모여 종교와 과학, 철학, 시대라는 고상한 주제를 놓고 대화를 나누는 생쉴피스 성당의 탑이라는 물리적 공간은 '저 위(là-haut)'로 간주될 수 있는 곳이다. 그 탑의 방 안에서 뒤르탈은 이렇게 생각한다. "이 방을 잘 꾸미고 여기 파리 위쪽에 정착할 수 있다면 얼마나 좋을까. 마음을 진정시켜주는 안락한 체류지, 따스한 안식처가 될 텐데."(이 책 65–6쪽) 반면 그 탑 아래 감춰진 곳, 그리스도를 모욕하기 위해 발바닥에 십자가를 문신으로 새긴 도크르 참사원이 신성모독과 악마 숭배 의식을 행하는 보지라르 거리의 어느 예배당은 '저 아래(là-bas)'가 가리키는 바로 그 장소일 것이다. '저 위'에 존재하는 절대자를 부정하고 모욕하며, 사탄을 숭배하는 악마주의자들의 의식이 진행되는 그곳은 이렇게 묘사된다. "천장은 서투른 솜씨로 되는대로 타르를 칠한 들보들이 가로지르고 있었고, 창문들은 커다란 커튼 아래 감춰져 있었으며, 벽은 균열이 가 있고 칠이 벗겨져 있었다. 뒤르탈은 걸음을 떼어놓기가 무섭게 뒤로 물러섰다. 난방 기구들에서 소용돌이 같은 세찬 기운이 흘러나오고 있었다. 알칼리와 수지, 그리고 타오르는 풀 냄새로 악화된 습기와 이끼, 새 난로의 역한 냄새가 목을 짓눌렀고 관자놀이를 지끈거리게 했다."(399-400쪽) 읽는 것만으로도 숨 막힐 듯한 역겨운 그 장소는 지옥을 떠올리기에 충분하고 그런 의미에서 '지옥'이라는 제목도 가능할 것이다. 그렇지만 종교 주위를 배회하면서도 아직 신자가 되고자 하는 확고한 의식이 없었던 위스망스의 입장을 고려해볼 때 '지옥'보다는 종교적인 함의를 배제하고 본래의 의미에 충실한 편이 낫겠기에 제목을 '저 아래'로 정했다.

1891년 초 『에코 드 파리』지에 발표된 후 같은 해 4월 단행본으로 출간된 『저 아래』는 위스망스의 작품들 가운데 어떤 위치에 있을까?

위스망스가 발표한 소설들 열네 편은 자연주의 계열과 기독교 문학 계열이라는 두 경향으로 크게 분류된다. 그리고 그사이에 일종의 과도기 또는 모색기라 할 만한 시기가 있다. 『저 아래』는 그 과도기에 종지부를 찍고 기독교 문학으로 발걸음을 내딛는 확고한 이정표를 제시한 작품이다.

초기작 『바타르 자매』, 『마르트, 어느 창녀의 이야기』, 『배낭을 메고』, 『결혼 생활』 등은 주로 자연주의에 경도된 소설들이었다. 졸라를 적극적으로 추종하던 시기였던 이때 위스망스는 평론 「졸라와 목로주점」을 발표하기도 했고, 졸라가 이끄는 자연주의 소설가들의 모임에

513

드나들며, 『메당의 야회』라는 단편집을 공동으로 발간하기도 했다. 『바타르 자매』를 출간할 때는 졸라에게 바치는 헌사를 싣기도 했다.

초기 자연주의적 경향에서 변화가 감지된 것은 발간과 더불어 문단에 충격을 준 『거꾸로』에서부터였다. 『거꾸로』는 자연주의에 의혹을 품게 된 위스망스가 그 한계에서 벗어나고자 했던, 위스망스의 모색이 담긴 소설이었고, 예술과 과학, 역사, 문학에 관한 탐미주의적 경향이 담뿍 담긴 소설로 '데카당의 지침서'로 간주되기도 하면서 동시대의 작가들에게 상당한 영향을 준 소설이었다. 『거꾸로』에 대해 졸라는 시큰둥한 반응을 보였을 뿐이지만 말라르메나 베를렌, 오스카 와일드, 바르베 도르빌리 등은 찬사를 보냈다. 『거꾸로』 이후 위스망스는 『딜레마』, 『피항지에서』, 『비에브르 강』, 『저 아래』를 차례대로 발표하는데, 이들 작품들에서는 자연주의의 흔적이 완전히 사라지지 않은 가운데 내면의 성찰 혹은 영혼의 탐구에 쏠리는 위스망스의 관심이 두드러진다. 특히 『저 아래』에서는 인간의 내면 탐구를 위한 기법으로 자연주의적 기법을 생각하게 되고 이를 신비적 자연주의 또는 초자연주의라 이름 붙이기도 한다.

다른 한편 이 시기는 그가 신비주의에 관심을 보이는 때이기도 하다. 연금술에 관한 자료들을 수집하고, 신비술가인 앙리에트 마야르와 친분을 맺으며 강신술 모임에도 참여한다. 『거꾸로』 12장에서는 주인공 데 제생트의

514

서가(書架) 이야기가 나온다. 그의 서가에서는 강신술과 신비 철학을 다룬 라틴문학 작품들, 가톨릭을 찬양하는 작가이면서도 가톨릭 진영의 인정을 받지 못하는 문제아 바르베 도르빌리의 『결혼한 사제』, 『악마 숭배자들』, 자코브 스프랭제의 『마녀들의 망치』 같은 책들이 발견된다. 이렇게 연금술, 강신술, 중세 마법, 마녀 집회, 신성모독 행위들에 대한 관심은 『저 아래』를 통해 완전히 표출된다. 질 드 레 이야기에 의해 중세의 모습이, 도크르의 의식을 통해 현대의 악마 숭배가 전모를 드러내는 것이다.

　위스망스는 자연주의가 집요하게 묘사하는, 물질에 빠져 허우적거리는 속악한 세상의 모습에 염증을 느끼고 정신이 우위에 선 사회를 꿈꾸게 되었고, 그러한 모습을 중세에서 찾았으며, 점점 정신성이 사라지는 현대사회에서 정말 필요한 것이 무엇인지 탐색하게 된다. 그 탐색의 과정에서 위스망스의 관심을 끈 것은 신비술과 종교였다. 그럼에도 『저 아래』에서 위스망스의 분신인 뒤르탈은 왜 자신이 종교에서 멀어져갈 수밖에 없었는지 다음과 같이 토로한다.

　　미래 속에서 보이는 것은 오직 고통스럽고 불안한 문제들뿐이었다. 그럴 때면 그는 위안거리와 마음을 가라앉혀주는 것들을 찾았고, 종교란 아직도 가장 참기 힘든 상처를 가장 부드러운 연고제로 치료해줄 수 있는 유일한 것이라고 생각할 수밖에 없었

515

다. 그렇지만 한편으로 종교는 상식 포기와 더 이상 아무것에도 놀라지 않겠다는 의지를 강요하기 때문에, 뒤르탈은 종교를 넘보면서도 그로부터 멀어져갔다.(30쪽)

그리스도의 강림을 믿지 않는 뒤르탈에게 무슨 희망을 갖고 있느냐고 카렉스가 묻자 뒤르탈은 "내겐, 아무런 희망도 없습니다."(443쪽)라고 체념에 사로잡힌 답을 내놓는다. 그러나 위스망스의 또 하나의 분신이랄 수 있는 데 제르미는 위스망스 자신이나 뒤르탈이 처해 있는 막다른 골목에서 탈출할 수 있는 한 가닥 가능성의 실마리를 결론처럼 제시한다.

> "신앙이란 삶을 지켜주는 방파제이고, 돛대가 부러진 인간이 안심하고 몸을 맡길 수 있는 유일한 항구지!"(463쪽)

『저 아래』가 출판되고 난 다음 해인 1892년 위스망스는 신의 문을 두드리기로 결심하고 이니의 노트르담 트라피스트 수도원에 체류하며 영성체한다. 한 번도 신앙을 가져본 적 없었고, 가톨릭을 믿어볼까 하는 마음조차 없었다던 그가 『거꾸로』의 마지막 장면에서 불가사의하게 가톨릭 지향성을 보여준 이후의 갈등을 『저 아래』에서 끝낸 것이 아닌가 하는 생각이 든다.

이후 발표된 『출행』(1895), 『대성당』(1897), 『제3회인』(1903)은 그가 가톨릭에 귀의하면서 그 과정을 그린 소설들이며 가톨릭 문학에 속하는 작품들이다. 이 시기에 위스망스는 이들 소설 외에도 가톨릭과 관련된 글과 작품들을 여러 편 발표했다. 『전례 교리문답』지 서문을 쓰고, 『가톨릭 선집』을 출판하고, 무엇보다도 『스히담의 리드빈 성녀』와 『돈 보스코의 생애 초고』 같은 성인 전기를 출간하기도 한다. 소설과 기타 작품들뿐만 아니라 생활 자체도 수도원 중심으로 옮기고 기독교도로서의 삶을 실천하게 되고, 사망 직전에는 병자성사를 받고 기독교도로서 삶을 마감하게 된다.

이렇게 볼 때 위스망스의 삶과 작품은 자연주의와 그 이후로, 혹은 기독교 입문 이전과 그 이후로 나눌 수 있을 것이다. 어떻게 나누건 그 사이에서 전과 후를 가르는 분기점에 『저 아래』가 있다.

3. 세기말 프랑스 사회에 대한 풍자와 비판

프랑스대혁명 100주년을 기념하기 위해 1889년 에펠탑이 건립되었음은 널리 알려진 사실이다. 나폴레옹3세 시절인 1855년과 1867년 이미 만국박람회를 두 차례 개최했던 파리 시는 제3공화국이 수립된 이후에도 1878년 파리 만국박람회를 개최했고, 프랑스대혁명 100주년을 기념히는 1889년 다시 파리에서 만국박람회를 개최한 것이다. 프랑스는 비약적으로 발전한 자국의 산업과 과학기술을 과시하고자 했다. 에펠탑이 건설되고 물랭루즈가 문을 연 그해는 프랑스인들이 '벨 에포크'라고 명명한 풍요의 시대가 바야흐로 열리는 시기라 할 수 있다. 다른 한편 세기말이 다가오면서 사람들의 마음속에는 알 수 없는 불안감과 현대에 대한 불신이 찾아들었고, 그러한 경향은 문화 예술적으로 상징주의, 모더니즘, 데카당티즘, 아르누보 등을 통해 표출되며 기존의 전통적인 문화 예술과 확연한 괴리를 보이기 시작한다.

1891년 출판된 소설『저 아래』속에 이러한 세기말 프랑스 사회에 대한 위스망스 자신의 평가가 담겨 있는 것은 어찌 보면 당연한 일이다. 이미 1884년 나온『거꾸로』에서도 위스망스는 자신의 분신과도 같은 데 제생트의 비판적인 시선으로 당대 사회에 대해, 그리고 문학과 미술, 음악 등의 예술 분야에 대해 날카로운 비평과 분석을 보여준 바 있다.

『거꾸로』와 7년 차이를 두고 발표된『저 아래』는 자연주의에 대한 회의와 결별, 문학과 예술, 특히 미술에 대한 관심, 현대에 대한 불만 토로와 비판 등에서『거꾸로』와의 유사성을 보여주고 있는데, 이들 외에도 둘 사이에는 묘하게 연결된 끈이 있는 것처럼 보인다. 예컨대,『거꾸로』에서 데 제생트는 장서 속에 마술 관련 서적들을 모아놓았고, 귀스타브 모로의 그림을 보며 신성모독의 상념에 잠기고, 악마와 마법, 신성모독으로 가득 찬 바르베 도르빌리의 작품을 읽으면서 호기심을 느끼는데, 그러한 악

518

마 숭배와 관련된 주제들이 『저 아래』에서는 더욱 상세히 묘사되고 서술된다.

19세기 말 파리에서 거행되는 악마 숭배 의식에 관한 이야기와 15세기의 신성모독자 질 드 레의 전기로 이루어져 있는 『저 아래』에서 두 명의 주요 인물인 뒤르탈과 데 제르미는 위스망스의 모습을 그대로 갖고 있거나 위스망스가 상상하는 자기 자신의 모습을 가진, 위스망스의 분신과 같은 존재들이다. 그들은 그들의 현대, 즉 19세기 말 프랑스 사회에 대해 많은 견해를 주고받는데, 그중 가장 두드러진 것이 세기말적 현상으로서의 악마 숭배 의식의 확산이다. 그 외 그들의 관심은 현대에 대한 부정적인 면모와 그 원인에 쏠려 있다.

위스망스는 물질적으로는 풍요로워졌지만 그에 비해 정신적으로 피폐해진 시대에 실망하고 사라져버린 정신성을 찾고자 방황을 시작한다. 자연주의로부터의 탈피, 신비주의에 대한 관심, 종교에 대한 막연한 동경, 과거, 특히 중세에 대한 관심이 그 과정에서 두드러지고 이는 『저 아래』에서 뒤르탈과 데 제르미를 통해 표현된다.

a. 19세기의 변화

프랑스의 19세기는 그 어느 시대보다도 다사다난했다. 먼저, 정치적으로는 여러 차례의 혁명과 봉기 및 쿠데타로 정치체제의 변화가 빈번했디. 세기 초는 나폴레옹에 의해 열렸으며, 공화정 통령에서 황제 자리에 오른 나폴레옹의 제1제정이 몰락한 후 부르봉왕조가 다시 복귀했다가, 혁명으로 이룩한 루이 필리프의 입헌 왕정 체제, 또 한 차례의 혁명으로 다시 쟁취한 공화정이지만 단기간에 그치고만 제2공화국, 다시 시작된 제2제정 시대, 두 번째 제정의 몰락과 더불어 찾아온 파리코뮌과 제3공화정… 숨 가쁠 정도로 급변하던 체제는 1870년 이후 제3공화정이 들어서면서, 적어도 체제 측면에서는 안정기에 접어들었다.

경제적인 면에서 19세기는 프랑스가 영국에 이어 산업혁명을 완수한 시기였다. 경제 부흥과 더불어 발전한 과학 및 기술을 과시하기 위해 19세기 후반에만 만국박람회를 네 차례 개최할 정도였다. 아프리카 지역에 광대한 식민지를 개척한 것도 이때의 일이다. 정치체제가 여러 차례에 걸쳐 바뀌며 불안정한 국면에서도 경제 부흥의 주축이자 수혜 계층인 부르주아계급의 사회경제적 영향력은 계속해서 증대되었다.

문화 예술 측면에서도 19세기는 격변의 시기였다. 중반에 이르기까지는 낭만주의의 흐름이 문화 예술계 전반을 지배했고, 이후 사실주의, 자연주의, 데카당스, 상징주의 등의 흐름이 뒤를 이었다. 관찰과 경험을 중시하는 실증주의 사상은 특히 문학을 비롯한 학문, 예술 분야에 크게 영향을 미쳤다.

b. 부르주아지와 돈

프랑스대혁명으로 공식적으로 귀족계급이 사라지고 난

520

이후 혁명을 몇 차례 거치면서 부르주아 계층은 사라진 귀족계급을 대신해서 사회의 지배 계층이 되었다. 그들은 산업혁명을 거치면서 부를 축적했고, 축적된 부를 이용하여 각계 각층에서 영향력을 키워왔다. 그들은 무엇보다도 돈을 우선시하며 돈에 대해 탐욕을 드러낸다. 부르주아들만이 아니라 현대를 살아가는 인간은 모두 마찬가지다. 21세기인 현재에도 인간의 삶에서 돈이 차지하는 비중은 거의 절대적이라 할 만하다. '돈은 돈을 낳고', '있는 죄를 없게' 만들기도 하며, 인간이면 누구나 바라는 자유도 경제적인 배경, 즉 '돈'이 없으면 가능하지 않게 된다. 19세기는 바로 그러한 돈의 중요성이 그 어느 때보다도 커진 세기다. 뒤르탈은 돈에 대해, 그리고 그 돈의 수혜자인 부르주아에 대해 무척이나 비판적이다.

　세상을 살아가다 보면 뜻밖의 것들, 우리가 이해할 수 없는 것들이 나타나게 마련이고, 그러한 것들이 때로는 우리에게 큰 영향력을 행사하기도 한다. 뒤르탈은 그러한 "삶의 수수께끼들 가운데 가장 당혹스러운 것"이 돈이라고 생각하면서 돈의 특성에 대해 고찰한다. 그에 따르면 돈은 한곳에 모이려 하는 성질을 갖는다. 돈은 자신의 소유자로 선하고 정의롭고 도덕적인 사람인가 악하고 부정한 사람인가를 가리지 않는다. 선하고 정의롭고 도덕적인 사람일수록 돈에 대해 집착하지 않기 때문에, 돈은 특히 사악한 사람들, 모질깃없는 사람들에게로 몰리게 된다. 혹시라도 선하고 정의롭고 도덕적으로 비천하지 않은 사람에게 돈이 쌓이게 되더라도 그 돈은 비생산적인 채 남게 되어 좋은 일에 사용되지 못하고, 최악의 사기꾼이나 혐오스러운 상놈의 수중에 들어 있지 않을 때면 의도적으로 자신을 마비시키는 듯 보인다. 뿐만 아니라 돈은 청렴한 사람을 더럽히고, 정숙한 사람을 음탕하게 만들고, 육체와 정신에 영향력을 미쳐 에고이즘과 자만심으로 가득 차게 만들고, 겸손한 사람은 뻔뻔스러운 천박한 사람으로, 도량이 넓은 사람은 구두쇠로 만들 만큼 모든 생각을 뒤집어엎고 완고한 정념들을 순식간에 변모시키는 특성이 있다.

그런데, 그러한 돈은 '자본'이라는 이름을 갖게 될 때 가장 극악무도해진다. '자본'의 영향력은 절도나 살인 교사 같은 개인적 차원의 선동에 그치지 않고 인류 전체로 확대되어 독점을 결정하고, 은행들을 세우고, 인간의 삶을 좌우하고, 수천 명을 굶어 죽게 할 수도 있게 된다. 구세계든 신세계든 세상 사람들 모두가 자본을 우러러보고 마치 신을 숭배하듯 자본을 숭배한다. 돈과 자본은 악마와도 같고, 현대인의 영혼마저 지배하고 있다.

이렇게 생각하는 뒤르탈은 방 안에 틀어박혀 '돈이면 다 되는' 시대를 초월할 때 행복을 느끼고, 현재로부터 멀리 떨어진 시대의 '푸른 수염'에 흥미를 느낀다. 그에게 중세는 독특한 시대로 간주된다. 보는 사람에 따라 검게도 희게도 보일 수 있는 중세에서 뒤르탈은 확고한 정신성을 확인하고, 현대사회에서 타락이 시작된 것은 그 이후라고 확신한다. "확실한 건, 그 당시 귀족, 성직자, 부르주아지, 민중이라는 확고부동한 계급들이 보다 더 고매한 정신을 갖고 있었다는 점이야. 이렇게 단언할 수도 있지. 사회가 타락하기 시작한 것은 우리가 중세와 분리되었던 4세기 전부터라고 말이야."(192쪽)

중세에는 성인들이 넘쳐났고, 기적이 꼬리를 물고 이어졌으며 교회는 가난한 사람들을 도왔고, 고통받는 사람들을 위로해주었고, 힘없는 사람들을 보호했고, 미천한 사람들과 함께 즐거워했는데, 오늘날의 교회는 가난을 증오할 뿐이고, 사제들은 부르주아적인 정신을 설파하고 있을 따름이다. 부르주아조차 중세에는 자본의 엉덩이에 짓눌리지 않고 충실한 삶을 살아갔었다. 그들의 탐욕은 고해신부에게 질책받았다. 하지만 중세 이후 부르주아는 귀족계급, 그것도 방탕한 귀족계급을 대신하고 있다. "부르주아지는 망령 들거나 방탕에 빠진 귀족계급을 대신했어. 스포츠와 음주 모임, 장내외 마권 및 경마 서클은 그들 부르주아지 덕분에 생겨난 거야. 오늘날 상인에겐 오직 한 가지 목표밖에 없어. 노동자를 착취하는 것, 싸구려 물품을 만들어내는 것, 상품의 질을 속이는 것, 판매하는 식품의 무게를 속이는 것이지."(194-5쪽)

c. 실증주의와 현대의 과학, 문학, 역사

뒤르탈이나 데 제르미는 모두 현대에 대해 그다지 우호적이지 않고, 오히려 반감을 갖고 있다. 먼저 뒤르탈은 데 제르미의 말에 의하면 자신이 "살고 있는 시대를 증오하고" 있으며, 자신이 "쓴 모든 책들 속에서 언제나 세기말을 격렬하게 비난"해왔던 인물이다.

뒤르탈에게 19세기 건물들은 중세에 지어진 노트르담 성당이나 생트 샤펠같이 아름답고 예술적인 건물들과의 조화를 망가뜨리는 고약한 건물들에 불과하다. 가르니에가 설계한 오페라 건물은 화장품 판매상들의 예술로 격하되고, 개선문은 다리의 아치에 비유되며, 지금은 프랑스와 파리의 상징이 되다시피 한 에펠탑도 "속이 텅 빈 샹들리에" 같은 모습으로 폄하될 뿐이다. 에펠탑의 경우 당시 각광받던 최첨단 건축 소재인 철로만 만들어졌고, 프랑스대혁명 100주년을 기념하는 만국박람회에서 프랑스의 발달된 토목 기술을 전세계에 과시하기 위해 세워졌지만 모파상과 위스망스를 비롯한 문학, 예술인들에게는 혹평을 받았을 뿐이다. 소설 속에서 뒤르탈은 19세기가 자랑스럽게 내세우는 것들에 동의하지 않는다. 과학과 기술의 진보는 내용 없는 허세에 불과하고 과거에 착실히 쌓아온 업적들을 무너뜨렸을 뿐이라는 것이다. "19세기는 흥분해서 자화자찬하고 있잖아! 입만 열면 진보를 부르짖지. 그런데 누구의 진보인지? 무엇이 진보했다는 거야? 이 보잘것없는 세기는 대단한 걸 발명하지도 못했잖아! 19세기는 아무것도 확립하지 못했고, 모든 것을 파괴했어."(195쪽)

뒤르탈이 문단을 떠난 것은 다른 어느 곳보다도 물질을 배격하고 정신성에 충만하며 신비로워야 한다고 생각되는 그곳이 증권거래소 근처에서나 어울릴 법한 대화만 오가고 문인들끼리의 우정을 기약할 수 없는 곳에 불과하다고 느꼈기 때문이었다. 소설 대신 역사가 그의 마음을 사로잡았지만 역사 역시 진부하고 관습적인 구성으로 그에게 상처를 주었던 당대의 소설과 마찬가지로 사실과 자료에 얽매임으로써 뒤르탈의 마음에서 멀어진다. 사실, 당대의 역사 연구가 내세우는 자료란 확고부동한 것도 아니고 아무리 입증된 것처럼 보여도 나중에 발견된 자료들에 의해 정반대로 바뀔 수 있기 때문이다. 뒤르탈이 보기엔 현대의 문학이나 역사나 모두 상상력이 부족하다는 점이 문제였다. 미슐레 같은 역사가는 진실성에서 의심을 받고 있긴 하지만 자신이 만들어낸 시각에 의해 다른 시대의 인간들을 상상했고, 넓은 안목과 전망을 보여준 역사가였다. 현대의 역사가들은 꼼꼼하게 분석하는 능력은 갖고 있을지 몰라도 점묘파 화가들이나 데카당파 시인들과 마찬가지로 전체를 보여주는 능력은 없었다.

현대의 문학과 예술, 역사에 토대를 제공하고 있는 것은 실증주의였다. 문학에서 실증주의를 주장했던 인물이 바로 에밀 졸라인데, 졸라는 비록 관찰과 경험을 중시하는 실증주의적 태도를 주장하기는 했지만 자신의 소설에서는 그다지 철저하게 추구하지 않았다고 데 제르미는 말한다. 그에 따르면 졸라의 영향을 받은 자연주의파 소설가들은 스승인 졸라가 보여준 위대한 풍경화가이고 군중 지도자이며 민중의 대변인으로서의 모습을 계승하지 못하고 지엽적이고 유치하고 단순하며 썩어빠진 문체나 에피소드, 사건들, 스토리들만을 물려받았을 뿐 삶과 영혼에 관한 사상적 지주를 작품 속에 담아내지는 못했다.

데 제르미는 정신과 의사로 등장하지만 문학에 대해서는 위스망스의 생각을 상당 부분 대변하는 인물이다. 의사임에도 불구하고 문학을 업으로 하는 사람만큼이나 확실하게 문학을 평가하고 전문가만큼 능숙하게 난해한 문체를 분석하는 통찰력을 갖고 있어서, 뒤르탈은 혹시 데 제르미가 문학을 했던 것은 아닐까 의심한다. 문학 외에도 다양한 학문들에 대해 잘 알고, 천문학자나 신비학자들, 악령 연구가들, 연금술사, 신학자, 발명가 등 의학과 무관해 보이는 분야의 인물들과의 교류도 활발한 데 제르미야말로 어떤 의미에서는 위스망스에 가까운 인물로 느껴지게 한다.

데 제르미는 본업인 의학 분야에서도 몰아치는 실증주의적 태도에 대해 실망한다. 옛날 치료법이 더 낫고 가치가 있었다고 생각하는 그는 현대의 의사들이 전문화되어 있기 때문에 오직 한 가지만 보고 다른 것들은 보지 못하며 조화를 이루지 못한다고 비판한다. 예컨대 "안과 의사들은 오직 눈만을 보고 눈을 치료하기 위해 소리 없이 육체를 중독시키고" 있다는 것이다. 정신의학에 관해서도 데 제르미는 실증주의자들의 뻔뻔스러운 태도에 혼란을 느낀다. 현대 정신의학자들은 정신의 문제를 외면하고 오로지 신경 이상으로만 모든 것을 설명하려고 하는데, 그것만으로는 설명 불가능한 부분, 즉 신비가 존재하고 있게 마련이며, 이성에만 의지할 경우, 그 이성은 앞으로 나아가려 하자마자 어둠에 부닥치게 된다고 데 제르미는 생각한다.

d. 민중, 새로운 세대

『저 아래』의 주요 등장인물들인 뒤르탈, 데 제르미, 카렉스, 제뱅제는 각기 의사, 문인, 종지기, 점성술사로 각자의 분야는 다르지만 하나의 공통점을 갖고 있다. 그것은 그들이 과거에 매인 인물들이거나 과거지향적인 인물들이라는 점이다. 뒤르탈과 데 제르미는 앞에서도 계속 이야기했듯이 현대사회에 대해 비판적인 인물들이고 실증주의와 유물론이 지배하는 시기에 찾아보기 힘든 정신성을 과거 속에서 찾는 인물들이다.

카렉스는 종지기로서 종에 대한 애정이 남다르다. 그에게 종은 단순한 사물이 아니라 생명이 있는 존재이고, 자신의 종은 자신이 키우는 동물과 마찬가지로 주인에게만 복종하기에 자신 외에 다른 사람이 울리면 당치 않은 소리를 내고 덜컹거리며 요란스럽기만 할 뿐이다. 그가 소유한 책에 소개된 종에 새겨진 비문들을 보면, "나는 산 자들을 부르고, 죽은 자들을 위해 눈물을 흘리고, 벼락 소리를 끊어놓는다."거나, "내 이름은 롤랑드이다. 내가 천천히 땡그랑거리며 울리면 불이 난 것이다. 내가 빠르게 울리면 플랑드르 지방에 폭풍우가 온다는 것이다."라고 적혀 있듯이 종들은 하나의 인격체로서의 모습을 갖고 있다. 예전에 예배 보조자로서 끊임없이 노래하던 종들은 지금은 그저 부자들이 자신의 부와 권력을 과시하기 위한 도구로 전락했다. "요즘 벼락부자들은 교회에 보조금을 주어 종을 만들게 하고 거기에 자신들의 이름과 지위들을 새겨 넣게 한답니다. 그런데 그들은 너무나 지위가 많고 직함이 많아서 명문을 새겨 넣을 자리가 더 이상 남아 있지 않다는 거예요."(359쪽)

제뱅제의 점성술 역시 동일한 운명을 겪고 있다. 중세에 영향력이 컸고 깊은 지식을 쌓았던 점성술은 이제 현대에 와서는 아무도 다가가려고 하지 않는, 소멸 중인 학문이 되었다. 그 이유를 제뱅제는 비실용성에서 찾는다. 한마디로 들이는 노력과 시간에 비해 이득이 적거나 아주 없는 학문이 되었기 때문이라는 것이다. "아무런 이득도 명예도 얻지 못하면서 20년간 일하겠다고 나서는 사람들을 어디서 찾아내겠어요? 별자리로 점을 칠 수 있게 되려면, 먼저 일급 천문학자여야 하고, 수학을 깊이 알아야 하고, 옛 대가들의 알송달쏭한 라틴어 공부에 오랫동안 열중해야 하는데요! 그리고 또한 소명 의식과 신념도 필요하답니다. 그러니 이제 끝장이지요!"(472쪽) 중세의 위대한 학문들이 민중에게 외면받고 적대적이기조차 한 무관심에 빠지게 된 이후 프랑스에서 정신은 종말을 맞았다고 제뱅제는 결론을 내린다.

중세의 민중은 순진하고 자비로운 사람들이었다. 뒤르탈이 쓰고 있는 질 드 레 이야기는 중세 민중이 얼마나 인간적이고 순수했는지 보여준다. 그들은 수많은 살인과

528

강간, 유아 살해를 저지른 질 드 레가 산 채 불태우는 화형에 처했을 때 불쌍해서 눈물을 흘렸고, 화형 당일에는 긴 행렬을 이루어 찬송가를 부르고 금식을 서약했다. 자신의 죄를 뉘우치고 눈물을 흘리며 회개한 인물이 그리스도의 무서운 분노에 맞닥뜨리게 될 것을 불쌍히 여겼기 때문이었다. 그러나 현대의 민중은 학자나 예술가, 심지어 성인 같은 초자연적 존재에게도 환호하지 않는다. 그들은 수 세기의 세월이 흐르면서 상처받고 낙담하며 아무 이유 없이 증오하는가 하면, 바보가 되어 불랑제 같은 정치가에게 무분별하게 열광하기도 한다.

데 제르미는 현대가 그리스도를 완전히 잊어버리고 무시하는 시대, 은총을 더럽히고 내세를 혐오하는 시대라고 표현하면서 "이 비열한 시대의 악취 나는 부르주아들에게서 태어난 아이들"에 대해 걱정한다. 그들이 과연 깨끗하기를 바랄 수 있는 것일까? 그에 대한 뒤르탈의 대답은 너무나 냉소적이고 비관적이다. "그들은 먹을 것으로 창자를 가득 채울 테고, 배꼽 아래를 놀리며 영혼은 텅 비울 걸세!"(477쪽)

위스망스는 특히 산업화 시대에 널리 유포되어 위세를 떨치는 물질주의에 반감을 갖고 있으며 『저 아래』에서 다방면으로 그 물질주의에 대해 비판하고 있다. 그리고 급기야는 인류와 인간성에 대해, 그리고 미래의 세대에 대해 비관적인 생각을 품게 된다. 그가 보기에 현대 프랑스 사회에서 부족한 것은 과거에 충만했던 정신성이다. 그가 종교 주변을 기웃거리거나 또 하나의 종교라 할 수 있는 악마주의나 신비주의에 관심을 가졌던 것은 이러한 결핍을 극복하기 위한 모색이며 시도였다. 그가 가톨릭에 귀의하게 됨은 어찌 보면 당연한 결말이 아닌가 생각된다.

장진영

조리스카를 위스망스 연보

1848년 — 2월 5일, 파리에서 전직 교사 엘리자베트말비나
바댕(Elisabeth-Malvina Badin)과 데생 화가이자 삽화가
빅토르고드프리드 위스망스(Victor-Godfried Huysmans)의 아들
샤를마리조르주 위스망스(Charles-Marie-Georges Huysmans)
탄생.

4월, 부친이 프랑스로 귀화. 위스망스는 네덜란드식 필명을
채택함으로써 바타비아* 선조들에게 경의를 표하게 된다.

1856년 — 부친 사망으로 큰 충격을 받는다. 외롭고 따분한 어린
시절. 여름방학 때 네덜란드에서 수녀가 된 숙모들과 사촌 누이들을
방문하며 수도원 생활을 접하게 된다.

1857년 — 모친이 신교도인 쥘 오그(Jules Og)와 재혼. 쥘 오그의
모습은 『결혼 생활(En ménage)』에서 데자블로라는 이름으로
희화화된다. 그들 사이에서 두 딸이 태어나게 된다.

1862년 — 오르튀 기숙사에 들어간다. 생루이 고등학교에서 수학.

1864년 — 청소년기에 흔히 있는, 창녀들과의 성적 경험.

1866년 — 3월, 고등학교를 그만둔 후 바칼로레아 취득.

---

* 네덜란드의 옛 이름. 1795년 프랑스혁명군이 네덜란드에 세운 공화국으로, 1806년
나폴레옹1세의 동생 루이가 네덜란드 왕으로 임명되면서 해체되었다.

4월, 내무부 6급 직원이 되어 "체념하고 받아들인 것은 아니지만 성실한 사무원"으로서의 이력을 시작한다.

가을, 법과대학 등록.

1867년 — 8월, 쥘 오그 사망. 법과대학 1학년 시험 통과. 『라 르뷔 망쉬엘(La Revue mensuelle)』에 첫 기사를 게재한다. 보비노의 무명 배우와 연애한다.

1870년 — 센강 국민 방위군에 소집되었으나 곧 발병해 샬롱, 아라스, 루앙의 야전병원을 전전한다. 파리 포위 공격이 이루어지는 동안 파리에서 요양 허가를 받는다.

11월, 병무부에 배속되어 파리코뮌 기간 동안 베르사유에서 근무한다.

1871년 — '허기(La Faim)'라는 제목으로 파리 포위 공격에 관한 소설을 기획하지만 완성하지는 못한다. 양장점 점원 안나 뫼니에(Anna Meunier)와 연애한다.

1873년 — 에첼 출판사는 『당과 항아리(Drageoir à épices)』의 원고를 거부하면서 작가에게 재능이 없다고 선언한다.

1874년 — 10월, 『당과 항아리』를 당튀 출판사에서 자비로 출판한다. 플로베르와 공쿠르형제에게 열광하고, 루공 마카르 시리즈를 읽기 시작한다.

1875년 — 제목을 수정한 『당과 항아리(Drageoir aux épices)』를 리브레리 제네랄 출판사에서 출판. 『르 뮈제 데 되 몽드(Le Musée des Deux Mondes)』와 『라 레퓌블리크 데 레트르(La République des Lettres)』에 참여하며 『딱한 농담들(Joyeusetés navrantes)』 집필 계획을 세우고, 『배낭을 메고(Sac au dos)』를 집필한다.

1876년 — 5월, 어머니 사망. 세브르 가에 위치한 내무부로 전근되어 간 그는 빌리에 드 릴라당, 프랑시스 푸아트뱅, 뤼시앵 데카브를 초대한다.

8월, 벨기에 여행. 배우 보비노와의 연애에 기초한 소설 『마르트, 어느 창녀의 이야기(Marthe, histoire d'une fille)』를 벨기에에서 출판한다. 다음 달 이 소설은 '외설물'이라는 이유로 국경에서 압수된다.

10월, 『마르트, 어느 창녀의 이야기』를 에드몽 드 공쿠르는 냉대하지만 졸라는 환대한다. 졸라는 위스망스를 초대해 자신의 추종자들인 폴 알렉시, 레옹 에니크, 앙리 세아르, 기 드 모파상과 만나게 한다.

1877년 — 4월, 브뤼셀의 잡지 『악튀알리테(L'Actualité)』에 평론 「졸라와 목로주점」을 발표한다. 4월 16일 트라프 식당에서 졸라, 플로베르, 에드몽 드 공쿠르와 저녁 식사를 함께해 졸라의 추종자들 사이에서 상당한 명성을 획득한다.

프랑스와 벨기에에서 발행되는 여러 잡지들에 참여한다. 그중 하나가 테오도르 아농의 『라르티스트(L'Artiste)』인데, 이 잡지에 『배낭을 메고』가 연재된다. 졸라의 후원하에 '매우 정교한 사실주의적 연구'인 『바타르 자매(Les Soeurs Vatard)』를 집필한다.

1878년 — 소설 『허기』 집필을 재시도하지만 실패한다. 사업에 대한 근심, 신경통. 한 해 동안 창녀촌에 자주 출입한다.

1879년 — 2월, 졸라에게 바치는 헌사와 함께 『바타르 자매』를 샤르팡티에 출판사에서 출간한다. 일부 언론은 분노하며 "노동자 계급을 왜곡하고 있다."고 비난한다. 플로베르와 공쿠르형제는 조심스럽게 반응하며, 위스망스에게 "고상한 인물들과 다채로운 상황들"을 묘사할 것을 촉구한다. 졸라는 『르 볼테르(Le Voltaire)』지에서 이 소설을 칭찬한다.

5월, 『르 볼테르』지에 살롱전에 관한 일련의 '불경스런' 기사들을 기고하여 인상파 화가들의 탁월함을 주장한다.

10월, 『마르트, 어느 창녀의 이야기』 국내판 초판본을 레옹 데르보 출판사에서 출간한다. 벨기에에서의 초판본 출간 시기가 공쿠르의 『창녀 엘리자(La Fille Elisa)』와 일치했던 것처럼 국내판 초판본 출간 시기는 졸라의 『나나(Nana)』 출간과 겹친다. 그다지 성공을 거두지 못한다.

1880년 — 4월, 졸라가 제자들과 함께한 작품집 『메당의 야회 (Soirées de Médan)』가 샤르팡티에 출판사에서 출간된다. 여기에 위스망스는 『배낭을 메고』를, 모파상은 『비곗덩어리(Boule de suif)』를 싣는다.

5월, 졸라와 그의 제자들 공쿠르, 도데와 함께 플로베르의 장례 행렬을 따라 루앙에 간다. 포랭과 라파엘리의 삽화가 들어간 『파리 크로키(Croquis parisiens)』를 앙리 바통 출판사에서 출간한다.

6월, 아르튀르 메이어의 『르 골루아(Le Gaulois)』지에 참여한다. 이 신문의 친예수회적 경향에 감정이 상한 상관들의 압력에 사직한다.

10월, 데르보와 동인지 『인간 희극(La Comédie humaine)』을 내기로 계약한다. 쓰라린 실패와 소송. 프랑스어로 번역된

쇼펜하우어의 『아포리즘』을 읽는다.

1881년 ― 2월, 안나 뫼니에게 바치는 헌사가 붙은 '허무주의 찬가'
『결혼 생활(En ménage)』을 출간한다. 평단의 냉담한 반응.

봄. 신경통. 자신의 '제자'를 기록 관리인으로 탈바꿈시키는
졸라에 대한 분노가 점점 커져간다.

9월, 『거꾸로(A Rebours)』의 주인공 데 제생트가 출생한
곳으로 묘사하게 될 루룹스 성에서 체류한다. 에니크와 공동으로
음울한 무언극 『회의주의자 어릿광대(Pierrot sceptique)』를 쓰고,
12월 '물 흐르는 대로(A vau-l'eau)'로 제목이 바뀌게 될 『폴랑탱
씨(Monsieur Folantin)』 집필을 마친다.

1882년 ― 1월, 브뤼셀에서 『물 흐르는 대로』 출간.

1883년 ― 5월, 샤르팡티에 출판사에서 『현대미술(L'Art moderne)』
출간. 단편소설 「그로 카유(Le Gros Caillou)」를 쓰지만 발표하지
못한다.

1884년 ― 5월, 『거꾸로』 출간. 졸라는 시큰둥한 반응을 보이지만,
말라르메, 베를렌, 오스카 와일드, 블루아, 바르베 도르빌리를 포함한
대다수 작가와 예술가들은 격찬한다.

7월, 메당에서 졸라와 격렬히 대담한다. 루룹스 성에 다시
체류하면서 베를렌과 알게 되고, 훗날 블루아와 빌리에게
그랬듯이 베를렌을 종종 도와주게 된다.

9–10월, 『라 르뷔 앵데팡당트(La Revue indépendante)』지에
소설 『딜레마(Un dilemme)』 발표.

1885년 — 8월, 안나 뫼니에, 레옹 블루아와 함께 루릅스 성에 체류.

1886년 — 11월, 펠릭스 페네옹의 후계자 에두아르 뒤자르댕은
『라 르뷔 앵데팡당트』지에 위스망스의 『피항지에서(En Rade)』를
연재한다.

1887년 — 신비주의에 관심을 보이기 시작한다.

1888년 — 7월, 부유한 네덜란드 독자 아리즈 프린스의 초청으로
독일 여행. 카셀에서 그뤼네발트의 그림 「예수의 수난」을 발견한다.
　　　젊은 영국 여인 미스 휘버스에게 정신적 사랑을 느낀다.

1889년 — 1월, 『질 블라스』지에 파리 교회 방문기
「조율자(L'Accordant)」 발표.
　　　4월, 바르베 도르빌리 사망.
　　　8월, 빌리에 드 릴라당 사망. 위스망스는 말라르메와 함께
그의 유언집행자가 된다.
　　　만국박람회장에서 미셸 드 레지니에를 만나고, 훗날
그에게서 연금술에 관한 자료들을 제공받게 된다. 레미 드 구르몽의
애인이며 모험가이자 신비술가인 베르트 쿠리에르를 알게 됨.
전해 위스망스는 사르 펠라당과 레옹 블루아의 애인이며 역시
신비술가인 앙리에트 마야르와 친분을 맺은 바 있다. 강신술 모임에
참가한다.
　　　9월, 프랑시스 푸악트뱅과 함께 방데 지방의 티포주에 있는
질 드 레의 성 방문.
　　　11월, 스톡 출판사에서 미술과 건축 평론집 『어떤
이들(Certains)』 출간.

1890년 — 1–2월, 스타니슬라스 드 가이타, 로카 신부, 오스발트 비르트 등 여러 중재자들을 통해 위스망스는 환속 사제이자 이단 종파의 수장인 불랑 사제와 친분을 맺으려 노력한다. 그는 불랑 사제에게 2월 5일 편지를 보내 풍부한 자료를 구한다. 베르트 쿠리에르를 통해 벨기에 참사원 반 해케 사제의 '악마 숭배' 활동에 관한 정보를 얻는다.

7월, 『비에브르 강(La Bièvre)』 발표.

9월, 불랑 사제의 광신도이자 제자인 쥘리 티보를 방문. 리옹을 여행하며 거기서 불랑 사제와 만나고, '기묘한 일들'을 관찰한다. 반 해케의 집 문 앞에서 벌거벗은 채 발견된 베르트 쿠리에르가 수용소에 수용된다.

1891년 — 2월 15일, 『에코 드 파리(L'Echo de Paris)』지는 『저 아래 (Là-bas)』를 연재 형식으로 발표할 것을 기획한다. 보기 드문 대성공.

3월, 앙리에트 마야르의 협박 시도. 그 편지를 위스망스는 자신의 소설 속에 그대로 싣는다. 블루아와 완전히 절교한다.

4월, 『저 아래』 단행본 출간. 위레 기자의 현대문학에 관한 앙케트에 답한 내용이 『에코 드 파리』지에 실린다.

5월, 베르트 쿠리에르의 소개에 의해 위스망스는 자신의 고해신부가 되는 아르튀르 뮈니에 신부와 교분을 맺는다. 그렇지만 그는 계속해서 불랑 사제에게 조언을 받는다.

6월, 『라 플륌(La Plume)』지를 통해 블루아가 『저 아래』와 그 저자를 맹렬히 공격한다.

7월, 라 살레트와 그랑드 샤르트뢰즈 수도원을 순례하고 이어서 리옹의 불랑 사제의 집에 체류한다. 불랑 사제는 위스망스를 목표로 한 것으로 여겨지는 심령 공격으로부터 그를 보호한다.

9월, 폴 발레리의 첫 방문을 받는다. 또한 이해에 아르튀르

시몽, 아브록 엘리스, 앙드레 지드가 그를 방문한다.

1892년 — 6월, '신의 문을 두드리기'로 결심하고 뮈니에 신부에게 자신이 은거할 종교 시설을 알려달라고 부탁한다.

　　7월, 이니의 노트르담 트라피스트 수도원에 체류. 몽정마녀(夢精魔女)를 경험하고 첫 성체배령을 한다. 리옹에서 불랑 사제를 다시 만나는데, 돌아가는 길에 생쉴피스 교회의 부사제인 페레 신부에게 자신의 고해신부가 되어달라고 요청한다.

　　위스망스가 『상징적인 라틴어(Le Latin mystique)』에 서문을 써주었던 레미 드 구르몽과의 불화.

1893년 — 1월, 불랑 사제 사망. '극악한 저주'로 불랑 사제를 죽음으로 몰았다고 의심받는 스타니슬라스 드 가이타와의 이유 없는 싸움.

　　4월, 오래전부터 병을 앓아온 안나 뫼니에를 생트 안느 병원에 입원시킨다.

　　8월, 이니의 트라피스트 수도원에서 두 번째 체류.

1894년 — 봄. 생 방드리유 수도원을 되살릴 책임을 맡고 있는, 리귀제의 생마르탱 베네딕트 수도원 원장 동 베스에게 소개된다.

　　7월, 생 방드리유 여행.

　　가을. 이니의 트라피스트 수도원에 은거. 생 방드리유의 책임자가 동 베스에서 동 포티에로 바뀌어 매우 유감스럽게 생각한다.

1895년 — 2월, 생트 안느 병원에서 안느 뫼니에 사망. 스톡 출판사에서 『출행(En Route)』 출간. 많은 가톨릭 신자들은 이 작품에 의혹의 눈길을 보낸다.

　　3월, 쥘리 티보를 가정부로 고용한다.

7월, 부르고뉴 지방 여행. 파레르모니알과 브루를 방문한 뒤 피앙세 수도원에 체류.

샤르트르로 자주 여행함. 『전례 교리문답(Catéchisme liturgique)』지의 서문을 쓴다.

1896년 — 레옹 르클레르 부부와 친분을 맺는다. 부부는 위스망스의 절친한 친구가 된다. 베를렌과 공쿠르 사망. 9월에 솔렘 수도원에 체류.

1897년 — 7월, 다시 솔렘에 체류. 여기서 동 들라트와 생트 세실 수녀원 원장인 세실 브뤼에르와 우정을 맺는다.

9월, 고해 사제인 페레 신부 사망. 벨기에와 네덜란드 여행. 벨기에에서는 반 헤케의 '악마'의 집을 구경하고, 네덜란드에서는 천복을 받은 성녀 리드빈의 자취를 따라 스히담에 체류.

10월, 『에코 드 파리』지에 『대성당(La Cathédrale)』 일부분이 발표된다. 위스망스는 수도원 시설을 꼼꼼하게 탐색한다.

1898년 — 2월, 페레 신부에게 헌정한 『대성당』 출간. 위스망스는 가톨릭 교단 대부분의 공격 대상이 된다. 동시에 스페인의 갈로에스 백작 부인에게서 애정 공세를 받는데, 부인은 그를 수도원 생활에서 탈피시키려 한다. 명예 국장 직급을 받고 공직에서 은퇴.

7월, 처음에 솔렘, 그다음 생 모르 드 글랑푀유, 그다음 리귀제에 은거. 리귀제의 수도원 근처에 집을 짓는다.

이해 『가톨릭 선집(Pages catholiques)』이 출간되고, 「생세브랭(Saint-Séverin)」이 추가된 『비에브르 강』의 새 판본이 출간된다.

1899년 — 6월, 쥘리 티보를 해고한 뒤 리귀제의 집에 정착한다.

1900년 — 3월, 리귀제의 생마르탱 수도원에서 제3회인 수습 생활을 시작한다.

4월, 아카데미 공쿠르의 첫 모임을 파리에서 주재하고 초대 회장이 된다.

1901년 — 1월, 『비에브르 강』, 『악마들(Les Gobelins)』, 『생세브랭』의 호화 장정본 출간.

3월, 리귀제에서 제3회인 서원을 하고 수사 장이라는 이름을 받는다.

6월, 『스히담의 리드빈 성녀(Sainte Lydwine de Schiedam)』 출간.

9월, 콩브 법에 충격을 받고 리귀제의 수도사들이 수도원을 떠난다. 그는 다시 파리의 베네딕트파 수도원 분회당에 정착한다.

11월, 스톡 출판사에서 『모든 것(De Tout)』 출간. 건강 악화.

1902년 — 7월, 마르세유 여행. 이 여행에서 '마귀 들린' 로다글리아 박사를 만나는데, 박사는 위스망스를 자신의 영세 대녀와 결혼시키려 한다.

8월, 『돈 보스코의 생애 초고(Esquisse biographique de Don Bosco)』 출간.

9월, 브루게 여행. 에밀 졸라 사망.

10월, 바빌론 가 60번지에 정착.

1903년 — 3월, 『제3회인(L'Oblat)』 출간. 루르드를 여행하고 그 지저분함에 혼란스러워진다.

9월, 알자스 지방 여행(여기서 이젠하임의 장식화를 구경하러 콜마르에 간다.), 독일과 벨기에 여행. 앙리에트 뒤 프레넬이 위스망스를 열심히 쫓아다닌다.

1904년 — 봄. 서문이 추가된 『거꾸로』의 새 판본 출간.
　　마지막 거처가 되는 생 프라시드 가에 정착한다.
　　9월, 루르드로 재차 여행.

1906년 — 10월, 『루르드의 군중(Foules de Lourdes)』출간.
　　11월, 목 종양 수술을 받은 그에게 암 초기 징후들이 나타난다.

1907년 — 1월, 아리스티드 브리앙에 의해 레지옹 도뇌르 훈장
수훈자에 오른다.
　　4월, 병자성사를 받고 자신의 부고를 작성한다.
　　5월 12일, 사망.
　　5월 15일, 노트르담데샹 교회에서 장례식이 거행되고,
몽파르나스 묘지에 매장된다.

1908년 — 위스망스의 유언집행자 뤼시앵 데카브가 『교회 세 곳과
원초주의 그림 세 점(Trois Eglises et trois Primitifs)』사후 출간.

1927년 — 뤼시앵 데카브에 의해 위스망스의 논문 및 서문 모음집
『바깥에(En marge)』가 출간된다.

워크룸 문학 총서 '제안들'

일군의 작가들이 주머니 속에서 빚은 상상의 책들은 하양
책일 수도, 검정 책일 수도 있습니다. 이 덫들이 우리 시대의
취향인지는 확신하기 어렵습니다.

'제안들'은 계속됩니다.

제안들 15

조리스카를 위스망스
저 아래

장진영 옮김

초판 1쇄 발행. 2018년 3월 31일

발행. 워크룸 프레스
편집. 김뉘연
제작. 금강인쇄

ISBN 978-89-94207-96-4 04800
978-89-94207-33-9 (세트)
15,000원

워크룸 프레스
출판 등록. 2007년 2월 9일
(제300-2007-31호)
03043 서울시 종로구
자하문로16길 4, 2층
전화. 02-6013-3246
팩스. 02-725-3248
메일. workroom@wkrm.kr
www.workroompress.kr
www.workroom.kr

이 도서의 국립중앙도서관
출판시도서목록(CIP)은 서지정보유통
지원시스템 홈페이지(seoji.nl.go.kr)와
국가자료공동목록시스템(www.nl.go.kr/
kolisnet)에서 이용하실 수 있습니다.
CIP제어번호: CIP2018008521

옮긴이. 장진영 — 서울대학교 불어불문학과 및 동 대학원을 졸업했다.
서울대학교와 가천대학교에 출강하고 있으며, 옮긴 책으로 루이세바스티앵
메르시에의 『파리의 풍경』(공역, 서울대학교출판문화원, 2014) 등이 있다.